Directeur de collection
Philippe GLOAGUEN
Cofondateurs
Philippe GLOAGUEN et Michel DUVAL
Rédacteur en chef
Pierre JOSSE
assisté de
**Benoît LUCCHINI, Yves COUPRIE,
Florence BOUFFET, Solange VIVIER,
Olivier PAGE, Véronique de CHARDON
et Laurence GIBOULOT**

D1086942

LE
DU
ROUTARD

1994/95

PÉROU, ÉQUATEUR,
BOLIVIE

Hachette

Hors-d'œuvre

Le G.D.R., ce n'est pas comme le bon vin, il vieillit mal. On ne veut pas pousser à la consommation, mais évitez de partir avec une édition ancienne. D'une année sur l'autre, les modifications atteignent et dépassent souvent les 40 %.

Chaque année, en juin ou juillet, de nombreux lecteurs se plaignent de voir certains de nos titres épuisés. A cette époque, en effet, nous n'effectuons aucune réimpression. Ces ouvrages risqueraient d'être encore en vente au moment de la publication de la nouvelle édition. Donc, si vous voulez nos guides, achetez-les dès leur parution. Voilà.

Nos ouvrages sont les guides touristiques de langue française les plus souvent révisés. Malgré notre souci de présenter des livres très réactualisés, nous ne pouvons être tenus pour responsables des adresses qui disparaissent accidentellement ou qui changent tout à coup de nature (nouveaux propriétaires, rénovations immobilières brutales, faillites, incendies...). Lorsque ce type d'incidents intervient en cours d'année, nous sollicitons bien sûr votre indulgence. En outre un certain nombre de nos adresses se révèlent plus « fragiles » parce que justement plus sympa ! Elles réservent plus de surprises qu'un patron traditionnel dans une affaire sans saveur qui ronronne sans histoire.

Spécial copinage

– *Restaurant Perraudin :* 157, rue Saint-Jacques, 75005 Paris. ☎ 46-33-15-75. Fermé le dimanche. A deux pas du Panthéon et du jardin du Luxembourg, il existe un petit restaurant de cuisine traditionnelle. Lieu de rencontre des éditeurs et des étudiants de la Sorbonne, où les recettes d'autrefois sont remises à l'honneur : gigot au gratin dauphinois, pintade aux lardons, pruneaux à l'armagnac. Sans prétention ni coup de bâton. D'ailleurs, c'est notre cantine, à midi.

Un grand merci à Hertz, notre partenaire, qui facilite le travail de nos enquêteurs, en France et à l'étranger.

IMPORTANT : les routards ont enfin leur banque de données sur Minitel : 36-15 (code ROUTARD). Vols superdiscount, réductions, nouveautés, fêtes dans le monde entier, dates de parution des G.D.R., rancards insolites et... petites annonces. Et une nouveauté, le QUIZ DU ROUTARD ! 30 questions rigolotes pour – éventuellement – tester vos connaissances et, surtout, gagner des billets d'avion. Alors, faites mousser vos petites cellules grises !

Hôtels, pensions, restos... mode d'emploi

En raison de l'inflation galopante dans une majorité de pays, il n'est plus possible d'indiquer les prix des hôtels et des restos. Souvent, en moins d'un an, la différence entre les prix relevés et ceux en vigueur au moment de la première diffusion du guide peut être très importante. Aussi avons-nous adopté le système des fourchettes de prix en instituant des catégories : bon marché, prix moyens et plus chic. Ces catégories varient selon les pays. Si les hôtels pas chers d'un pays se situent autour de 15 F, ceux qui s'affichent à 50 F appartiendront bien sûr à la rubrique « Prix moyens », et ceux qui coûtent 100 F et au-delà à celle « Plus chic ». Il est évident que pour un pays débutant à 100 F pour ses hôtels les moins chers, les autres rubriques seront décalées d'autant.

Avantage : l'inflation étant la même pour tout le monde, s'il y a élévation globale du coût de la vie, les prix augmentent simultanément. La seule chose imprévisible, c'est qu'un hôtel ou un restaurant change de standing (en bien ou en mal) et passe donc dans une autre catégorie. Dans ce cas de figure, assez rare il faut le dire, nous sollicitons bien sûr l'indulgence légendaire de nos lecteurs.

TABLE DES MATIÈRES

LES GUIDES DU ROUTARD
1994-1995

(dates de parution sur le 36-15, code ROUTARD)

France

- Alpes
- Aventures en France
- Bretagne
- Corse (nouveauté 94)
- Hôtels et restos de France
- Languedoc-Roussillon
- Midi-Pyrénées
- Normandie (nouveauté 94)
- Paris
- Provence-Côte d'Azur
- Restos et bistrots de Paris
- Sud-Ouest
- Val de Loire
- Week-ends autour de Paris
- Auberges et tables d'hôte
  à la campagne (mars 1994)

Europe

- Allemagne
- Autriche
- Amsterdam
- Norvège, Suède, Danemark
  (nouveauté 94)
- Espagne
- Finlande, Islande
  (nouveauté 94)
- Grande-Bretagne
- Grèce
- Irlande
- Italie du Nord
- Italie du Sud
- Londres
- Pays de l'Est
- Portugal

Afrique

- Afrique noire
  Sénégal
  Mali, Mauritanie
  Gambie
  Burkina Faso (Haute-Volta)
  Niger
  Togo
  Bénin
  Côte-d'Ivoire
  Cameroun
- Maroc
- Tunisie

Amériques

- Antilles
- Brésil
- Canada
- Chili, Argentine
- États-Unis
  (côte Ouest et Rocheuses)
- États-Unis
  (côte Est et Sud)
- Mexique, Guatemala
- New York
- Pérou, Bolivie, Équateur

Asie

- Égypte, Jordanie, Yémen
- Inde, Népal, Ceylan
- Indonésie
- Israël (nouveauté 94)
- Malaisie, Singapour
- Thaïlande, Hong Kong et Macao
- Turquie

et bien sûr...

- Le Manuel du Routard
- La Bibliothèque
  du Routard
- Le Guide des jobs et stages
  à l'étranger (mars 1994)

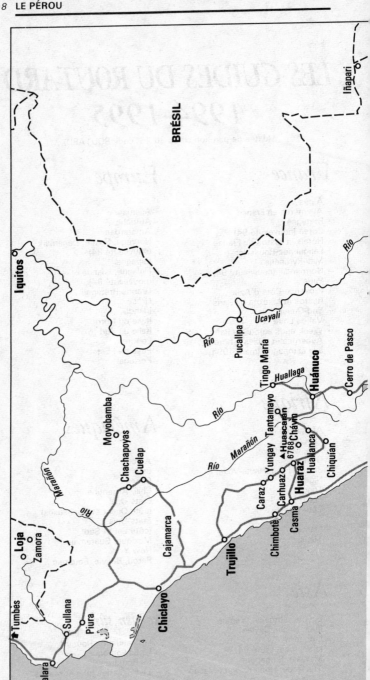

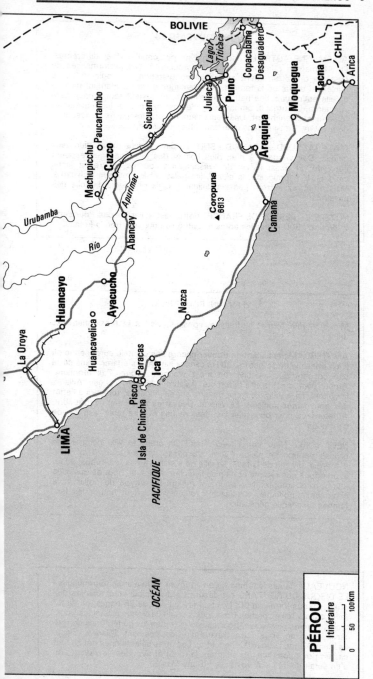

NOS NOUVEAUTÉS

ALLEMAGNE-AUTRICHE : deux pays aux personnalités bien différentes. En Allemagne, efficacité, travail, et prospérité. Les performances du système ont bizarrement amené sa contestation : écologie, refus du nucléaire, droits de la femme... L'Allemagne n'est décidément plus ce qu'elle était, mais une nation qui s'interroge devient tout à coup passionnante. L'Autriche, ambivalente, ne l'est pas moins. Ici, musique et romantisme cohabitent. Des hauts lieux historiques pleins de fastes et de mystère. Le tout dans une nature toujours somptueuse.

ITALIE DU NORD et ITALIE DU SUD : un pays si riche mérite bien deux guides. Des vestiges à n'en plus finir et des paysages qui respirent l'éternité. Et aussi le vin de Frascati, les courses en Vespa (sans casque), le cappuccino, la siesta, les gelati, et les musées « chiuso ». Mais n'oubliez surtout pas les Italien(ne)s. Ils ont choisi la folie des passions.

HÔTELS ET RESTOS DE FRANCE : notre best-seller absolu. Pour cette 2ᵉ édition : 500 nouvelles adresses, un guide qui sent bon la France.

LES MINI-ROUTARDS

Mini-prix, mini-format : adresses, conseils, visites et renseignements utiles.

AMSTERDAM : fascinant de trouver encore une capitale européenne où il est possible de se perdre, où les canaux aiment à s'égarer. Dans cette cité concentrique, aucune rue n'est vraiment droite. Pas étonnant. Amsterdam, c'est la ville différente. Ailleurs le bitume, ici l'eau. Ailleurs la voiture, ici le vélo. Une cité ouverte sur sa jeunesse, toujours à l'affût des nouveautés sociales. La ville où Descartes se sentait l'esprit libre. Amsterdam, pour bousculer les idées reçues et faire table rase de nos certitudes.

NEW YORK : New York ! New York ! On prend la ville comme une grosse pomme en pleine figure. Ça passe ou ça casse. Trop plein d'énergie, proche de la folie. La ville ne s'arrêtera pas pour vous, il faut la prendre à son rythme et ne plus la lâcher. Alors, au bout de quelques jours, vous comprendrez pourquoi malgré les yoyos du dollar et la conjoncture politique, elle fascine toujours autant et nourrit les fantasmes de chaque génération.

NOUVEAU : depuis le temps qu'on en rêvait... On a enfin notre disque ! LE DISQUE DU ROUTARD est désormais disponible chez tous les disquaires, sous forme de CD 17 titres (avec livret de 28 pages) ou de K7 (avec trois titres en prime). Nous avons voulu ce disque éclectique (rock, blues, reggae, new wave) pour satisfaire toutes les générations de routards, tout en vous faisant partager nos passions (Marley, Clash, La Mano Negra, Leonard Cohen, etc.). Les titres sélectionnés ont en tout cas un point commun : ils chantent la route et évoquent le voyage, on s'en serait douté !... A vos bacs ! (Sony Music.)

Et pour cette chouette collection, plein d'amis nous ont aidés :

Laurence Agostini et Odile Antoine
Albert Aidan
Véronique Allaire
Sylvain Allègre
Catherine Allier
Didier Angelo et Jean-Sébastien Petitdemange
Bertrand Aucher
René Baudoin
Jean-Louis de Beauchamp
Lotfi Belhassine
Nicole Bénard
Cécile Bigeon
Philippe Bordet
Hervé Bouffet
Francine Boura
Pierre Brouwers
Jacques Brunel
Justo Eduardo Caballero
Danièle Canard
Daniel Célerier
Jean-Paul Chantraine
Bénédicte Charmetant
François Chauvin
Sandrine Couprie
Marjatta Crouzet
Marie-Clothilde Debieuvre
Jérôme Degubernatis
Jean-Pierre Delgado
Luigi Durso
Séverine Dussaix
Sophie Duval
François Eldin
Éric et Pierre-Jean Eustache
Alain Fish
Marc Frenkenberg
Jean-Luc Furette
Jean-Louis Galesne
Cécile Gall
Bruno Gallois
Carl Gardner
Alain Garrigue
Carole Gaudet
Cécile Gauneau
Michèle Georget
Marc Gigon et Vincent Bleger
Michel Girault
Hubert Gloaguen
Jean-Pierre Godeaut
Vincenzo Gruosso
Jean-Marc Guermont
Florence Guibert
Solenn d'Hautefeuille
Patrick Hayat
Philippe Heim
François Jouffa
Jacques Lanzmann
Alexandre Lazareff
Denis et Sophie Lebègue
Antoine Le Bos
Ingrid Lecander
Patrick Lefebvre
Raymond et Carine Lehideux
Martine Levens
Astrid Lorber
Kim et Lili Loureiro
Jenny Major
Fernand Maréchal
Francis Mathieu
Jean-Paul Nail
Jean-Pascal Naudet
Hélène Page
Martine Partrat
Pierre Pasquier
Odile Paugam et Didier Jehanno
Sylvain Périer et Fabien Dulphy
Bernard Personnaz
Jean-Pierre Picon
Jean-Alexis Pougatch
Michel Puyssegur
Patrick Rémy
Edmond Richard et Sophie Bayle
Catherine Ronchi
Frédérique Scheibling-Sève
Roberto Schiavo
Jean-Luc et Antigone Schilling
Patricia Scott-Dunwoodie
Patrick Ségal
Julie Shepard
Charles Silberman
Arnaud Stephanopoli et Cyril Zimmermann
Régis Tettamanzi
Christophe Trognon
Yvonne Vassart
Marc et Shirine Verwhilgen
François Weill

Nous tenons à remercier tout particulièrement **Patrick de Panthou** pour sa collaboration régulière.

Direction : Adélaïde Barbey
Secrétariat général : Michel Marmor et Martine Leroy
Édition : Isabelle Jendron et François Monmarché
Secrétariat d'édition : Yankel Mandel et Christian Duponchelle
Préparation-lecture : Nicole Chatelier
Cartographie : René Pineau et Alain Mirande
Fabrication : Gérard Piassale et Françoise Jolivot
Direction des ventes : Marianne Richard, Lucie Satiat et Jean-Loup Bretet
Direction commerciale : Jérôme Denoix et Anne-Sophie Buron
Informatique éditoriale : Catherine Julhe et Marie-Françoise Poullet
Relation presse : Catherine Broders, Danielle Magne, Caroline Lévy, Cécile Dick, Dominique Ardiller et Anne Chamaillard
Régie publicitaire : Bruno Chapouthier
Service publicitaire : Claude Danis et Marguerite Musso

COMMENT ALLER EN AMÉRIQUE DU SUD ?

LES LIGNES RÉGULIÈRES

– *AIR FRANCE* propose des tarifs « Visite » sur Lima, Rio de Janeiro, Recife et São Paulo. Tarifs « Vacances » sur Cayenne et tarifs « Excursions » (valables 3 mois) sur Quito et Caracas.
Bonne nouvelle : Air France offre la possibilité d'« open jaw » sur le Brésil avec le tarif « Excursions ». Ce mot barbare signifie que vous pouvez, par exemple, arriver par Rio et repartir par Recife.
• *AIR FRANCE* : 119, av. des Champs-Élysées, 75008 Paris. ☎ 44-08-24-24 ou 44-08-22-22. Et dans les agences de voyages.

– De nombreuses compagnies sud-américaines font escale à Paris : *Aerolinas Argentinas, Avianca, Varig, Viasa.*
– Bien entendu, des compagnies européennes desservent l'Amérique du Sud : *Alitalia, Swissair, British Airways, Lufthansa.*

LES ORGANISMES DE VOYAGES

– Encore une fois, un billet « charter » ne signifie pas toujours que vous allez voler sur une compagnie charter. Bien souvent, même sur des destinations extra-européennes, vous prendrez le vol régulier d'une grande compagnie. Vous aurez simplement payé moins cher que les ignares pour le même service, en vous adressant à des organismes spécialisés.
– Nous ne faisons plus de distinction entre les organisateurs de charters, les vols réguliers à prix réduits ou les associations pour étudiants. En effet, les agences qui suivent proposent un peu de tout, pour tous les voyageurs. Ce n'est pas un mal : ça va dans le sens de la démocratisation du voyage.
– Ne pas croire que les vols à tarif réduit sont tous au même prix pour une même destination à une même époque : loin de là. On a déjà vu, dans un même avion pour Lima partagé par deux organismes, des passagers qui avaient payé 40 % plus cher que les autres... Authentique ! Donc, contactez tous les organismes et jugez vous-mêmes.
– Les organisateurs cités sont désormais classés par ordre alphabétique, pour éviter les jalousies et les grincements de dents.

▲ ACCESS VOYAGES
– *Paris* : 6, rue Pierre-Lescot, 75001. ☎ 40-13-02-02 et 42-21-46-94. Fax : 45-08-83-35. M. : Châtelet-Les Halles.
– *Lyon* : Tour Crédit Lyonnais, 129, rue Servient, 69003. ☎ 78-63-67-77. Fax : 78-60-27-80.
– Vendu aussi dans les agences de voyages.
Le spécialiste des Amériques pour les billets d'avion à prix réduit sur vols réguliers avec réservation, desservant plus de 70 destinations aux États-Unis (25 villes desservies en direct), au Canada et en Amérique du Sud. Des liaisons de plus en plus diversifiées sur l'Amérique du Sud, l'Asie, l'Afrique, l'Océanie et l'Europe. Un système de coupons d'hébergement permet de se loger dans 1 800 hôtels aux États-Unis, au Canada et au Mexique. Une nouveauté : Access offre de nombreux départs de province, sur vols réguliers également. Le transit par Paris n'est plus nécessaire. Pour la plupart, ces vols sont sans supplément de tarif (départs de Lyon, Nice, Marseille, Toulouse, Bordeaux et même Genève). Très intéressant pour les provinciaux qui utilisent le service « paiement à la carte ». Également des tarifs très intéressants pour la location de voitures sur le continent américain. Mais aussi sur toutes les autres prestations sur place (pass aérien, hôtels, motor-home, vols intérieurs, etc.).
De plus, le service « paiement à la carte » permet à tous les détenteurs d'une carte bancaire des réseaux carte bleue, VISA ou Master Card de réserver et de payer leur billet par téléphone.

Enfin, développement d'un service groupe et d'un département de voyages sur mesure. Minitel : 36-15 code ACCESSVOYAGES.

▲ **AMERINDIA**
– *Paris :* 28, rue Monge, 75005. ☎ 40-46-80-80. Fax : 40-46-80-90. M. : Monge.
– *Paris :* 25, rue des Boulangers, 75005. ☎ 40-46-80-00. Fax : 40-51-88-50. M. : Jussieu.
Tour-opérateur spécialisé sur l'Amérique latine (comme son nom l'indique) et les Caraïbes hispaniques. Brochure annuelle ainsi qu'une brochure « vols secs ». Propose essentiellement du voyage à la carte sur le Mexique, le Guatemala, Cuba, la République dominicaine, le Brésil et les îles du Cap-Vert.

▲ **ANY WAY :** 46, rue des Lombards, 75001 Paris. ☎ 40-28-00-74. Fax : 42-36-11-41. M. : Châtelet. Ouvert du lundi au vendredi de 10 h à 19 h et le samedi de 11 h à 18 h. Une équipe sympathique dirigée par 3 jeunes Québécois. Rompus à la déréglementation et à l'explosion des monopoles sur l'Amérique du Nord, leurs ordinateurs dénichent les meilleurs tarifs. Des prix charters sur vols réguliers. Les tours-opérateurs leur proposent leurs invendus à des prix défiant toute concurrence.
Any Way permet de réserver à l'avance vols, séjours, hôtels et voitures. Assurance rapatriement incluse. Recherche et commande par téléphone, éventuellement avec paiement par carte de crédit sans frais supplémentaires.
Intéressant : « J-7 » est une formule qui propose des vols secs à des prix super discount, 7 jours avant le départ. Egalement une formule très économique, les vols en stand by. Tarifs par téléphone ou par Minitel (36-15, code ROUTARD).

▲ **COMPAGNIE DES VOYAGES :** 28, rue Pierre-Lescot, 75001 Paris. ☎ 45-08-44-88. Fax : 45-08-03-69. Infos sur répondeur 24 h sur 24 : ☎ 45-08-00-60. M. : Étienne-Marcel. Spécialiste du long-courrier, tout particulièrement Asie et Amériques. Les prix font pâlir les plus gros, et ils sont garantis à l'inscription si le voyage est payé en totalité. Pas de rallonge donc... Destinations-phare : Bangkok, Indonésie et Amériques. Très vaste choix de vols secs. Sur la brochure, chaque vol se voit attribuer des étoiles (de 1 à 4), en fonction du nombre d'escales, du prix et du confort. Pour les provinciaux, vente par correspondance. Brochure « tour du monde » sous forme d'itinéraires préétablis. Traitent également les demandes spécifiques (coût : 100 F, remboursés en cas d'inscription définitive).

▲ **COUNCIL TRAVEL (C.I.E.E.)**
– *Paris :* 31, rue Saint-Augustin, 75002. ☎ 42-66-20-87. Fax : 40-17-05-17. M. : 4-septembre.
– *Paris :* 16, rue de Vaugirard, 75006. ☎ 46-34-02-90. Fax : 40-51-89-12 M. : Odéon.
– *Paris :* 51, rue Dauphine, 75006. ☎ 43-25-09-86 ou 43-26-79-65. Fax : 43-29-97-29. M. : Odéon.
– *Paris :* 49, rue Pierre-Charron, 75008. ☎ 44-95-95-75. Fax : 42-56-65-27. M. : George-V.
– *Aix-en-Provence :* 12, rue Victor-Leydet, 13100. ☎ 42-38-58-82. Fax : 42-38-94-00.
– *Lyon :* 36, quai Gailleton, 69002. ☎ 78-37-09-56. Fax : 78-38-05-51.
– *Montpellier :* 20, rue de l'Université, 34000. ☎ 67-60-89-29. Fax : 67-60-41-26.
– *Nice :* 37 bis, rue d'Angleterre, 06000. ☎ 93-82-23-33. Fax : 93-82-25-59.
Créée en 1947, c'est la plus ancienne des associations de voyage. Vols quotidiens sur les États-Unis, continuations et forfaits aériens intérieurs les plus avantageux du marché. Location de voitures, de motos et camping-cars, et réservations d'hôtels toute catégorie en Amérique du Nord et ailleurs dans le monde. Vend les pass Greyhound et Amtrak. Sélection de voyages en minibus et de produits camping aux États-Unis. Circuits auto + hôtel, bus + hôtel. Ouvert à tous. Vend aussi la carte internationale d'étudiant. Tarifs aériens spéciaux vers le monde entier pour jeunes et étudiants. Département spécial pour études et « summer sessions » en université, stages et jobs d'été aux États-Unis et au Canada.
Réservations et informations possibles par Minitel : 36-15, code COUNCIL. Sinon, numéro vert pour la province : ☎ 05-14-81-48.

▲ **ÉQUINOXIALES :** 2, rue de l'Exposition, 75007 Paris (à la hauteur du 131, rue Saint-Dominique). ☎ 47-53-71-89. Fax : 47-53-03-14. M. : École-Militaire. Agence spécialisée sur l'Amérique du Sud et plus particulièrement sur le Brésil. Équinoxiales satisfait les attentes de chacun et répond à toutes les formules de voyages, que l'on soit « sac à dos », « aventure », « farniente », « culturel », ou tout simplement curieux de tous les aspects de ces pays, le voyage attendu existe.
On peut y préparer sérieusement son voyage. On y trouve guides, recueils de photos ou romans et même artisanat qui aidera à découvrir en partie l'âme de ces pays.

▲ **ESPACES DÉCOUVERTES VOYAGES**
– *Paris :* 38, rue Rambuteau, 75003. ☎ 42-74-21-11. Fax : 42-74-76-77. M. : Rambuteau ou Châtelet.
– *Paris :* 14, rue Vavin, 75006. ☎ 40-51-80-80. Fax : 44-07-22-05. M. : Vavin.
– *Paris :* 3, rue des Gobelins, 75013. ☎ 43-31-99-99. Fax : 45-35-14-70. M. : Gobelins.
Cette jeune agence est animée par une équipe de professionnels amoureux du voyage, qui prennent toujours le temps de vous conseiller utilement pour la réussite du vôtre.
Long ou moyen-courriers, vols réguliers ou charters, sur plus de 400 destinations, Espaces Découvertes offre un vaste choix de tarifs aériens parmi les plus compétitifs. Propose également un éventail de circuits et séjours sélectionnés pour leur bon rapport qualité-prix.
En province, vente par correspondance.

▲ **EXPLORATOR :** 16, place de la Madeleine, 75008 Paris. ☎ 42-66-66-24. Fax : 42-66-53-89. M. : Madeleine. Le spécialiste le plus ancien et le plus célèbre des voyages à caractère d'expédition : à pied, en voiture tout-terrain, bateau, radeau, etc. Plus qu'une agence, une solide équipe de spécialistes qui vous emmèneront par petits groupes, dans la plus pure tradition du voyage, découvrir l'authenticité des hommes et des sites demeurés à l'écart du tourisme.
Sahara (de l'Atlantique à la mer Rouge ; Mauritanie, Maroc, Algérie, Niger, Soudan, Égypte), continent africain (Zimbabwe, Mali, Rwanda, Zaïre, Tanzanie, Éthiopie, Kenya, Botswana, Namibie, Togo, Bénin, Tchad), Explorator vous entraîne aussi vers l'Amérique sauvage (descente du Colorado, Rocheuses canadiennes), au Moyen-Orient (Yémen, Oman) et en Asie (Inde, Népal, Chine, Pakistan, Indonésie, Philippines, Laos, Viêt-nam). N'oublions pas la Bolivie, le Guatemala, l'Argentine (la Terre de Feu, la cordillère des Andes), le Chili (le désert de l'Atacama, une expédition Sud-Chili) et deux extrêmes en prime : le pôle Nord et le cap Horn. Que vous faut-il de plus ? Pas de vols charters ni de vols secs.

▲ **FORUM-VOYAGES**
– *Paris :* 11, av. de l'Opéra, 75001. ☎ 42-61-20-20. Fax : 42-61-39-12. M. : Palais-Royal.
– *Paris :* 39, rue de la Harpe, 75005. ☎ 46-33-97-97/46-33-10-27. M. : Saint-Michel.
– *Paris :* 81, bd Saint-Michel, 75005. ☎ 43-25-80-58. M. : Luxembourg.
– *Paris :* 1, rue Cassette (angle avec le 71, rue de Rennes), 75006. ☎ 45-44-38-61. Fax : 45-44-57-32. M. : Saint-Sulpice.
– *Paris :* 140, rue du Faubourg-Saint-Honoré, 75008. ☎ 42-89-07-07. Fax : 42-89-26-04. M. : Saint-Philippe-du-Roule.
– *Paris :* 55, av. Franklin-Roosevelt, 75008. ☎ 42-56-84-84. Fax : 42-56-85-69. M. Franklin-Roosevelt.
– *Paris :* 69-69 *bis*, rue du Montparnasse, 75014. ☎ 42-79-87-87. Fax : 45-38-67-71. M. : Edgar-Quinet.
– *Paris :* 49, av. Raymond-Poincaré, 75116. ☎ 47-27-89-89. Fax : 47-27-24-00. M. : Victor-Hugo.
– *Paris :* 75, av. des Ternes, 75017. ☎ 45-74-39-38. Fax : 40-68-03-31. M. : Ternes.
– *Amiens :* 40, rue des Jacobins, 80000. ☎ 22-92-00-70. Fax : 22-91-05-72.
– *Bordeaux :* Corner Forum-Voyages (c/o Club Med Voyages) : 53, cours Clemenceau, 33000. ☎ 56-81-28-30. Fax : 56-48-15-99.

– *Caen* : 90-92, rue Saint-Jean, 14000. ☎ 31-85-10-08. Fax : 31-86-24-67.
– *Lille* : Corner Forum-Voyages (c/o Club Med Voyages) : 7-9, place du Théâtre, 59000. ☎ 20-55-35-45. Fax : 20-06-10-42.
– *Lyon* : 10, rue du Président-Carnot, 69002. ☎ 78-92-86-00. Fax : 78-38-29-58.
– *Melun* : 17, rue Saint-Étienne, 77000. ☎ 64-39-31-07. Fax : 64-39-86-12.
– *Metz* : 10, rue du Grand-Cerf, 57000. ☎ 87-36-30-31. Fax : 87-37-35-69.
– *Montpellier* : 41, bd du Jeu-de-Paume, 34000. ☎ 67-52-73-30. Fax : 67-60-77-34.
– *Nancy* : 99, rue Saint-Dizier, 54000. ☎ 83-36-50-12. Fax : 83-35-79-46.
– *Nantes* : 20, rue de la Contrescarpe, 44000. ☎ 40-35-25-25. Fax : 40-35-23-36.
– *Reims* : 14, cours Jean-Baptiste-Langlet, 51072. ☎ 26-47-54-22. Fax : 26-97-78-38.
– *Rouen* : 72, rue Jeanne-d'Arc, 76000. ☎ 35-98-32-59. Fax : 35-70-24-43.
– *Strasbourg* : 49, rue du 22-Novembre, 67000. ☎ 88-32-42-00. Fax : 88-75-99-39.
– *Toulouse* : 23, place Saint-Georges, 31000. ☎ 61-21-58-18. Fax : 61-13-76-49.
Les brochures de vols discount et toutes les brochures de circuits et séjours de Forum-Voyages sont également en vente dans les 57 agences Club Med Voyages (agences du Club Méditerranée).
Conformément à son slogan « la Terre moins chère », Forum-Voyages est le spécialiste du vol discount sur ligne régulière (pas de charters) ; il offre près de 500 destinations sur 50 compagnies.
Une fois sur place, c'est « le luxe moins cher » : une vaste gamme de séjours et de circuits qui vont du camping aux plus grands palaces et du rafting aux circuits en voiture privée avec chauffeur et guide. Forum-Voyages est le spécialiste du voyage individuel organisé.
Ses destinations privilégiées : les États-Unis (New York, tout l'Ouest, Chicago, l'art lyrique avec le festival de Santa Fe, les lieux branchés avec le District Art Deco de South Miami Beach), le Canada, le Mexique et aussi le Guatemala.
Autres destinations : l'Asie et le Pacifique : brochure très complète sur le sous-continent indien (Inde, Népal, Ceylan) et une nouvelle brochure de 108 pages, « Royal Orchid Holidays », réalisée avec la Thaï International sur la Thaïlande et toute l'Asie du Sud-Est jusqu'à la Nouvelle-Zélande (300 hôtels, 150 circuits). Enfin, une brochure Méditerranée et une brochure de séjours et circuits prestigieux appelée : « Les Passions ».
Plusieurs services clientèle : possibilité de payer en 4 fois sans intérêts, liste de mariage (avec un cadeau offert par Forum-Voyages), vente par téléphone (règlement par carte bleue, sans vous déplacer) et aussi un serveur vocal interactif : ☎ (1) 47-27-36-37 vous donnant 24 h sur 24 et 7 jours sur 7 toutes les informations sur les promotions et les brochures de Forum-Voyages. Une centrale de réservation téléphonique : ☎ (1) 49-26-03-03 du lundi au vendredi de 9 h à 19 h et le samedi de 10 h à 18 h. On peut également s'inscrire par Minitel : 36-15 code FV.
Enfin le *Club Forum-Voyages* offre des assistances dans le monde entier et des centaines de réductions. De plus, les membres reçoivent à domicile le journal bimestriel du club.

▲ **GO VOYAGES**
– *Paris* : 22, rue de l'Arcade, 75008. ☎ 42-66-18-18. M. : Madeleine.
– *Informations et réservations* : (16-1) 49-23-26-86. Minitel : 36-15 code GO.
– Dans 3 500 agences de voyages, notamment le réseau Sélectour et Fnac Voyages.
Partir au moindre coût : telle est la devise du tour-opérateur à l'enseigne de la grenouille. Le catalogue « Pocket Vols charters et Vols réguliers » offre plus de 300 destinations sur le monde entier à des prix discountés.
Le catalogue « Prestations conseillées » est indépendant de celui des vols et propose chaque produit séparément, permettant de construire le séjour que désire le voyageur. La sélection d'hôtels, pied-à-terre et villas est destinée à une clientèle individuelle avec des hébergements de type familial qui favorisent l'accueil personnalisé. Une formule très originale : les « Pass », des coupons à utiliser sur plus de 700 hôtels aux États-Unis. Quant aux Autotours, ils proposent les routes en toute liberté, permettant au voyageur de découvrir chaque pays à son rythme. Location de voitures, motorhomes et camping-cars sur 14 destina-

"Nos Terres"
Les Amériques

Des plages des Caraïbes à la Cordillère des Andes, des déserts mexicains du Nord à la solitude des glaces de Patagonie, de la forêt amazonienne à l'île de Pâques : des circuits inédits, des séjours de qualité à départs garantis.

Plusieurs formules à la carte ; des circuits classiques, des expéditions et raids, préparés par des professionnels, par des amoureux des Amériques : "leurs Terres".

Les classiques

- Des Andes à la Terre de Feu
- Brésil Félicidade
- Equateur : Mitad del Mundo
- Croisière aux Galapagos

- Mexique et Guatemala
- A travers les Andes :
  Pérou-Bolivie

Les insolites

- VTT dans l'altiplano chilien
- Pirogue dans la forêt vénézuelienne

Les vols

Nous avons des vols secs sur les 3 Amériques, l'ASIE, l'EUROPE, l'AFRIQUE à prix charters sur des compagnies régulières.

uniclam 2000

LIC. 17 5563

PARIS			
46, rue Monge - 75005		**GRENOBLE**	Tél : 76 46 00 08
	Tél : 43 25 21 18		
		MULHOUSE	Tél : 89 56 10 21
11, rue du 4 septembre - 75002			
	Tél : 40 15 07 07	**LYON**	Tél : 78 42 75 85
51, rue de Clignancourt - 75018			
	Tél : 42 59 02 88	**STRASBOURG**	Tél : 88 35 30 67
63, rue Monsieur Le Prince - 75006			
	Tél : 43 29 12 36	**BRUXELLES**	Tél : 2/217 55 90

tions (Antilles, États-Unis, Réunion, Maurice, Baléares, Canaries, Espagne, Crète, Grèce, Thaïlande, Sénégal, Maroc, Irlande et Canada).

▲ **JEUNES SANS FRONTIÈRE (J.S.F.) — WASTEELS**
- *Paris* : 5, rue de la Banque, 75002. ☎ 42-61-53-21. M. : Bourse.
- *Paris* : 8, bd de l'Hôpital, 75005. ☎ 43-36-90-36. M. : Gare-d'Austerlitz.
- *Paris* : 113, bd Saint-Michel, 75005. ☎ 43-26-25-25. M. : Luxembourg.
- *Paris* : 6, rue Monsieur-le-Prince, 75006. ☎ 43-25-58-35. M. : Odéon.
- *Paris* : 12, rue La Fayette, 75009. ☎ 42-47-02-77. M. : Le Peletier.
- *Paris* : 91, bd Voltaire, 75011. ☎ 47-00-27-00. M. : Voltaire.
- *Paris* : 58, rue de la Pompe, 75016. ☎ 45-04-71-54. M. : Pompe.
- *Paris* : 150, av. de Wagram, 75017. ☎ 42-27-29-91. M. : Wagram.
- *Paris* : 3, rue Poulet, 75018. ☎ 42-57-69-56. M. : Château-Rouge.
- *Paris* : 146, bd Menilmontant, 75020. ☎ 43-58-57-87. M. : Menilmontant.
- *Nanterre* : université Paris X, 200, av. de la République, 92000. ☎ 47-24-24-06.
- *Versailles* : 4 bis, rue de la Paroisse, 78000. ☎ 39-50-29-30.
- *Aix-en-Provence* : 5 bis, cours Sexlius, 13100. ☎ 42-26-26-28.
- *Angoulême* : 49, rue de Genève, 16000. ☎ 45-92-56-89.
- *Béziers* : 66, allée Paul-Riquet, 34500. ☎ 67-28-31-78.
- *Bordeaux* : 65, cours d'Alsace-Lorraine, 33000. ☎ 56-48-29-39.
- *Chambéry* : 17, faubourg Reclus, 73000. ☎ 79-33-04-63.
- *Clermont-Ferrand* : 69, bd Trudaine, 63000. ☎ 73-91-07-00.
- *Dijon* : 16, av. du Maréchal-Foch, 21000. ☎ 80-43-65-34.
- *Grenoble* : 50, av. Alsace-Lorraine, 38000. ☎ 76-47-34-54.
- *Lille* : 25, place des Reignaux, 59800. ☎ 20-06-24-24.
- *Lyon* : 5, place Ampère, 69002. ☎ 78-42-65-37.
- *Marseille* : 87, la Canebière, 13001. ☎ 91-85-90-12.
- *Metz* : 3, rue d'Austrasie, 57000. ☎ 87-66-65-33.
- *Montpellier* : 6, rue de la Saunerie, 34000. ☎ 67-58-74-26.
- *Mulhouse* : 14, av. Auguste-Wicky, 68100. ☎ 89-46-18-43.
- *Nancy* : 1 bis, place Thiers, 54000. ☎ 83-35-42-29.
- *Nantes* : 6, rue Guépin, 44000. ☎ 40-89-70-13.
- *Nice* : 32, rue de l'Hôtel-des-Postes, 06000. ☎ 93-92-08-10.
- *Reims* : 24, rue des Capucins, 51100. ☎ 26-40-22-08.
- *Roubaix* : 11, rue de l'Alouette, 59100. ☎ 20-70-33-62.
- *Rouen* : 111 bis, rue Jeanne-d'Arc, 76000. ☎ 35-71-92-56.
- *Saint-Étienne* : 28, rue Gambetta, 42000. ☎ 77-32-71-77.
- *Strasbourg* : 13, place de la Gare, 67000. ☎ 88-32-40-82.
- *Thionville* : 21, place du Marché, 57100. ☎ 82-53-35-00.
- *Toulon* : 3, rue Vincent-Courdouan, 83000. ☎ 94-92-93-93.
- *Toulouse* : 1, bd Bonrepos, 31000. ☎ 61-62-67-14.
- *Tours* : 11, rue des Cerisiers, 37000. ☎ 47-64-00-26.
Repris par le puissant réseau *Wasteels* (170 agences en Europe dont 70 en France). Vols secs sur le monde entier, vacances organisées, billets B.I.G.E. Assistance assurée dans certaines gares et aéroports.
Wasteels est aussi implanté à Orlando (Floride), ce qui permet la programmation des États-Unis à la carte.

▲ **JUMBO — JET TOURS**
- *Paris* : 2, rue du Pont-Neuf, 75001. ☎ 40-41-82-04. M. : Pont-Neuf.
- *Paris* : 38, av. de l'Opéra, 75002. ☎ 47-42-06-92. M. : Opéra.
- *Paris* : 31, quai des Grands-Augustins, 75006. ☎ 43-29-35-50. M. : Saint-Michel.
- *Paris* : 62, rue Monsieur-le-Prince, 75006. ☎ 46-34-19-79. M. : Odéon.
- *Paris* : 19, av. de Tourville, 75007. ☎ 47-05-01-95. M. : École-Militaire.
- *Paris* : 3, bd Malesherbes, 75008. ☎ 40-17-45-59. M. : Madeleine.
- *Paris* : 112, av. du Général-Leclerc, 75014. ☎ 45-42-03-87. M. : Alésia.
- *Paris* : 165, rue de la Convention, 75015. ☎ 42-50-81-81. M. : Boucicaut ou Convention.
- *Paris* : 56, rue Jouffroy, 75017. ☎ 44-15-91-91. M. : Wagram.
- *Paris* : 16, av. Carnot, 75017. ☎ 46-22-60-02. M. : Charles-de-Gaulle-Étoile.
- *Paris* : 97, av. de Villiers, 75017. ☎ 44-15-91-05. M. : Wagram.
- *Nogent* : 140, rue Charles-de-Gaulle, 94130. ☎ 48-73-25-18.
- *Saint-Denis* : 6, rue Jean-Jaurès, 93202 Cedex. ☎ 42-43-29-67.
- *Saint-Ouen* : 71, av. Gabriel-Péri, 93400. ☎ 40-11-18-74.

- *Versailles* : 26, rue de Montreuil, 78000. ☎ 39-49-98-98.
- *Aix-en-Provence* : 7, rue de la Masse, 13100. ☎ 42-26-04-11.
- *Angoulême* : 5 *bis*, rue de Périgueux, 16000. ☎ 45-92-07-94.
- *Annecy* : 3, av. de Chevênes, 74000. ☎ 50-45-44-80.
- *Avignon* : 7, rue Joseph-Vernet, 84000. ☎ 90-27-16-00.
- *Besançon* : 15, rue Proudhon, 25000. ☎ 81-82-85-44.
- *Brest* : 14, rue de Lyon, 29200. ☎ 98-46-58-00.
- *Caen* : 143, rue Saint-Jean, 14000. ☎ 31-50-38-45.
- *Cagnes-sur-Mer* : 64, bd du Maréchal-Juin, 06800. ☎ 93-20-76-44.
- *Chambéry* : 7, rue Favre, 73000. ☎ 79-33-17-64.
- *Clermont-Ferrand* : c/c Jaude, 8, bd d'Allagnat, 63000. ☎ 73-93-29-15.
- *Dinan* : 7, Grande-Rue, 22105 Cedex ☎ 96-39-12-30.
- *Évreux* : 2, rue de la Harpe, 27000. ☎ 32-31-05-55.
- *Lille* : 71, rue Faidherbe, 59800. ☎ 20-06-52-52.
- *Lille* : 40, rue de Paris, 59000. ☎ 20-57-58-62.
- *Limoges* : 3, rue Jean-Jaurès, 87000. ☎ 55-32-79-29.
- *Lyon* : 5, rue Grolée, 69002. ☎ 78-37-47-87.
- *Lyon* : 9, rue Childebert, 69002. ☎ 78-42-80-77.
- *Lyon* : 16, rue de la République, 69002. ☎ 78-37-15-89.
- *Marseille* : 276, av. du Prado, 13008. ☎ 91-22-19-19.
- *Mulhouse* : 12, rue du Sauvage, 68100. ☎ 89-56-00-89.
- *Nice* : 8, place Masséna, 06000. ☎ 93-80-88-66.
- *Nîmes* : 5, bd Victor-Hugo, 30000. ☎ 66-21-02-01.
- *Orléans* : 90, rue Bannier, 45000. ☎ 38-62-75-25.
- *Quimper* : 2, rue Amiral-Ronarc'h, 29000. ☎ 98-95-40-41.
- *Rennes* : 30, rue du Pré-Botté, 35000. ☎ 99-79-58-68.
- *La Roche-sur-Yon* : 48, rue de Verdun, 85000. ☎ 51-36-15-07.
- *Saint-Brieuc* : 4, rue Saint-Gilles, B.P. 4321, 22043. ☎ 96-61-88-22.
- *Saint-Étienne* : 26, rue de la Résistance, 42000. ☎ 77-32-39-81.
- *Saint-Jean-de-Luz* : 9, av. de Verdun, 64500. ☎ 59-51-03-10.
- *Strasbourg* : 15, rue des Francs-Bourgeois, 67000.
- *Strasbourg* : 5, rue des Frères, 67000. ☎ 88-22-31-30.
- *Toulon* : 552, av. de la République, 83000. ☎ 94-41-40-14.
- *Toulouse* : 19, rue De-Rémusat, 31000. ☎ 61-23-35-12.
- Et aussi dans les agences Air France et agences agréées.

Filiale tourisme d'Air France, spécialisée dans le voyage individuel sous toutes ses formes, à des prix très compétitifs. Grand choix d'hôtels toutes catégories, location de voitures, séjours-plage ou dans des hôtels de charme, location d'appartements, circuits en voiture avec étapes dans des hôtels... La liberté du voyage individuel sans les soucis d'organisation. Les points forts, la Grèce, les Antilles, le Maroc, l'océan Indien, l'Asie. Autre point fort : les relais Jumbo qui accueillent les voyageurs sur place et leur procurent des réservations complémentaires (hôtels, voitures, excursions).

Autre point fort, Jumbo, c'est la liberté de composer votre voyage selon vos besoins vols et transferts, et/ou nuits d'hôtel à la carte, et/ou location de voitures, et/ou itinéraires individuels. Jumbo propose des charters très compétitifs, sans aucune prestation sur place. Destinations de Jumbo-Charter : Palma, Canaries, Madère, Sicile, Athènes, Héraklion, Agadir, Marrakech, Tunis, New York, Bangkok... Autre produit, Jumbo-charter « Spécial dernière » : 21 jours avant le départ, des tarifs exceptionnels sont désormais disponibles sur diverses destinations charter.

Pour les États-Unis, brochure Jumbo-América. Sur Minitel : 36-15 code CHARTER. Brochures Jet Tours dans les agences de voyage.

▲ **MAISON DES AMÉRIQUES** : 4, rue Chapon, 75003 Paris. ☎ 42-77-50-50. Fax : 42-77-50-60. M. : Arts-et-Métiers. Ouvert de 10 h à 19 h sans interruption du lundi au vendredi, de 10 h à 18 h le samedi.

Maison des Amériques est, comme son nom l'indique, spécialiste du continent américain. Son équipe est constituée de gens de terrain, qu'ils soient français, sud ou nord-américains, et donc particulièrement aptes à vous conseiller pour établir votre itinéraire, qu'il s'agisse des grands parcs de l'ouest des États-Unis, du désert d'Atacama ou de passer le cap Horn à la voile. Grand choix de vols secs à petits prix vers les États-Unis, l'Amérique centrale, l'Amérique du Sud et les Caraïbes. Circuits en petits groupes et, surtout, toutes les possibilités de voyages à la carte, réservations de vols intérieurs, d'hôtels, de voitures de location.

▲ NOUVEAU MONDE

– *Paris* : 8, rue Mabillon, 75006. ☎ 43-29-40-40. M. : Mabillon.
– *Bordeaux* : 57, cours Pasteur, 33000. ☎ 56-92-98-98. Fermé le samedi.
– *Marseille* : 8, rue Bailli-de-Suffren, 13001. ☎ 91-54-51-30. Fermé le samedi.
– *Nantes* : 6, place Édouard-Normand, 44000. ☎ 40-89-63-64. Fermé le samedi.

Toujours passionnée par l'Amérique latine, en particulier par la Bolivie, l'équipe de Nouveau Monde s'intéresse également à l'Amérique du Nord, essentiellement au Canada, aux Caraïbes, et aussi au Pacifique et à l'Asie, avec une prédilection pour les destinations peu fréquentées comme la Mongolie ou le Pakistan. Proposant vols à tarifs réduits, hôtels et circuits sur toutes ces destinations, il était inévitable qu'elle devienne une référence pour les globe-trotters en mal de tours du monde.
Sa vocation de découvreur s'affirme encore lorsqu'il s'agit de dénicher sur la planète les « spots » les plus rares pour passionnés de planche à voile ou bien des virées d'enfer pour motards aux 4 coins du monde, des États-Unis à l'Australie.

▲ NOUVELLES FRONTIÈRES

– *Paris* : 87, bd de Grenelle, 75015. ☎ 41-41-58-58. M. : La Motte-Picquet.
– *Aix-en-Provence* : 52, cours Sextius, 13100. ☎ 42-26-47-22.
– *Ajaccio* : 12, place Foch, 20000. ☎ 95-21-55-55.
– *Bordeaux* : 31, allée de Tourny, 33000. ☎ 56-44-60-38.
– *Brest* : 8, rue Jean-Baptiste-Boussingault, 29200. ☎ 98-44-30-51.
– *Clermont-Ferrand* : 8, rue Saint-Genès, 63000. ☎ 73-90-29-29.
– *Dijon* : 7, place des Cordeliers, 21000. ☎ 80-31-89-30.
– *Grenoble* : 3, rue Billerey, 38000. ☎ 76-87-16-53.
– *Le Havre* : 137, rue de Paris, 76600. ☎ 35-43-36-66.
– *Lille* : 1, rue des Sept-Agaches, 59000. ☎ 20-74-00-12.
– *Limoges* : 6, rue Vigne-de-Fer, 87000. ☎ 55-32-28-48.
– *Lyon* : 34, rue Franklin, 69002. ☎ 78-37-16-47.
– *Lyon* : 38, av. de Saxe, 69006. ☎ 78-52-88-88.
– *Marseille* : 11, rue d'Haxo, 13001. ☎ 91-54-18-48.
– *Metz* : 33, En-Fournirue, 57000. ☎ 87-36-16-90.
– *Montpellier* : 4, rue Jeanne-d'Arc, 34000. ☎ 67-64-64-15.
– *Mulhouse* : 5, rue des Halles, 68100. ☎ 89-46-25-00.
– *Nancy* : 38 *bis*, rue du Grand-Rabbin-Haguenauer, 54000. ☎ 83-36-76-27.
– *Nantes* : 2, rue Auguste-Brizeux, 44000. ☎ 40-20-24-61.
– *Nice* : 24, av. Georges-Clemenceau, 06000. ☎ 93-88-32-84.
– *Reims* : 51, rue Cérès, 51100. ☎ 26-88-69-81.
– *Rennes* : 10, quai Émile-Zola, 35000. ☎ 99-79-61-13.
– *Rodez* : 26, rue Béteille, 12000. ☎ 65-68-01-99.
– *Rouen* : 15, rue du Grand-Pont, 76000. ☎ 35-71-14-44.
– *Saint-Étienne* : 9, rue de la Résistance, 42000. ☎ 77-33-88-35.
– *Strasbourg* : 4, rue du Faisan, 67000. ☎ 88-25-68-50.
– *Toulon* : 503, av. de la République, 83000. ☎ 94-46-37-02.
– *Toulouse* : 2, place Saint-Sernin, 31000. ☎ 61-21-03-53.

▲ TERRES D'AVENTURES

– *Paris* : 16, rue Saint-Victor, 75005. ☎ 43-29-94-50. Fax : 43-29-96-31. M. : Maubert-Mutualité.
– *Lyon* : 9, rue des Remparts-d'Ainay, 69002. ☎ 78-42-99-94.

Pionnier et leader du voyage à pied en France et à l'étranger, cette agence propose 200 randonnées de 7 à 60 jours pour tous niveaux, même débutant, et à tous les prix.
Les déserts (20 voyages au Sahara !), les montagnes (du Maroc à l'Himalaya en passant par les Alpes ou les Andes), le Grand Nord, l'Antarctique et même le pôle Nord, les forêts tropicales, la haute montagne, sont leurs spécialités.
Leurs récents coups de cœur : avoir ouvert les premiers trekkings en C.E.I. comme ils l'avaient fait au Tibet avec Jacques Lanzmann en 1986, et réussi l'ascension de l'Everest en 1992. Ils représentent en exclusivité la compagnie *Royal Nepal Airlines* pour la France.

▲ UNICLAM 2000

– *Paris* : 11, rue du 4-Septembre, 75002. ☎ 40-15-07-07. Fax : 42-60-44-56. M. : Opéra.

– *Paris :* 63, rue Monsieur-le-Prince, 75006. ☎ 43-29-12-36. Fax : 43-29-47-69. M. : Odéon.
– *Paris :* 51, rue de Clignancourt, 75018. ☎ 42-59-02-08. Fax : 42-52-82-52. M. : Château-Rouge.
– *Grenoble :* 16, rue du Docteur-Mazet, 38000. ☎ 76-46-00-08. Fax : 76-85-26-21.
– *Lille :* 157, route Nationale, 59800. ☎ 20-30-98-20. Fax : 20-78-20-60.
– *Lyon :* 19, quai Romain-Rolland, 69005. ☎ 78-42-75-85. Fax : 78-37-29-56.
– *Mulhouse :* 13, rue des Fleurs, 68100. ☎ 89-56-10-21. Fax : 89-66-29-51.
– *Strasbourg :* 6, rue Pucelles, 67000. ☎ 88-35-30-67. Fax : 88-52-91-30.
Uniclam s'est d'abord fait connaître pour ses charters sur l'Amérique latine et tout particulièrement le Pérou. Aujourd'hui, Uniclam propose des formules de « découverte en liberté » (Pérou, Mexique, Équateur, Brésil, États-Unis) par ses forfaits aériens de 15 ou 21 jours. Système très appréciable dans ces pays : la possibilité de réserver, avant de partir, des nuits d'hôtel. Également des circuits à départs garantis sur le Chili, l'Argentine, l'Équateur, les Galapagos, le Pérou, le Brésil, le Costa Rica. Depuis quelques années, Uniclam affrète des charters sur Banjul (Sénégal/Gambie) au départ de Paris ; également sur Katmandou et Delhi, au départ de Bruxelles avec le car Paris-Bruxelles-Paris gratuit comme dans les années 70… avec des prix des années 70 !
Nouveau, un département sports et loisirs. Uniclam met son expérience du tourisme au service du sport et des pratiquants désirant allier l'évasion au plaisir de rencontrer sous d'autres latitudes d'autres passionnés du même sport. Rugby et football : organisation de tournées avec matches aux quatre coins du monde, courses longues distances (marathons), rafting, VTT.
Un secteur original : les raids-aventures avec des expéditions en Afrique (Kenya, Tanzanie, Afrique du Sud, Zambie, Namibie, Niger, Burkina Faso) et en Amérique latine, la forêt vénézuélienne, la Guyane en pirogue, l'Altiplano, le Paraguay à cheval et le monde maya à VTT.
Uniclam, c'est également une production intéressante sur l'Asie.
Minitel : 36-15 code LATINE.

▲ VOYAGES ET DÉCOUVERTES
– *Paris :* 21, rue Cambon, 75001. ☎ 42-61-00-01. M. : Concorde.
– *Paris :* 58, rue Richer, 75009. ☎ 47-70-28-28. M. : Cadet.
Voyagiste proposant d'excellents tarifs sur lignes régulières à condition d'être étudiant ou jeune de moins de 26 ans. Difficile de trouver des vols moins chers sur Israël et les États-Unis. Grâce à ses accords avec *Kilroy*, tarifs assez exceptionnels sur plus de 200 destinations, mais réservés aux jeunes de moins de 26 ans titulaires de la carte Jeunes et aux étudiants de moins de 35 ans titulaires de la carte internationale d'étudiant.
Agent général pour la France de la compagnie israélienne *ARKIA* qui propose des vols charters au départ de Paris, tous les dimanches, sur Tel-Aviv. Évidemment à des prix défiant toute concurrence. Également une brochure Tour du monde. Pour tous, les tarifs les moins chers sur New York en vol régulier.

▲ VOYAGE POUR TOUS
– *Bordeaux :* 54, cours Pasteur, 33000. ☎ 56-91-45-29. Fax : 56-31-96-82.
– *Aix-en-Provence :* 26, place des Tanneurs, 13100. ☎ 42-26-58-38. Fax : 42-26-61-85.
– *Annecy :* 55*bis*, rue Carnot, 74000. ☎ 50-57-00-49. Fax : 50-57-14-81.
– *Avignon :* 21, rue des Trois-Faucons, 84000. ☎ 90-82-77-58. Fax : 90-82-76-45.
– *Drancy :* 90, av. Jean-Jaurès, B.P. 68, 93700. ☎ 48-95-41-46. Fax : 48-95-39-84.
– *Limoges :* 1, rue Basse-de-la-Comédie, 87000. ☎ 55-33-50-00. Fax : 55-33-73-95.
– *Marseille :* 26, rue des Trois-Mages, 13006. ☎ 91-42-34-04. Fax : 91-92-33-69. Ouvert de 12 h à minuit.
– *Perpignan :* 29, rue du Maréchal-Foch, 66000. ☎ 68-34-97-17. Fax : 68-34-97-26.
– *Pornichet :* 17, av. du Général-de-Gaulle, 44380. ☎ 40-61-75-49. Fax : 40-15-20-01.
– *Reims :* 25, rue de Cères, 51100. ☎ 26-50-01-01. Fax : 26-50-02-04.

le MANUEL du ROUTARD

ET S'IL ÉTAIT VRAIMENT INDISPENSABLE ?

Vous saurez tout sur :

Les formalités administratives, les bourses de voyage, les cartes, les compagnies d'assistance, tous les moyens astucieux de voyager, étudiés avec précision et expérience (charters et législation aérienne, le stop, la voiture, le camping-car, la moto, le train). Le minimum d'objets et de vêtements à emporter, les vaccins, les conseils médicaux rédigés par des médecins spécialistes. Ce qu'il faut savoir sur les travellers's cheques, les cartes de crédit, le marché noir, la photo, les douanes... Où se faire expédier le courrier pour le recevoir...

Et dans toutes les agences de voyages. Spécialiste des voyages en Thaïlande, Voyage pour Tous propose sous la marque 361° des circuits de 10 à 17 jours ainsi que des séjours dans les principales stations balnéaires du pays.
Autres spécialités (toujours sous la marque 361°) : la Guadeloupe et la Martinique, avec réservation de vols, forfaits bungalows ou hôtels et location de voiture ; les États-Unis et le Canada, avec réservation de logement sur place (hôtels, motels), locations de voiture...
Et bien sûr, le service « à la carte » toutes destinations est à disposition pour toutes demandes de produits sur mesure.

▲ **VOYAGEURS EN AMÉRIQUE DU SUD** (ex. Carrefour des Voyages) : 5, place André-Malraux, 75001 Paris. ☎ 42-86-17-70. Fax : 42-60-35-44. M. : Palais-Royal. Tout voyage sérieux nécessite l'intervention d'un spécialiste. D'où l'idée de ces agences spécialisées chacune sur une destination. Toutes les formes de voyages sont proposées de la plus économique à la plus luxueuse, de la plus classique à la plus originale. Expérience, accueil efficace, information précise et prix les plus bas (puisque tout est vendu directement, sans intermédiaire). Pour préparer son voyage, bibliothèque, vidéo, journaux, expos, cours de langue, artisanat...

EN BELGIQUE

▲ **ACOTRA WORLD :** rue de la Madeleine, 51, Bruxelles 1000. ☎ (02) 512-86-07. Fax : (02) 512-39-74. Ouvert en semaine de 10 h à 17 h 30. Acotra World, filiale de *Sabena,* offre aux jeunes, étudiants, enseignants et stagiaires des prix spéciaux dans le domaine du transport aérien. Prix de train (B.I.G.E. - Inter-Rail) et de bus intéressants. Le central logement-transit d'Acotra permet d'être hébergé aux meilleurs prix, en Belgique et à l'étranger.
Un bureau d'accueil et d'information, *Acotra Welcome Desk,* est à la disposition de tous à l'aéroport de Bruxelles-National (hall d'arrivée). Ouvert tous les jours, y compris le dimanche, de 7 h à 14 h.

▲ **C.I.T.**
– *Bruxelles :* bd de l'Impératrice, 70-72, 1000. ☎ (02) 509-4510.
– *Anvers :* 27 Grote Markt, 2000. ☎ (03) 234-3540.
– *Charleroi :* rue Turenne, 18, 6000. ☎ (071) 31-42-33.
– *Liège :* place Xavier-Neujean, 5, 4000. ☎ (041) 23-47-64.
– *Mons :* rue Bertaimont, 16, 7000. ☎ (065) 31-13-22.

▲ **C.J.B.** (Caravanes de Jeunesse Belge ASBL) : chaussée d'Ixelles, 216, Bruxelles 1050. ☎ (02) 640-97-85. Fax : (02) 646-35-95. Ouvert de 9 h 30 à 18 h tous les jours de la semaine. C.J.B. organise toutes sortes de voyages, individuels ou en groupes, de la randonnée au grand circuit. Vacances sportives ou séjours culturels. Recherchent pour vous, dans la jungle des tarifs de transport (avion, train, bus ou bateau), les prix les plus intéressants. Pour les détenteurs de la carte Jeunes, réduction sur la carte C.J.B. et 5 % sur les billets B.I.G.E. Vend la carte ISIC (International Student Identity Card).

▲ **CONNECTIONS**
– *Bruxelles :* rue des Pierres, 35, 1000. ☎ (02) 512-50-60. Fax : (02) 512-94-47.
– *Bruxelles :* av. Adolphe-Buyl, 78, 1050. ☎ (02) 647-06-05. Fax : (02) 647-05-64.
– *Anvers :* Korte Koepoortstraat, 13, 2000. ☎ (03) 225-31-61. Fax : (03) 226-24-66.
– *Gand :* Nederkouter, 120, 9000. ☎ (091) 23-90-20. Fax : (091) 33-29-13.
– *Louvain :* Tiensestraat, 89, 3000. ☎ (016) 29-01-50. Fax : (016) 29-06-50.
– *Liège* (nouvelles destinations) : rue Sœurs-de-Hasque, 1b, 1348. ☎ (041) 22-04-60.
– *Liège :* rue Sœurs-de-Hasque, 7, 4000. ☎ (041) 22-04-44 ou (041) 23-03-75. Fax : (041) 23-08-82.
– *Louvain-la-Neuve :* place des Brabançons, 6a, 1348. ☎ (010) 45-15-57. Fax : (010) 45-14-53.
Le spécialiste du voyage jeune, estudiantin, fait partie d'un groupement international implanté en Europe dans environ 70 villes stratégiques.

Grâce à une consolidation des pouvoirs d'achat, Connections offre une gamme importante de produits, à savoir le billet SATA (billet d'avion pour jeunes et étudiants, en exclusivité pour le marché belge), les tarifs aériens ouverts à tous (avec spécialisation sur l'Europe et les États-Unis), les formules « Rail », incluant l'Eurodomino, le B.I.G.E. et toute autre formule, des séjours « City » (Prague, Budapest, etc.), une gamme de services terrestres aux États-Unis (location de voitures et de mobilhomes, séjour en campings et à l'hôtel, des self-drive tours, des expéditions à départ garanti, etc.), des circuits, des cartes de réductions (International Student Identity Card, la carte Jeunes), l'assurance voyage I.S.I.S. Bref, le monde en toute liberté aux meilleures conditions.

▲ **JOKER** : bd Lemonnier, 37, Bruxelles 1000. ☎ (02) 502-19-37. « Le » spécialiste des voyages aventureux et des billets à tarif réduit travaille en principe avec le nord du pays mais il peut être intéressant d'y faire un tour. Voyages pas chers et intéressants. Vols secs aller simple ou aller-retour. Circuits et forfaits.

▲ **NOUVELLES FRONTIÈRES**
– *Bruxelles :* bd Lemonnier, 2, 1000. ☎ (02) 513-76-36. Fax : (02) 513-16-45.
– *Bruxelles :* chaussée d'Ixelles, 147, 1050. ☎ (02) 513-68-15.
– *Bruxelles :* chaussée de Waterloo, 690, 1180. ☎ (02) 646-22-70 ou (02) 648-35-94.
– *Liège :* bd de la Sauvenière, 32, 4000. ☎ (041) 23-67-67.
– *Anvers :* Nationale Straat, 14, 2000. ☎ (03) 232-98-75.
– *Bruges :* Noordzand Straat, 42, 8000. ☎ (050) 34-05-81.
– *Gand :* Nederkouter, 77, 9000. ☎ (091) 24-01-06.
Également au **Luxembourg,** à Luxembourg 25, bd Royal, 2449. ☎ 46-41-40.

▲ **NOUVEAU MONDE** : chaussée de Vleurgat, 226, Bruxelles 1050. ☎ (02) 649-55-33.

▲ **PAMPA EXPLOR** : chaussée de Waterloo, 735, Bruxelles 1180. ☎ (02) 343-75-90 ou répondeur 24 h sur 24 : ☎ (010) 22-59-67. Fax : (02) 346-27-66.
L'insolite et les découvertes « en profondeur » au bout des Pataugas ou sous les roues du 4 × 4. Grâce à des circuits ou des voyages à la carte entièrement personnalisés, conçus essentiellement pour les petits groupes, voire les voyageurs isolés. Des voyages originaux, pleins d'air pur et de contacts, dans le respect des populations et de la nature. Pratiquement dans tous les coins de la « planète bleue », mais surtout dans les pays couverts par le Sahara. Sans oublier les inconditionnels de la forêt amazonienne, les accros de paysages andins ou les mordus des horizons asiatiques.

▲ **SERVICES VOYAGES ULB** : campus ULB, avenue Paul-Héger, 22, Bruxelles, et hôpital universitaire Erasme. Le voyage à l'université, accueil évidemment très sympa. Billets d'avion sur vols charters et sur compagnie régulière à des prix hyper compétitifs. Ouvert de 9 h à 17 h sans interruption du lundi au vendredi.

▲ **TAXISTOP**
– *Taxistop-Airstop :* promenade de l'Alma, 57, Bruxelles 1200, Louvain-en-Woleuve. ☎ (02) 779-08-46. Fax : (02) 779-08-32. M. : Alma. Ouvert du lundi au vendredi de 9 h à 17 h.
– *Taxistop Gand :* 51 Onderbergen, Gand 9000. ☎ (09) 223-23-10. Fax : (09) 224-31-44.
– *Airstop :* Onderbergen, 51, Gand 9000. ☎ (09) 224-00-23. Fax : (09) 224-31-44.
– *Taxistop-Airstop :* place de l'Université, 41, Louvain-la-Neuve 1348. ☎ (010) 45-14-14. Fax : (010) 45-51-20.
– *Taxistop-Airstop :* St Jacobsmarkt, 86, Anvers 2000. ☎ (03) 226-39-22. Fax : (03) 226-39-48.

▲ **UNICLAM 2000 – EOLE**
– *Bruxelles :* rue de l'Association, 4, 1000. ☎ (02) 217-33-41. Fax : (02) 219-90-73.
– *Bruxelles :* rue Marie-Christine, 78, 1020. ☎ (02) 428-40-53. Fax : (02) 428-28-61.

– *Bruxelles* : chaussée de Haecht, 33, 1030. ☎ (02) 218-55-62. Fax : (02) 217-71-09.
– *Louvain-la-Neuve* : Grand-Place, 1, 1348. ☎ (010) 45-12-43. Fax : (010) 45-52-19.
– *Liège* : bd de la Sauvenière, 30, 4000. ☎ (041) 22-19-04. Fax : (041) 22-92-68.
– *Charleroi* : bd Tirou, 60, 6000. ☎ (071) 32-01-32. Fax : (071) 31-58-60.
Voir texte plus haut.

EN SUISSE

C'est toujours cher de voyager au départ de la Suisse, mais ça s'améliore. Les charters au départ de Genève, Bâle ou Zurich sont de plus en plus fréquents ! Pour obtenir les tarifs les plus intéressants, il vous faudra être persévérant et vous munir d'un téléphone. Les billets au départ de Paris ou Lyon ont toujours la cote au hit-parade des meilleurs prix. Les annonces dans les journaux peuvent vous réserver d'agréables surprises, spécialement dans le *24 Heures* et dans *Voyages Magazine*.
Tous les tours-opérateurs sont représentés dans les bonnes agences : Kuoni, Hotelplan, Jet Tours, le TCS et les autres peuvent parfois proposer le meilleur prix, ne pas les oublier !

▲ ARTOU
– *Genève* : 8, rue de Rive. ☎ (022) 311-84-08. Librairie : ☎ (022) 311-45-44.
– *Lausanne* : 18, rue Madeleine. ☎ (021) 23-65-54. Librairie : ☎ (021) 23-65-56.
– *Sion* : 11, rue du Grand-Pont. ☎ (027) 22-08-15.
– *Neuchâtel* : 1, chaussée de la Boine. ☎ (038) 24-64-06.
Demandez leur documentation (très bien faite) et leurs tarifs spéciaux sur les billets d'avion. Une librairie du voyageur complète les prestations de chaque agence.

▲ S.S.R.
– *Genève* : 3, rue Vignier, 1205. ☎ (022) 329-97-33.
– *Lausanne* : 20, bd de Grancy, 1006. ☎ (021) 617-58-11.
– *Neuchâtel* : 1, rue Fausses-Brayes. ☎ (038) 24-48-08.
– *Fribourg* : 35, rue de Lausanne. ☎ (037) 22-61-62.
Le S.S.R. est une société coopérative sans but lucratif dont font partie les employés S.S.R. et les associations d'étudiants. De ce fait, il vous offre des voyages, des vacances et des transferts très avantageux, et tout particulièrement des vols secs. Délivre les cartes internationales d'étudiants et les cartes Jeunes.
Ses meilleures destinations sont : l'Extrême-Orient, les États-Unis, l'Amérique du Sud, l'Angleterre, la Grèce, le Maroc, la Tunisie, l'Égypte, les pays de l'Est, le Canada et l'Australie. Et aussi le transsibérien de Moscou à la mer du Japon, la descente de la rivière Kwaï... Billets Euro-Train (jusqu'à 26 ans non compris).

▲ NOUVELLES FRONTIÈRES
– *Genève* : 10, rue des Chantepoulet, 1201. ☎ (022) 732-04-03.
– *Lausanne* : 3, av. du Rond-Point, 1600. ☎ (021) 26-88-91.

AU QUÉBEC

▲ TOURBEC
– *Montréal* : 3419, rue Saint-Denis, H2X-3L2. ☎ (514) 288-4455. Fax : (514) 288-1611.
– *Montréal* : 3506, av. Lacombe, H3T-1M1. ☎ (514) 342-2961. Fax : (514) 342-8267.
– *Montréal* : 595, Ouest de Maisonneuve, H3A-1L8. ☎ (514) 842-1400. Fax : (514) 287-7698.
– *Montréal* : 1454, rue Drummond, H3G-1V9. ☎ (514) 499-9930. Fax : (514) 499-9616.
– *Montréal* : 1187 Est, rue Beaubien, H2G-1L8. ☎ (514) 593-1010. Fax : (514) 593-1586.

– *Laval* : 155-E, bd des Laurentides, H7G-2T4. ☎ (514) 662-7555. Fax : (514) 662-7552.
– *Québec* : 1178, av. Cartier, G1R-2S7. ☎ (418) 522-2791. Fax : (418) 522-4536.
– *Saint-Lambert* : 2001, rue Victoria, J4S-1H1. ☎ (514) 466-4777. Fax : (514) 499-9128.
– *Sherbrooke* : 1578 Ouest, rue King, J1J-2C3. ☎ (819) 563-4474. Fax : (819) 822-1625.
Cette association, bien connue au Québec, organise des charters en Europe mais aussi des trekkings au Népal, des cours de langues en Angleterre, Italie, Espagne ou Allemagne. Vols longs courriers sur l'Asie, l'Afrique ou l'Amérique. Sa spécialité : la formule avion + auto.

PAR L'AMÉRIQUE CENTRALE EN BUS, PUIS AVION

De Guatemala City, plusieurs compagnies de bus assurent des liaisons vers l'Amérique centrale.
– *Tica bus* : 14 calle 4-10, Zona 1. ☎ 24184 (Panama).

Le stop est envisageable mais la difficulté augmente au fur et à mesure que l'on descend.
Nous conseillons d'aller jusqu'à San José (Costa Rica) et non jusqu'à Panama. D'abord parce qu'il n'y a rien à voir à Panama. Ensuite, l'avion au départ de San José ou de Panama est au même prix.
Puis le moyen le plus commode (et peut-être le seul !) est de prendre un avion de la compagnie *S.A.M.* jusqu'à l'île de San Andrés (île des Caraïbes sans touristes), et ensuite d'acheter un billet de la compagnie *Avianca* pour rejoindre Bogota.
– *S.A.M.* : pas d'agence à Paris. Acheter le billet sur place ou à Paris par l'intermédiaire d'*Avianca*.
– *Avianca* : à Paris, 9, bd de la Madeleine, 75001. ☎ 42-60-35-22. A Bogota, carrera 7 A, 16-84. La compagnie propose un *Air Pass Pérou*, mais il faut avoir un vol transatlantique *Avianca*, forfait valable 15 jours sur le réseau aérien intérieur du Pérou. Réservations à effectuer à l'avance. Valable toute l'année sauf du 1er janvier au 28 février et du 1er juillet au 31 août.
Remarque : pour les fortunés, il existe un vol direct qui relie Mexico à Bogota par la compagnie *Avianca* (un vol par semaine).

INTRODUCTION

LES ANDES, L'AMAZONIE...
L'AVENTURE EXISTE ENCORE

Dès que l'on appartient au clan des routards, dès que la route semble vous appeler, on cherche à partir plus loin, même si l'on ne peut consacrer à ses vacances la même somme d'argent et le même temps. Il devient alors nécessaire et indispensable de préparer plus profondément son voyage, afin de ne pas trop perdre de ce précieux temps (et de ce précieux argent) en fonçant vers des endroits sans intérêt ou en manquant l'autocar hebdomadaire qui devait vous emmener à 1 000 km de là... C'est l'une des raisons qui font de l'Amérique du Sud un des rares endroits où le mot aventure ait encore une signification... Cette signification peut se retrouver au travers d'une multitude de faits et d'impressions. On est vite surpris par les distances gigantesques, par ce formidable kaléidoscope de paysages, par cette forêt mystérieuse et dangereuse, par cette chaîne de montagnes et ces altitudes qui nous imposent leur rythme de vie, par ces hommes qui vivent sur les hauts plateaux, dans la forêt, dans la plaine...

Si vous avez la chance d'avoir du temps devant vous et que vous ayez décidé « d'en voir » le maximum, en Amérique du Sud, il faut compter une année. Certes, il y en a qui font le tour en 15 jours.

L'Amérique du Sud : c'est encore les Incas *(Tintin et le temple du Soleil)*, les airs de flûte indienne *(El Condor Pasa)*, les marchés colorés, la guérilla (le Che, *État de siège)*, les fameux autocars folkloriques où autochtones et animaux s'entassent joyeusement... C'est encore l'eldorado, les musées de l'or... Mais il y a parfois des surprises : des bonnes (endroits aux noms nullement évocateurs qui se dévoilent soudain) et de moins bonnes (lieux rabâchés par les pontes du tourisme qui se présentent à vous sous des auspices décevants).
L'Amérique du Sud, c'est une aventure personnelle et une expérience importante, mais de toute façon ce n'est sûrement pas ce que vous imaginez, et c'est pour ça qu'il faut y aller.

...tophe Colomb

...arche

...des Andes est la plus longue chaîne de montagnes du monde, avec
...0 km. C'est un massif jeune, avec des volcans encore actifs, dont
...e plus haut culmine à 6 959 m. L'homme paraît minuscule dans ce
...andiose, mais ses racines y sont profondes. Les Indiens sud-
...sont des descendants de ces hordes préhistoriques venues d'Asie
...ent le détroit de Béring – situé dans le Grand Nord – vers 40000 av.
...s avoir occupé le nord du continent américain, une partie de ces
...nt vraisemblablement progressé vers le sud à travers l'isthme de
...vers 26000 av. J.-C., date qui correspond à l'âge des plus vieux outils
...retrouvés au Pérou. Si l'on considère que la première colonisation de
...e du Sud prit fin vers 16000 av. J.-C., il aura fallu plus de 800 généra-
...000 ans !) pour parcourir les 25 000 km qui séparent la Mongolie de la
...Feu, soit une moyenne de 1 km par an !
...nes vécurent d'abord au rythme des saisons, partageant leur vie entre
...s la côte et suivant les migrations du gibier. Les premières traces de
...isation (agriculture et élevage) apparaissent puis se généralisent vers
...J.-C. Puis l'homme commença à cultiver le manioc, le haricot, le maïs
...mme de terre (Antoine Augustin Parmentier n'en répandit la culture en
...puis en Europe qu'à partir de 1773). Différentes formes de sédentarisa-
...mirent en place suivant que des groupes se constituaient dans les mon-
..., les plaines ou au bord de la mer. Le long de la côte, par exemple, on
...s commencèrent vite à se regrouper en petites communautés de
...urs et à construire leurs habitations en adobe, sorte de brique séchée faite
...e et de paille. L'artisanat se résumait probablement aux objets de toute
...ère nécessité avant que n'apparaissent la céramique et le tissage vers
...av. J.-C.
...ain, entre 2500 et 1800 av. J.-C., les premiers temples furent érigés et des
...sations semblent jaillir du sol sur ce continent isolé du reste du monde. Leur
...e chronologique exact est très difficile à établir d'une manière sûre. Hormis
...ites « grandes civilisations », il y en eut de nombreuses « petites » qui s'en-
...hêlèrent. Chacune est passionnante, ayant laissé à la postérité de nombreux
...ets d'art, des édifices… et pas mal d'énigmes.

...emières civilisations et premiers « mystères »

...première grande « culture » se développa à partir de l'an 1500 av. J.-C. :
...st la civilisation Chavin de Huantar – nom de l'endroit où l'on en a retrouvé
...s vestiges les plus caractéristiques – qui étendit son influence sur une région
...rande comme la moitié du Pérou actuel ! On y a exhumé, entre autres, des
...mples pyramidaux et des monuments funéraires ornés de bas-reliefs, ainsi
...ue des poteries. Il semble que les félins y aient fait l'objet d'un véritable culte,
...et que le travail du métal y fût connu (or utilisé en feuilles martelées, argent et
...cuivre surtout dans les régions côtières).
La période Chavin fut suivie par la civilisation de Paracas, localisée au centre et
...au sud du Pérou sur les bords du Pacifique (300 av. J.-C. à 300 apr. J.-C.). Le
...climat quasiment désertique de cette vallée permit une remarquable conservation de tout ce qui fut entreposé ou délaissé dans les constructions mises au
jour. Le mobilier, les poteries ainsi que les momies ou tissus, voiles, couvertures, ont conservé presque tout leur éclat. La préservation exceptionnelle
du site de Paracas permit aussi de suivre l'évolution des habitants de cette
...région depuis 8000 av. J.-C. jusqu'à l'occupation inca, montrant ainsi les
influences de chaque culture qui s'y succéda. C'est dans cette région que

Il faut l'avouer, les distances sont importantes, mais les moyens de communication sont nombreux et riches en couleur.

L'autobus

En règle générale, c'est le moyen le plus intéressant pour voyager. Les bus sont
souvent complets et paraissent toujours en être à leur dernier voyage. Généralement, il existe dans un même pays et par région un grand nombre de
compagnies qui jouent à fond les règles de la concurrence.
Les tarifs varient donc suivant les compagnies et suivant les types de bus. On
distingue surtout deux catégories : les bus de première classe ou « de luxe »,
pour touristes ou gens relativement aisés. Ce sont des *Greyhound* aménagés de
manière locale. D'habitude très honorables. L'autre type de bus comporte une
vaste gamme, allant du relativement correct à l'ancêtre rouillé avec sérieux
rafistolages. Ceux-là sont particulièrement lents.
Pour établir un itinéraire à long terme, il faut tenir compte d'un certain nombre
de choses auxquelles on ne pense pas toujours. Bien évaluer les distances (ça
semble tout simple, mais on a vu des cas pathologiques). Se renseigner sur les
températures et climats l'hiver en altitude (celui qui s'était installé près d'un car-
reau cassé pour avoir de l'air frais le regrettera vers 3 h quand le bus passera à
3 000 m d'altitude), et sur les possibilités d'inondations qui peuvent vous
bloquer dans des endroits peu emballants ou gâcher un parcours. L'état des
routes : là c'est facile, une bonne route est une exception. Avec une voiture particulière et un conducteur motivé, il faut compter une moyenne de 300 km par
jour, sauf pour la panaméricaine où c'est du gâteau…
Il est toujours moins onéreux de prendre des bus locaux plutôt que des bus
internationaux (en particulier pour le passage des frontières). Avant de choisir
une compagnie, s'il y a le choix, et si la route à faire semble difficile, il n'est pas
inutile de glaner des renseignements sur ladite compagnie. Une compagnie qui
sème des bus dans les ravins, cela se sait !
Même ces précautions prises, les bus se faisant concurrence, les compétitions
sont fréquentes. Une course de bus sur une piste de montagne vous incitera à
devenir un farouche adepte de la ceinture de sécurité ou du parachute…
Si vous roulez de nuit, prévoir une couverture, un poncho ou un duvet.
Attention à vos bagages (s'ils sont sur le toit) ! D'ailleurs, en règle générale,
conservez tous les objets de valeur sur vous.
Si le bus tombe en panne, ne vous affolez pas. On s'arrange toujours…
Évitez de vous mettre à l'arrière : ça secoue beaucoup plus. Munissez-vous de
boules Quiès. Il n'est pas rare que le chauffeur passe la nuit de la musique
folklorique. La première heure, c'est sympa. Au petit matin, on en est dégoûté.
Prenez plutôt un siège côté fenêtre, ça permet de reposer la tête. Ceux qui ont
des longues jambes préféreront le siège côté couloir.

Le train

Tout d'abord un fait : il y a beaucoup moins de lignes ferroviaires dignes de ce
nom que de lignes de bus. Sauf rares exceptions, les trains d'aspect et de
confort super rétro sont très lents, très sûrs et très bon marché.
Il existe deux classes. Au début, vous choisirez la moins chère par avarice ou
pour la couleur locale, mais vous en aurez vite assez d'être comme des petits
pois dans une boîte de chez William Saurin. Et puis attention aux vols !
Il y a aussi deux genres de train : le train ordinaire (bien qu'il n'ait vraiment rien
d'ordinaire !) et le train « plus mieux » *(especial, ferrobus, autocarril)*, plus rapide
et plus cher.
Les trains sont très pittoresques. Ils ont l'habitude de s'arrêter n'importe où,
même en plein désert, à la demande du voyageur. Ils tombent parfois en panne

et le mécanicien part alors en stop chercher la pièce qui a cassé, les voyageurs attendant son retour. Très fréquentés, les trains sont toujours pleins.

Attention, l'utilisation du train est préférable à celle des autobus sur certains trajets, en raison de sa rapidité ou des régions intéressantes qu'il traverse. C'est le cas par exemple entre Huancayo et Lima, au Pérou — train à écartement normal le plus haut du monde (la voie comporte 62 ponts et 66 tunnels). Il est parfois préférable de passer par une agence (qui prend une forte commission) pour réserver son billet. Autrement, les attentes risquent d'être fort longues (4 à 5 h). De la fin juillet à la mi-août, les étudiants en vacances bénéficient de tarifs intéressants et ont priorité en 1re classe. Les queues sont alors plus longues.

Les colectivos

Les colectivos sont de vieilles voitures américaines à la direction flottante et aux freins symboliques. Leurs tarifs sont en gros le double de ceux des bus, mais ils vont vite et vous arrêtent où vous voulez. Louer à plusieurs un colectivo peut même être aussi intéressant que le bus question tarif.

Dans les villes de quelque importance, un service de colectivos double le service de bus urbains, et parfois sur certaines directions touristiques proches des grandes villes.

Le camion

C'est le faux stop. Dans certains pays, et notamment au Pérou et en Bolivie, on voyage en camion en payant le chauffeur, c'est devenu une institution. A la tête du client, mais rarement au-dessus de la moitié du tarif bus pour le même trajet. A partir du moment où il y a une route ou une piste vers un village, on peut y aller en camion : dans toutes les villes des Andes, le plus souvent près des marchés, on trouve des camions qui partent à toute heure du jour ou de la nuit en direction des régions les plus perdues. Ces camions approvisionnent les villes et les villages en boissons et produits divers. Ils transportent aussi du bétail, et des passagers. C'est le moyen de transport le plus économique et aussi le plus inconfortable : profitez de la vue panoramique en voyageant à l'arrière du véhicule où l'on installe, tant bien que mal, au milieu des autres passagers, des bouteilles, des moutons et des cochons. Si vous voyagez de nuit, essayez d'occuper la cabine car en juin ou en juillet, les nuits dans la cordillère sont fraîches. Dans le cas contraire, n'oubliez pas votre sac de couchage, et votre K-Way, ou à défaut une couverture de survie.

L'auto-stop

A cause du phénomène camion, plus difficile. Mais faisable. On précise que le stop marche à merveille gratis dans tout l'Équateur. Malheureusement, au Pérou, il peut arriver que même pour des petites distances on vous réclame du fric. Cela dit, les prix des bus sont tellement dérisoires que c'est plus par souci de rencontres que d'économie qu'on tendra le pouce.

L'avion

En gros, les lignes internationales sont relativement chères (bien moins qu'en Europe toutefois). Les lignes intérieures sont assez bon marché mais pas toujours fiables : vols annulés, retardés sous le prétexte fallacieux de conditions atmosphériques difficiles.

Ne laissez aucun objet de valeur dans les sacs. Des copains se sont fait voler des affaires dans leurs bagages, alors que ceux-ci avaient été enregistrés au comptoir d'embarquement de Lima pour la France.

Quel que soit votre vol, n'oubliez pas de confirmer votre place parfois jusqu'à 72 h à l'avance et de vous présenter 2 h avant l'embarquement.

Médicaments, vaccins et ma[...]

Contre le mal d'altitude *(soroche)*, p[...] mine C, aussi efficace et moins chèr[...] d'aspirine 5 h avant d'arriver sur les [...] tout pas de longues marches, ni d'é[...] Attention, la typhoïde est fréquente. D[...] méfiez-vous des crudités. Se renseigne[...] Et si vous allez quelques jours en Amaz[...] obligatoire. Prendre son certificat. Pour l[...] ne sont jamais en trop au Pérou. Avant de[...] Ils serviront toujours.

IMPORTANT : pour tous les pays d'Améric[...] se faire vacciner contre l'hépatite virale. O[...] lecteurs et amis qui en ont rapporté une. Ce[...] boursée par la Sécurité sociale (3 injectio[...] l'excellent *Manuel du Routard*.

Passage des frontières

Ne jamais passer une frontière en bus internatio[...] D'ailleurs, il est préférable de la traverser en taxi, [...] plus vite que le lait...

En vrac

— Ne pas boire l'eau courante. On peut trouver partou[...] teille (vérifier si la capsule n'a pas déjà été ôtée). Ou p[...] des pastilles purifiantes genre Micropur.

— Le marchandage est de règle, même dans les boutique[...] Donc, n'hésitez pas à discuter. Sachez aussi que les r[...] marchander sur les marchés indiens.

— A travers toute l'Amérique du Sud, une seule monnaie [...] lar. Mais le change pratiqué pour un dollar en traveller's es[...] tiqué en billet, du fait de la commission prise par la banqu[...] des petites coupures. C'est très utile pour l'appoint [...] beaucoup de frontières, ce qui est souvent le cas. On peu[...] argent au noir dans la rue, mais attention aux arnaques et a[...] sûres sont les *casas de cambio* qui offrent généralement de [...]

— Attention au courrier : les postes semblent peu organisé[...] pays d'Amérique du Sud.

— Prévoir des lainages, car vous serez souvent à des altitude[...] 3 000 m. Si les journées sont chaudes (25ºC), il n'en reste pas [...] les nuits sont glaciales (en dessous de 0º C).

— Les boules Quiès sont bien utiles, les villes étant souvent bru[...]

— Avoir sa réserve de papier hygiénique. Les toilettes en sont s[...] nies. En revanche, on trouve toujours un petit vendeur avec des di[...] leaux dans les rues.

— Téléphoner en P.C.V. se dit en espagnol : *llamar con cobro rever[...]*

— Acheter ses cartes géographiques en Europe.

— Apporter des bougies. Ça peut servir.

sévirent le plus les amateurs d'archéologie-fiction. Il faut dire que l'on trouva dans les tombes des « instruments chirurgicaux » et des crânes – parfois recouverts de plaques d'or – présentant des cicatrices, ce qui semble indiquer des trépanations « réussies », c'est-à-dire que le patient (on devrait dire la victime !) ne mourait pas tout de suite... (les Incas eux aussi pratiquèrent des interventions sur le cerveau, mais beaucoup plus tard). De là à imaginer que les Indiens pratiquaient la greffe du cœur, il n'y avait qu'un pas, qui fut allègrement franchi, accréditant des théories sur une « haute » civilisation ancienne. Dans la région d'Ica, des commerçants peu scrupuleux allèrent jusqu'à sculpter eux-mêmes pour les vendre aux touristes des galets prélevés sur des lieux de fouilles, et sur lesquels ils représentèrent des... dinosaures !

La civilisation mochica, qui fleurit entre le IVe et le VIIIe siècle de notre ère à partir de la vallée de Moché, non loin de la côte nord du Pérou, fut qualifiée par certains archéologues pudibonds de... décadente sinon carrément porno ! Car les Mochicas étaient de sacrés coquins : on a en effet retrouvé ce qu'on pourrait appeler un « kama-sutra » très varié et détaillé de leur vie sexuelle, que ce soit sous la forme de figurines de céramique ou de vases anthropomorphiques. Cela dit, tous les aspects de leur vie quotidienne étaient aussi largement représentés. Ils développèrent un artisanat très raffiné, tout en se lançant dans un vaste programme de construction (routes, temples, fortifications) et d'irrigation : entre autres, leurs ouvrages hydrauliques pouvant atteindre 130 km de long et traversant des ravins à une hauteur de 20 m sur une distance de 1 500 m. Certains sont restés en fonction...

A la même époque, mais au sud et au centre du Pérou, s'épanouissait une autre civilisation, dite de Nazca, qui prolongea celle de Paracas et vit son apogée avec les Chinchas. Dans l'un des endroits les plus désertiques du globe (région d'Ica), ils nous ont laissé de quoi réjouir les amateurs de soucoupes volantes... et dérouter les archéologues. Avec une symétrie incroyable et probablement grâce à des calculs mathématiques poussés, ils ont réalisé d'énigmatiques images géantes creusées dans le désert qui ne prennent un sens que vues du ciel. Un observatoire astronomique ? La mathématicienne allemande Maria Reiche découvrit que certains points indiquaient l'endroit où le soleil se couche lors du solstice d'été..., d'autres indiquant les solstices d'été et d'hiver des siècles passés. Beaucoup de légendes indiennes parlent de chefs guerriers qui auraient dirigé leurs batailles du ciel et un jésuite, Bartolomeù de Gusmao, fut même envoyé au bûcher pendant l'Inquisition pour avoir construit un « vaisseau » gonflé d'air chaud avec lequel il voulait démontrer de quelle façon volaient les Indiens d'Amérique !

Les premiers empires

Une autre civilisation qui a beaucoup fait travailler l'imagination des amateurs de sensationnel fut celle de Tiahuanaco, surtout à cause de ses statues gigantesques faites d'une seule pièce qui n'ont rien à envier à celles de l'île de Pâques. Localisée dans la région du lac Titicaca, son apogée se situa ente le VIIIe et le XIIe siècle, période où elle « fusionna » avec l'empire de Huari qui s'étendait sur tout le centre du Pérou et influença tous les peuples andins jusqu'aux régions côtières.

La culture tihuanaco-huari est la première où l'amalgame entre les caractères guerriers, administratifs et religieux fait qu'on peut en parler comme d'un véritable empire ; de plus c'est à ce moment qu'on vit apparaître les balbutiements d'une urbanisation planifiée dans les cités des Andes.

Vers le XIe siècle, les régions côtières du Nord virent se développer un autre empire, celui des Chimus, qui fit suite à la civilisation mochica. Leur capitale, Chanchan, fut la ville en brique séchée la plus grande du monde, couvrant quelque 24 km² ! Il y a mille ans, elle abritait 50 000 habitants derrière ses murs de 13 m de haut et de 8 km de long. Au cours des siècles, cette puissante culture donna naissance à un État qui allait s'opposer farouchement à un groupe de barbares venus des basses plaines d'Amazonie : les Incas !

Le continent sud-américain est peut-être le plus mystérieux de tous et il n'est pas étonnant qu'il soit une source d'inspiration pour la science-fiction. Les Indiens sont de grands mystificateurs ; pour s'en convaincre il suffit de voir le Machu Picchu, la cité cachée que les Espagnols cherchèrent vainement et qui ne fut découverte qu'en 1911 par l'Américain Hiram A. Bingham. Toutes ces civilisations étaient d'une telle richesse que, malgré plus de deux siècles d'occupation pendant lesquels les Espagnols ont chassé le trésor inlassablement, expédiant en Europe tout ce qui avait un tant soit peu de valeur, il reste encore des poteries uniques en leur genre, des brocarts dont l'éclat des couleurs s'est conservé jusqu'à nos jours, de l'argent, des bijoux, des couteaux de cérémonie, des objets divers qui tous témoignent de ce passé fascinant où l'or ne jouait un rôle prédominant que dans la mesure où il était apparenté au culte du soleil.

La vie quotidienne des Indiens n'avait d'importance que si elle s'intégrait dans une cosmogonie, c'est-à-dire dans une théorie de l'origine de la vie. Ce qui explique le type de société sans aucune économie de marché qui existait avant l'arrivée des Espagnols. L'or – la « sueur du soleil » – avait un pouvoir magique sur les Indiens, mais pas en tant que « monnaie », car la notion d'enrichissement personnel n'existait pas.

L'histoire des Indiens n'a pu être « pressentie » que par recoupements et analyses autour des monuments, objets et ossements exhumés, d'une part, et une certaine tradition orale rapportée par les premiers missionnaires espagnols (croyances religieuses, contes et légendes), d'autre part. Car les Indiens ne connaissaient ni l'écriture, ni la roue, fait souvent souligné par les amateurs d'extraterrestres pour appuyer la thèse d'une intervention extérieure qui expliquerait – mais d'une manière quelque peu simpliste – certaines choses.

Les Incas, le peuple empereur

Un lac, une légende

Le lac sacré Titicaca est situé à 3 812 m d'altitude entre le Pérou et la Bolivie. C'est le lac navigable le plus haut du monde, avec plus de 175 km de long et une superficie de 8 300 km². Un des bateaux qui sillonnent ces eaux a d'ailleurs une histoire rigolote. Le gouvernement américain, en faisant le ménage dans les placards de l'histoire, a vendu à une compagnie de navigation péruvienne le *Volga*, un bateau offert à Richard Nixon par Brejnev. Ce bateau, rebaptisé *The Glasnost Arrow* (la flèche du glasnost) – avec ses coussins en fourrure d'ours et son argenterie de Géorgie – promène désormais les touristes sur le lac !

La lumière est exceptionnelle à cette altitude. Certains historiens considèrent que c'est le berceau des civilisations andines, à cause du site de Tiahuanaco, tout proche. Les Indiens pensent que le dieu Viracocha surgit de ces eaux pour créer la lune, le soleil et les étoiles. Sur l'île du Soleil se trouve le sanctuaire inca où habitaient jadis les Vierges du Soleil. Les Incas racontaient que leurs ancêtres avaient émergé des grottes connues sous le nom de *tambo-tocco* (la maison des fenêtres). A la tête de cette tribu se trouvaient quatre frères dont le chef était le frère aîné, Manco Capac, grand prêtre du dieu-Soleil. Son emblème était un fétiche en forme d'oiseau qui servait d'oracle. Ils étaient d'origine divine, descendants du dieu-Soleil. Sous la direction de « l'oiseau-oracle », ils dirigèrent la tribu vers le nord à la recherche d'un empire. Manco avait en sa possession un bâton en or qui devait s'enfoncer dans la terre pour indiquer, selon une prophétie, le lieu où l'empire devait être fondé. C'est ainsi que fut désigné le site de Cuzco, future capitale de l'Empire inca.

D'après une autre légende – rapportée au XVIᵉ siècle par le chroniqueur Cieza de Leon lors de la conquête espagnole – les Quechuas étaient des sauvages nus vivant de la chasse dans la région de la future Cuzco. Un homme blanc, nommé Viracocha et venu de Tiahuanaco, se fit reconnaître comme un dieu et leur fournit des éléments de civilisation avant de repartir vers le nord puis de disparaître dans la mer, non sans avoir promis de revenir... Le parallèle avec le mythe mexicain de Quetzalcóatl est assez saisissant, il jouera d'ailleurs aux Incas le même tour qu'aux Aztèques.

Origines et développement : mystères et réalités

En fait, on ne sait pas vraiment de manière absolue d'où diable sortent les Incas. Il existe de même une certaine confusion sur le mot *inca* : désignait-il au départ une tribu, puis, plus tard, par extension, la classe dirigeante de tout un appareil d'État ? Le fait que *inca* veuille dire *chef* ou *souverain* en langue quechua tendrait à prouver l'inverse : on devrait dire l'empire « de » l'Inca... Même le fait que les Incas soient originaires des rives du lac Titicaca, d'où ils auraient « débordé » direction nord en descendant les sources du rio Urubamba, n'est pas établi, à cause d'une trop grande disparité linguistique avec les occupants actuels du lac. Certaines théories les font venir au contraire des hautes plaines de l'Amazone à partir desquelles ils seraient remontés vers les Andes suivant le même rio Urubamba. Ce qui fait qu'en tout cas les deux théories se rejoignent là où la tribu s'arrêta, non loin des sources de ce rio sur les rives duquel ils fondèrent Cuzco (« le nombril de la terre » en quechua) vers 1200. Le grand temple du Soleil sert aujourd'hui de fondation au couvent Santo Domingo. Les chroniqueurs rapportent que leur chef était un certain Manco Capac : la légende rejoint ici la réalité...

Son successeur présumé – il se pourrait que quelques chefs se soient intercalés entre eux deux –, Sinchi Roca, fut le premier à se faire appeler *Sapa Inca* (« l'unique, seul chef » en quechua), titre que prirent par la suite les chefs suprêmes du royaume. Mais avant de pouvoir vraiment parler d'empire, il s'écoula bien deux siècles pendant lesquels les nouveaux maîtres de la vallée de Cuzco se structurèrent, puis commencèrent à soumettre leurs voisins immédiats, parfois au prix de durs combats. Pachacutec-Inca-Yupanqui (1438-1471) posa alors les bases d'une véritable politique expansionniste appuyée par une administration très puissante, qui fut systématiquement reprise par ses successeurs.

Au moment du premier débarquement des Espagnols en 1527, l'Empire inca couvrait toute la bande allant du Pacifique à la cordillère des Andes (versant est inclus, donc avec de grands morceaux de Bolivie et d'Argentine), depuis le sud de la Colombie jusqu'au milieu du Chili !

Grands traits de la civilisation inca

Du temps de leur splendeur, les Incas dominaient un immense territoire couvrant largement le Pérou, la Bolivie, l'Équateur et un bon morceau de la Colombie d'aujourd'hui : l'Empire inca. De nos jours, les traces de cette civilisation sont partout, dans les musées et les ruines, mais aussi dans la vie quotidienne, avec 10 millions d'Indiens parlant le *quechua* (déjà parlé avant les Incas).

Les Incas frappent notre imagination, mais leur importance est exagérée. Leur domination a duré moins d'un siècle, de 1438 à 1532, soit de Charles VII à François Ier.

On ne peut pas dire que les Incas furent un peuple très créatif : ils ont surtout assimilé et développé les acquis des tribus qu'ils mettaient sous leur coupe. Leur seul apport vraiment caractéristique se situe dans l'architecture : en effet, c'est bien à eux que l'on doit les ouvrages parfois colossaux réalisés à partir de pierres taillées souvent impressionnantes, et si bien ajustées qu'on ne peut glisser la lame d'un couteau entre deux blocs ! La forteresse de Sacsahuamán (sur une colline tout près de Cuzco), avec son triple rempart de 540 m de long sur 19 m de haut, est constitué de mégalithes dont certains atteignent les 100 tonnes pour une hauteur de 7 m, mérite bien l'appellation de « construction de type cyclopéen »... Édifiée sous le règne de Tupac-Inca-Yupanqui (1471-1493), elle nécessita la participation d'environ 30 000 hommes. Bien d'autres constructions extraordinaires datent de cette même période, dont les plus célèbres se trouvent sur les crêtes dominant la vallée de l'Urubamba : Machu Picchu, Pisac, etc.

La possibilité de disposer d'une main-d'œuvre abondante et efficace découlait du système mis en place par les Incas : ils étaient les maîtres et occupaient les positions clés de la hiérarchie. Il y avait bien sûr l'Inca suprême (*Sapa Inca* : l'empereur...), les prêtres, les chefs guerriers, et ceux qui géraient le pays, tous issus de la tribu dirigeante. Les peuples soumis n'avaient qu'à bien se tenir et faire le reste du boulot (*Vae victis*... Malheur aux vaincus !). La puissance des Incas résidait surtout dans leur faculté d'assimilation et d'unification des civilisations antérieures, lesquelles reposaient sur une organisation sociale et géographique géniale, l'*ayllú*, vieille de plus de 15 siècles.

Le noyau de l'*ayllú* était constitué de petits groupes, installés à 3 500 m (altitude idéale pour la culture de la pomme de terre), qui organisaient un réseau d'échanges et d'obligations avec de petites colonies : plus haut, la laine ; en plaine, les légumes ; dans la jungle, le coton ; sur la côte, le sel et le poisson.

Par ailleurs, les vaincus n'étaient pas si malheureux que ça : l'État faisait une juste répartition de toutes les productions, quelles qu'elles fussent (le commerce n'existait pas). Par exemple, un excédent de maïs en provenance de vallées fertiles était distribué gratuitement aux bergers des hauts plateaux. La viande et la laine des troupeaux étaient réparties dans les vallées. La nourriture était assurée par l'État en quantité égale à chacun, qu'il soit artisan, agriculteur ou berger ; en échange de quoi, le peuple devait être complètement à la disposition de ses maîtres. Pour rendre viable un tel système – qui avait pour nom la *mita* – il fallait supprimer la liberté individuelle et contrôler étroitement la population. C'est donc une véritable dictature qui régissait cette société.

La population était recensée grâce à un système de calcul à base de cordes nouées appelé *quipu*, qui servait aussi à comptabiliser les stocks ou à dater des événements (à noter que cette forme de « préécriture » aurait sûrement donné naissance à une langue écrite si les Espagnols n'étaient pas venus bouleverser les données...). Toute migration était interdite, ou plutôt placée sous le strict contrôle de l'État, suivant les nécessités. Un individu né dans une localité, et destiné à tel ou tel métier ne pouvait ni déménager, ni changer de fonction, ni se marier hors de sa communauté, à moins que ce ne soit pour une « raison d'État ».

Pour qu'une telle administration soit efficace sur toute l'étendue de l'empire, il fallait que les moyens de communication soient à la hauteur. Non contents d'imposer une langue unique (le quechua), les Incas agrandirent – jusqu'à 11 000 km ! – le réseau routier déjà mis en place par les Chimus, en y ajoutant un système de relais *(tambos)* où les messages passaient de la main à la main (rappelons que les Indiens ne connaissaient ni la roue ni les animaux de monte). D'où aussi ces fameux ponts suspendus – quelques-uns subsistèrent jusqu'au XIXᵉ siècle – faits de fibres d'agave tressées et dont certains câbles atteignaient un diamètre proche de celui d'une cuisse pour une longueur de 60 m ! C'est d'ailleurs cette maîtrise du milieu montagnard qui, souvent, permit aux Incas de s'imposer aux tribus de la plaine et de la côte en exerçant sur elles un chantage à l'irrigation !

La conquête espagnole et ses conséquences

La découverte et la chute de l'Empire inca

C'est à l'avidité des Espagnols que l'on doit la découverte du Pérou. Un chef indien de la côte atlantique lui ayant parlé d'une autre mer sur les rivages de laquelle vivait un peuple dont la richesse était immense, Vasco Nuñez de Balboa se mit en tête de trouver cet eldorado. Il ne fera que découvrir l'océan Pacifique, le 29 septembre 1513, après un voyage de près d'un mois.

Parmi ses hommes se trouvait un certain Francisco Pizarro. En 1527, ce dernier décida un débarquement sur la côte Nord du Pérou. Il avait déjà monté une première expédition en 1524, mais sans succès. Quant à la seconde, sa conséquence fut de déclencher une épidémie de vérole chez les indigènes, à laquelle succomba l'Inca Huayna Capac. Ses deux fils, Atahualpa et Huascar, s'engagèrent alors dans une guerre civile qui affaiblit l'empire. Entre-temps, Pizarro débarquait de nouveau au Pérou à la tête de 183 hommes, et s'emparait de la ville de Tumbes en 1531. Reçu amicalement à Cajamarca par Atahualpa – qui voyait en lui un envoyé du dieu Viracocha –, Pizarro prit Atahualpa comme otage (15 novembre 1532). Pizarro exigea une rançon colossale – il fallait remplir la cellule où était retenu l'Inca ! – en or et en argent. Bien que cette rançon ait été rapidement et intégralement versée, Atahualpa fut tout de même exécuté le 29 août 1533. L'arrivée de renforts espagnols permit à Pizarro de finir de mettre l'Empire inca à genoux. Il s'empara de Cuzco puis, après quelques combats pour soumettre les autres grandes cités de l'ancien empire, fonda Lima en juin 1535 et en fit sa capitale.

La colonisation : une vraie mise à sac !

Ce qui s'ensuivit tient plus d'un gigantesque pillage systématique que d'une réelle colonisation. De plus, comme chaque nouvel arrivant voulait sa part du gâteau – et la plus grosse possible, évidemment –, des querelles ne tardèrent pas à éclater, notamment entre Pizarro et Almagro, un de ses anciens lieutenants. Celui-ci fut assassiné en 1538, et vengé par un de ses fils qui tua Pizarro le 26 juin 1541. L'anarchie la plus totale s'installa, d'autant plus que des révoltes indiennes éclatèrent dans le centre du Pérou, dirigées par Manco Capac II.

Le roi d'Espagne Charles Quint envoya donc un gouverneur, Vaca de Castro, afin de mater les rebelles et de donner un semblant d'organisation à l'exploitation de la nouvelle colonie, en évitant que ses richesses ne soient détournées de leur destination : les coffres de la Couronne. Il est établi que 181 tonnes d'or et 17 000 tonnes d'argent furent acheminées en Espagne entre 1503 et 1660, bien plus de la moitié venant du seul ancien Empire inca. Il faudrait y ajouter les

quantités qui tombèrent aux mains des pirates et corsaires de diverses nationa-
lités (notamment l'Anglais sir Francis Drake qui écuma particulièrement les
côtes péruviennes autour de 1579).
C'est ainsi que fut mise en place une vice-royauté dont l'administration s'inspira
de celle de la métropole, incitant un nombre croissant d'Espagnols – parfois
des familles entières – à émigrer et à tenter le jack-pot. Ils constituèrent très
vite une classe sociale supérieure qui mit le pays en coupe réglée en instaurant
l'*encomienda*, système inspiré de la *mita* des Incas sauf que cette fois le bien-
être des Indiens ne fut absolument pas pris en compte... Comme l'agriculture
précolombienne avait été dévastée par les conquistadores et que les nouveaux
maîtres, les *encomienderos*, ne voulaient entendre parler que des cultures intéressant la métropole, il en résulta un terrible appauvrissement des cultures
andines et des Indiens qui, de toute façon, n'avaient plus le temps de travailler
leur terre quand ils en possédaient encore un lopin. Ils se virent quasiment par-
qués en communautés, et durent fournir chaque année un contingent
d'hommes destinés aux chantiers et aux mines de métaux précieux. Ils furent
impitoyablement surexploités, décimés par les maladies et les mauvais traite-
ments, quand ils ne furent pas purement et simplement exterminés s'ils se
révoltaient ou ne se soumettaient pas à l'évangélisation forcée. Le problème de
la main-d'œuvre fut tel que les Espagnols durent très vite importer un nombre
considérable d'esclaves noirs.
A propos de l'Église, il faut reconnaître que certains missionnaires tentèrent
d'adoucir le sort des Indiens en leur accordant du temps pour s'occuper de
leurs rares cultures et en voulant humaniser le travail forcé. Sous le gouvernement du vice-roi Francisco de Toledo (1569-1581) des lois furent votées, des
décrets furent pris, mais l'étendue du territoire et l'éloignement des grands
sites miniers par rapport à l'administration centrale rendirent caduque toute initiative en ce sens.

La marche vers l'indépendance

Après la dernière grande rébellion inca écrasée en 1572 avec l'exécution de
Tupac Amaru Ier, le vice-royaume du Pérou connut presque deux siècles pendant lesquels la domination espagnole ne subit aucune contestation. Mais dès
le début du XVIIIᵉ siècle, les différentes couches sociales se mirent à bouger.
Les métis, dont le nombre augmentait rapidement, subissaient l'hostilité des
communautés indiennes et le système colonial ne leur laissait aucune chance
d'intégration. Les nouveaux immigrants se heurtaient à des difficultés crois-
santes pour se faire une place au soleil... Quant aux créoles (enfants de colons
de pur sang espagnol), ils commencèrent à mal supporter le pouvoir de fonc-
tionnaires venus d'Espagne, ainsi que le monopole commercial exercé par ce
pays. Mais les premières révoltes vinrent évidemment des Indiens, très vite
rejoints par les métis et ce qu'il restait de la noblesse inca. Toutes furent férocement réprimées par le massacre des insurgés et l'interdiction de tout ce qui
pouvait rappeler l'appartenance à une quelconque « indianité », même si deux
d'entre elles (celle de Juan Santos Atahualpa en 1742 qui libéra la région amazonienne du centre du Pérou pendant quelques décennies, et celle de Tupac
Amaru II dans la région de Cuzco en 1780) ébranlèrent fortement le système
colonial.
Ce furent les créoles qui profitèrent de la situation. Poussés par les idées révolu-
tionnaires venues d'Europe qui secouaient alors toute l'Amérique du Sud, et
aidés par les armées des *libertadores* des autres pays – San Martín au sud et
Bolivar au nord –, ils parvinrent finalement à mettre le vice-roi en fuite et à s'em-
parer de Lima. Le général San Martín proclama l'indépendance du Pérou le
28 juillet 1821.

Républiques et dictatures : la valse du pouvoir

Après l'éviction définitive des Espagnols et comme les premiers conquistadores, les libertadores se disputèrent âprement le pouvoir. D'autre part, les
grands propriétaires terriens, les industriels et les gros négociants voulaient
avoir leur mot à dire sur les options à prendre, sans avoir de réels projets politiques. Comme les Espagnols avaient quasiment vidé le pays de ses ressources
et que les guerres avaient ruiné son économie, il fut facile aux Anglais puis aux
Américains du Nord de profiter à leur tour de la situation et d'imposer leurs

quatre volontés, notamment dans le domaine des matières premières (caoutchouc, engrais, mines, pétrole). Il en résulta une vraie mainmise de l'Église et des militaires sur la vie publique et politique, avec les conséquences que la plupart des pays d'Amérique du Centre et du Sud connaissent aujourd'hui.
L'histoire du Pérou du XIXe siècle et de la première moitié du XXe est une telle succession de renversements d'alliances politiques et économiques qu'il serait fastidieux de vouloir les énumérer ici... C'est une longue liste de généraux-présidents succédant aux dictateurs et vice versa, avec des programmes tantôt de droite tantôt de gauche suivant que le pouvoir voulait se concilier l'appui de la classe aisée ou celui du peuple ouvrier et paysan. Il y eut aussi quelques visionnaires idéalistes ou aventuriers fous parmi les héritiers de la haute bourgeoisie, comme un certain Fitzcarraldo...

Une blague de l'histoire

Fitzcarraldo, le « fou de la forêt ». Parmi les nombreux aventuriers qui ont habité le Pérou au début du siècle, celui qui est peut-être le plus connu, c'est celui du film de Werner Herzog : *Fitzcarraldo*, de son vrai nom Brian Sweeney Fitzgerald, fils d'un baron du caoutchouc anglais et d'une Péruvienne. Visionnaire, clochard et grand seigneur, Fitzcarraldo sillonne la planète en quête d'un destin à sa mesure. Fou de musique, il rêve de construire un gigantesque opéra au cœur de la forêt vierge.
Pour réaliser ce rêve, il va se lancer dans une aventure impossible : il achète une portion de l'Amazonie située dans une région réputée inaccessible, récupère un vieux rafiot, recrute un équipage hétéroclite et part à la recherche de son royaume. Avant d'y parvenir, il lui faudra braver mille dangers, apprivoiser les Indiens, transporter son bateau au-delà des montagnes, et franchir les rapides mortels du Pongo de Manseriche, sur les cours supérieurs du fleuve Marañón. Fitzcarraldo ne parviendra jamais à son but, mais deviendra une légende. Son bateau, abandonné au milieu de la forêt, est le seul témoin de la folie de ce mélomane, fanatique de Caruso, qui, en pleine époque de la fièvre du caoutchouc, voulait regarder de près ses idoles.
Le tournage du film avec Klaus Kinski et Claudia Cardinale fut une aventure presque similaire à celle de Fitzcarraldo. L'extravagance du cinéaste suscita de nombreux problèmes avec les Indiens de l'Amazonie, qui n'hésitèrent pas à s'affronter avec Herzog et les siens.

L'époque contemporaine

Malgré les conflits territoriaux avec ses voisins immédiats (Bolivie en 1836, Chili en 1879, Équateur en 1941), les coups d'État et les révolutions, quelques réformes purent voir le jour et être maintenues : abolition de l'esclavage des Noirs et du travail forcé des Indiens (1854), fin de beaucoup de privilèges de la haute bourgeoisie (droit de vote), fin des monopoles de compagnies étrangères, et surtout prise de conscience de l'importance vitale d'une réforme agraire et de l'accès à l'éducation.

Le Pérou

Le Pérou accède en 1980 à un système plus démocratique.
L'armée y conserve de nombreux privilèges, les propriétaires demeurent trop riches et les pauvres trop misérables et exploités. Une guérilla, le Sentier Lumineux *(Sendero Luminoso)*, d'origine maoïste, impopulaire dans les villes mais importante, maintient une présence quotidienne par ses attentats et la répression qu'elle implique. Le Sentier Lumineux, malgré sa stratégie complètement folle, recrute de nombreux jeunes Indiens pour qui il représente un moyen de sortir de la misère et de l'écrasement culturel. Il y a beaucoup de messianisme, à l'évidence, dans sa démarche, une sorte de revanche, quatre siècles après, contre l'envahisseur espagnol. L'immense misère des Indiens, les promesses de réformes jamais tenues ont, bien sûr, nourri un profond ressentiment chez eux, et les thèses du Sendero y trouvent naturellement un écho. Un des mouvements subversifs les plus mystérieux et les plus violents au monde. Son objectif est simple : *créer une situation de guerre civile pour amener une dictature militaire.* L'armée liquidera la gauche légale comme elle l'a toujours fait. Le Sentier Lumineux sera alors le seul recours de toute l'opposition. Simple, non ?
Paradoxalement, ce fut le chef d'un gouvernement militaire orienté à gauche, le président Velasco, qui, à la fin des années 60, jeta les bases de grandes

réformes sociales. Pourtant, la grande réforme agraire entreprise échoua faute de mesures d'accompagnement adéquates. De petits paysans se retrouvaient à la tête de propriétés, sans matériel pour les exploiter. En 1975, il fut contraint de se démettre. Après le règne du président Belaunde dont la politique échoua comme tant d'autres, c'est une situation économique catastrophique que trouva, en 1980, le jeune président Alan García, membre de l'APRA. Ce parti social démocrate attendit 50 ans avant d'accéder au pouvoir. Malgré d'importants problèmes internes, l'APRA redonna un peu d'espoir en présentant un candidat tout neuf.

Président populaire, il fit grand bruit lors de sa campagne en annonçant qu'il refuserait de payer sa dette extérieure au-dessus de 10 % du P.N.B. Pourtant, après quelques années de pouvoir, Alan García, qui promit trop et trop vite, fit fondre tous les espoirs du petit peuple séduit par ses discours par trop démagogiques. De plus, Alan García ruina ce qui lui restait de popularité en ayant recours à des méthodes de répression sanglantes dans les prisons de Lima contre des responsables du Sentier Lumineux. Avec plus de 300 morts (200 reconnus) dans la prison du Fronton, le pouvoir, en utilisant la force brute, avouait son incapacité à combattre la guérilla.

Le parti au pouvoir ne put s'empêcher d'être népotiste et plaça à tous les degrés de l'administration tous les membres de l'APRA, ce qui alourdit incroyablement la bureaucratie. La corruption redoubla. Des erreurs grossières furent commises sur le plan économique qui se soldèrent par un échec avec plus de 3 000 % d'inflation en un an, à tel point que les timbres-poste sont parfois difficiles à trouver car il faudrait en modifier le prix toutes les semaines. Échec aussi sur le plan idéologique et social, le président García ayant été confronté à la fin de son mandat à un redoublement des actions terroristes du Sentier Lumineux qui, bien qu'impopulaire, gagne du terrain dans les villages.

En 1990, les élections présidentielles virent l'élection d'Alberto Fujimori avec 51 % des voix, contre le célèbre écrivain Mario Vargas Llosa. Cet ingénieur, encore inconnu quelques mois avant l'élection, réussit à obtenir la grande majorité des voix du petit peuple péruvien, des Indiens et des métis ainsi qu'un excellent report des voix de la gauche *(Izquierda Unida)*. Fujimori a cependant, malgré ses promesses, pris de nombreuses mesures économiques extrêmement impopulaires (proches du programme de Vargas Llosa), laissant ses supporters particulièrement désorientés.

Le clergé a une importance politique extrême. Adoptant la « théologie de la libération », il a épousé la cause des plus pauvres, tout particulièrement des Indiens. Bien entendu, comme d'habitude, l'attitude de l'Église est critiquée par le pape. Un curé qui s'intéresse aux pauvres n'est pas forcément... communiste. Pas étonnant que le Sentier Lumineux considère les prêtres comme des concurrents idéologiques...

Il reste que, malgré ses problèmes et sa misère trop apparente, le Pérou est un pays magnifique pour peu que l'on sache s'éloigner des grands centres urbains. Et si l'on évite certaines attitudes pouvant trop rappeler aux Indiens que l'on est un peu parent du peuple qui leur a tant fait de mal, on ne pourra qu'être agréablement surpris par ces hommes mystérieux, durs mais généreux.

• *Petit point sur la guérilla au Pérou*

Il n'est pas utile, ni opportun de jouer au héros en allant au Pérou. La moindre des choses est de se renseigner à l'avance et d'éviter les coins dangereux. Heureusement pour les routards du monde entier, la guérilla est très localisée et quasiment toutes les zones d'attraction touristique sont sûres. Mais il convient d'être un minimum prudent.

Après 13 années de guerre totale contre le régime péruvien, le Sentier Lumineux veut encore (on se demande si c'est possible) radicaliser son mouvement, même depuis l'arrestation de Guzman. A propos, savez-vous comment il s'est fait arrêter ? La police connaissait un secret : il fumait des Lucky Strike. Comme la danseuse qui l'hébergeait achetait des cartouches régulièrement, il put donc être repéré. Le tabac est effectivement dangereux pour la santé !... Les 5 000 combattants du Sentier Lumineux tiennent en échec une armée de plus de 120 000 hommes. A ce jour, la guerre a infligé plus de 18 milliards de dollars de dégâts et a coûté la vie à 23 000 personnes.

• *En quelques mots, qu'est-ce que le Sentier Lumineux ?*

Tout commence en 1980 comme une sinistre farce. Les habitants de Lima se réveillent un beau matin et remarquent que de drôles de plaisantins ont dans la nuit accroché des chiens morts aux lampadaires de la ville. De petites pancartes portent un message sibyllin : « Deng Xiao Ping, son of a bitch. » Et dans les jours suivants les ambassades de Chine, d'URSS et de Corée du Nord sont attaquées à l'arme lourde. D'obscures revendications dénoncent «les rats visqueux, traîtres à la cause de Marx ». Le Sentier Lumineux est né.

Son initiateur et prophète est Abimael Guzman, un ancien professeur de philosophie de l'université d'Ayacucho. Son noyau de fidèles se rassemble dans les années 70. Il emprunte rapidement son surnom à une expression de Guzman qui voit dans le parti communiste péruvien un « sentier lumineux » vers le communisme planétaire. Les quatre préceptes fondamentaux du mouvement sont les suivants :
– le Pérou est le centre de la révolution mondiale ;
– Gonzalo (Abimael Guzman) est la « 4ᵉ épée du communisme », l'héritier de Marx, Lénine et Mao ;
– tous les régimes socialistes récents ont trahi la pensée marxiste (y compris la Chine, l'Albanie ou la Corée du Nord) ;
– la vraie révolution n'est pas une bataille entre armées mais une lutte visant à détruire toutes les structures du capitalisme.

La discipline du groupe des *senderistas* est extrême. Toutes les nouvelles recrues promettent de traverser la « rivière de sang » qui imposera la révolution au Pérou, et, le cas échéant, de mourir pour le président Gonzalo, « le chef de la révolution mondiale ». Pour beaucoup, le Sentier Lumineux est un ordre monastique guerrier, tant l'engagement de ses fidèles est intense. Les partisans senderistas interprètent la philosophie maoïste de Guzman comme une science exacte. Comme les Khmers rouges l'ont fait avec le Cambodge, ils veulent réformer le Pérou en revenant au degré zéro : « Non seulement nous voulons arrêter le temps, mais également l'inverser, jusqu'à ce que la page soit de nouveau blanche... » La violence extrême et quasi obsessionnelle des senderistas a pour unique but de forcer la réalité à coïncider avec l'idéologie.

Quelle est l'audience aujourd'hui du Sentier Lumineux ? Plus de 13 ans de guerre civile et d'horreurs ont progressivement séparé le mouvement de sa base populaire. Il reste cependant très riche car les senderistas gagnent de 20 à 40 millions de dollars par an en rackettant les narco-trafiquants. Le grand mystère du Sentier Lumineux est qu'on ne sait pas à quoi servent ces sommes, les armes et les munitions utilisées étant dérobées à l'armée régulière. Certains craignent que l'argent soit accumulé afin d'acheter des armes lourdes, pour la prochaine étape de la révolution...

Enfin, pour que vous soyez incollable sur le sujet, il vous faut savoir que le Sentier Lumineux est actuellement débordé par un autre groupe armé, le MRTA, mouvement révolutionnaire Tupac Amaru, d'obédience guévariste (en résumé, les héritiers du Che). Alors que le Sentier Lumineux tire sur tout ce qui bouge, le MRTA s'est forgé une réputation de Robin des Bois des temps modernes, en détournant des camions de nourriture ou d'argent et en les livrant à la foule des bidonvilles. Ces guérilleros d'un nouveau genre veulent épargner la vie des innocents : par exemple au mois d'août 1991, avant de raser le ministère de la Culture en le dynamitant, ils se sont assuré que tout le monde l'avait évacué... Mais les règlements de comptes sont féroces avec le Sentier Lumineux qui soupçonne le MRTA d'être vendu au gouvernement. La confusion est complète.

La Bolivie

Elle a connu plusieurs dictatures sévères de 1964 à 1982 : celle du général Banzer, de 1971 à 1978, et celle du général Garcia Meza en 1980. A peine en était-elle sortie en 1982 avec l'élection à la présidence de Herman Siles Suazo que, constatant une inflation de 5 000 % sous le gouvernement civil, elle réélisait démocratiquement son ex-dictateur, le général Banzer. Ce n'est qu'en 1985 que M. Paz Estensoro, conservateur de droite, est élu à la présidence de la République et qu'il met enfin en place une nouvelle politique économique qui s'avérera positive sur le plan de l'inflation (réduite à 15 %) mais socialement très éprouvante (fermeture des mines, blocage des salaires, etc.).

Ainsi donc, si la dernière élection de M. Paz Zamora en 1989 a pu surprendre, on peut cependant, mais toujours avec prudence, affirmer que la démocratie est implantée en Bolivie.

L'Équateur

Cette ancienne république bananière (il faut y connaître impérativement le mot *patacón,* banane grillée) semble plus tranquille. En réalité, le partage au sommet des bénéfices du pétrole a créé des tensions, et l'armée, pour se faire entendre, s'était même permis d'enlever quelques jours l'ancien président León Febres Cordero.

Ces pays sont écrasés par l'inflation, en un cercle vicieux qui leur fait emprunter à l'étranger pour juguler leurs problèmes. Ils ne parviennent pas à rembourser leurs dettes et doivent emprunter à nouveau pour payer les intérêts. Pour obtenir un moratoire de la dette, ils ont proposé d'aider en contrepartie le gouvernement américain dans sa lutte contre la drogue, ce qui permettrait un moment de ne pas trop faire marcher la planche à billets.

LE PASSÉ PRÉSENT

Malgré cette accession rapide au monde moderne, on retrouve le mode de vie des Incas presque intact.

La nourriture quotidienne

Elle est toujours composée des mêmes produits de base, pomme de terre et ses multiples variétés (*olluco* au goût prononcé, *camote* douce), *yuca* (manioc) et *mani* (cacahuète), maïs, tomate, poivron (*rocoto*), piments (*ají*). Peu de viande, si ce ne sont les malheureux *cuy* (cochons d'Inde) et du lama, de moins en moins consommé. Le dimanche, on pratique encore la *pachamanca,* cuisson dans des feuilles à l'étouffée. Les boissons sont restées telles qu'avant l'homme blanc : *chicha,* alcool de canne à sucre, bière de maïs, infusions de *coca...*

La médecine, la magie, la religion

Elles sont étroitement imbriquées et mêlent nourritures spirituelles et terrestres. La religion catholique s'est facilement superposée aux schémas existants, et elle inclut souvent des pratiques pas très catholiques ! On fait plus facilement appel au *curandero,* le guérisseur, qu'au médecin. Le *curandero* donne quelques herbes et fait beaucoup de passes magiques, très efficaces sur les croyants. La magie régit la vie de tous les jours ; lorsqu'on passe un col, il faut jeter sa pierre blanche sur le petit tas déjà accumulé. On honore les esprits qui résident dans les lieux élevés (rites, danses, petits sacrifices) et les esprits familiers. Le jour des morts, on sert des repas aux défunts. Les constructions s'élèvent au-dessus d'un fœtus de lama, on protège les maisons avec une croix sur le toit et une tuile faîtière spéciale, et les architectes modernes n'oublient pas ces rites. La richesse ne vient pas seule, il faut l'attirer sur un lutin bossu, l'*ekekos,* ainsi que sur toutes sortes de représentations miniatures de ce que l'on convoite : enfants, nourriture, véhicules, argent... On accroche ce mémorandum aux dieux païens dans la maison après l'avoir fait bénir par le curé et par le sorcier (ce syncrétisme apparaît sur les chemins de croix, par exemple à Copacabana en Bolivie, et sur les marchés, particulièrement au *mercado de los brujos* – marché des sorciers –, calle Sagarnaga à La Paz). Le vêtement n'a évolué que très lentement et témoigne des modes des premiers temps espagnols (velours, jupons, pantalons courts, chapeaux, dentelles) davantage que de la tradition inca *(ponchos).*

La musique et la danse

Elles conservent leurs caractéristiques anciennes. La mélodie qu'on chante en forçant sa voix à l'octave supérieure, c'est le *huayno,* qui utilise la gamme précolombienne même si aux tambours (*cajas* et *tinyas*) et percussions, sifflets et ocarinas, flûtes de Pan (antaras) et flûtes droites (quenas), on a ajouté des instruments à cordes, guitare et violon. La mélodie nous paraît triste, mais les paroles ne le sont pas, poèmes romantiques ou insinuations sexuelles populaires en quechua. Le folklore n'a pas encore été détrôné par la musique américaine ; allez le découvrir dans une peña, où les couples des classes moyennes et supérieures vont danser la valse créole et la marinera ; faites-vous des amis en envoyant vous aussi un petit message entre les morceaux.

Les Indiens n'ont pas besoin de fréquenter les peñas. Alternativement, ils célèbrent entre eux toutes sortes de fêtes (et ils ne craignent pas de s'endetter). Pendant plusieurs jours, l'alcool arrose les danses d'origine rituelle (on y mime l'accouplement, la chasse) rythmées par des orchestres amateurs. Une mention spéciale pour la célèbre diablada de Puno qui invoque les éléments. D'origine moins ancienne, on entend aussi beaucoup de tangos argentins et les tintamarres de cuivres de la musique mexicaine au romantisme morbide. En Équateur, une influence plus chaude domine, on y danse la cumbia colombienne et le merengue aux tons presque antillais.

GÉOGRAPHIE

La célèbre dérive des continents explique tout. L'Amérique du Sud s'est détachée de l'Australie, lorsqu'elle s'est cognée contre l'Amérique du Nord. En basculant, elle a créé les Andes, des volcans, et des secousses telluriques qui n'ont pas cessé. En cas de tremblement de terre, il est conseillé de se tenir dans un encadrement de porte et de se recommander au Señor de los Temblores. Rassurez-vous, les secousses sont nombreuses, mais rares sont celles qui causent des dégâts.

Les Andes

L'andinisme est en plein développement. Il existe des livres décrivant promenades faciles et escalades pénibles. Difficiles à trouver en France. Se renseigner auprès de clubs d'alpinisme, et dans de rares librairies. Sur place, voir le paragraphe « Trekking » dans l'introduction au Pérou. Protégez-vous très soigneusement contre la réverbération.

La côte

Le courant glacé de Humboldt remonte tout le long de la côte, empêchant toute baignade pendant l'été européen, sauf à Tumbes (nord du Pérou) et autour d'Esmeraldas en Équateur (même là, le soleil n'est pas toujours au rendez-vous). La côte est un gigantesque désert caillouteux plongé de mai à octobre dans la garúa, un brouillard humide qui ne se dissipe que l'après-midi. Avantage de ce froid : vous aurez la chance de voir des phoques à Paracas. Et pas de moustiques pendant la garúa.

Il est amusant de constater de visu l'étagement de la végétation, depuis le chaume piquant (ichú) au-dessus de 4 500 m, aux cactus et fleurs de couleurs brillantes différentes selon l'altitude. Après les terrasses (andenes) héritées des Incas, à 2 000 m, la végétation change radicalement à l'ouest.

Le monde de la selva

Quelques conseils

Attention, il n'y fait pas toujours chaud, vous aurez besoin de votre duvet au-dessus de 1 000 m. Il y a beaucoup d'ombre, la plupart du temps le soleil s'arrête à 40 m au-dessus de vos têtes. Donc, très peu de sous-bois : la machette sert plus à graver des signes de piste et à cueillir qu'à se frayer un chemin. Tout pourrit vite, laissant les chemins propres. Il n'est pas si difficile de pénétrer dans la jungle seul, mais ce n'est pas recommandé : la piste est marquée d'indices ténus que vous ne reconnaîtriez pas. Mais surtout, vous vous priveriez du plaisir des découvertes insoupçonnables que vous ferait faire un guide local. Les Indiens eux-mêmes évitent de traverser la *selva* qu'ils jugent inhospitalière, ils vivent au bord des fleuves.

Ne jamais s'appuyer, s'asseoir, ou mettre la main, sans regarder : le palmier *chonta* a des couronnes d'épines tous les 30 cm. Les insectes redoutables se dissimulent facilement dans un creux, telle la fourmi guerrière (2 cm de long et une demi-journée de fièvre intense). Les énormes araignées ne sont pas mortelles, jurent les Indiens. S'ils les trouvent dans la maison, ils les ramassent dans un verre et vont les jeter au loin ; écrasées, elles projettent des poils urticants. Le pire, ce sont les moucherons invisibles, actifs toute la journée : anti-moustiques, bien que cela les impressionne peu, et manches longues sont conseillés.

La faune

Énormément d'animaux, donc, mais généralement minuscules. Les feuilles, très hautes, étant peu accessibles, il n'y a pas de grands mammifères : le plus gros est le tapir, de la taille d'un veau.

Toujours pour la même raison (remplacer le vent), les animaux se déplacent isolés et non en troupeau. Peu de prédateurs, donc, et petits : ocelots, pumas, rares jaguars. On trouve aussi de petites biches, des rats ressemblant à des lapins (et vice versa), des serpents s'enfuyant très vite (l'anaconda, constricteur et nageur, est le plus réputé). On ne voit que très peu d'animaux dans la jungle : les singes à la queue préhensile sont trop hauts, les paresseux, bien cachés dans les feuilles, sont si immobiles qu'ils sont couverts de lichen en saison humide, les tatous fouissent vite, les tapirs et les fourmiliers se sauvent au moindre bruit. Partout on entend les oiseaux (le cri du toucan, briseur de graines, indispensable à la germination, est très reconnaissable) mais on ne les voit que dans les clairières. Rabattez-vous sur les papillons, tellement nombreux (plusieurs espèces à la fois) et merveilleux, même si les plus petits sont les plus fréquents, et les processions de fourmis cultivatrices qui sectionnent les feuilles des arbres en tronçons de 2 cm de côté et en tapissent la fourmilière pour y faire croître le champignon dont elles se nourrissent. Un bon guide vous montrera, dans les marigots, les crocodiles (la nuit, leurs yeux accrochent en rougeoyant la lumière des lampes : ils se baladent pataudement et ne mangent que de la viande décomposée, moins dure) et les piranhas. Ces petits poissons ont des dents vraiment coupantes, c'est sûr. Les Indiens les utilisent comme couteaux. Cela dit, la légende exagère un peu, on les pêche avec des viscères de poulet bien sanglants et ils mettent tout de même un moment à venir ! Ils sont délicieux grillés mais ne peuvent être vidés que par des professionnels. Les poissons des rivières, eux, sont en général énormes et excellents. Encore une horreur ? Une petite chauve-souris ; ce vampire a les mœurs du moustique.

Malgré tous ces avertissements, ne ratez pas la jungle : il y a autant d'espèces animales en Amazonie que sur le reste du globe, et on n'a pas fini de les recenser.

La flore

Contrairement aux forêts européennes, on ne trouve pas ici d'essence dominante. Disséminées elles sont moins vulnérables et peuvent donc résister aux prédateurs. Cette dissémination outrancière est destinée à assurer la pollinisation dans ce monde dépourvu de vent ; on observe une interdépendance très organisée. En Europe, on compte 30 espèces de plantes aux 100 hectares ; dans la selva, 400 !

Arbres gigantesques, tous différents en densité, depuis le *balsa* des radeaux jusqu'à un bois qui ne flotte pas. Certains ont des bases triangulaires qui servent de tambours audibles à des kilomètres à la ronde. Le *ceibo* donne un coton végétal bien utile pour équilibrer les flèches de sarbacane. Le latex *(hévéa)*, toujours présent, est rarement exploité de nos jours. Beaucoup ont des propriétés curatives reconnues (quinine) ou peu orthodoxes mais efficaces. Les arbres sont encombrés d'épiphytes, plantes qui poussent sur les autres, telles les orchidées. Les lianes sont bien trop raides pour jouer les Tarzan : à la rigueur, elles servent à franchir 1 ou 2 m dans les marécages. Ce sont des racines pompeuses d'eau, leurs feuilles sont tout là-haut. Elles n'ont pas toutes les mêmes propriétés. L'une d'elles, coupée, fournit plusieurs litres d'eau parfumée en quelques secondes. Une autre, incroyablement amère, donne le curare (il faut le réduire par la cuisson, son contact avec une plaie paralyse mais son ingestion n'est pas dangereuse : on peut donc manger les animaux capturés au curare).

Les petits arbres : deux espèces donnent le cœur de palmier (n'en abusez pas, ils sont en voie de disparition sur le passage des touristes), dont le palmier *toquilla* qui sert à tout, y compris au tressage de toits imperméables et de chapeaux « panamas ». Il existe plusieurs sortes de bananiers sans fruits mais aux belles fleurs rouges.

Peu de fleurs — elles ressemblent à des feuilles colorées — et peu d'odeurs, inutiles à la pollinisation.

Dans les champs, que l'on cultive deux ans tout au plus tant la terre s'épuise vite, on produit le cacao (consommable en fruit), le café et le thé au-dessus de 1 000 m, la papaye, l'arbre à pain aux feuilles dentelées vernies qui donne des espèces de châtaignes, toutes sortes de fruits, la *yuca* (un colorant rouge), l'*achiote*. Ramassez de grosses graines, cultivées ou sauvages, mettez-les dans un plastique dans du coton humide, replantez à l'intérieur en France (les graines se gardent ainsi une quinzaine de jours) après avoir donné un coup de lime dans celles qui n'ont pas germé ; ça pousse bien, et c'est un cadeau apprécié (et ça reste miniature !).

Les habitants

Il n'y a plus que quelques milliers de « vrais sauvages », traqués par les foreurs de pétrole et les constructeurs de routes. Les célèbres Jivaros (difficilement accessibles, heureusement pour eux) ne réduisent plus les têtes. La recette en était pourtant élémentaire : couper le cou, passer une petite ficelle par l'œsophage, désosser avec soin, faire bouillir un petit quart d'heure, ourler d'une herbe flexible, éviter les rictus déplaisants par trois épines de *chonta* fichées entre les lèvres. Pour sécher, remplir de sable chaud 3 ou 4 jours de suite, puis de pierres. Passer une ficelle dans le crâne, décabosser les traits, maquiller comme un vivant, repeigner. Jivaros et autres Indiens maîtrisent des techniques bien plus ragoûtantes, l'artisanat *shuar* est célèbre à juste titre.

Vous rencontrerez des Indiens, civilisés ou presque, groupés en petits villages mobiles autour de l'école qui alphabétise enfants et adultes. L'espagnol est devenu obligatoire, en plus de la langue locale et du quechua qui se parlait jusque-là. Civilisés, mais exotiques quand même, avec les gamins de 4 ans qui fument et traversent les rivières debout dans leurs frêles embarcations, les femmes qui mâchonnent de la banane et la recrachent dans un seau en plastique pour la fabrication de la chicha nécessaire aux folles soirées. Les maisons sont sur pilotis. Deux ou trois familles vivent ensemble. Chacun a son hamac, la cuisine est au premier étage, installée autour d'un foyer permanent, il y a des sarbacanes partout. Comme dans les montagnes, on croit que les objets ont une âme : la maison meurt avec son maître, on l'enterre dessous et on construit une nouvelle habitation plus loin.

Comment y aller ?

Au Pérou, vous pourrez visiter la selva au départ d'Iquitos, Pucallpa, Puerto Maldonado, où l'on trouve même des tours confortables. D'autres voies, plus originales, existent : Tantamayo, Chachapoyas, Tingo María, mais elles sont actuellement formellement déconseillées pour cause de narcotrafic et de guérilla.

Si vous ne tenez pas au guide, vous pouvez en toute sécurité, après le Machu Picchu, continuer en train jusqu'à Quillabamba, puis vous rendre en une journée (demander la *caseta*, à l'intérieur du camion) à Kiteni, bourgade de la jungle pourvue d'hôtels. De là, en un jour de bateau, vous atteindrez le premier village des missions. Attention, les transports en commun se terminent là. En Bolivie, essayez le triangle Santa Cruz-Trinidad-Cochabamba. En Équateur, il est facile de remonter le rio Cayapas aux berges très animées, à partir de San Lorenzo. Les excursions en Équateur à partir de Misahuallí ne sont pas luxueuses, mais variées, pas chères, avec des guides compétents. Elles semblent les plus intéressantes.

Le matériel

Très peu de bagages, les courroies frottent et deviennent insupportables. Un sac au fond du bateau, protégé par 1,50 m de bâche plastique (s'achète sur place) fermée aux extrémités, avec vos vêtements de rechange, longs et chauds, et des chaussures légères pour le campement. Dans un petit sac plus accessible mis dans un sac plastique, mais facile à transporter à terre, crème solaire très protectrice, gourde et pastilles purificatrices, anti-moustiques, appareil photo encore emballé dans du plastique, pellicule de rechange. Portez toujours chapeau et lunettes de soleil, un maillot sous vos vêtements, des bottes en caoutchouc (achetez-les sur place) ; prévoyez des chaussettes assez épaisses. Fabriquez-vous un poncho de pluie avec encore 1,50 m de plastique fendu pour la tête, noué d'une ceinture de lianes. Essayez le chapeau en feuilles de la selva. Vous ne serez pas ridicule, vous le comprendrez sous l'averse !

LE PÉROU

Il y a beaucoup de touristes au Pérou, surtout des Français. Mais c'est parce qu'il y a quelque chose à voir, quelqu'un à rencontrer... Les émotions de tout ordre y sont nombreuses : à quelques kilomètres de Lima, on est en plein désert ; à l'ouest le Pacifique, à l'est les Andes, peuplées d'Indiens ne parlant que le quechua des Incas ou l'aymara dans l'Altiplano... Et le chemin de fer péruvien, quand il se met à grimper à des hauteurs folles. Et puis l'Est, la forêt vierge, l'Amazonie.

Adresses utiles, formalités

● *En France*

– **Consulat du Pérou :** 102, av. des Champs-Élysées, 75008 Paris. ☎ 42-89-30-13. M. : George-V. Ouvert du lundi au vendredi de 9 h à 14 h. Pour toutes les formalités.
– **Ambassade du Pérou :** 50, av. Kléber, 75016 Paris. ☎ 47-04-34-53 ou 47-04-77-38. M. : Kléber. Ouverte de 10 h à 13 h. Fermée samedi et dimanche.
– **Office du tourisme du Pérou :** renseignements par Minitel : 36-15, code OTPEROU.
– **Air Promotion :** 66, av. des Champs-Élysées, 75008 Paris. ☎ 40-74-00-04. M. : F.D.-Roosevelt. Représentant de la compagnie aérienne *Faucett Europe*.

● *En Belgique*

– **Ambassade du Pérou :** av. de Tervueren, 179, Bruxelles 1150. ☎ (02) 733-33-19.
– **Consulat :** Britselei, 76, Anvers 2000. ☎ (03) 232-52-73.
– Pas d'office du tourisme mais pour tout renseignement, écrire à Paris. On vous enverra la documentation.
– **Faucett :** av. Louise, 228, B. 3, Bruxelles 1050. ☎ (02) 646-66-33.

● *En Suisse*

– **Consulat du Pérou :** 50, rue Rothschild, 1202 Genève, 6e étage. ☎ (022) 731-19-12.
– **Agence consulaire :** 17 Hottingerstrasse, 8032 Zürich. ☎ (01) 262-51-60.
– **Agence consulaire :** 20a Spitalackerstrasse, 3000 Berne 25. ☎ (031) 41-83-59.
– **Faucett** (EAP Aviation) : Niederdorfstrasse 63, CH 8025, Zürich. ☎ 261-18-17.

● *Au Canada*

– **Consulat du Pérou :** 550, rue Sherbrooke Ouest, Office 376, Montréal H3H 2M3. ☎ (514) 844-51-23.
– **Consulat du Pérou :** 01 Saint Mary Street, suite 301, Toronto-Ontario M4Y Guillaume 1F9. ☎ (416) 963-96-96.

Formalités

– Pas de visa obligatoire pour les ressortissants de la C.E.E.
– Le *passeport* en cours de validité est exigé. On vous accorde généralement 3 mois à partir de votre arrivée. On peut prolonger son séjour de 3 mois en présentant son billet de retour à la *Dirección General de Migraciones*, paseo de la República, 585, à Lima. Attention, à certaines frontières (notamment aux frontières « pédestres », Tumbes ou Desaguadero), on réclame souvent un billet de sortie de territoire, et cette mode tend à se développer. En fait, la loi l'exige. L'avantage, c'est que l'on peut exhiber n'importe quel billet (avion, bus, train), pourvu que ce soit la preuve matérielle que vous avez la possibilité de quitter le Pérou. Si vous n'avez aucun billet de ce type, nous conseillons d'acheter un bil-

let de bus Puno-La Paz, non daté si possible. Un représentant d'une compagnie de bus n'est jamais très loin. C'est de toute façon un des billets les moins chers. S'il est daté, vous avez des chances de pouvoir l'échanger et, si vous ne pouvez pas l'utiliser, il est très possible de le revendre. Aucun problème à Puno même.
– *Pour une voiture,* avoir un permis de conduire international et un carnet de passage en douane (voir les papiers nécessaires dans le *Manuel du Routard*). Tu crois qu'ils vont finir par l'acheter, ce merveilleux bouquin ?
– Le certificat de vaccination antivariolique n'est pas obligatoire pour les Européens. Celui contre la fièvre jaune l'est, par contre, si vous allez en Amazonie. Ne l'oubliez pas.
– La carte internationale d'étudiant est reconnue pour certains sites archéologiques et les musées (attention, dans relativement peu d'endroits). Les réductions sont parfois très avantageuses. Si vous n'en avez pas, présentez votre carte d'identité, tout en annonçant d'un air affirmatif : *estudiante.* Ça marche parfois.
– En entrant au Pérou, on reçoit un formulaire qu'il faut rendre à la sortie. Si on le perd, on en est quitte pour quelques dollars. Attention aux douaniers qui le confisquent sciemment parfois.
– En quittant le Pérou par avion, taxe de sortie obligatoire payable en dollars. Gratuit pour les gens en transit.

Argent, banques, change

Depuis le 1er juillet 1991, une nouvelle réforme monétaire est entrée en vigueur au Pérou. Le *nuevo sol* est devenu la nouvelle monnaie nationale, un *nuevo sol* valant un million d'*intis* (l'ancienne monnaie). Les *intis* ont continué de circuler quelques mois avant d'être supplantés par les nouvelles pièces et les nouveaux billets.
Il est vivement recommandé d'emporter essentiellement des dollars, des petites coupures de préférence (2/3 en espèces, 1/3 en chèques de voyage). Pour les grosses coupures (supérieures à 20 dollars), utiliser des dollars impeccables, non déchirés, non gribouillés. Sinon, ils ne les changent pas, ni dans les bureaux de change, ni dans la rue. Si vous tenez absolument à voyager avec des francs, il est préférable de n'avoir que des billets de 100 F (200 F à la rigueur), mais vous aurez bien du mal à écouler des coupures de 500 F. De toute façon, en dehors de Lima (jirón Ocona) et de Cuzco, il est difficile de changer des francs. La plupart des banques, les *casas de cambio* et des changeurs de rue acceptent les chèques de voyage (en dollars, bien sûr).
En principe, aucun problème pour retirer de l'argent avec une carte VISA. Il faut aller dans les agences principales du *Banco de Crédito.* Deux inconvénients, c'est parfois un peu long et le taux n'est pas très intéressant.
Au retour, pas de problème pour changer vos *soles* en trop à la banque de l'aéroport de Lima.
Les cartes bleues internationales sont acceptées dans un grand nombre de restaurants et de magasins, moyennant, parfois, une majoration de 7 à 10 % ou plus. Vérifier avant de signer.
Faites attention aux horaires des banques, variables selon l'établissement et suivant la saison. C'est entre 9 h et 11 h qu'on a le plus de chances de pouvoir changer.
Toujours vérifier l'argent qu'on vous rend, c'est indispensable quand on change dans la rue, et plus prudent dans une banque.
– En cas de gros problèmes d'argent, l'ambassade de France vous avance 300 F à condition que vous ayez un compte bancaire. Sachez aussi, si vous voulez vous faire envoyer de l'argent, que les télex de l'ambassade mettent dix jours pour parvenir à destination !

Artisanat

Il serait vain de faire le compte de tout ce que l'on peut rapporter du Pérou. Mais même si l'on n'achète pas, il est très intéressant de se balader dans les marchés et de regarder. Il est possible de troquer sur les marchés (à l'exception du Nord, vers Huaraz). Les capes de pluie, les K-Way, les gourdes ainsi que tout le matériel de montagne européen sont très appréciés.

— Beaucoup d'*artisanat en laine,* le tissage est connu et réputé depuis l'époque inca : poncho, pulls, gants, *chullos* (bonnets). Quelques belles qualités à Lima, La Paz et aussi à Juliaca et Puno (souvent moins cher).

— *Retablos :* ces figurines contenues dans une boîte de bois à volets peints constituent une des expressions les plus intéressantes de l'art populaire. Ces *retablos* ont pour origine les triptyques byzantins qui étaient transportés sur les champs de bataille pour présider aux combats. Les Espagnols s'en servirent pour orner leurs églises, puis les envoyèrent au Pérou pour être reproduits par les habitants de Huamanga (Ayacucho).

Ces triptyques furent réduits en dimensions pour être plus facilement transportables. On les utilisait comme autels ambulants contre les bandits et les malédictions lors des voyages. Les Espagnols y représentaient des scènes chrétiennes et tout particulièrement San Marcos. Puis les Indiens reprirent l'idée, mais en y mettant leurs propres divinités : le condor et le puma afin d'éloigner les maladies, la misère et la sécheresse. D'origine religieuse, la raison d'être des *retablos* fut complètement détournée pour devenir invocations païennes et pragmatiques.

En revanche, les matériaux n'ont pratiquement pas changé. La boîte est toujours en bois, et les personnages sont modelés dans une pâte obtenue par un mélange de pomme de terre, de cola, de farine et de plâtre.

— *Églises de barro :* ce sont de petites églises miniatures en argile dont l'origine vient de l'*ange minero de la zona.* Chaque commerçant favorisé par la fortune érigeait une église en guise d'ex-voto. Ainsi donc, Ayacucho possède 32 églises qui sont autant de remerciements à Dieu.

Ces églises en argile rappellent le style baroque des églises du Pérou. Aujourd'hui, on en trouve partout ; mais à Quina, un groupe d'artisans lutte pour perpétuer une tradition qui se perd face à la demande touristique.

— *Calebasses* (*mates burilados*), pyrogravées et peintes, à Huancayo, Huancavelica, Ayacucho, Cuzco, ou gravées à l'eau-forte (Étén, Monsefú).

— *Miroirs et cadres en bois doré,* de style colonial, à Lima.

— *Objets en filigrane d'or* (Piura) ou *d'argent* (Huancayo, Lima) : coffrets, étuis à cigarettes, etc. L'argent porte toujours le poinçon 925.

— *Masques de carnaval* (et figurines masquées représentant des acteurs de la *Diablada*), à Puno.

— *Objets sculptés en pierre,* à Ayacucho (albâtre) et à Arequipa (pierre volcanique, au grain très fin).

— *Cierges* de couleurs, à motifs géométriques, floraux, à Ayacucho, Junin, dans le Callejón de Huaylas, à Lima, etc.

— *Artisanat de la selva amazonienne,* arcs et flèches, carquois pour dards de sarbacane, plumasserie, sans oublier la poterie, les tissus et les paniers shipibo, dans la région de Pucallpa.

— *Céramique* à Ayacucho (vases zoomorphes à motifs sur fond d'ocre, mais en réalité produits par Quinua, chandeliers, sifflets en terre cuite), à Cajamarca (copies de vases préhistoriques, poterie commune), à Pucará (taureaux, monochromes en noir avec des dessins incisés, ou couleur d'argile et motifs en ocre rouge), à Pucallpa (récipients confectionnés par les Indiens Shipibo, au décor géométrique peint très finement), à Cuzco, etc.

Un système parmi d'autres pour savoir si une poterie est ancienne : frotter le dessous de la poterie avec une pièce de monnaie. Si la céramique reste intacte, c'est du vieux. D'ailleurs, la combine est utilisée par les douaniers de Lima.

— *Colliers* à Trujillo, venant des tombes de Chan Chán. Mais attention, ils sont antiques. Il est normalement interdit de les sortir.

On précise à nos chers lecteurs que certains renseignements culturels du chapitre sur le Pérou sont parfois tirés du *Guide Bleu,* car il est vraiment costaud et puis, c'est la même maison !

Boissons

Vous consommerez sans crainte l'eau servie dans les hôtels et les restaurants de la côte et de son arrière-pays, ainsi que dans les Andes. Ailleurs, soyez très circonspect et consommez de l'eau minérale ou des sodas.

Que ceux qui boivent entièrement une bouteille d'Inca Cola nous écrivent. Ça a le goût des bubble gommes du temps de notre école primaire. On est sentimental ou on ne l'est pas. Le coup de la madeleine de Proust, quoi !

La boisson la plus populaire, dans tous les sens du mot, est la *chicha,* faiblement alcoolisée, préparée avec des grains de maïs et du miel. Les débits de chicha, les *chicherias,* se signalent à l'attention du passant par une fleur de plastique au bout d'une longue perche.
Dans la jungle, nos lecteurs aventureux demanderont aux Indiens de boire le *masato,* composé de manioc mâché, salivé puis recraché. On laisse reposer. On ajoute un peu de sucre. Servir frais !
Le Pérou produit également quelques vins de table (*Ocucaje* et *Tacama* sont les meilleures marques) qui ne sont pas fantastiques ; mais vous trouverez aussi de la bière, très convenable, des jus de fruits et, parmi les alcools, du rhum et surtout du *pisco,* ou marc de raisin. Il sert à confectionner l'apéritif national, le *pisco sour* (trois mesures de pisco, quatre de sirop, un demi-citron vert, trois ou quatre gouttes d'*angostura,* un blanc d'œuf et un peu de glace pilée ; la préparation est passée au shaker, puis on y ajoute une petite pincée de cannelle sur la mousse dans le verre avant de servir). Le *pisco sour* est un must, heureusement moins cher que chez Cartier.
Une variante : le *pisco anisado,* pas mauvais du tout. Enfin, le dernier cocktail à la tête de notre hit-parade : l'*algarobina,* qui rappelle étrangement le café-crème !
Quand il fait frais, demandez un *emoliente,* boisson chaude. Ajoutez *sin gomma.* Les Péruviens en effet ajoutent une espèce de gomme à ce breuvage, qui lui donne un goût pas très agréable.

Climat, température, végétation

Depuis qu'on y a rencontré deux Français en polo et bermuda, il nous semble nécessaire d'insister sur le fait suivant : quand c'est l'été chez nous, au Pérou, c'est l'hiver. C'est bizarre, mais c'est comme ça. Et quand on est à 4 000 m, ce qui arrive souvent, il fait froid. Prenez donc un équipement d'hiver (la luge est superflue) ou au moins un anorak. Évitez quand même de visiter la zone des Andes et de l'Amazonie pendant la saison des pluies ; beaucoup de problèmes de communication.
Sur la côte, les mois les plus chauds sont décembre, janvier, février. 26 à 30 °C. Les mois les plus froids sont juin, juillet, août (10 à 19 °C). Une brume très humide et persistante recouvre toute la région côtière. On voit rarement le soleil. Sur la sierra, les mois les plus chauds correspondent à la saison des pluies (décembre à avril). Le jour, la température varie entre 19 et 25 °C environ. Les nuits sont plus fraîches.
Dans la forêt : les mois les plus chauds correspondent également à la saison des pluies (de décembre à avril, 35 °C facile...), de juin à août, il fait moins chaud (autour de 30 °C). Si vous vous rendez en forêt, prévoyez des vêtements légers et protecteurs. Pensez à emporter une crème hydratante. Et puis, en raison des vols fréquents, laissez tous vos bijoux à la maison...

Comment y aller ?

D'Europe

Un très grand nombre de compagnies de charters desservent aujourd'hui Lima. A vous de les comparer. Voir chapitre « Comment aller en Amérique du Sud ? ».

D'Équateur

Avant-propos : attention, si vous êtes dans le sens contraire, c'est-à-dire si vous quittez le Pérou pour vous rendre en Équateur, comptez au plus juste votre argent péruvien, il est ensuite pratiquement impossible de le revendre, du moins un taux un tant soit peu intéressant. Ou alors demandez aux touristes et aux routards qui redescendent si cela ne les intéresse pas, par hasard. La voie d'accès est via Aguas Verdes-Huapaillas-Zarumilla-Tumbes. La façon la plus pratique est d'emprunter la route avec les bus, les camions ou encore le stop.
Sur l'itinéraire Quito-Lima ou l'inverse, on vous déconseille de prendre un bus international. Préférez un bus national qui vous mènera à la frontière. Passez-la puis reprenez un autre bus national.
Lima-Tumbes : 22 h. Tumbes-Quito : 14 h.

De Bolivie

• Lima-La Paz en bus direct sans se poser de questions.
• La Paz-Puno (ville péruvienne près du lac Titicaca). Trois façons d'y parvenir :
– La route La Paz-Tiahuanaco (temple du Soleil)-Desaguadero-Pomata-Juli-Puno. C'est la plus rapide.
– La route La Paz-Tiquina-Copacabana-Yunguyo-Pomata-Juli-Puno. Route plus longue, mais un stop à Copacabana est digne d'intérêt.
– Bus depuis La Paz, plus catamaran jusqu'à Copacabana, plus bus jusqu'à Puno (avec *Transturin*).
Pour de plus amples renseignements, voir la partie du guide consacrée à la Bolivie. On y explique tout ça.

De Colombie

Leticia-Iquitos. Valable si vous vous intéressez à ce coin de l'Amazonie, car il faut rejoindre Leticia par avion, et faire Leticia-Iquitos également par avion ou par bateau. Puis, à partir d'Iquitos, on est souvent obligé de réemprunter un zinc, à moins d'avoir beaucoup de temps et de remonter l'Amazone.
Sinon, on conseille de passer par l'Équateur : Bogota-Tulcan-Quito (voir Équateur) - Lima (voir ci-dessus). Assez rapide.

Du Chili

Arica-Tacna se fait en *colectivos* (voiture pour cinq passagers) en une heure plus le temps passé à la douane.

Cuisine

Les petits restos sont généralement fréquentés par les « indigènes », donc plus sympathiques, et toujours meilleur marché.
Dans les quartiers populaires, on peut trouver un plat du jour peu cher. Beaucoup de villes possèdent une sorte de cantine sociale, *comedor nacional*, où l'on sert un repas complet et copieux (entrée, deux plats, dessert et boisson), à un prix dérisoire. N'oubliez pas que les *chifas*, restaurants chinois, sont aussi une spécialité du Pérou.
Le service dans les restaurants est souvent très lent : un *momento* équivaut à une demi-heure parfois. Bien vérifier l'addition car ils ont tendance à se tromper, mais rectifient sans difficulté ni excuses (d'ailleurs).
Il existe d'autre part de nombreux restos proposant seulement du *pollo a la brasa*, poulet rôti à la braise et accompagné de frites. Attention aux suppléments imprévus dans certains restaurants (*impuestos* 20 %).
Parmi les spécialités péruviennes, nous avons retenu aujourd'hui :
– Le *ceviche de corvina* : poisson de mer servi cru, coupé en petits morceaux, macéré dans du jus de citron vert. Il est servi avec des oignons crus, du piment et du maïs bouilli. Le ceviche est reconnu, paraît-il, pour ses vertus aphrodisiaques...
– Le *ceviche de camarones* : grosses crevettes ou écrevisses.
– *Papa à la Huancaïna* : pommes vapeur recouvertes d'une sauce jaune à base de fromage blanc et de piment.
– *Papa rellena* : pommes de terre farcies en beignet.
– *Ocopa* : pommes vapeur recouvertes d'une sauce à base de cacahuètes.
– *Lomo saltado* : steak coupé en petits morceaux, accompagné de quelques frites, d'oignons, de tomates et de riz.
– *Seco de res* (bœuf) ou *de gallina* (poulet) : viande en sauce à base de coriandre en feuille (persil arabe), accompagnée de pommes de terre et de riz.
– *Tallarin saltado* : pâtes en sauce (tomates, oignons, carottes) et viande en morceaux.
– *Aji de gallina* : petits morceaux de poulet mis en sauce (à base de pain, de lait, de piment, ail, oignons).
– *Carapulcra* : pommes de terre sèches, cacahuètes, viandes de porc ou poulet.
– *Tamales* : sortes de galettes de maïs, porc ou poulet, oignons, olives.
– Les *anticuchos*, consommés généralement avec un épi de maïs bouilli et des patates douces *(camotes)*, sont des brochettes de petits morceaux de cœur de

bœuf qui ont macéré dans du vinaigre, mais on en prépare également avec du veau, du porc, du poisson, des crevettes et des moules.

– Le *chupe* est une sorte de soupe de poisson (ou de crevettes) confectionnée avec de l'eau ou du lait, rendue onctueuse par l'addition de fromage réduit en purée, d'œufs et de saindoux, où le poisson et les crevettes ont mijoté. Le plat est accompagné de pommes de terre.

– *Mazamora :* dessert à base de maïzena, de maïs violet, de fruits en morceaux.

– *Suspiro limeño :* dessert à base de blancs d'œuf battus en neige et d'alcool.

– Le *churro :* dessert qui fait fureur à Lima. Long croissant fourré de « lait Nestlé », passé dans du sucre vanillé et frit.

– Les fruits, ceux des pays tempérés, tels que pommes, raisins, fraises (toute l'année), mais surtout les fruits tropicaux, dont l'exquise *chirimoya* (surtout celle de Cajamarca), très sucrée, au goût de bonbon anglais, l'ananas *(piña)*, les bananes, etc., sans oublier l'avocat *(palta)*, toujours servi en entrée, avec du poulet ou des crevettes *(palta rellena) :* excellent.

– Goûtez aux *tejas* (fruits glacés) à la noix, au citron, à la figue, etc. Délicieux. A acheter à Ica, Nazca ou Pisco. A Lima, c'est plus cher et moins bon.

Dangers ou enquiquinements

Depuis plusieurs années, certaines régions sont déconseillées aux étrangers, pour des questions de guérilla et de trafic de drogue violent. N'essayez pas de passer outre, c'est assez dangereux. Malgré un léger mieux dans la situation, la région Ayacucho-Abancay ne peut toujours pas être recommandée. Tingo María-Tantamayo est venu s'ajouter à la liste des villes à risque. Il semble qu'à Tantamayo, ça aille mieux. Nazca-Cuzco est parfois possible, mais le trajet est désagréable. De Cuzco, il vous faudra faire demi-tour ou prendre l'avion (réservez une semaine à l'avance). Certaines zones nord de la forêt peuvent être interdites.

Malgré des événements dramatiques (assassinat de deux jeunes coopérants français), le Sentier Lumineux ne s'attaque pas directement aux touristes (il pourrait le faire car il en a les moyens). Non, sa stratégie, c'est de s'attaquer uniquement à ce qu'il appelle « les collabos », ceux qui aident le gouvernement légal. Ce furent d'abord les institutions traditionnelles : municipalités, syndicats, organismes de toutes sortes. Maintenant, apparemment, les organisations non gouvernementales impliquées dans la coopération, notamment le développement des campagnes. C'est une stratégie visant à déstabiliser un peu plus la démocratie et affaiblir le pouvoir, en le privant de l'assistance technique internationale. Évidemment, nul ne peut nier que les répercussions sont importantes sur le tourisme (alors qu'il n'est nullement lui-même visé). Il reste que l'immense majorité des régions touristiques sont sûres. Nous signalons dans le texte les villes à problèmes, sans pour autant sombrer dans la paranoïa. Aux lecteurs (trices) d'être attentifs aussi à tout nouveau développement de la situation politique. Sinon, le Pérou, c'est quand même chouette !

Le problème du vol

Un sujet pénible à traiter, sans tomber dans l'exagération ni le catastrophisme. Il y a incontestablement un « problème vol » au Pérou. Bon, pour ne pas passer ses vacances sans cesse sur le qui-vive, pour ne pas les gâcher par une peur permanente, voici quelques conseils tout simples et, nous l'espérons, judicieux :

– Pas de richesse ostensible, pas de grosses montres suisses, colliers et bracelets rutilants. Toujours être discret quand on sort de l'argent.

– Ne pas mettre tout l'argent au même endroit. Le répartir en divers lieux et caches (on a encore vu des touristes avec le portefeuille dans la poche arrière ou tout dans le sac à main). Pochettes secrètes, poches intérieures cousues par soi-même, et autres idées originales se révèlent quasiment la seule parade contre les pickpockets.

– La question des pickpockets résolue, reste le problème des sacs. A propos, une race bizarre de touristes est apparue au Pérou : des « escargots à l'envers ». En effet, pour éviter que les coupeurs de sacs n'agissent « dans leur dos » en toute tranquillité, beaucoup de voyageurs ont choisi de se balader avec le sac à dos placé devant. Pas très esthétique, mais pratique en tout cas. C'était d'ailleurs un gag à La Paz, on devinait de suite qu'un touriste arrivait du Pérou, à sa façon de porter le sac à dos en ville. Vous avez aussi deviné qu'en Bolivie le sac reprenait vite sa place naturelle...

Donc, toujours avoir l'œil sur son sac pour empêcher les rois du rasoir et du cutter de le couper.

— Reste la question de la crème à raser, du dentifrice ou de tout autre produit gluant ou malodorant. C'est très mode depuis quelques années. La technique du voleur consiste à enduire le sac à dos ou le sac à main ou l'épaule de la victime de crème à raser pour l'amener à se débarrasser du sac pour le nettoyer et mieux le saisir au vol lorsqu'il aura été déposé. Donc NE JAMAIS POSER UN SAC PAR TERRE, SOUS AUCUN PRÉTEXTE. Restez calme, restez sale, restez grotesque avec votre dos ou votre sac barbouillé, mais ne réagissez pas comme les voleurs le prévoient. Il y a à l'évidence beaucoup de psychologie dans leur tactique. Ce qui nous amène aux « sketches ».

— Pour finir ce chapitre, parlons donc des « sketches ». En fait, le grand jeu des voleurs est de provoquer chez la victime choisie le moment d'inattention fatal. Et tout est bon pour contribuer à faire se relâcher l'attention. Voici quelques exemples de sketches relevés l'année dernière pour votre service. Certains très connus et éprouvés depuis de nombreuses années, d'autres étonnants par leur finesse psychologique. D'abord, le vieux coup des pièces de monnaie. Un voleur laisse tomber à vos pieds une grande quantité de pièces dans un bus bondé. Plein de gens se précipitent pour les ramasser et vous serrent de près. La plupart sont des complices. Bon, ça y est, toutes vos poches ont été visitées ! Il y a aussi la personne qui vous rapporte un gros billet que vous auriez prétendument laissé tomber dans la rue. En général, la victime est assise sur un banc, son sac à côté d'elle. La combine consiste à s'adresser à vous du côté opposé au sac. Les quelques secondes que vous passez à refuser le billet et à remercier cette personne adorable et vraiment honnête suffisent au complice pour se saisir de votre sac.

Un autre sketch du même genre arrivé à un copain. Un type bien mis, l'air vraiment sympa, arrive avec des papiers gras et une boîte de conserve à la main. Il vous accuse de prendre son pays pour une poubelle et dit vous avoir vu les jeter par terre. Votre révolte contre une telle accusation suffit pour que vous oubliiez complètement votre sac (avec la caméra dedans). Le moment de stupeur passé, le sac s'est déjà envolé.

Ne pas oublier que les voleurs agissent souvent en bande, qu'ils sont très patients, qu'ils ont aussi vite fait de tracer un portrait psychologique de leur future victime (et ses faiblesses). Dans ces conditions, que faire pour ne pas tomber dans une sombre paranoïa et ne pas être amené à se méfier de tout le monde, de toutes les situations ? Ce n'est pas simple !

— Une dernière chose : n'acceptez jamais de la nourriture proposée par des inconnus. Parfois elle est surdosée de somnifères puissants qui vous assomment pour de longues heures, le temps de vous faire dépouiller et de vous retrouver nu sur le bas-côté !

Fêtes, jours fériés

La fête, la vraie, celle qui entretient des rapports étroits avec le sacré, est le moment où l'Indien tente d'échapper quelques jours durant à sa vie et à son destin... Le calendrier des fêtes est particulièrement étoffé. En effet, l'Église a cherché à faire coïncider ses fêtes religieuses avec les foires locales et le calendrier inca, lui-même lié au cycle annuel du soleil. Il faut essayer de participer à l'une de ces fêtes.

— *Du 1er à mi-janvier*, fête des rois de Piura.
— *Du 2 au 9 février*, semaine de la Vierge à Puno.
— *Les dimanches de février*, fêtes à Jauja et à Iquitos.
— *Du 8 au 15 mars*, fêtes des Vendanges à Ica.
— *Du 15 au 22 avril*, semaine sainte à Ayacucho, Arequipa, Tacna et Lima. Vraiment fabuleux à Ayacucho.
— *Du 23 au 30 avril*, fête d'Ayacucho.
— *Le 24 juin*, fête du Soleil de Cuzco (l'Inti Raymi).
— *Le 28 juin*, fête de Saint-Pierre célébrée sur l'Altiplano péruvien.
— *Les 28 et 29 juillet*, fête nationale, à Lima notamment. Attention, tout est fermé !
— *Du 4 au 8 août*, Motupe (80 km de Chiclayo). Pèlerinage de la Cruz del Chalpón en commémoration de la découverte miraculeuse d'une croix en 1868.

- *3ᵉ semaine d'août*, fête de Huanuco. Surtout le 14 : les negritos.
- *Le 15 août*, fête de Cerro Azul.
- *Du 15 au 22 août*, fête d'Arequipa.
- *Du 26 au 29 août*, fête de Tacna.
- *Les 29 et 30 août*, fête de Santa Rosa de Lima. Tout est fermé.
- *Le 30 août*, fête à Ayacucho.
- *Du 23 au 30 septembre*, fête du Printemps à Trujillo.
- *En octobre*, commémoration du Seigneur des miracles à Lima.

Hébergement

Nombreux petits hôtels accessibles à tous.
Les hôtels de « turistas » appartiennent à l'État. Ils sont généralement propres mais coûtent au moins trois fois plus. Attention, le service et les taxes (environ 20 %) font faire des bonds prodigieux aux additions... A noter qu'il est intéressant de voyager en couple.
N'oubliez pas votre réveil, ça vous évitera des mauvaises surprises quand vous avez un bus matinal à prendre et que le gardien de l'hôtel a oublié, comme promis, de vous réveiller !
Pour les réservations d'hôtels dans vos étapes successives, faites téléphoner par l'hôtel où vous résidez, mais ne passez pas par une agence de voyages locale qui prendra une commission.
Il est parfois judicieux de demander un reçu si vous payez la chambre le soir même. Ça évite de se voir réclamer l'argent le lendemain matin par quelqu'un d'autre.

Langue

La connaissance de l'espagnol est indispensable (ou alors, ayez un bon dictionnaire). L'anglais est presque inutilisé, et parfois mal vu. Même si vous ne parlez pas l'espagnol, apprenez quand même quelques dizaines de mots. Ça fait toujours plaisir aux autochtones.

Population

2 % seulement des 1 285 000 km² du pays sont habitables. En 1970, la population totale était de 7 millions d'habitants. En 1988, elle a atteint les 20 millions, dont 8 pour Lima et sa ceinture où les conditions de vie sont souvent dramatiques : 50 % des enfants meurent avant l'âge de cinq ans. Le Conseil national de la population s'efforce de trouver une solution pour arrêter le déferlement des familles pauvres de la montagne sur Lima et diminuer le taux de fécondité : 4,8 (en France : 1,8). Mais il se heurte à la tradition et aux préjugés catholiques.

Poste, télécommunications

- *Pérou → France*
00 + 33 + numéro du correspondant.

- *France → Pérou*
19 + 51 + indicatif de la ville + numéro du correspondant.

- *Indicatifs des villes :* Arequipa 54 ; Lima 14 ; Chiclayo 74 ; Piura 7432 ; Ica 34 ; Trujillo 44 ; Puno 54 ; Cuzco 84.

- Dans certaines villes, un minimum de 3 mn est facturé lors d'un appel international. La minute coûte 20 FF.
- Attention le courrier n'est pas sûr : quel que soit l'objet, il est systématiquement volé !

Santé

– Le *soroche*, ou mal d'altitude. Il s'agit d'une gêne respiratoire : le corps n'a pas eu le temps de fabriquer le supplément de globules rouges nécessaires pour apporter au sang sa quantité habituelle d'oxygène, lequel est rare en altitude. Prendre des comprimés de Coramine glucose ou tout simplement du sucre ou encore une infusion de feuilles de coca (maté de coca). Mais on s'y fait rapidement. Les premiers jours, évitez les longues marches et les efforts soutenus. Cette quantité de globules rouges supplémentaires se voit sur les joues très rouges des habitants de la cordillère. Pensez aussi à l'homéopathie : Coca 9H en granules à prendre dès l'arrivée au Pérou et à poursuivre durant tout le séjour en altitude. Concernant la prise d'aspirine, ceux qui sont sujets aux saignements de nez prendront plutôt les produits à base de paracétamol.
– Contre les *diarrhées*, essayez Colitina, remède du coin, fort efficace. Sinon : Intétrix et Imodium. Une bonne platée de riz avec du thé fait aussi son effet.
– Contre le *paludisme*, prenez régulièrement un antipaludéen, surtout si vous vous rendez en Amazonie.
– Évitez de boire de l'eau non capsulée. On trouve partout des petites bouteilles que vous pourrez vider dans votre gourde. Il est par contre quasi impossible de trouver de l'eau minérale non gazeuse. Se munir de pastilles Micropur (en vente sur place mais cher) ou Hydrochlonazone. Évitez les crudités et les fruits non épluchables. L'*hépatite* est relativement fréquente. Faites-vous donc vacciner.
– Les différences de température étant importantes, il est très facile d'attraper une angine. Prévoyez donc ce qu'il faut.
– Contre le *choléra*, une hygiène sans faille est la meilleure des précautions. Évitez le vaccin du même nom ; il n'est efficace qu'à 40 %, il rend malade et il annihile le vaccin contre la fièvre jaune. Si vous attrapez le choléra, sachez que 20 l d'eau, du sel et du sucre en viennent à bout.

Transports intérieurs

Avions

Deux compagnies couvrent très bien les liaisons intérieures : *Faucett* et *Aeroperú*. Les tarifs sont identiques pour les deux compagnies. Toujours confirmer votre vol 48 h avant, même si l'on vous dit que ce n'est pas la peine ; surtout si le billet a été acheté dans une autre ville.
Faucett (18 escales) propose un *pass* soit 4 coupons, soit illimité pour découvrir tout le Pérou de Iquitos à Tacna et bien entendu Cuzco. Les *Air Pass* doivent être achetés en France avant votre départ. Attention, le pass n'inclut pas les taxes d'aéroport, quelquefois supérieures au prix du billet.
Faucett propose également une liaison internationale entre Lima et Miami en passant par Iquitos.
– *Paris :* Galerie Point-Show, 66, Champs-Élysées, 75008. ☎ 40-74-00-04. M. : George-V.
– *Lyon :* Espace République, 10, rue Stella, 69002. ☎ 78-38-32-11.
– *Marseille :* 2, place François-Mireur, 13001. ☎ 91-56-61-09 ou 91-56-61-08.
– *Toulouse :* 6, place Wilson, 31000. ☎ 61-21-27-04.
Attention, l'expérience nous a enseigné que bien souvent la reconfirmation n'est pas enregistrée. Un bon conseil donc : arrivez de bonne heure (au moins 2 h à l'avance) et confirmez sur place. Vous êtes alors sur une liste d'attente, mais pratiquement assuré de partir.
Autre conseil : évitez d'avoir à voyager fin juillet et début août. C'est en même temps la fête de l'Indépendance, la période des vacances scolaires et la fin du voyage pour de nombreux touristes. Avions pris d'assaut, overbooking, etc.
Également, achetez le plus souvent possible vos billets chez Faucett et Aéroperú directement plutôt que dans les agences de voyages. Elles vendent souvent des billets datés sans vérification du nombre de places.
En plus de *Faucett* et d'*Aeroperú*, il existe quatre autres compagnies aériennes, *Andréa Airlines, Americana* (représenté en France par *Aviatur :* ☎ 42-60-73-

22), *Expresso Aero* et *Transamazón,* cette dernière étant spécialisée dans les liaisons avec l'Amazonie comme son nom l'indique.

Si vous avez du temps, renseignez-vous à la *T.A.M.* (Transport aérien militaire), sur les vols effectués par les avions militaires – tarifs avantageux, en particulier Cuzco - Puerto Maldonaldo. Uniquement le samedi pour les touristes. S'inscrire sur la liste d'attente à l'aéroport.

A noter qu'on vous demande, si vous quittez le Pérou par avion, une taxe d'aéroport payable en dollars US. Il suffit de verser le montant correspondant à la succursale *Banco de la Nación* dans l'aéroport en face des portes d'embarquement. Si l'on prend plusieurs vols intérieurs, il faut payer à chaque fois une taxe d'aéroport (en dollars US). Montant variable selon les villes.

Trains

Assez lents. Exemple : Puno-Cuzco, 11 h pour 410 km.

Trois lignes de chemin de fer :

– Lima - La Oroya - Huancayo - Huancavelica : à Lima, la gare de Desemparados se trouve près du palais du Gouvernement. Cette ligne, la plus haute du monde, franchit le col du Ticlio à 4 800 m dans un paysage superbe et ses nombreux viaducs.

– Cuzco - Juliaca - Puno et Juliaca - Arequipa.

– Cuzco - Machu Picchu.

Remarque : il est parfois possible d'effectuer des réservations uniquement en 1re classe. Sinon, il faut faire la queue tôt le matin.

Trois classes. La seconde est à éviter, en général. C'est à faire une fois dans sa vie, si possible sur un parcours restreint : gens accrochés dehors, poules, lapins et odeurs garanties. La 1re est bien. Les must : le compartiment buffet, le jour, le compartiment pullman, la nuit. En 1re classe, il y aurait beaucoup moins de vols.

Autocars

Ils vont partout. En principe, très bon marché et assez confortables. Cinq grandes compagnies : *Morales Moralitos, Roggero, Tepsa, Ormeño* et *Hidalgo.* Prenez votre duvet (ou un poncho) si vous roulez de nuit. On prévient les routards de plus de 1,80 m qu'ils vont souffrir...

Enfin, si l'heure et la date de votre billet ne correspondent pas à l'horaire du car dans lequel vous vous trouvez, ça s'arrange souvent à l'amiable...

Roggero semble d'un bon rapport qualité-prix. *Ormeño* est un peu plus cher que les autres, mais les horaires sont respectés et les places peuvent être réservées à l'avance. *Tepsa* offre aussi un bon rapport qualité-prix.

Les autocars qui empruntent la panaméricaine sont bien plus rapides et confortables que les autres.

Il est utile d'avoir toujours avec soi une bouteille de Coca vide, on l'échange aux arrêts, évitant ainsi l'obligation de consommer sur place (pour les amateurs de Coca bien sûr). Sinon, avoir une gourde.

Pensez éventuellement au sachet en plastique. Le mal d'altitude et l'état des routes peuvent favoriser certains malaises... Quand on prend un bus de nuit, ne pas s'inquiéter pour le ravitaillement : tous les bus s'arrêtent pour souper dans une sorte d'auberge.

Camions

De loin le moyen de transport le moins onéreux. Attention, pendant les vacances, les prix doublent et le camion devient souvent plus cher que le bus. Il est donc conseillé de se renseigner sur le prix du bus pour la même distance. Pour trouver un camion facilement, se présenter aux contrôles de police à la sortie des villes et demander directement aux chauffeurs. Il faut avant tout choisir le camion dont le chargement permet d'être confortablement installé, car en principe vous voyagerez dans la benne (à l'exception des filles, surtout blondes, mais ceci est un cas particulier). Pour les voyages de nuit, les anoraks, duvets sont drôlement appréciés.

Colectivos

Plus chers que le bus mais plus rapides. Ils partent quand ils ont cinq passagers. Dans les grandes villes et liaisons interurbaines.

Taxis

Les taxis n'ont pas de compteurs, même dans les grandes villes. En revanche, sachez que les tarifs sont imposés. Toujours discuter. Pour être certain de ne pas vous faire arnaquer, demandez à n'importe qui combien coûte votre course selon lui. Puis demandez au chauffeur de taxi. Vous verrez ainsi si la somme réclamée est correcte.
Et attention aux faux taxis.

Auto-stop

Si on n'est pas pressé, on peut faire du stop, ça marche bien sur la côte.
Du reste, c'est un moyen de transport très utilisé par la population, en solo, en couple, en groupe, en famille avec la chèvre et les baluchons...
Sur la panaméricaine, pas trop de problèmes et on peut parfois être accepté sans payer si on ne monte pas devant avec le chauffeur.
Enfin les Péruviens sont sympa, aiment leur pays, et s'arrêtent pour vous laisser admirer le paysage ou prendre une photo. Ainsi la route n'est jamais monotone.

État des routes

Bien qu'il semble qu'il y ait eu de grands progrès, on ne peut pas dire que les routes principales soient très aisées à parcourir. La panaméricaine attend toujours d'être remise en état, surtout dans le nord du Pérou où l'on roule aussi bien à gauche qu'à droite pour éviter les trous.

Trekking

On peut se procurer des cartes de trekking bien faites au *Touring y Automovil Club del Perú* : av. C. Vallejo 699, San Isidro, Lima. ☎ 40-32-70. Également à l'*Instituto Geografico Nacional*, av. Aramburu 1190, San Isidro, Lima. Enfin, grand choix au *South American Explorers Club* : av. Portugal 146, quartier Breña, Lima. ☎ 31-44-86. Ou Huascan 1152, quartier Jesus-Maria, Lima, ☎ 23-25-15. Voir aussi Huaraz.

LIMA

Le routard qui arrive à l'aéroport peut être déçu par Lima. Il a plein d'images merveilleuses dans la tête, et que voit-il ? Une ville maussade, baignée dans le brouillard. Durant l'hiver, de juin à octobre, Lima vit doucement sous une bruine extrêmement fine qui vient de la mer : la *garúa*. On risque de trouver à cette capitale un air tristounet, si on a un peu le blues. En revanche, les amateurs de poésie urbaine trouveront une certaine originalité à ce rideau de nuages toujours baissé, dans cette couleur laiteuse qui gomme la frontière entre les choses.
Mario Vargas Llosa disait ne pas aimer la tristesse de Lima. Il voyagea beaucoup pour oublier, se fondit dans d'autres cultures, mais la *garúa* continuait à lui coller aux mots. Lima n'arrête pas d'apparaître dans son œuvre. Il faut lire *la Ville et les chiens* ou *Histoire de Mayta* et l'on devient forcément un peu liméen. A défaut de charme, Lima possède incontestablement, pour peu que l'on surmonte les apparences, une sorte de séduction étrange, irritante...
Une insécurité ambiante règne à Lima. Rien d'étonnant au fait que cette cité soit devenue très vite un monstre de 8 millions d'habitants où s'entasse le tiers de la population du pays.

Arrivée à l'aéroport

Change de devises à la banque de l'aéroport, ouverte jour et nuit. Mais taux désavantageux. Attention, si vous arrivez de La Paz avec des *bolivianos*, personne ne vous les changera.
Pour réserver une chambre d'hôtel, téléphoner avant le passage de la douane. Beaucoup moins de monde. Il y a même un petit bureau de tourisme qui peut le faire pour vous.
Consigne à bagages très chère.
Trois solutions pour quitter l'aéroport et rejoindre Lima :

– La première consiste à sortir de l'enceinte de l'aéroport (300 m à parcourir) et à prendre un bus urbain qui vous déposera le plus souvent avenue Alfonso Ugarte. Bon marché, ces bus sont néanmoins très lents (beaucoup d'arrêts sur le trajet) et les risques de vols sont importants. Enfin, la nuit, on ne vous conseille pas de quitter l'enceinte de l'aéroport à cause des agressions.

– Deuxième solution, *Trans Hôtel,* une compagnie de cars qui dépose à la demande les touristes devant leur hôtel, à Miraflorés comme dans le centre ville. Marchandez le prix. Intéressant pour un groupe (tarif dégressif). Le billet s'achète dans le hall de l'aéroport. L'attente est souvent importante car ils veulent faire le plein de voyageurs avant de démarrer. Premier départ à 5 h. Pour tout renseignement : ☎ 46-98-72.

– Enfin, troisième solution, classique et chère, les taxis, très arnaqueurs bien sûr. Mais si vous êtes ferme sur les prix, le chauffeur se chargera lui-même de trouver un client supplémentaire pour rentabiliser sa course. Il est également possible de sortir de l'enceinte de l'aéroport pour prendre un taxi. Ce sera moins cher.

Adresses utiles

– *Office du tourisme :* jirón de la Unión 1066 (Belén). Dans un ancien palais. A 200 m de la plaza San Martín (plan II B2-3). ☎ 32-35-59. Ouvert du lundi au vendredi de 9 h à 18 h et le samedi de 9 h à 13 h. Accueil très sympa. On peut y laisser les sacs.

– *Compañía Peruana de telefono S.A. :* Edificio Sud America 933, calle Augusto N. Wiesse, au coin sud de la place San Martín. On peut téléphoner en P.C.V. en France de Lima.

– *Poste :* Corréo Central, à un angle de la plaza de Armas ; av. N. de Piérola, en face de l'hôtel *Crillon.*

– *Poste restante :* Camana 195.

– *Banco de la Nación* (change de devises) : av. Nicolas de Piérola 1065. Ouverte de 9 h 15 à 15 h 30 du lundi au vendredi. ☎ 33-11-33. Les voyageurs se plaignent beaucoup de cette banque péruvienne qui maltraite les touristes... Mais il est possible d'y changer des francs (pas plus de 500 F).

– Pendant le week-end, on peut changer de l'argent dans les grands hôtels comme les *Sheraton, Bolivar, Crillon* ou *Savoy* (ce dernier refuse parfois si l'on n'est pas client). En revanche, le *Roma* est le plus souvent arrangeant. Pour un dépannage uniquement car le taux n'est pas avantageux.

– Nombreux changeurs plaza San Martín et surtout jirón Ocana où l'on peut changer des francs, mais attention aux pickpockets quand on négocie le taux de change. A Miraflorés, ils sont sur La Paz, Shell et Larco.

– *Bank of America :* Augusto Tamayo 120, quartier San Isidro. ☎ 71-77-77. Ouverte de 9 h 15 à 12 h 45. On peut obtenir de l'argent avec la carte VISA.

– *Carte VISA (Banco de Credito) :* jirón Lampa 499. ☎ 27-56-00. Ouverte de 8 h 30 à 11 h 30. A Miraflorés : av. Larco, à l'angle avec l'avenue Shell. ☎ 41-17-17.

– *American Express :* Lima Tours, Belén 1040, près de la plaza San Martín. ☎ 27-66-24. Ouvert du lundi au vendredi de 9 h 15 à 16 h 45.

– *Ambassade de France :* av. Arequipa 3415, San Isidro. ☎ 60-48-26 ou 60-49-68. Ouverte de 9 h à 12 h 30, tous les jours sauf les week-ends et jours fériés. Possibilité d'y déposer billets d'avion, argent, etc. Emporter quelques chèques car, en cas de vol, les démarches sont plus rapides pour se faire dépanner.

– *Ambassade du Canada :* Libertad 130, Miraflorés. ☎ 44-40-15. Ouverte de 8 h 30 à 11 h.

– *Ambassade de Belgique :* av. Angamos Oeste 392, à Miraflorés. ☎ 46-33-35. Ouverte de 8 h 30 à 15 h du lundi au vendredi.

– *Ambassade de Suisse :* av. Salaverry 3240, San Isidro. ☎ 62-40-90.

– *Ambassade de Bolivie :* calle Los Castaños 235. Quartier San Isidro. ☎ 22-82-31. De l'avenida Javier Prado, prendre vers l'ouest le bus n° 13 ou 13A ou un colectivo. Ouverte de 9 h à 13 h. Attention : le visa s'obtient difficilement. Faire la démarche à Paris.

– *Ambassade d'Équateur :* Las Palmeras 356, quartier San Isidro. ☎ 22-81-38. Ouverte de 9 h à 13 h.

– *Ambassade du Brésil :* Comandante Espinar 181 (à l'angle avec l'av. Pardo), Miraflorés. ☎ 46-26-35.

– *Ambassade du Chili :* Javier Prado Oeste 790, San Isidro. ☎ 40-79-65.
– *Alliance française :* av. Garcilaso de la Vega 1550. ☎ 32-38-42. Lecture gratuite de livres et de journaux français. La librairie est ouverte du lundi au vendredi de 9 h à 12 h 30 et de 16 h à 19 h.
Autre *Alliance*, à Miraflorés, av. Arequipa 4595. ☎ 46-04-81. Même horaire d'ouverture pour la bibliothèque.
– *Hôtel Sheraton :* parco de la República. On y trouve *Le Monde*.
– *Lavanderia :* calle Cailloma 430. En face de l'hôtel *Claridge*. Bien.
– *Solmartur :* calle La Paz 744, à Miraflorés. ☎ 44-13-13.
Cette agence de voyages, tenue par de jeunes Péruviens, vous donnera tous les renseignements dont vous avez besoin sur Lima. Ils vous conseilleront sur les bus, trains, location de voitures, charters sur l'Europe. Ils assurent aussi gratuitement la poste restante pour les routards (plus sûr que la poste). La Solmartur est le représentant d'*UNICLAM*. De plus, ils parlent le français. Ça aide !
– *Faucett :* av. Garcilaso de la Vega 865, pour les vols internationaux. ☎ 33-63-64. A Miraflorés : av. Diagonal 592-598. ☎ 46-20-31.
– *Enturperú :* av. Prado Oreste 1358, à San Isidro. ☎ 72-19-28. On conseille à ceux qui veulent se payer quelques « hôtels de turistas » d'effectuer leur réservation à Lima.
– *Aeroperú :* plaza San Martín 914. ☎ 23-74-59 et 31-76-26 (pour les vols intérieurs). A Miraflorés : av. Pardo Gol. ☎ 47-82-55.
– *Avianca :* Centro Comercial, bd Los Olivos. Av. Paz Soldan 225, San Isidro. ☎ 70-42-32.
– *Techniphot :* Contumaza 933, 3ᵉ étage. Près de la plaza San Martín. Pour les réparations d'appareils photos.
. – *Recharges de gaz :* Tecnica Import, calle Palca 201. ☎ 32-30-88.
– *Vaccination contre la fièvre jaune :* obligatoire pour aller en Bolivie ; Hospital del Niño, Independencia 121. ☎ 24-40-45. Du lundi au vendredi de 8 h à 12 h. Gratuit.
– *Clinique Virgen del Carmen :* calle G. Marconi 165, San Isidro. ☎ 40-42-70 et 40-80-99. Bonne clinique. Un des chirurgiens parle le français. On nous a également conseillé la *Clinique internationale*, avenue Washington, 1475. ☎ 28-80-60.

Transports à Lima

– *Les bus :* tarif unique quel que soit le trajet.
– *Les microbus (micro) :* fonctionnent de 5 h à 24 h. Le prix est le même quelle que soit la longueur du trajet. Attention aux pickpokets aux heures de pointe (entre 7 h et 8 h, midi et 18 h).
– *Les bus jaunes A.P.T.L. :* moins chers que les micros. Fonctionnent de 6 h 30 à 22 h 30.
– *Les colectivos :* taxis collectifs à trajets définis. Partent des grandes avenues (N. de Piérola, Abancay, Arequipa, Tacna, etc.).
– *Les taxis :* toujours se mettre d'accord sur le prix avant. Se renseigner dès l'arrivée sur la moyenne des tarifs pratiqués habituellement : sur de petits parcours au centre ville, sur les itinéraires centre ville à Miraflorés ou centre ville à Barranco (muni de ces références, vous savez ainsi comment fixer le prix de la course).
Attention : pour aller du centre à San Isidro ou Miraflorés (et réciproquement !), les microbus et les colectivos empruntent les avenues Tacna, Garcilaso de la Vega et l'interminable avenue Arequipa. C'est pas compliqué, c'est tout droit !

Où dormir ?

Concernant le logement bon marché, situation peu exaltante. Les hôtels pas chers du centre sont peu nombreux et vite remplis dès la fin de matinée. Pourquoi feraient-ils d'ailleurs des efforts pour l'accueil et l'entretien, assurés de toujours faire le plein ? Aussi, à Lima, exceptionnellement, ne pas hésiter, vu la très relative différence de prix, à taper dans la rubrique « Prix moyens » (tout à fait satisfaisante).
Attention, en juillet-août, rude concurrence. Commencer à chercher de bonne heure. Les hôtels qui suivent ont été choisis, non par préférence, mais en fonc-

tion d'un itinéraire qui part de la plaza San Martín et que l'on peut effectuer en moins d'une heure à pied. Enfin, il est de bon ton aussi de dormir à Miraflorés, le quartier dynamique de Lima et proche de celui de Barranco (le plus sympa de la ville, lui !).

DANS LE CENTRE

Bon marché

⚓ *Famiglia Rodriguez :* av. Nicolás de Piérola 730 (la Colmena ; plan II A-B2). Au 3ᵉ étage. ☎ 23-64-65. A 100 m de la plaza San Martín. C'est une plaisante pension, remarquablement tenue et, bien entendu, fort bien placée. Accueil sympa. Seul problème : vite complète. Très recommandé de réserver pour garantir votre point de chute à Lima. Pas cher du tout. Une de nos meilleures adresses, à condition d'éviter les chambres qui donnent sur la rue, trop bruyantes.

⚓ *Hôtel Belén :* jirón Belén 1049 (plan II B2-3). ☎ 27-89-95. En descendant au-delà de la plaza San Martín, c'est le prolongement de la jirón Unión (la principale artère du centre). Ancienne maison coloniale, située à deux pas de l'office du tourisme. Accueil passablement indifférent. Certaines chambres sont plus hautes que larges. Elles sont toutes prises d'assaut dès le matin. Un peu cher pour le « standing ». Propreté acceptable sans plus.

⚓ *Hostal Koricancha :* jirón Belén 1125. ☎ 27-48-59. Un peu plus loin que l'adresse précédente. Un peu moins cher aussi, mais beaucoup plus « rustique ». Certaines chambres sont à peine plus grandes que des placards à balais. Toilettes assez rudimentaires.

⚓ *Pensión Unión :* jirón Unión 442 (plan II B2). ☎ 28-41-36. C'est la rue commerçante du centre. Toujours animée. Pour accéder à la pension, traverser d'abord un long couloir avec quelques boutiques, puis traverser la cour. C'est au 3ᵉ étage. Extrêmement spartiate, mais l'une des pensions les moins chères de la ville. Accueil correct et c'est calme. La patronne donne aimablement des renseignements sur la ville. Conseillé essentiellement aux fauchés intégraux et... qui possèdent un duvet.

⚓ *Hostal Paraiso :* jirón Unión 428. ☎ 28-84-90. A côté du précédent. Assez médiocre, accueil nul. Toutes les catégories de chambres, de la simple sans aucun confort à la matrimoniale avec *baño*. En dernier recours seulement !
Concernant *l'hôtel Richmond,* au nᵒ 706, nous le déconseillons franchement. Tout à fait sinistre, malgré le bâtiment classé monument historique !

⚓ *Hostal Machu Picchu :* jirón Cailloma 231 (plan II B2). ☎ 27-98-49. Situé face à *l'hôtel Savoy.* Confort assez inégal, mais sympa, propreté acceptable et eau chaude fréquente. Bon rendo des routards du monde entier.

⚓ *Hôtel-Residencial Europa :* jirón Ancash 376 (plan II C2). ☎ 27-33-51. Quasiment situé plaza San Francisco, à deux cuadras de la plaza de Armas et tout à côté de la estación Desamparados. Très simple, mais propreté et sanitaires acceptables. Chambres sombres pour la plupart (genre cellules de prison), mais il semble que les draps soient changés. Là encore, l'un des hôtels les moins chers de Lima.

⚓ *Hostal Viracocha :* jirón Junin 284 (plan II C2). ☎ 27-11-78 et 27-44-06. A 30 m de la plaza de Armas. Plus cher que les adresses précédentes. Eau chaude quasiment toute la journée. La propreté commence à se faire rare.

⚓ *Albergo juvenil Karina :* Chancay 617 (plan II B1-A2). ☎ 32-35-62. Petite rue parallèle à Tacna, à cinq cuadras de la plaza San Martín. Beaucoup de jeunes Péruviens, bien sûr, mais c'est aussi ouvert aux visiteurs étrangers. Propre et pas cher. Mais le dortoir est immense...

De bon marché à prix moyens

⚓ *Hostal San Sebastián :* jirón Ica 712 (plan II B1). ☎ 23-27-40. A sept cuadras de la plaza de Armas et deux de l'av. Tacna. Situé dans une belle demeure jaune et ocre rouge, typique de la période coloniale. Accueil charmant. La patronne vous offrira un petit plan de la ville en arrivant et un caramel quand vous partirez. Atmosphère très plaisante. Quelques chambres avec douche. Certaines donnent sur la grande terrasse. Celles pour trois et quatre offrent un prix vraiment intéressant. Eau chaude permanente. Possibilité de laver son linge et de le faire sécher, mais attention car des lecteurs se sont fait voler des affaires. Garde les bagages. Information touristique. Bref, une de nos meilleures adresses !

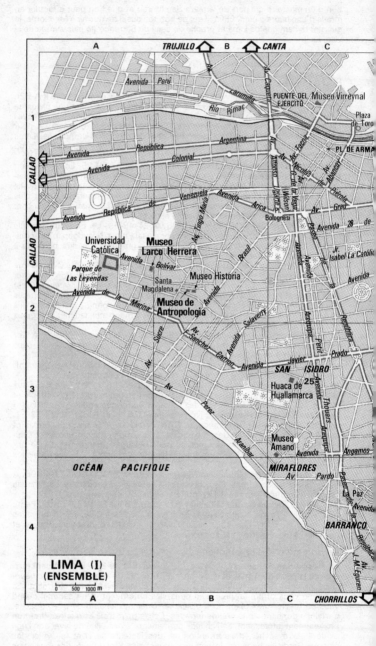

TRUJILLO

CANTA

Avenida Perú

Lacumilla

Río Rímac

PUENTE DEL EJERCITÓ

Museo Virreynal

CALLAO

Plaza de Toro

PL. DE ARMA

República

Argentina

Avenida

Colonial

Venezuela

Avenida

Arica

Av. Abancay

Av. Tacna

Av. El Vega

Av. Nicolás

Av. Ambrosio

Ugarte

Wilson

Av. Cristina

Av. Grau

Bolognesi

Avenida de República

Avenida

Avenida 28 de

Universidad Católica

Museo Larco Herrera

Av. Tingo María

Brasil

Jr. Isabel La Católic

Parque de Las Leyendas

Avenida

Bolívar

Santa Magdalena

Museo Historia

Avenida

Avenida de la Marina

Museo de Antropología

Av. Sucre

Avenida

Salaverri

Av. Sánchez Carrión

Avenida

Javier

Prada

SAN ISIDRO

25

Av. Camino

Av. Perú

República

Arequipa

OCÉAN   PACIFIQUE

Av.

Av. Paréz

Huaca de Huallamarca

Av. Aranibar

Museo Amano

Avenida

Angamos

Thouars

MIRAFLORES

Av. Pardo

La Paz

Avenida

BARRANCO

República

Av. J. M. Eguren

LIMA (I) (ENSEMBLE)

0   500   1000 m

A

B

C

CHORRILLOS

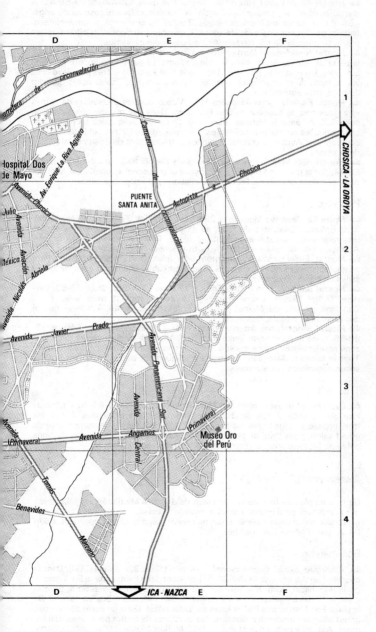

🛏 *Hostal-Residencial Tauro :* av. Tacna 768 (plan II B-A2). ☎ 27-55-41. A quatre cuadras de la plaza San Martín. A l'extérieur, façade rose assez engageante et intérieur entièrement rénové. Toutes les chambres, vraiment impeccables, possèdent une salle de bains. Ensemble fonctionnel, n'offrant certes pas le charme du *San Sebastián*. Accueil pas toujours sympa.

🛏 *Hostal-Residencial Roma :* jirón Ica 326. ☎ 27-75-76. A trois cuadras de la plaza de Armas, juste après la jirón Cailloma. Là aussi, une superbe maison coloniale. Un tout petit peu plus cher que le *San Sebastián*. Très populaire chez les routards du monde entier. Chambres très correctes. Choisir celles qui sont au fond, plus agréables.

🛏 *Hostal España :* jirón Azangaro 105. A deux cuadras de la plaza de Armas et à deux pas du couvent de San Francisco. Dans une maison coloniale. Bon accueil. On y parle le français. Bien tenu. Chambres avec bains un peu moins chères que les adresses précédentes. Le matin, petit déjeuner sur la terrasse en compagnie d'Aurora et Lorenzo, les deux perroquets, et de Rosita et Israël, les deux singes !

🛏 *Hostal San Martín :* avenida Nicolas de Pierola 882. ☎ 28-53-37 et 23-53-44. Sur la plaza San Martín. Prix moyens et personnel sympathique. Mini-bar dans certaines chambres. Propre, eau chaude ; petit déjeuner inclus.

Plus chic

🛏 *Hôtel La Casona :* Moquegua 289 (plan II B2). ☎ 27-62-74. Très central. Style colonial. Chambres du fond, au 1er étage, assez agréables. Prix encore très raisonnables. Patio avec fontaine bleue. Cadre agréable. Resto propre. Attention, pas conseillé aux sommeils trop sensibles, car assez bruyant.

🛏 *Hostal Eiffel :* calle Washington 949 (plan II A2). ☎ 24-01-88. Petit immeuble d'angle de deux étages. Cadre agréable, chambres avec de belles salles de bains. Très propre.

🛏 *Hostal del Sol :* jirón Rufino Torrico 773 (plan II A-B2). ☎ 28-13-53. Derrière *l'hôtel Crillon*. Calme, propre, décoré sobrement mais avec goût. Consigne, eau chaude. Mêmes prix que l'adresse précédente. Attention, qualité des chambres inégale. Demander à voir avant.

🛏 *Hostal Mont Blanc International :* calle J. Emilio Fernandez 640. ☎ 33-80-55. Dans le quartier de Santa Beatriz. A 15 mn à pied du centre, dans une zone résidentielle. Grande maison blanche, très *clean* et sûre. Intérieur coquet. Tout le confort. Attention : intéressant uniquement pour dormir, car il n'y a aucun commerce aux alentours.

Très chic

🛏 *Gran Hotel Bolívar :* plaza San Martín (plan II B2-3). ☎ 27-64-00. L'hôtel de luxe qui possède le plus de charme à Lima. Chambres immenses. Celles des trois premiers étages sont les meilleures. Sous la coupole de verre coloré du grand salon, possibilité de prendre le thé, avec musique classique et de bons gâteaux. On peut aussi se contenter de boire un verre au bar.

A MIRAFLORÉS

De plus en plus de touristes choisissent de dormir à Miraflorés, agréable quartier résidentiel et d'affaires, situé à environ 7 km du centre. Par l'autoroute, c'est rallié en un coup d'aile et le taxi ne revient pas trop cher. Cependant, à part l'A.J., pas d'hôtels bon marché.

Bon marché

🛏 *Albergue juvenil internacional :* Casimiro Ulluoa 328 (plan I C-D4). Dans le quartier San Antonio. ☎ 46-54-88. Si l'on vient par « l'autopista al Sur » (paseo de la República), sortir à la hauteur de l'avenida Benavides, passer le pont et c'est la 1re rue à gauche. Pour s'y rendre depuis l'aéroport, bus Transhotel. De la plaza San Martín, bus Ikaros (arrêt av. Benavides). Dans un agréable quartier, grand bâtiment moderne proposant des chambres de quatre personnes au minimum. A.J. très bien tenue et le directeur, M. Raúl Moran, est vraiment sympa. Eau chaude permanente. Piscine et jardin. Si l'on projette de brûler ses nuits à Barranco, vraiment une bonne adresse. Ouvert jusqu'à minuit.

Plus chic

Voici d'adorables petits établissements, situés généralement dans des rues paisibles.

🛏 **La Castellana :** Grimaldo del Solar 222, Miraflorés, Lima 18. ☎ 44-35-30 et 44-46-62. Rue située entre Shell et Benavides (et parallèle à l'avenida La Paz). Splendide villa de style colonial, avec façade toute blanche sculptée. Petit jardin. Belles chambres très confortables. Télé couleur, bar, resto, etc.

🛏 **Hostal Lucerna :** calle Las Dalias 276, Miraflorés, Lima 18. ☎ 45-73-21 et 46-60-50. Situé à une cuadra du bord de mer et de l'avenida Larco. Possède un certain charme. Chambres tout confort.

🛏 **Hostal-Residencial Oscar :** avenida La Paz 930, Miraflorés (plan I C4). ☎ 44-11-58. Récent. Moderne, plaisant, impeccable. Un peu moins cher que les précédents.

Où manger ?

On mange relativement bien à Lima. Il faut cependant faire souvent un effort, car les meilleurs restos sont généralement dans des quartiers excentrés (Miraflorés, Barranco, voire Callao) ou carrément paumés (comme El Señorío del Sulco).

DANS LE CENTRE ET AU NORD DE LA VILLE

Bon marché

✗ **La Buena Muerte :** jirón Paruro 465 (plan II C2). S'est agrandi en déménageant mais n'a pas perdu son caractère populaire. Un repas dans ce resto est absolument obligatoire. Vraiment une de nos meilleures adresses à Lima. Resto où l'on ne mange que du poisson, à des prix raisonnables (relativement). Comme vous ne savez pas quoi choisir, on vous recommande d'abord du *pejerrey arebozado* ou la *palta rellena* (avocat farci aux crevettes), puis un *sudado al vino* (un superbe poisson, la spécialité) et le tout arrosé de *vino blanco de la casa*. Incroyablement bon. Pour ceux qui redoublent, ne pas manquer la *parihuela* (soupe pimentée) et l'*arroz con mariscos*. Fermé le soir. Y arriver à midi pile si vous ne voulez pas attendre une heure (eh oui, les gens du coin connaissent !). Le dimanche midi, atmosphère indescriptible !

✗ **Restaurant Cordano :** jirón Ancash 202. En face de la gare Desamparados. Restaurant populaire, surtout intéressant pour le décor qui n'a pas changé depuis un siècle. Trois salles, mais le bar est vraiment superbe. Y déguster son *pisco sour*. Ses *frijoles* sont célèbres. Carte longue comme le bras. Lalo, un bon copain péruvien, nous l'a confirmé. Sanitaires cependant mal tenus.

✗ **Blue Ceiling :** Camana 317 (plan II B2). ☎ 27-29-70. Rue à une cuadra de la plaza San Martín, en remontant vers Rimac. Ouvert midi et soir jusqu'à 23 h. Fermé le dimanche. Situé juste en face du journal *La República*. Grosse animation. Clientèle d'ouvriers du journal et de gens du quartier. Sinon, décor quelconque. Avant tout, une bonne gargote pas chère. Nourriture copieuse. Gros plats de viande, bons poissons et *ceviche misto* bien servi.

✗ **Kanela :** Camana 344. A côté du *República*. Self-service péruvien au décor classique. L'avantage, c'est qu'on voit ce que l'on aura dans l'assiette. Ouvert tous les jours.

✗ **L'Eau Vive :** jirón Ucayali 370. En face du ministère des Relations Extérieures. Une oasis de fraîcheur, tenue par des sœurs. Bonne cuisine et très bon accueil. Menu en français. Assez cher tout de même.

✗ **Jardín Rosita Rios :** avenida Cajatambo 100 (hors plan). Dans le quartier Rimac. ☎ 81-41-05. Ouvert de 12 h 30 à 16 h, mais la bonne heure c'est 13 h 30-14 h. Fermé le lundi. Assez éloigné du centre. Très conseillé d'y aller en taxi. L'un des restos les plus typiques de Lima. Même si la qualité a un peu baissé depuis le changement de propriétaire. Dans une énorme villa, les tables sont placées dans de petits patios. Des musiciens viennent y jouer. Menu copieux en 15 plats, ce qui permet d'avoir une idée de toute la cuisine péruvienne. Spécialités de *piqueo, cebiche, arroz con pollo, tamales, cau-cau, carapulcra*, etc.

✗ Sinon, l'*avenida Pierola* (la Colmena) regorge de petits restos, gargotes et snacks, fermant souvent assez tard. A l'angle de la plaza San Martín, la **parril-**

PUENTE DEL EJERCITO

Quinta
(Muse

Rio Rímac

Santa Rosa
de Lima

1

Av. Argentina

PLAZA
CASTILLA

Tevacaja

Angaraés

Jirón J. de la Riva Aguero

Cañete

Chancay

Tacna

Jirón

Jirón Ica

Av. G. Dansey

PLAZA 2
DE MAYO

ás
Nazarenas

Teatro
Municipal

Jirón

Avenida

Ruffino Huancaver

Museo Cultura
Peruana

Nicolas

San
Marcelo

Teatro
Segura

Emancipa

Jirón

Zepita

Avenida

de

J. Ocona

Moquegua

Jirón

Jes
Mar

2

Avenida

Pierola

Jirón

Quilca

Garcilaso

Puerto
Torrico

PLAZA
SAN MARTIN

J. Davalos Lisson

Alfonso

Jirón

Crota

Washington

de

PLAZA
FRANCIA

Jirón

J. Co

Av. Venezuela

la

Av.   Uruguay

Pachitea

L
S

Avenida

Ugarte

Bolivia

Vega

Av.

Centro
Cívico

3

Av.

España

Justicia

Jirón

Av. Arica

Museo de
Arte italiano

PLAZA
GRAU

Av. 9 de Diciembre

Museo de
Arte

LIMA II

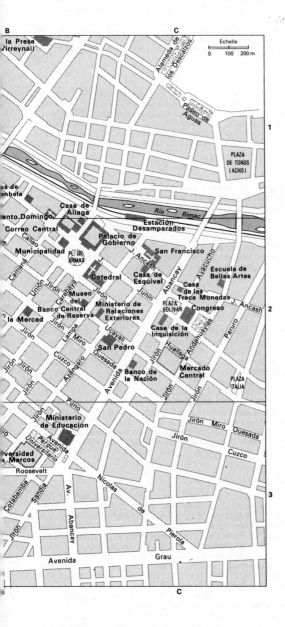

Echelle
0   100   200 m

B
la Presa
(Virreynal)

Alameda de
los Descalzos

Paseo de
Aguas

PLAZA
DE TOROS
(ACHO)

1

sa de
mbela

Casa de
Aliaga

Rio   Rimac

anto Domingo

Correo Central

Estación
Desamparados

Callao

Palacio de
Gobierno

Municipalidad

PL. DE
ARMAS

San Francisco

Camaná

J. Ancash

Avacucho

Escuela de
Bellas Artes

Catedral

Casa de
Esquivel

Junín

Unión

Casa
de las
Trece Monedas

Jirón

Jirón

Museo
del

Jirón

J. Ancash

2

Banco Central
de Reserva

Ministerio de
Relaciones
Exteriores

PLAZA
BOLIVAR

Congreso

Abancay

la Merced

Lampa

Miro

Ucavall

Casa de la
Inquisición

Paruro

Jirón

Cuzco

Quesada

San Pedro

Huallaga

Andahuaylas

Azángaro

Jirón

Jirón

Avenida

Banco de
la Nación

Mercado
Central

PLAZA
ITALIA

Puno

Jirón

Jirón

Jirón

Ministerio
de Educación

Jirón   Miro   Quesada

Avenida

Parque
Universitario

Jirón

Cuzco

iversidad
Marcos

Roosevelt

Av.

Nicolas

Cotabamba

Sandia

de

3

Abancay

Pierola

Jirón

Avenida   Grau

C

lada *San Martín* possède une bonne réputation pour ses viandes, mais l'atmosphère est nulle et les suppléments divers (et insidieux) en font un resto assez cher finalement.

✗ Pour grignoter une savoureuse *chupe de cojinova* ou une *palta rellena* ou autres snacks sur le pouce (dans un cadre informel, mais propre), le **Lucky Star** (au 733, avenida Nicolás de Piérola) ne déçoit pas (et est, en plus, ouvert jusqu'à 3 h).

Prix moyens à plus chic

✗ **Raimondi :** jirón Antonio Miró Quesada 110, adresse officielle. Mais en général, on entre par le n° 158 (plan II B-C2). A trois cuadras au nord de la plaza San Martín. Pousser l'une des portes marron sur la façade rose. A l'intérieur, beaucoup de monde en général, car c'est l'un des restos traditionnels des Liméens. Serveurs un peu coincés. Noter l'incroyable plafond sculpté. Excellentes spécialités péruviennes. Carte abondante. Dans un cadre agréable. Et pas si cher que ça.

Plus chic

✗ **Las Trece Monedas :** jirón Ancash 536 (plan II C2). ☎ 27-65-47. A sept cuadras au nord de la plaza San Martín (à l'angle de l'avenida Abancay). Ouvert le midi et le soir jusqu'à 23 h. Fermé le dimanche. Situé dans une ancienne demeure coloniale d'aristocrate du XVIIIe siècle. Jolie entrée au plafond sculpté et cour pavée de petits galets. Décoration intérieure superbe (mobilier, peintures, etc.). Avant le retour, s'il vous reste quelques soles, venez les dépenser ici (en monnaie de chez nous, comptez tout de même entre 100 et 150 F) pour une soirée pas routarde du tout, mais quand même mémorable. Inévitablement, atmosphère assez chicos. Nourriture criolla traditionnelle.

A MIRAFLORÉS

Bon marché

✗ **Bircher Benner :** jirón Shell 598 (et Grimaldo del Solar). ☎ 44-42-50. Ouvert jusqu'à 23 h. Pas loin de l'A.J. (il n'y a que le pont Benavides à traverser). Dans une maison particulière, avec jardinet devant (dans avec toutes sortes de plantes). L'un des meilleurs restos végétariens de Lima. A l'intérieur, salles agréables. Petit patio couvert. Cuisine totalement naturelle. Goûter aux pizzas maison. Petit menu pas cher.

✗ **Govinda :** jirón Shell 634. Pas loin du précédent. Là aussi, un bon végétarien, tenu par les Hare Krishna locaux. Nourriture saine, notamment tout ce qui tourne autour des salades composées, des fromages blancs ou yaourts aux vrais fruits, etc. Service assez lent. Bonnes glaces (à emporter aussi).

✗ **La calle San Ramón** (partant de Bellavista et donnant sur la grande plaza du parque 1 de Junio et l'avenida O. Benavides) est entièrement bordée de *pizzerias*. Voie piétonne avec larges terrasses, elle connaît le soir une grande animation.

Prix moyens à plus chic

✗ **Cebicheria Don Beta :** José Galvez 667 [plan I, C4 ; calle parallèle à l'avenida Pardo (deux cuadras au sud)]. ☎ 46-94-65. Ouvert tous les jours midi et soir jusqu'à 22 h. Cadre frais et agréable. Conseillé d'aller directement à la grande salle du fond. Décor très coloré de maquettes de bateaux. Patron brésilien qui prétend fabriquer les meilleurs *cebiches* du monde (si, si, c'est écrit sur le menu !). En tout cas, ils se révèlent effectivement fameux, ainsi que les *tiraditos*, les poissons frais, la *feijoada* (plat national brésilien). Goûter aussi au *pulpa de cancrejo gratinada*, au *pescado con salsa de aceitunas* ou aux *anticuchos de pescado* (brochettes de poisson). Petit menu pas cher, mais le midi seulement, et, à la carte, prix modérés. Service impeccable.

✗ **Rincón Gaucho :** parque Salazar (plan I C4). ☎ 47-47-98. Tout en bas de l'avenida Larco. Ouvert tous les jours midi et soir jusqu'à minuit. Décor très quelconque, mais de la salle à manger en surplomb, beau panorama sur la plage et l'océan. Spécialiste des bonnes viandes (*parrillada*, poulet à la braise, chorizos et *morcillas* à la mode argentine). Pas trop cher et même un petit menu (le midi seulement), du lundi au vendredi.

Plus chic

✗ **Carlin** : avenida de La Paz 646 (plan I C4). ☎ 44-41-34. Ouvert midi et soir jusqu'à 23 h. Décor « rustique campagnard », dentelles aux fenêtres. Le midi, clientèle animée d'hommes d'affaires. Réputé pour ses excellents poissons. Goûter à la truite fumée. Service impeccable. Assez cher toutefois.

✗ **La Rosa Nautica** : espigón n° 4 (« Ernesto »), playa Costa Verde. Pour s'y rendre, prendre un taxi. ☎ 47-00-57. Ouvert tous les jours midi et soir jusqu'à minuit. Sur l'une des plus célèbres plages de Miraflorés, découvrez ce restaurant construit sur pilotis en pleine mer, dans un style Brighton 1900. On y accède par une longue passerelle. Décor superbe, luxueux, raffiné, d'un goût exquis. Orgie de fleurs, plantes grasses et tiffanies. Plein de recoins sachant préserver l'intimité, avec vue sur les flots. L'endroit idéal pour une escapade d'amoureux. Goûter à l'excellente sélection de poissons et crustacés. Au hasard de la très riche carte : le *ceviche de corvina*, les *choritos al vino tinto*, le *chupe de camarones* (poissons, lait, œufs, etc.), la *parihuela* (sorte de bouillabaisse), le *corvina chorrillana* (poisson grillé avec tomates, oignons, piments, riz et maïs), le *seco de corvina* (grillé avec sauce à la coriandre), etc. Menus « touristique » et « économique » à des prix relativement abordables.

A BARRANCO ET DANS LE QUARTIER DU SURCO

Prévoir de manger au moins une fois dans le quartier de Barranco. Vous y viendrez de toute façon pour vous balader et goûter à son atmosphère romantique, délicatement fanée.

Bon marché

✗ **Juanito** : Grau 274, Barranco. Ouvert tous les jours de 10 h à 1 h en semaine, jusqu'à 2 h le week-end. Au cœur du Barranco animé, sur la plaza principale. Très vieux bistrot, complètement usé, patiné. Le décor n'a pas changé depuis un demi-siècle. Clientèle de poètes, artistes et journalistes. Possibilité de grignoter sandwiches et petits snacks.

✗ **Canta Rana** : Genova 101. Ruelle longeant le grand marché couvert de Barranco. A quelques cuadras de la plaza principale. Ouvert de 10 h 30 à 1 h. Petit resto populaire comme on les aime. Fréquenté par tout ce que le quartier compte de gens sympa, margeos, intellos, théâtreux, artistes et branchés. Accueil cordial de Vicente, le patron. Excellente cuisine familiale pas chère du tout. Toujours un copieux plat du jour. Souvent, musique le vendredi et le samedi vers 22 h. Bon, une de nos meilleures adressses, c'est dit !

✗ **Pizzeria El Hornito** : Grau 209, Barranco. ☎ 67-19-83. Ouvert tous les jours de 18 h à minuit. Dans un petit jardin sympa. Bonne cuisine et pizzas réputées, bien sûr. Goûtez les *salteñas* façon bolivienne. Terrasse agréable. Essayez de vous asseoir à l'une des tables en bois, rondelles de 15 cm d'épaisseur venues tout droit de la selva amazonienne.

Bon marché à prix moyens

✗ **El Señorio de Sulco** : jirón Tacna 276. A Surco, quartier au-dessus de celui de Barranco. ☎ 77-10-45 et 67-37-61. Ouvert le midi seulement. Fermé le lundi. Pour le dimanche, conseillé de réserver. Situé à deux cuadras de la plaza de Armas de Surco. Y aller en taxi ou en colectivo n° 1C. Le colectivo se prend à Barranco, sur Bolognesi (et Cajamarca). Retour depuis la plaza de Armas de Surco. C'est assez excentré, comme vous le constaterez, mais ça vaut le coup de faire un effort. Grande salle à manger agréable avec son toit de bambou. Accueil très cordial. Ici, vous trouverez l'une des cuisines les plus originales de Lima. Recettes goûteuses attirant une clientèle de connaisseurs (hommes d'affaires souvent). Commandez absolument la grande spécialité de la maison : la *huatia sulcana* (non, on ne vous dit pas ce que c'est !). En hors-d'œuvre, conseillé de déguster le *piqueo* (un pour deux se révèle largement suffisant). D'autres plats : le *pato guisado*, les *chicharrones*, etc. Le dernier vendredi de chaque mois, à 21 h, *peña criolla* (téléphoner pour confirmation). Une des adresses les plus intéressantes de Lima, c'est tout dire !

Plus chic

✗ **La Ermita** : Bajada de Baños 340. ☎ 67-17-91. Fermé le lundi. Situé juste en dessous du célèbre *puente de Suspiros*, dans un vallon luxuriant. Terrasse et jardin. L'un des plus beaux cadres rêvés. Nourriture très correcte et pas si chère que ça. Service sans reproche. Là encore, un lieu idéal et romantique pour amoureux.

✕ *El Otro Sitio :* Sucre 317. ☎ 77-24-13. A côté du *puente de Suspiros* également. Une des adresses les plus anciennes de Lima. Dans une grande et belle maison coloniale. Pour les plus conformistes de nos lecteurs, car atmosphère chicos assez lourde et garçons figés, peu souriants et obséquieux jusqu'à la caricature. Cuisine criolla classique de qualité. En début de semaine, ambiance très morne. Venir plutôt en fin de semaine. Du lundi au vendredi, musique criolla à partir de 22 h 30, samedi, jazz ou rock. Bonne adresse, qui a cependant du mal à suivre l'évolution du quartier.

A CALLAO

Pour ceux qui attendent un avion ou souhaitent sortir des sentiers battus, une balade sympa à Callao se termine toujours par un bon repas sur place. Coin fort peu touristique au demeurant. Pour s'y rendre, bus nᵒˢ 61 ou 64 de la plaza San Martín ou minibus.

Bon marché

✕ Dans les gargotes de *la Punta* (la pointe de la presqu'île), déguster de succulentes brochettes de cœurs (*anticuchos*) et des *picarones* (beignets de patates douces grillées avec du miel). Dans le vieux Callao, autour de la plaza José Galvez, d'autres petits restos proposent les délicieuses *choros a la chalaca* (grosses moules avec oignons et citron vert).

Prix moyens

✕ *Ah, Gusto !* : jirón Mariscal Ramón Castilla 568, La Perla Alta, Callao. ☎ 29-33-28. Ouvert de 11 h 30 à 17 h 30 uniquement. Fermé le lundi. Y aller en taxi, c'est vraiment paumé. A deux cuadras de l'Ovalo Bolivar (une grande place du quartier de La Perla). Resto possédant une très solide réputation pour son poisson et ses fruits de mer. Pas touristique du tout. Carte bien fournie. Jugez-en : *caracoles à la piedra* (escargots grillés), *tiradito especial* (genre de *ceviche* sans oignons), *pulpo al olivo, cangrejo relleno* (crabe farci aux fruits de mer), *ceviche* de crevettes chaudes, *conchita al jugo, navajos à la plancha, uñas de cangrejo* (en salade avec huîtres et champignons), etc. Ça vaut vraiment le déplacement !

A voir

DANS LE CENTRE

A cause des tremblements de terre, pratiquement rien ne subsiste de la période s'écoulant de la fondation de Lima, en 1535, à 1746 (date du dernier tremblement de terre). Comme dans beaucoup de capitales d'Amérique latine, le *Centro* est habité par une grande partie de la population la plus pauvre. Architecturalement, caractère décousu indéniable ; pourtant, on devine derrière certaines façades crasseuses des petits bijoux d'architecture coloniale. Il est de bon ton de dénigrer le Centro. C'est un peu injuste. Derrière sa crasse et son côté décadent, il y a une vie réelle. Il n'y a qu'à constater l'animation démente la journée.

En outre, pour les moins paranos de nos lecteurs, la balade de nuit dans ses rues quasi désertes (à part la Colmena et jirón Unión, bien sûr !) révèle nombre de côtés expressionnistes bien séduisants. De l'autre côté du rio s'étend le quartier de *Rimac* qui fut aussi, dans le temps, l'un des quartiers huppés de Lima. Bien des choses intéressantes à y voir (mais là, balade de nuit carrément déconseillée).

▶ *Plaza de Armas* (plan II B-C2) : entièrement rénovée, elle présente un remarquable ordonnancement d'édifices coloniaux. Sur la gauche, la municipalité *(Cabildo),* au centre, le palais du Gouvernement (inapprochable) et à droite la cathédrale. Le trafic automobile très réduit permet d'en dégager une charmante vision d'ensemble. Du fait de l'insécurité politique, certains trottoirs sont parfois interdits (comme celui du palais présidentiel), mais les étrangers peuvent passer en montrant leur passeport.

▸ **La cathédrale :** dès la fondation de Lima, on construisit un sanctuaire à cet emplacement, mais l'édifice actuel date de 1746 et ce sont ses piliers en bois qui permirent aux tremblements de terre de ne pas trop l'endommager. Façade assez austère (à l'époque, l'influence de Herrera traversait bien les mers) et intérieur quelque peu tristounet. Belles stalles du chœur, entourées de deux chaires sculptées. A gauche de l'autel, musée d'Art religieux. Collections de chasubles brodées d'or, statuaire de bois polychrome, peintures sur verre. Intéressant tableau dans la grande sacristie : « la Dynastie des Incas » ; superbe mobilier, secrétaires marquetés d'ivoire, placards sculptés, objets cultuels incrustés de nacre, christ en ivoire, peintures de l'école de Cuzco. Dans la salle du chapitre, portraits des archevêques de Lima. Le long des nefs, quelques chapelles richement décorées derrière leur grille de bois ciselé (dans l'une d'entre elles, tombe de Francisco Pizarro).

A côté de la cathédrale, palais de l'archevêché avec sa belle façade baroque et ses balcons de bois sculpté et ajouré. Face au palais de l'archevêché, de l'autre côté de la rue, s'élève la **Casa del Oídor** (la maison du Juge), l'une des plus vieilles maisons de Lima et témoin unique de l'architecture civile des débuts de la ville. Mais la demeure la plus ancienne est située au bout de la jirón Unión, face au Palacio de Gobierno. C'est la **Casa de Aliaga**, qui date des premières années de la ville (1535).

▸ **Église et couvent de San Francisco :** jirón Ancash (plan II C2). Entrée payante. A deux cuadras au nord-est de la plaza de Armas. L'un des ensembles coloniaux les mieux préservés. De gauche à droite, *église de la Soledad*, au milieu, l'entrée du couvent (et du musée) et, à droite, l'*église San Francisco* à l'harmonieuse façade entre ses deux tours sculptées. Musée ouvert tous les jours de 9 h à 18 h.

L'église du XVIᵉ siècle est l'une des rares constructions de Lima ayant résisté au tremblement de terre de 1746. A la tribune du chœur, remarquables stalles sculptées et lutrin du XVIIᵉ siècle. Au rez-de-chaussée, peintures de l'atelier de Rubens. Beau cloître principal recouvert d'azulejos sévillans. Plafonds sculptés. Dans la salle capitulaire, intéressant retable avec Vierge polychrome. Tout autour, portraits des grands docteurs et philosophes de l'ordre des franciscains. Dans le cloître (*sala des Andas*), ostensoir de 1,5 kg d'argent. Dans la grande salle, riche section d'orfèvrerie religieuse. Custode entièrement en argent incrustée de pierres précieuses. Tableaux de l'école de Zurbarán. Au fond, « Cène » intéressante du XVIIᵉ siècle. Pour finir, visite des catacombes. On estime à environ 60 000 le nombre de personnes qui y furent inhumées. Dans un grand puits de 10 m, on notera d'ailleurs le sens pratique, autant qu'artistique, des moines !

▸ **Palais Torre Tagle :** jirón Ucayali (et Lampa ; plan II B-C2). Le meilleur exemple d'architecture coloniale. Intéressant pour ses balcons ajourés et sa cour intérieure. Construit à la fin du XVIIᵉ siècle. A l'intérieur, élégant patio à galerie où l'on aperçoit des influences andalouses et arabes. L'édifice est aujourd'hui occupé par un ministère. Les parties accessibles sont parfois fermées au public. Se renseigner à l'office du tourisme.

Toujours sur jirón Ucayali, l'*église San Pedro* est aussi l'une des plus anciennes de la ville. Elle résista assez bien aux tremblements de terre. Ornementation intérieure particulièrement riche, notamment les azulejos polychromes rehaussés de décor baroque doré à la feuille.

▸ **Le couvent et cloître Santo Domingo :** à l'intersection de Lima et Camana (plan II B1-2). A deux blocs de la plaza de Armas. Ouvert de 9 h à 12 h 30 et de 15 h à 18 h (le dimanche matin seulement). Beaux azulejos du XVIIᵉ siècle sur les murs du cloître.

Voir la salle capitulaire aux boiseries sculptées et le second cloître.

En sortant, aller admirer la *Casa de Oquendo* (appelée aussi *Osambela*) qui fait face à la calle Cailloma.

A deux pas, ne pas manquer, sur jirón Ica (et Camana), l'admirable façade churrigueresque de l'*église San Agustín*, véritablement sculptée comme un retable.

▸ **Église de la Merced :** jirón de la Unión (et A. Miró Quesada ; plan II B2). Là aussi, remarquable façade churrigueresque en grès, tranchant sur le rose du corps de l'église. Dans la première chapelle, à droite, tombe du padre Urraca qui fait l'objet d'une dévotion particulière, à en juger par le nombre d'ex-voto. Voir l'étrange sacristie et ses meubles à vêtements baroques ou incrustés de nacre. Vue sur le cloître qu'on ne soupçonne nullement de l'extérieur (entrée au n° 621 jirón Union). Autel principal en argent massif. Dans les nefs, grande variété de chapelles, autels et retables baroques de style très chargé.

▶ *La plaza San Martín :* sur de nombreuses brochures et cartes postales anciennes, vous en aurez évidemment une vision toute différente. De toute blanche qu'elle était, la place est devenue rose, ce qui déclencha parmi la population une grande polémique. Vers le nord monte la *jirón Unión,* l'artère la plus animée du centre.

DANS LE QUARTIER DE BARRIOS ALTOS

Prolongement du Centro, au-delà de l'avenida Abancay, ce quartier ne sera pas inconnu à ceux qui se sont déjà régalés à la *Buena Muerte.* Très populaire et animé la journée, n'incite cependant pas aux balades nocturnes.
Sur Ayacucho et Ucayali s'étend le *mercado central.*
En remontant jirón Ancash, on parvient à la *quinta Heeren* (calle Kooning 1153, cuadra 11), bel ensemble homogène de demeures coloniales avec jardins. Habité aujourd'hui par des universitaires, artistes et écrivains.

DANS LE QUARTIER DE RIMAC

Derrière le palacio de Gobierno, par le *puente de Piedra,* on parvient au quartier de Rimac qui fut un des hauts lieux de résidence de l'aristocratie espagnole. Aujourd'hui, quartier populaire que l'on peut visiter en plein jour, mais rigoureusement déconseillé la nuit. C'est ici pourtant que vous ressentirez le mieux les vibrations du vieux Lima.

▶. *La plaza de Toros* (plan II C1) : de l'autre côté du fleuve, ces arènes sont les plus anciennes d'Amérique (1768). Petit musée taurin à côté, avec en particulier de belles gravures de Picasso. Fermé les samedi et dimanche.

▶ *Paseo de Aguas et Alameda de los Descalzos :* à deux pas de la plaza de Toros s'étend la plus célèbre promenade du XVIIIᵉ siècle. Passer sous le mur crénelé pour découvrir le paseo de Aguas. L'ancienne fontaine accolée au mur et les bassins (aujourd'hui à sec) qui s'étendent devant possèdent une belle histoire. L'ensemble fut édifié par don Manuel de Amat, vice-roi d'Espagne, en hommage à sa jeune maîtresse (passée à la postérité sous le surnom de « la Périchole »). Elle avait à peine 20 ans, lui plus de 60. Leur liaison dura huit ans, défraya la chronique et se termina en 1776, lorsque le vice-roi repartit pour l'Espagne. Aujourd'hui, le paseo de Aguas a beaucoup perdu de son lustre. Il n'est plus guère qu'un terrain de foot pour les jeunes. La maison de la Périchole s'élevait à l'emplacement de la brasserie.
L'*Alameda de los Descalzos* (jirón Manco Capac) prolonge élégamment le paseo de Aguas. C'est une longue promenade dominée par la colline San Cristobal et bordée de demeures coloniales et de palmiers. Jardin au milieu. Une espèce de charme languissant baigne l'ensemble. Les statues du jardin représentent les signes du zodiaque. Au fond du jardin, deux vieilles églises se font face, avant d'arriver au *couvent des Descalzos.* Fondé à la fin du XVIᵉ siècle, il abrite aujourd'hui un intéressant petit musée de peinture (ouvert de 9 h 30 à 13 h et de 15 h à 18 h, fermé le mardi).

▶ *La Quinta de Presa :* à 500 m de l'Alameda, possibilité de visiter cette jolie résidence de campagne coloniale, édifiée en 1760. Style rococo et azulejos fusionnent superbement. La Quinta abrite le *museo Virreynal* présentant des collections de meubles coloniaux, peintures, objets d'art, etc.

A MIRAFLORÉS

Avec l'explosion démographique de Lima et la gigantesque immigration intérieure, les classes aisées se déplacent vers l'océan, envahissant massivement ce qui n'était que la campagne, il y a une trentaine d'années. Ainsi furent créés les quartiers de San Isidro (résidentiel, mais peu d'intérêt) et, surtout, Miraflorés. Il est de bon standing d'y posséder son siège social et toute Péruvienne rêve d'y vivre. C'est ici que se situe véritablement le quartier des affaires et du commerce. Pour s'y rendre, bus n° 2 de la plaza San Martín et de nombreux microbus. Benavides en est l'épine dorsale ainsi que l'avenida Larco. Parcourez les *avenues Shell, La Paz, Alcanfores* et les alentours du *parque 1ero de Junio*, c'est là que vous vous trouverez au cœur de l'animation.

Au passage, quelques ensembles architecturaux qui méritent le coup d'œil. D'abord découvrir les anciennes quintas, en se baladant sur l'*avenida 28 de Julio*. Au n° 560, la **Quinta Bustos**, paisible ensemble de jolies villas autour d'une cour. Une autre au 842, plus ancienne, plus luxuriante.

Sur La Paz, rendre visite aux luxueux centres commerciaux comme **El Alamo**, au n° 522, qui donne dans le genre western. En revanche, au n° 658, **El Suche** s'est plutôt inspiré d'un village andalou. De bonnes idées à saisir pour nos promoteurs immobiliers sans imagination (s'agit-il d'un pléonasme ?). Bon, à part ça, vous ne passerez pas toute votre vie dans ce quartier, d'autant plus que, pour nous, celui de Barranco se révèle beaucoup plus séduisant et chaleureux !

A BARRANCO

Depuis quelques années, les Liméens redécouvrent cette ancienne station balnéaire du siècle dernier qui s'était un peu assoupie et ronronnait dans son coin sans rien dire à personne. Artistes et intellectuels furent les premiers à en apprécier l'architecture horizontale, les vieilles demeures « républicaines » aux pièces immenses et le charme exotique de ses rues paisibles et luxuriantes. Vinrent ensuite boutiques de fringues branchées, publicitaires et autres professions à la mode. La vieille population locale vit cependant avec un peu d'inquiétude cette invasion insolite. Surtout que se pointent toujours derrière les branchés, inévitablement (phénomène constaté dans toutes les capitales du monde), spéculateurs et requins divers. Elle fit heureusement échouer les premières tentatives des projets immobiliers ne correspondant pas au style du quartier pour finir par obtenir le classement officiel du site.

Le cœur de Barranco, c'est **la plaza del parco Municipal** (à l'intersection de l'avenida Grau). On y trouve une belle église coloniale, un grand jardin exotique et, surtout, **el puente de Suspiros** (le pont des Soupirs), la promenade la plus romantique de Lima. Oh, rien d'extraordinaire en soi ! C'est un simple pont en bois surplombant un petit vallon menant à la mer et entouré de vénérables villas coloniales avec jardins. Une petite église apporte même un plus architectural. La nuit, dans l'alternance de pénombre et de lumière douce, le quartier prend du relief et la balade s'y révèle un véritable enchantement (les amoureux connaissent d'ailleurs l'endroit depuis longtemps).

Rejoindre le front de mer, puis continuer vers la gauche. Vous ne tarderez pas à apercevoir Chorillos, petit port de pêche, la « banlieue » de Lima la plus au sud. Enfin, à Barranco, ne pas manquer le remarquable **museo Pedro de Osma** (description au chapitre « Musées »). Dans cette ancienne et très luxueuse résidence d'été, vous découvrirez probablement le plus beau musée d'art colonial du Pérou. Après la culture, la détente : un dernier verre chez *Juanito* (plaza del parco Municipal, sur l'avenida Grau), notre bistrot préféré.

CHORILLOS

Visite à ce petit port de pêche pas vraiment obligatoire, mais ceux qui sont déjà à Barranco et qui disposent de temps (ou doivent patienter quelques jours pour attraper un avion) apprécieront ce lieu éloigné des hordes touristiques. C'est là que se trouve le Yacht-Club de Lima. En profiter pour articuler la visite avec l'un des excellents petits restos de poisson locaux. Après la pointe du phare, belle plage de Herradura. Pour se rendre à Chorillos, bus n° 55 de l'avenue Garcilaso de la Vega ou bus n° 4 (jaune) de l'avenue Roosevelt. Compter 45 mn de trajet.

CALLAO

C'est le port de Lima, à environ 15 km du centre. A nos lecteurs fous de Tintin, ça rappellera *Le Temple du soleil* : « A Callao, chez le chef de la police... » Tintin et le capitaine Haddock recherchaient le professeur Tournesol, qui avait disparu. Le capitaine adorait le pisco et se faisait régulièrement cracher dans la figure par les lamas. Là, Hergé avait un peu fantasmé, car des lamas vous n'en verrez guère à Callao ! Donc, là aussi, balade sympa pour ceux qui sont en attente d'un charter ou veulent simplement compléter leur connaissance de la capitale. Colectivos de la plaza San Martín, bus n° 189 à l'angle des avenues Garcilaso de la Vega et Uruguay, bus n° 48 (jaune) de l'avenue Abancay ou encore bus n° 13 de l'avenue Javier Prado.

Possibilité de visiter la **forteresse del Real Felipe** (entrée payante), édifiée en 1747 pour contenir les attaques des pirates. Pourtant, à l'achèvement de l'ouvrage (25 ans après), il n'y en eut plus une seule ! Lors de la lutte pour l'indépendance, la forteresse fut le dernier bastion des troupes espagnoles loyalistes. Aujourd'hui, c'est un musée militaire. Sur l'avenida Jorge Chavez, vous trouverez aussi un petit *musée naval*. Pour ces deux musées, se renseigner au préalable sur les jours et heures d'ouverture à l'office du tourisme de Lima.

Ne pas manquer d'aller vagabonder à **la Punta**, l'extrême pointe de Callao. Au large, sur une île, la sinistre prison du Fronton (où 300 prisonniers du Sentier Lumineux furent massacrés après une révolte). Quelques pans de vieille ville avec d'antiques demeures coloniales à balcons et portiques. Dans le quartier n'habitent que des familles de pêcheurs ou de gens travaillant au port. Autour de la plaza José Galvez, vous trouverez des gargotes où il ne faut pas manquer de déguster le *ceviche* local, mais surtout les *choros a la chalaca* (énormes moules aux oignons et citron vert). A la pointe, quelques restos offrant de bonnes brochettes de cœurs *(anticuchos)* et les *picarones* (genre de beignets de farine de patate douce grillés avec du miel). Excellent repas assuré au *Ah, Gusto !* (voir chapitre « Où manger à Callao ? Prix moyens »).

Musées

▶ *Museo Nacional de Antropología y Arqueología :* plaza Bolivar, à Pueblo Libre, au bout de l'avenida San Martín (plan I B2). De l'avenue Alfonso Ugarte, microbus n° 80 (bleu ciel). Descendre à El Ovalo, c'est le croisement entre les avenues Brazil et Vivanco. De Miraflorés, prendre le microbus n° 8 sur l'avenue Larco. Descendre aussi à El Ovalo. Après, 10 mn de marche. ☎ 63-50-70. Ouvert du mardi au dimanche de 10 h à 18 h. Prendre un guide pour la visite. Refait à neuf. Très intéressant. Magnifiques collections de céramiques, de tissus précolombiens, de l'orfèvrerie et des sculptures rarissimes comme l'obélisque Tello (époque chavín). La salle de la *culture Chavín,* avec ses céramiques, est particulièrement intéressante. Enfin dans la dernière salle, une gigantesque maquette du Machu Picchu et du Winay-Wayna. Sur le chemin du retour en allant vers l'arrêt de bus, trottoir de droite, dans un coin, s'arrêter boire un verre ou manger dans un super bistrot rétro (un vrai !).

▶ *Museo Oro del Perú :* avenida Alonso de Molina 1100, Monterrico (plan I E3). Ouvert tous les jours de 12 h à 19 h. ☎ 35-29-17. De l'avenue Garcilaso de la Vega, prendre un microbus ou colectivo vers Miraflorés. Descendre à la cuadra 47 de l'avenue Arequipa, à l'angle avec l'avenue Angaros, puis colectivos ou micro jusqu'au musée. L'entrée est très chère. Demi-tarif pour les étudiants. Au sous-sol, une extraordinaire collection de bijoux, vêtements et ornements : parures de plumes originales, colliers, masques de rites funéraires, couteaux et objets en os sculptés et ciselés, tuniques et textiles brodés d'or et d'argent, outils de tissage incrustés de nacre, parures, armes, etc. Diadèmes tout en or, découverts dans les tombes Chimu (du X° au XV° siècle, donc avant la période inca). Croyant en la réincarnation, les gens se faisaient enterrer avec leurs bijoux. Superbes *tumis,* vases en argent ou incrustés de turquoises... Impossible de tout décrire. C'est, à la limite, un musée trop riche ! D'autant qu'au rez-dechaussée, il y a l'une des plus fabuleuses collections d'armes qu'on connaisse, un véritable musée à elle toute seule. Un conseil : commencer par le musée de l'or, au sous-sol, pour éviter le danger de saturation.

▶ *Museo de la Nación :* avenida Javier Prado Este 2465, San Borja (plan I D3). ☎ 37-77-75 ou 37-78-22. Ouvert du mardi au dimanche de 10 h à 18 h. Fermé le lundi. A l'angle des avenues Prado et Arequipa, prendre un micro, ils passent tous devant le musée. Un des « grands travaux » de l'ancien président Garcia, ce musée a ouvert ses portes au début 1990. Il devait supplanter tous les autres, mais le manque de crédits et les changements politiques en ont décidé autrement. Encore inachevé, ce musée présente déjà un grand intérêt. Très pédagogique, très clair, avec beaucoup d'explications (en espagnol bien sûr !), de schémas, de reconstitutions (la tombe de l'homme de Sipan, par exemple), de photos, de cartes et de maquettes (Cuzco impérial, le Machu Picchu, la vallée de l'Urubamba et tous les sites de la vallée sacrée). On démarre la visite avec les origines de l'homme... et même des plantes au Pérou, jusqu'à l'époque inca, avec en prime au 4ᵉ étage une exposition de peinture contemporaine. Comptez au moins 2 h pour la visite.

▸ *Museo Larco Herrera* : avenida Bolivar 1515, à Pueblo Libre (plan I A-B2). ☎ 61-13-12. Bus 23 (bleu exclusivement) de l'avenida Abancay. Bien préciser au chauffeur, Pueblo Libre. Ouvert de 9 h à 13 h et de 15 h à 18 h, sauf le dimanche après-midi. Demi-tarif pour les étudiants. Des milliers de vases de la période mochica et chimu. Une salle de bijoux en or et un tissu pré-inca qui a l'honneur de détenir le record encore inégalé du plus grand nombre de points au centimètre carré. Mais, bien sûr, les pervers seront rassasiés par l'incomparable collection de huacos érotiques. Située dans le jardin, à côté de la boutique du musée. Prenez vos crayons. Très cher pour les gringos.

▸ *Museo de la Inquisición* : Junin 548 (plan II C2). Bref ! un petit florilège illustré sur les méfaits de la religion. Ouvert du lundi au samedi de 9 h à 20 h, c'est l'heure théorique mais il est conseillé d'y aller avant 17 h pour être sûr de ne pas trouver porte close. Gratuit et intéressant.

▸ *Museo Amano* : Retiro 160, à Miraflorés. Du croisement des avenues Arequipa et Angamos prendre le microbus nº 11 jusqu'à l'avenue Santa-Cruz. La rue Retiro est une petite rue parallèle à cette avenue. Deux avantages : c'est gratuit, et le guide (toujours gratuit) vous expose un panorama complet de toutes les civilisations qui ont peuplé le Pérou, ainsi que leurs influences réciproques. Importante collection de tissus de Chancay (civilisation la plus avancée pour le tissage). Un *quipu* très étonnant (sorte de boulier inca, très rare). Un inconvénient toutefois : il faut obligatoirement téléphoner (☎ 41-29-09) pour prendre rendez-vous. En principe, l'office du tourisme s'en charge.

▸ *Museo del Arte* : paseo Colón 125 (plan II A-B3). ☎ 23-47-32. Ceux qui ont vu les musées précédents risquent d'être un peu blasés par ces objets précolombiens. Quelques peintures et mobilier de l'époque coloniale, en particulier un piano Boulle (rarissime) et « l'Enterrement d'Atahualpa ». Ouvert de 9 h à 17 h tous les jours, sauf le lundi. Pour les amateurs de peinture, *museo del Arte Italiano*, juste en face.

▸ *Museo Pedro de Osma* : avenida Pedro de Osma 421. A Barranco. ☎ 67-00-19. Nécessité de téléphoner avant. Deux visites par jour, en espagnol et en allemand le matin, en anglais et en français l'après-midi. Visite guidée par groupe de 10 personnes uniquement. Construite en 1906, superbe résidence d'été d'un aristocrate propriétaire de mines qui passa sa vie à collectionner antiquités, peintures et objets d'art. Aujourd'hui, une fondation gère ce qui est, probablement, l'une des plus belles collections privées d'art colonial d'Amérique latine. Ouvert en juillet 1988 dans un cadre incomparable complètement rénové.
Vous admirerez successivement des retables dorés baroques, de remarquables Vierges de l'école de Cuzco (notamment « Nuestra Señora del Rosario de Pomata », du XVIIIᵉ siècle, d'une grande richesse décorative), l'« Entierro del Cristo » (belle pièce de terre cuite polychrome et os gravé du XVIᵉ siècle), l'« Imaculada » de Quito, un christ en ivoire, des peintures sur verre et de nombreuses sculptures des XVIIᵉ et XVIIIᵉ siècles. Salle des Archanges, découvrez les magnifiques meubles incrustés de nacre (venant des Philippines). Salle de la Passion, « La Virgen Niña Hilando », une pietà espagnole polychrome et une belle « Descente de croix ». Dans la salle suivante, l'« Exaltation de l'Eucharistie » (XVIIIᵉ siècle, Cuzco) en peinture et argent repoussé ciselé, etc.
Dans le pavillon du fond, l'ancienne salle à manger. Section consacrée à la généalogie des Incas, orfèvrerie du XVIIIᵉ siècle (extrême finesse du travail de filigrane dans la tradition d'Ayacucho), salle consacrée à la vie du donateur. Bref, un musée à ne pas manquer !

A voir aux environs

▸ *Ruines de Pachacamac* : au nº 31 sur la panaméricaine. Bus nº 190 (c'est écrit dessus « Pachacamac ») à l'angle des avenues Montevideo et Andahuay-

las. Départ toutes les 30 mn. Le bus Lima-Lurin-San Bartolo s'arrête aux portes des ruines. Ouvert tous les jours de 9 h à 17 h. Demi-tarif pour les étudiants. Ruines en adobe que l'on tente de restaurer. Voir le « couvent », maison destinée à l'éducation des femmes qui allaient devenir prêtresses ou épouses de riches Incas. A visiter si on a du temps en trop.
— 30 mn de bus vers Chosica suffisent pour sortir de la *garúa* et voir le soleil.

Où boire un verre ?

— *Bistrot sans nom :* calle Quilca 201 (plan II A-B2). Dans le centre, près de la plaza San Martín. Plus personne ne connaît l'âge de cette maison. Toute la salle est pleine de vitrines garnies de bouteilles. Venez-y le soir pour l'apéro. Pour passer un bon moment. Clientèle populaire. Sacrée animation.
— *Chez Juanito :* à Barranco (voir chapitre « Où manger bon marché à Barranco ? »).
— *Librería El Portal :* avenida Grau 266, à Barranco. Ouvert de 10 h à 13 h et de 16 h à 23 h (jusqu'à 2 h le week-end) ; le dimanche de 18 h à 23 h. Vente de bouquins intéressants et d'artisanat. Au fond, quelques tables et chaises pour prendre un café avec des gâteaux. Bonne musique d'ambiance.
— *Nosferatú :* au pont des Soupirs, à Barranco. Ouvert jusqu'à 23 h. Fermé le dimanche. Ambiance tamisée. Plutôt calme. Expo de photos et d'affiches. Possibilité de grignoter aussi : salades, quiches, sandwiches chauds, etc. Ne pas arriver trop tôt.

Où écouter de la musique ? Où sortir ?

DANS LE CENTRE

— *Association culturelle Brisas del Titicaca :* Walkusky 168, juste à côté de la plaza Bolognesi (plan II A3). Descendre un petit bout de l'avenida Brazil et 1ʳᵉ rue à gauche. C'est à 30 m. C'est l'association culturelle, à Lima, de ceux qui sont originaires de Puno. Atmosphère chaleureuse donc, de gens heureux de se retrouver ensemble. Vendredi et samedi, excellents groupes folkloriques et de chanteurs (la musique de Puno est l'une des plus intéressantes). Venez un peu avant 21 h, si vous voulez être sûr d'avoir une place assise.
— *Peña Hatuchay :* jirón Trujillo 228-3, Rimac (plan II B-C1). Très populaire. Derrière la gare, dans le quartier de Rimac. Juste de l'autre côté du « pont de pierre » (pas très loin de la plaza de Armas). On peut s'y rendre à pied. D'aucuns vous diront que si vous y allez à pied de nuit, c'est dangereux. En fait, il faut être prudent sans plus (on n'est guère qu'à quelques centaines de mètres du palais présidentiel, quand même pas au fond du Rimac !). Grande *peña* populaire. Attention, les mardis, mercredis et jeudis, vous n'aurez droit qu'à un orchestre assez ringard ne jouant que des rumbas. Bonne ambiance quand même. Possibilité d'y manger. Vendredi et samedi, en principe, groupes folkloriques.
— *Combats de coqs :* au Coliseo Gallo de Oro, jirón Moquegua. Près de la plaza 2 de Mayo. Tous les après-midi. Surtout le samedi.

A MIRAFLORÉS

— *Fina Estampa :* avenida Benavides 2199. ☎ 46-57-59. Décor quelconque : une grande salle avec des tables sagement alignées. Clientèle un peu conformiste venue écouter une musique criolla de bonne qualité. Ne pas arriver de trop bonne heure (plutôt vers 22 h-22 h 30, avant c'est assez vide). Possibilité de manger, c'est très correct et à prix raisonnables (bon *aji de gallina*). Avec une bonne clientèle, atmosphère plutôt animée et agréable. Parfois des shows de danse.
— *Satchmo :* avenida La Paz 538. ☎ 44-17-53. Fermé le dimanche et le lundi. Boîte assez chicos qui, au début, avait basé toute sa programmation sur le jazz. Malheureusement, cette musique n'étant guère populaire, seul un public d'initiés a suivi, ne couvrant bien sûr pas les frais pour faire venir les artistes. Le jazz, aujourd'hui, a pratiquement disparu de la programmation. Ce sont des vedettes de variétés connues qui remplissent désormais la salle. Chic et cher.

A BARRANCO

C'est incontestablement à Barranco que vous trouverez les bonnes vibrations et la vie nocturne la plus animée. Des lieux nouveaux se créent chaque mois. Vous y aborderez tous les genres de musique. Clientèle d'étudiants, jeunes et intellos un peu branchés.

– *La Taberna* : avenida Grau (en face de la pizzeria *Hornito*). ☎ 67-64-55. Au 1er étage. Clientèle relax, plutôt artiste et étudiante. Musiques assez variées. Bonne ambiance.
– *La Estación de Barranco* : avenida Pedro de Osma 112. Quasiment sur la plaza du parc municipal, en plein centre de Barranco. ☎ 67-88-04. Ouvert de 20 h 30 à 1 h. Fermé le dimanche. Grande salle plutôt plaisante. Clientèle un peu chicos, style jeunes gens de bonne famille, mais atmosphère pas du tout pesante. Musiques d'Amérique latine de bonne qualité (musique brésilienne, salsa, reggae, etc.). Possibilité de se restaurer.
– *Florentino* : avenida Grau 689. ☎ 77-18-38. Ouvert de 21 h à 2 h (sauf le dimanche). Grande salle très agréable à la déco ancienne assez recherchée. Atmosphère chaleureuse. Là aussi, tous les genres : criolla, brasileira, rock, etc. Une bonne adresse.
– *Combats de coqs* : au Coliseo Gallos El Rosedal, plaza de Armas, dans le quartier de Surco. Y aller en taxi ou colectivo n° 1C sur Bolognesi (et Cajamarca) à Barranco. Spectacle à 20 h tous les soirs. Très peu de touristes, ça va de soi, et animation assurée. Possibilité de manger sur place des poulets à la braise (ah, bon !).

Achats

A l'exception de la première adresse, les boutiques suivantes sont assez chères, mais offrent les plus belles qualités de souvenirs :

– *Mercado de Artesanía* : avenida de la Marina, dans Pueblo Libre. Assez loin du centre. De l'avenue Ugarte, microbus n° 80, et de l'avenue Abancay, bus n° 48. Jolis tapis et souvenirs divers. Plus cher qu'à Cuzco, toutefois. Beaucoup de choix, mais nombreux articles d'assez mauvais goût qui ressemblent de plus en plus à ce que l'on trouve sous la tour Eiffel ou à Lourdes.
– *ADEPSA* (*Artesanías del Perú*) : avenida Jorge Basadre 610, à San Isidro (avenida parallèle à l'avenida Prado). Descendre après le souterrain. Ouvert du lundi au vendredi de 9 h 45 à 20 h 30 et le samedi de 11 h à 18 h 30. Assez cher. Boutique gouvernementale (on ne peut pas marchander) qui offre le plus grand choix de souvenirs que l'on puisse trouver à Lima : poteries, tissages, *retablos*, bijoux et aussi *huacos* érotiques, difficiles à trouver ailleurs.
– *Centro de Arte Peruano* : angle de la jirón Quilca et de l'avenida Alfonso Ugarte. Une vingtaine de boutiques d'artisanat. Un peu trop de babioles.
– *Artesanías Huamangaga* : avenida San Martín 160, à Barranco. Objets de grande qualité, et tout particulièrement les *retablos*. Quelques boutiques privées également dans la cour de l'office du tourisme.
– *Les marchés :* l'un se trouve près de la plaza 2 de Mayo et a lieu tous les jours, l'autre se tient derrière la poste centrale. L'artisanat y est beaucoup moins cher qu'en boutique. Les articles y sont typiquement péruviens. On y trouve notamment de belles pierres : turquoises, lapis-lazuli, etc. Plaza 2 de Mayo, bois, bonnes boutiques d'instruments de musique traditionnels. Encore une fois, l'éternelle recommandation : attention aux vols.

Envois de colis à l'étranger

– *Inférieurs à 2 kg :* Correo central.
– *Supérieurs à 2 kg :* Centro de clasificación de correos, avenida Tomás Valle cuadra 7 (au km 13 de la carretera Panamericana Norte). Y aller en taxi, plus facile de revenir en bus. Ne pas fermer les colis, car ils sont vérifiés avant envoi. Apporter scotch, feutre et, éventuellement, toile, fil et aiguille. Centre ouvert de 8 h 30 à 13 h et de 13 h 30 à 15 h 30.
– Possibilité d'envoyer le courrier en *expreso,* service spécial plus cher mais rapide et fiable.

Quitter Lima

En bus vers le sud

- *Arequipa :* Cruz del Sur, Angelitos Negros, Ormeño, Tepsa.
- *Ayacucho* (via Arequipa) : Ormeño.
- *Cuzco :* Cies Ormeño, Cruz del Sur, Señor de Los Animos.
- *Huancayo :* Comité 12, Mariscal Cacerés.
- *Ica :* Tepsa, Señor de Luren, Ormeño est la plus cotée. Réserver la veille.
- *Nazca :* Ormeño, Roggero.
- *Tacna :* Ormeño, Tepsa, Cruz del Sur.

En bus vers le nord

- *Cajamarca :* Expreso Cajamarca, Tepsa, Atahualpa.
- *Callejón de Huaylas :* Ancash, Condor de Chavin.
- *Caraz :* Ancash, Huaraz.
- *Chavin :* Condor de Chavin.
- *Chiclayo :* Expreso Cajamarca, Chiclayo Expreso, Ormeño.
- *Huanuco :* Tepsa.
- *Huaraz :* Rodriguez, Condor de Chavin.
- *Piura :* Bus Peru, Transporte Piura.
- *Pucallpa :* Tepsa.
- *Tingo María :* Tepsa, Mariscal Cacerés.
- *Trujillo :* Roggero, Tepsa, Chinchay-Suyo.
- *Tumbes :* Tepsa, Ormeño.

Adresses des compagnies

- *Angelitos Negros :* avenida Grau 525. ☎ 27-88-10.
- *Atahualpa :* jirón Sandia 238, près du parque universitario. ☎ 27-58-38.
- *Ancash :* avenida Carlos Zavala 147. ☎ 28-84-53.
- *Bus Peru :* avenida Pardo 640. ☎ 47-49-40.
- *Chinchay-Suyo :* avenida Grau 525. ☎ 28-91-95. Pour Trujillo, a parfois des places quand les autres compagnies sont complètes.
- *Comité 12 :* Montevideo 736. ☎ 27-12-83.
- *Condor de Chavin :* Montevideo 1039. ☎ 28-81-22.
- *Cruz del Sur :* Quilca 531. ☎ 27-13-11.
- *Expreso Cajamarca :* Cotabambas 327. ☎ 28-58-29.
- *Hidalgo Hornos :* Bolivar 1556. ☎ 24-20-98.
- *Huaraz :* Leticia 655. ☎ 27-52-60.
- *Mariscal Cacerés :* avenida 28 de Julio 2195. ☎ 24-24-56.
- *Ormeño :* Zavala Loyaza 177. ☎ 27-56-79. Prendre l'avenida Abancay, puis à droite dans la calle Felicia. Pas facile à trouver, prenez un plan. Et n'y allez pas le soir, le quartier craint un max.
- *Expreso Continental :* filiale d'Ormeño et même adresse. Pour le Nord. Bus ultramodernes.
- *Panamericano :* avenida N. de Piérola 1136.
- *Rodriguez :* avenida Roosevelt 354. ☎ 28-05-06.
- *Roggero :* avenida Grau 711. ☎ 28-07-15 ; déconseillé. On s'explique : cette compagnie passe pour être celle de la contrebande (d'où contrôles, etc.) ; elle est connue pour son matériel pourri et ses véhicules particulièrement lents (exemple : Tumbes-Lima en 38 h au lieu de 22 ; ça vous tente ?). A éviter absolument.
- *Señor de Los Animos :* avenida Luna Pizarro 129.
- *Señor de Luren :* Leticia 568. ☎ 28-06-30.
- *Sudamericano :* Montevideo 618. ☎ 27-10-77.
- *Tepsa :* paseo de la República 129. ☎ 73-12-33. La Tepsa est en face du *Sheraton*.
- *Transporte Piura :* avenida Nicolas de Piérola 1623. ☎ 28-42-03.
- *Morales Moralito :* avenida Grau 141. ☎ 27-63-10.

En train

- *Estación Desamparados :* derrière le palais présidentiel, à côté de la plaza de Armas. Une seule ligne de train au départ de la capitale : Lima - La Oroya - Huancayo. Réservation obligatoire la veille et si possible tôt le matin. 1re et 2e classe. Là aussi, attention aux vols de bagages !

En avion

Pour l'aéroport :
– *Bus Trans Hôtel :* Ricardo Palma 280. ☎ 46-98-72. On va vous chercher à votre hôtel, à l'heure que vous souhaitez. Les bus partent toutes les 30 mn de 4 h à minuit. Intéressant pour ceux qui partent tard le soir ou tôt le matin. Prévoyez un peu de marge, retards de plus en plus fréquents. Comptez de 45 mn à 1 h de trajet.
– *Colectivos :* calle Zepita, prolongement de l'avenue Tacna après l'avenue de Piérola.
– *Bus urbain :* microbus nᵒˢ 80, 157 et 35 de l'avenue Ugarte.
– *Attention :* la taxe d'aéroport est payable en dollars.
– Possibilité de revendre ses soles (mais pourquoi donc ne pas les avoir dépensés ?). Mais la Banco de la Nación ne les rachète que si vous pouvez présenter des récépissés de change de la même banque et, bien sûr, vérifie que votre billet d'avion est bien pour le jour même.
– *Un dernier conseil :* pour le retour, arriver au minimum deux heures avant. La désorganisation à l'aéroport est légendaire (et quasi totale si deux avions internationaux partent en même temps). Queue pour payer la taxe d'aéroport, pour vérifier qu'on l'a bien payée, pour le contrôle des passeports, pour identifier les bagages, etc. Surtout en été.
– *Faucett :* avenida Garcilaso de la Vega 865. ☎ 33-63-64 et 33-81-80. Également, avenida Diagonal 592, Miraflorés. ☎ 46-20-31.
– *Aeroperú :* plaza San Martín. ☎ 31-76-26 (vols intérieurs) et 23-74-59 (vols internationaux). Également, Pardo 601, Miraflorés. ☎ 47-82-55.
– *Air France :* Juan de Arona 830, San Isidro. ☎ 70-48-70 ou 70-47-02.
– *Lloyd Aero Boliviano :* avenida José Pardo 805 (2ᵉ étage), Miraflorés. ☎ 47-86-88 et 47-32-92.

Itinéraires

D'abord, le Pérou est un pays fort étendu où, d'ailleurs, les distances sont augmentées par la relative lenteur des transports. Voilà pourquoi nous proposons deux itinéraires pour la visite du Pérou. Ces deux boucles partant de Lima, aucun problème pour les relier. Itinéraire Pérou-Sud plus Bolivie et itinéraire Pérou-Nord plus Équateur.
Ces itinéraires sont, en fait, assez difficiles à parcourir en un mois. Vous serez bien plus à l'aise en trichant un peu, en prenant parfois l'avion et en évitant certains endroits moins intéressants.

1ᵉʳ ITINÉRAIRE : SUD DU PÉROU ET BOLIVIE

1ᵉʳ jour : Lima
2ᵉ jour : Lima
3ᵉ jour : Lima
4ᵉ jour : vol Lima-Cuzco
5ᵉ jour : Cuzco
6ᵉ jour : Machu Picchu
7ᵉ jour : Cuzco
8ᵉ jour : Machu Picchu
9ᵉ jour : Cuzco et Sacsahuamán
10ᵉ jour : Chincheros, Ollantaytambo, Pisac
11ᵉ jour : train de jour pour Puno
12ᵉ jour : Puno, lac Titicaca et l'île de Taquile
13ᵉ jour : Copacabana ou La Paz par la route
14ᵉ jour : Tiahuanaco ou Copacabana
15ᵉ jour : La Paz
16ᵉ jour : La Paz
17ᵉ jour : La Paz (train de nuit pour Potosí le mercredi)
18ᵉ jour : Potosí
19ᵉ jour : Sucre

20° jour : Sucre (si possible le dimanche pour le marché de Tarabuco)
21° jour : Cochabamba (bus ou avion)
22° jour : Cochabamba ou retour La Paz (par avion)
23° jour : La Paz ou les Yungas
24° jour : retour à Puno
25° jour : départ en train (ou avion) pour Arequipa
26° jour : Arequipa
27° jour : départ pour Nazca (ou un jour de plus à Arequipa pour le canyon de Colca)
28° jour : Nazca
29° jour : île de Paracas
30° jour : retour à Lima.

Remarques pour cet itinéraire sud : il symbolise un peu l'itinéraire idéal. Pas trop rapide, mais il implique quand même d'être assez bien organisé. Cela dit, beaucoup de lecteurs n'ont, en fait, que trois semaines de séjour. Dans ce cas, s'il apparaît à l'évidence nécessaire de supprimer une partie de l'itinéraire, sacrifiez la région de Nazca plutôt que la Bolivie (qui est vraiment très différente du Pérou) et économisez pour vous payer un retour avion La Paz - Lima. Les lecteurs très forts auront en plus quand même réussi à aller à Arequipa. Bref, bien cornélien tout cela ! En outre, cet itinéraire est très fréquenté pendant l'été. Donc, si vous voulez être plus tranquille, faites-le en sens inverse.

De plus, c'est surtout à Cuzco que vous commencerez vos achats sérieux. Donc, en faisant l'itinéraire dans le sens inverse, cela vous permettra d'avoir les mains libres pendant toute la première partie du voyage et vous aurez aussi moins d'attente (parfois plusieurs jours !) pour trouver un moyen de transport.

Dans les éditions précédentes a longtemps figuré l'itinéraire Lima-Huancayo-Ayacucho-Abancay-Cuzco. Compte tenu de la situation politique et des troubles dans la région d'Ayacucho-Abancay, nous avons (momentanément, nous l'espérons) supprimé cette partie de l'itinéraire. Tout en maintenant ces villes dans le texte bien entendu. Nous ne prétendons pas dicter aux lecteurs ce qui est bon ou mauvais, mais plutôt les tenir au courant des faits et situations réels. Ainsi, le train Lima-Huancayo étant assez souvent en arrêt maladie pour sabotage des voies, il faut utiliser le bus. Les portions en bus Huancayo-Ayacucho et Ayacucho-Andahuaylas se révélant vraiment rudes et longues, il faut donc compter 6 jours minimum pour rallier Cuzco (plus d'avion Ayacucho-Cuzco). Accumuler une telle fatigue dans des conditions de voyage peu sûres ne représente pas vraiment une détente. Même si les tensions se déplacent. Cela dit, effet pervers de la situation, des amis à nous ont effectué cet itinéraire en une semaine : crevés, mais presque heureux car il n'y avait... pratiquement pas de touristes à Ayacucho !

LIMA - HUANCAYO

Ceux qui ne veulent pas aller jusqu'à Huancayo peuvent descendre à La Oroya, et faire l'aller-retour dans la journée.

312 km. Départ tous les jours à 7 h 40 de la gare des Desamparados (près du palais du Gouvernement). Jours fluctuants. Bien se renseigner sur le jour où l'on peut acheter son billet (la veille ou le jour même). Attention, le train ne circule qu'entre deux plasticages !

Arrivée à 17 h. Pour les futés et les rapides : s'adresser côté gare au départ de Desamparados. La ligne est une des merveilles du chemin de fer : voie ferrée la plus haute du monde. Lorsque vous passerez à Ticlio, vous serez à 4 883 m d'altitude, eh oui ! Retour à Lima en colectivo.

Pour la petite histoire, sachez que ce chemin de fer fut construit par des Chinois importés par des Britanniques (genre « Pont de la rivière Kwaï » tourné en Amérique latine, avec permutation des couleurs de peau). Les rares survivants jaunes et leurs descendants ont ouvert des restaurants (les *chifas*), ce qui explique la prolifération des restaurants chinois au Pérou.

HUANCAYO

Ville à l'intérêt limité, à l'exception de la **feria** (marché le dimanche) ; prendre le train du samedi. Visite déconseillée depuis que la guérilla y est localisée.

– *Office du tourisme :* calle Real 517. Si c'est fermé, s'adresser au Concejo provincial de Huancayo.
– *Change* à l'office du tourisme (Real 695) et à l'hôtel de Turistas.
– *Banco del Credito :* retrait d'argent liquide avec la carte VISA et un chéquier.

Où dormir ?

Bon marché

⌕ *Pension Huascar :* calle Abancay 200. A 5 mn de la gare et à 10 mn du centre. Ambiance familiale. Repas du soir à prix raisonnable. Propre. Eau chaude. Possibilité de laver son linge. Petit problème : racole dans le train en annonçant de faux prix.
⌕ *Hosteleria Baldeon :* Amazonas 543. Particulièrement sympa et très accueillant. Ce n'est pas un hôtel, mais d'abord une ambiance familiale. Attention, certaines chambres tiennent de la boîte à sardines. Couvre-feu à 22 h et plus moyen de rentrer après. Avec un peu de chance, on vous invitera à regarder le dernier match de foot à la télé ou on vous permettra d'accompagner la fille de la maison à un mariage, à la condition que vous ayez une cravate et une tenue propre. En effet, celle-ci est spécialiste dans l'art de confectionner des gâteaux de mariage et il n'est pas rare qu'elle y soit invitée. Pour les routards non hispanisants, une autre des filles prépare le professorat d'anglais... En sortant de la gare à droite (2 cuadras) puis à gauche (2 cuadras).
⌕ *Pension Familia Marquina :* jirón Marquina 463. ☎ 23-17-32. A 5 mn à pied de la gare. Ambiance familiale, la fille tient une pâtisserie.
⌕ *Pension Swissa :* San Rosa 475. Pas chère et très grand luxe.
⌕ *Im Schweizer Haus :* Galena 169, Urb Millotingo El Tombo. Maison tenue, comme son nom l'indique, par une Allemande. Bon marché.
⌕ *Rosaje :* San Antonio 113. Près de l'avenida Uruguay. Très propre. Baignoire avec eau chaude. On y mange très bien.
⌕ *Hôtel Universal :* face à la gare. Très propre.
⌕ *Hôtel Prince :* avenida Calixto 578. Pas mal. Face à la compagnie *Etucsa* qui fait Huancayo-Lima.

Plus chic

⌕ *Hôtel Santa Felicita :* calle Giraldez 145. Un 3 étoiles, neuf et impeccable.

Où manger ?

✕ *Chez Lalo's :* entre la plaza de Armas et la gare. Un des meilleurs restos de la ville.
Deux restos copieux dans le quartier de l'*hosteleria Baldeon :*
✕ *Libertad :* avenida Giraldez 270.
✕ *Olympico :* plaza de Armas. Bon poisson et même un petit vin blanc d'Ica pas mauvais. La cuisine se trouve dans la salle à manger. Un peu cher mais bien.
✕ *133 Fuente de Soda :* plaza de Armas 133. Café expresso extra.
✕ *Restaurante Turista International :* plaza de la Constitución. Typique et bon marché.

A voir

▶ Le célèbre *marché (feria) :* rue Huancavelica. Le dimanche uniquement. Quelques bijoux en argent. La rue Huancavelica est longue : les tissus, ponchos et *mate burilados* (jolies calebasses gravées) se trouvent dans cette même rue, côté centre ville. Attention aux vols !
Goûter aux spécialités culinaires du coin : *papas a la huancaina* et *pucapicante*.

Aux environs

▶ *Le couvent d'Ocopa :* de la gare de Concepción au couvent : 10 km environ. Ferme de 12 h à 15 h pour cause de sieste et le mardi. C'est là que les missionnaires franciscains faisaient un stage avant de partir vers l'Amazonie, dans les contrées inconnues. Messieurs les routards, un salut ! Il faut moins d'une heure en bus. Les pressés iront donc en colectivo. Bibliothèque de 25 000 volumes et musée de la Selva amazonienne. On peut dormir au monastère (les matelas, pas très confortables, sont faits avec des feuilles de maïs...). Rudimentaire.

▸ *Hualhuas :* à 12 km de Huancayo. Prendre le bus. Village d'artisans. Il faut frapper aux portes pour voir leurs fabrications. Sinon, rien... Vraiment intéressant, et les villageois sont particulièrement accueillants. Tissages d'alpaga en bandes colorées. Pas très bon marché. Fête la dernière semaine d'août.

▸ *San Jerónimo :* en bus. 4 km après Hualhuas. Même genre que le précédent, mais ce village est spécialisé dans les bijoux en argent (en filigrane). Fête les 15 et 16 août.

▸ *Sapallanga :* marché le jeudi. Assez typique et très coloré. Surtout viandes et légumes.

▸ *Torre-Torre :* cañons rouges en haut de la ville, au bout de la longue rue qui part de la plaza de Armas.
Après la colline de la Libertad, aller jusqu'à Torre (20 mn de marche). Possibilité d'aller à Torre-Torre ou Jerónimo à cheval : très agréable.

▸ *Cochas Grande :* petit village à un quart d'heure de bus. On y grave les fameuses *coloquintes.*

▸ *Tour en Amazonie :* contacter Luis Hurtadoz, Luis House, 724 Giraldes (ouvert de 8 h à 20 h).

▸ *Kamaq Maki :* jirón Brasilia 200, San Carlos. ☎ 22-69-61. C'est l'association artisanale régionale qui popularise et vend la production des paysans et artisans du coin : tissages, céramiques, broderies, sculptures sur bois, calebasses, etc. Réserver ses achats pour cette organisation : prix raisonnables, très bonne qualité (teintures végétales, alpaga, etc.) et recherche artistique. La commercialisation n'est pas leur seul objectif. Les bénéfices sont réinvestis dans des projets de développement pour les commerçants quechua. Au nord de la ville, près du parc Tupac Amuro.

HUANCAYO - LIMA

– *Compagnie Etucsa :* Puno 220. Plusieurs bus dans la journée, surtout le matin. 10 h de trajet.
– *Compagnie Mariscal Cacerés :* Haránuco 350.
– *Taxis collectifs :* Comite 12 ou 22, sur Loreto.
– *Avion :* calle Real 517. Seulement le lundi matin à 7 h.
– *Train :* départ à 7 h. Achats des billets la veille de 10 h à 12 h et de 14 h 30 à 18 h (samedi, dimanche et jours fériés de 9 h à 12 h).

HUANCAYO - AYACUCHO

La route, plutôt étroite, est assez surprenante : on s'enfonce dans les Andes (10 à 15 h de route). Les horaires sont à la discrétion de la Providence et les durées de trajet variables ! En principe, départ vers 18 h par *Etucsa* deux à trois fois par semaine. La compagnie *Ayacucho* dessert Ayacucho, avec départ à 11 h le lundi. *Attention :* réservation ne veut pas forcément dire place assise. On peut vous annoncer 13 h de route qui se transforment en 20 h...
Grande transition : pendant deux heures on grelotte en altitude alors qu'après, les gamins vous proposent des oranges. Vraiment chouette, mais prenez un maximum de pulls, anoraks et couvertures. Évitez les places sur les roues car les routes ne sont pas asphaltées.

Compagnies de bus pour Ayacucho :
– *Centro Andino :* calle Real 1287.
– *Etucsa :* calle Puno 220.
– *Turismo Huancayo :* Real 517, au fond du hall. Fait le voyage de jour et c'est formidable. ☎ 23-33-31.
Si vous n'avez pas de place pour le bus, rabattez-vous alors sur le camion ou le stop. Pour cela, sortez de la ville et à la seule station-service du coin, demandez à un camion de vous emmener jusqu'au contrôle de police. Arrivé au contrôle, demandez au garde civil de vous trouver une place à bord d'un car ou d'un camion.

▶ **Huante** (entre Huancayo et Ayacucho). Un seul hôtel sur la grande place, très bon marché.

HUANCAYO - CUZCO

Les agences ont longtemps refusé de vendre des billets, disant que c'était trop dangereux, en raison du terrorisme qui y sévit. Il semble qu'aujourd'hui cela soit possible à nouveau.
– **Avion-taxi** Huancayo-Cuzco.

AYACUCHO

Un chiffre : 33 églises. Voir la *cathédrale* et l'*église San Francisco de Assisi* et on sera quitte. La ville est habituellement très agréable car elle a conservé son caractère colonial. Cependant, depuis que la guérilla sévit dans la région, l'atmosphère est très tendue avec pas mal de réflexes anti-Blancs.
Suite aux activités des guérilleros du groupe maoïste *Sendero Luminoso,* la forte présence militaire rend parfois pénible tout déplacement en ville même pour les touristes (contrôles, fouilles, arrestations).

– **Office du tourisme :** portal Municipal 46. ☎ 91-29-97. Beaux exemples d'artisanat local.
– A la sortie de l'aéroport, prendre un microbus pour la plaza de Armas.
– **Ayacucho Tour's SA :** jirón San Martín 405 (même le samedi matin). Change.

Où dormir ?

🛏 **Hôtel Colmena :** jirón Cuzco (rue qui part de la place). Très mignon, avec un patio délicieux. Propre.
🛏 **Hôtel Sixtina :** jirón Callao 336. Petite rue qui descend sur la plaza de Armas. Patron sympa. Douches, jardin. Possibilité de lavage et d'étendage.
🛏 **Hôtel Samary :** jirón Callao 329. Très propre et bon marché. Un peu bruyant. Douches chaudes de 7 h à 11 h. On peut laver son linge. Un modèle de gentillesse. Le fils organise des excursions vers Huari et Quena. Comme il est étudiant en archéologie, ses commentaires sont intéressants.
🛏 **Hôtel Santiago :** au-dessus du marché.
🛏 **Hôtel Santa Rosa :** très bien. Chambres spacieuses avec douche.
🛏 **Hôtel Turista :** jirón 9 de Diciembre, près de la plaza de Armas. Pas mal mais tarif un peu excessif. Change les dollars pendant le week-end, mais il faut arriver de bonne heure car les devises partent vite.

Où manger ?

✗ **Boulangerie :** avenida Centenario, en face de la compagnie de bus *Etucsa.* Super gâteaux.
✗ **El Alamo :** jirón Cusco, près de l'hôtel *Colmena.* On y mange bien. Goûtez au *panqueque con platano rosado y miel* (crêpe avec banane rose et miel).
✗ **Los Portales :** plaza de Armas. Musique d'ambiance, bonne cuisine. Dans le patio, cinq tables où l'on peut manger.
✗ **La Fortaleza :** calle Bellido 406. Près de San Domingo. Copieux et pas cher.
✗ **La Casona :** calle Bellido 403. Très sympa, récent, patio, bonne cuisine.

A voir

▶ **La plaza Mayor :** appelée *parque Sucre.* Place typique et historique.
▶ **La cathédrale :** piètres restaurations. Visite payante.
▶ **San Francisco de Assisi :** une des plus anciennes églises, malheureusement un peu abandonnée à son sort. Essayez de voir le *trésor* fantastique et peu cher.
▶ **San Cristobal, Santo Domingo, La Merced :** ces églises ont dû être belles avant que des « amateurs » s'amusent à les restaurer n'importe comment.

▶ **Escuela de las Bellas Artes** : belle maison coloniale avec patios et arbres.

▶ **Musée archéologique et anthropologique :** avenida Independencia, dans le centre culturel Simón Bolívar.

Achats

– **Marché de la Quena :** typique céramique artisanale.
– Superbes **retablos :** Norma Vega Hernandez, Portal Unión 35. Parmi les plus beaux du Pérou.
– Fabricants de petits **tapis** et de **calendriers incas** dans le barrio Santa Ana. On peut les voir travailler.
– **Artisanats d'albâtre** et **tisserands,** toujours dans Santa Ana.

Dans les environs

▶ **Huari :** à 25 km d'Ayacucho, une cité précolombienne enterrée que les Péruviens sont en train de mettre au jour. Constructions en pierres non taillées. A 10 km de là, sur la même route, Quinua, un village de céramistes qui conservent les traditions ancestrales. C'est assez unique au Pérou. On peut les voir travailler sur place, mais c'est de plus en plus difficile. Ils n'ouvrent plus leur porte facilement. Y aller en colectivo. Départ du nord de la ville, près de la station-service Grifo Chacan. S'assurer, bien sûr, que ce n'est pas situé en zone de guérilla.

AYACUCHO - HUANCAYO

Les compagnies *Etucsa* (départ : 13 h) et *Molina* (15 h et 16 h) assurent la liaison. Réserver la veille.
Pour obtenir une place de bus, il faut parfois attendre plusieurs jours. On peut, s'il y a beaucoup de routards, se regrouper pour louer un bus.

AYACUCHO - ANDAHUAYLAS - ABANCAY - CUZCO

– **L'avion :** Aeroperú et Faucett ne desservent plus Cuzco au départ d'Ayacucho, car les passagers ne sont pas assez nombreux.
– **L'autocar :** Ayacucho-Cuzco direct en bus. **Compagnie Hidalgo :** calle San Martín 360. 630 km et 35 h de route. Un départ par semaine hors saison. D'Ayacucho à Cuzco, on conseille de garder son duvet, ses pulls et ses pantoufles car la température est polaire et il y a toujours un original pour ouvrir une fenêtre.

▶ **Andahuaylas :** hôtel *Paluna*. D'Ayacucho, 12 h de bus (Centro Andino). Manger au *restaurant Esmeraldo* (à la sortie de la ville), très sympa pour les routards.
D'Andahuaylas à Cuzco, minibus tous les matins à 6 h 30. 12 h de trajet. Changement à Abancay. Le trajet Andahuaylas-Abancay est splendide. Beaucoup de lamas et des cols très hauts.

▶ **Abancay :** ville ayant subi le couvre-feu en 1988. Pour dormir : *hôtel Abancay* (sale). *Misti, Grand Hôtel, resto Gatonegro :* rue Castillana (demandez au patron son *algarrobina*). A éviter pour les mêmes raisons qu'Ayacucho.

CUZCO

Situés à 3 400 m d'altitude, Cuzco et ses environs sont un des endroits les plus beaux d'Amérique du Sud. Entourée de montagnes brunes, la ville s'étend dans un site magnifique, cœur de l'Empire inca (*Cuzco* = nombril, en langue quechua). Beaucoup de touristes. Pas toujours évident de trouver une chambre.
Au début, l'altitude risque de vous gêner. Quelques conseils (surtout pour le premier jour) : ne faites pas de longues promenades ; revenez à l'hôtel vous allonger un peu si vous avez le souffle court ; si vous attaquez tout de suite le séduisant quartier San Blas, grimpez ruelles et escaliers à pas très mesurés, sans vous presser, en respirant à grands coups et en vous imposant des arrêts ; surtout, mangez très légèrement le midi (évitez les plats trop riches ou les viandes genre *churrasco*). Bon, le deuxième jour, ça ira déjà bien mieux.

Pour fertiliser la terre (une vieille croyance dit aussi que cela attire la pluie), les paysans indiens brûlent leurs champs en juillet et surtout en août. Cette pratique, bien qu'interdite, est encore largement répandue. A tel point que la fumée empêche parfois les avions de décoller pendant plusieurs jours. C'est comme si une brume permanente bouchait le paysage.

Avertissement

Avec Arequipa, Puno et Juliaca, Cuzco détient malheureusement le record des vols. En fait, relativement peu d'agressions et de vols à la tire. C'est plutôt le royaume de la lame de rasoir. Les voleurs sont très doués pour découper les sacs. A la mode aussi, la crème à raser qui barbouille le sac ou les vêtements (pour inciter à déposer le sac à terre). On ne veut pas tomber dans le drame mais vraiment, il est difficile de ne pas rencontrer un lecteur dépouillé...
Amateurs d'herbe attention, la ville est une super concentration policière.

Adresses utiles

– **Banco de la Nación** (change de devises) : avenida Sol 257. Pour le change, ils exigent une photocopie du passeport.
– **Banco de Credito** : avenida Sol 189. Accepte la carte VISA.
– **American Express** : c/o Lima Tours, Portal de Harinas 177. ☎ 22-84-31.
– **Police touristique** : au coin de Triunfo et Santa Catalina Ancha (plan C-D2).
– **Poste (Correo Central)** : avenida Sol 720. Ouvert de 8 h à 19 h (dimanche, de 8 h à 12 h).
– **Téléphone** : avenida Sol 382. Ouvert jusqu'à minuit.
– **Consulat de France** : Espinar 142 (à côté de l'hôtel du même nom). Dans la pharmacie. ☎ 22-51-61.
– **Laverie automatique** : Succia 306. Près de la plaza de Armas. Ouverte tous les jours. Attention aux vols.
– **Aeroperú** : avenida Sol 602. A environ 500 m de la plaza de Armas. ☎ 23-30-51 et 23-34-47.
– **Faucett** : avenida Sol 567. ☎ 23-31-51 et 23-19-92 (à l'aéroport). Ouvert de 8 h à 18 h (dimanche de 9 h à 12 h).
– **Service des « Migraciones »** : avenida Sol (5ᵉ cuadra). A l'intérieur de la préfecture. ☎ 22-27-41. Ouvert de 8 h 30 à 13 h et de 17 h à 19 h. Samedi de 9 h à 12 h. Pour obtenir une prolongation de visa. Il faut payer celui-ci en dollars à la Banco de la Nación.
– **Alliance française** : avenida de la Cultura 804 (F2, hors plan). A 15-20 mn à pied de la plaza de Armas. Ouvert de 8 h 30 à 12 h 30 et de 15 h à 19 h. Jean-Pierre, son directeur, est un bon copain à nous. Nouvellement installée dans une grande maison, elle offre sa bibliothèque, la lecture des journaux français, son ciné-club du mercredi (16 h 30 et 18 h 30). Toujours d'excellents films. Projet d'un espace culturel-théâtre. Très bon accueil, ça va de soi !
– **Inti Tours** : avenida del Sol-Pasaje Grace, Edificio San Jorge (3ᵉ étage). ☎ 22-65-41. Une agence de voyages très sérieuse et de confiance.

Où dormir ?

A l'aéroport, il existe un service de réservations hôtelières où les tarifs sont souvent inférieurs à ceux affichés dans les hôtels. Eau chaude produite par énergie solaire donc garantie d'en avoir pour sa douche dans la journée (le soir, elle est froide). Il arrive souvent que l'eau soit coupée vers 21 h.

PRÈS DE LA PLAZA DE ARMAS

Bon marché

☛ **Hospedaje Suecia II** : calle Tecseqocha 465 (plan B1-2). ☎ 23-32-82. Chambres très agréables et bien entretenues. Sanitaires propres. De plus, la patronne est toujours souriante et sympa. Les chambres au rez-de-chaussée dis-

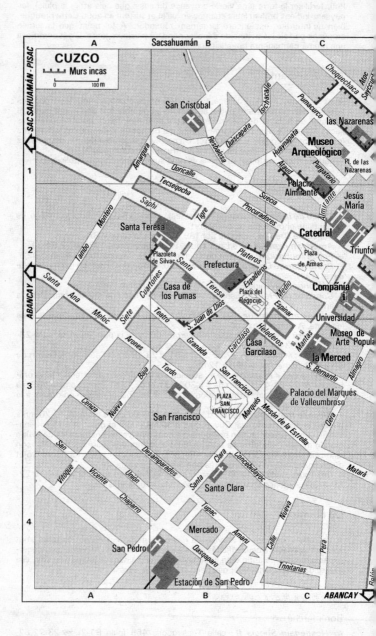

CUZCO

⊥⊥⊥⊥ Murs incas

0 ——— 100 m

Sacsahuamán

SAC SAHUAMÁN - PISAC

ABANCAY

San Cristóbal

Choquechaca

Atoc Saycucr

Pumacurco

las Nazarenas

Museo Arqueológico

Pl. de las Nazarenas

Huaynapata

Ataud

Pugatorio

Palacio Almirante

Suecia

Almirante

Jesús María

Restalosa

Quiscapata

Ischacalle

Ooricalle

Tecseqocha

Procuradores

Tigre

Saphi

Amargura

Montero

Tambo

Santa Ana

Meloc

Siete

Cuartones

Arones

Teatro

Granada

Torde

Baja

Nueva

Ceñica

San

Yitoque

Vicente

Unión

Chaparro

Desamparados

Santa Teresa

Plazoleta de Silvac

Santa Teresa

Prefectura

Plateros

Casa de los Pumas

San Juan de Dios

Espaderos

Plaza del Regocijo

Espinar

Medio

Catedral

Plaza de Armas

Triunfo

Compañia

Heladeros

Garcilaso

Mantas

Universidad

Museo de Arte Popular

Casa Garcilaso

San Francisco

Marqués

Mesón de la Estrella

la Merced

S. Bernardo

Almagro

Clera

Palacio del Marqués de Valleumbroso

PLAZA SAN FRANCISCO

San Francisco

Santa Clara

Concebidayoc

Matará

Tupac

Amaru

Calle

Nueva

Pera

Belén

Mercado

San Pédro

Desqaparo

Estación de San Pedro

Trinitarias

ABANCAY

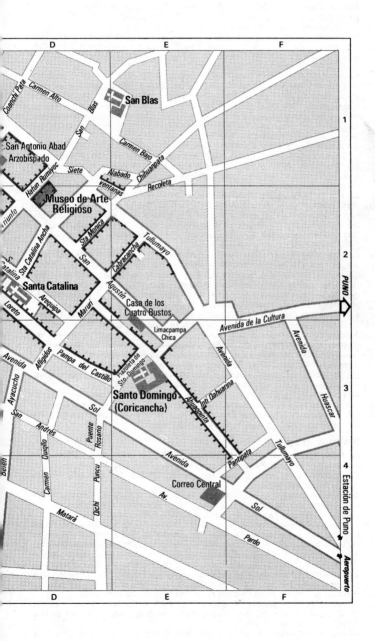

San Blas

San Antonio Abad
Arzobispado

Museo de Arte
Religioso

Santa Catalina

Casa de los
Cuatro Bustos

Limacpampa
Chica

Santo Domingo
(Coricancha)

Correo Central

Avenida de la Cultura

PUNO

Estación de Puno

Aeropuerto

posent d'une salle de bains. Garde les sacs et les objets de valeur pendant les treks et peut même vous avoir des billets. On peut y laver son linge.

🛏 **Hostal-Residencial Familiar :** calle Saphy 661 (plan A1-2). ☎ 22-93-53. Petit hôtel vieillot, mais possédant incontestablement un certain charme. Cour intérieure fleurie. Chambres sur véranda au 1er étage, simples, mais propres. Certaines avec *baño privado*. Comme le dit l'enseigne, atmosphère familiale. Fait payer pour garder les bagages à la consigne.

🛏 **Hostal Antarki :** calle Siete Cuartones (plan A-B2). ☎ 23-33-47. C'est la rue de l'église Santa Teresa (qui rejoint Plateros). Chambres donnant sur une courette. Véranda au 1er étage. Tenu par une sympathique famille. Hostal un peu rudimentaire, mais les proprios le tiennent le mieux possible. Ce qui en fait un endroit très intéressant pour les budgets serrés. Moralité : on peut être simple, rustique et pas forcément crapoteux. Garde les sacs pendant la balade au Machu. Notre meilleure adresse dans les « Très bon marché ».

🛏 **Hostal-Residencial Caceres :** calle Plateros 368 (plan B2). ☎ 22-80-12. Une des rues principales menant à la plaza de Armas. Une adresse classique pour les routards du monde entier. Vite remplie aussi. Patio avec chambres autour. Un tantinet rustique et certaines chambres vraiment petites, mais dans l'ensemble, propreté acceptable.

🛏 **Hostal El Peregrino :** calle del Medio 121 (plan C2). ☎ 23-20-72. Dans une ruelle donnant sur la plaza de Armas. On ne peut rêver plus près. Petite pension hyper bien tenue. Atmosphère feutrée. Pas beaucoup de chambres, venir tôt. Double avec bains présentant le meilleur rapport qualité-prix de la ville. Réservation très recommandée. Un peu plus cher que les précédents, mais ça vaut la peine (même si l'accueil n'est pas génial !).

🛏 **Hostal San Blas :** cuesta San Blas 526 (plan D1). ☎ 22-57-81. De la plaza de Armas, prendre la calle Triunfo, puis Hatunrumiyo (celle avec la pierre à 12 angles). Petit hôtel du quartier San Blas, donc hyper bien situé. Là aussi, une demeure typique avec chambres s'ordonnant autour du patio. Ce n'est pas le grand luxe, mais propreté tout à fait acceptable, bon accueil et environnement charmant. Quelques chambres avec *baño privado* assez plaisantes même.

🛏 **Hôtel San Cristóbal :** calle Quiscapata 242 (porte bleue ; plan B1). En dessous de l'église San Cristóbal. Pour s'y rendre : remonter la calle Suecia, tourner à droite dans Huaynapata, puis tout de suite à gauche (dans l'étroite ruelle qui grimpe). C'est en haut, à droite. Sorte de pension de famille, sur les hauteurs donc. Opinions contrastées de nos lecteurs : certains la trouvent un peu rudimentaire et pas trop bien tenue, d'autres au contraire soulignent les prix très bas, le côté familial et l'insertion dans un coin populaire, loin des hordes touristiques, sans oublier la vue magnifique... Nous, on se situe entre les deux !

🛏 Pour nos lecteurs vraiment très fauchés, deux petits hôtels dans la calle Espaderos, à deux pas de la plaza de Armas. Hyper bon marché, mais ne pas être difficile. Le mieux serait l'*hostal Espaderos* (confort très spartiate, mais propreté encore acceptable). En face, le *Samari*, plutôt sale.

Bon marché à prix moyens

🛏 **Hôtel Huaynapata :** calle Huaynapata 369 (plan B-C1). ☎ 22-80-34. Rue donnant sur Suecia et Pumacurcu, dans le quartier San Blas. Propre et plaisant. Possibilité de laver son linge avec un petit supplément. Garde les affaires pendant la balade au Machu.

🛏 **Pension Loreto :** calle Loreto 115 (au coin de la plaza de Armas). ☎ 22-63-52. Beaucoup de charme. Quelques chambres avec un mur inca (on s'y croirait !). Très propre. Assez cher mais une de nos meilleures adresses.

🛏 **Hostal el Arqueologo :** calle Ladrillos 425 (plan C1). ☎ 23-25-69. Situé dans la partie historique de la ville, dans le quartier de San Cristóbal. C'est une ancienne maison coloniale. Chambres à cinq lits et chambres doubles (avec ou sans salle de bains). Eau chaude le matin seulement. Jardin fleuri. Resto panoramique, laverie, achat de billets de train, etc. On peut laisser ses affaires pour faire le Machu Picchu. Ambiance sympa et probablement l'un des hôtels possédant le plus de charme à Cuzco. Attention toutefois : ils n'enregistrent pas les réservations par téléphone. Ferme parfois quand les touristes se font rares.

🛏 **Hostal Los Marqueses :** Garcilaso 256. ☎ 23-25-12. Une maison coloniale du XVIIe siècle avec de magnifiques portes en bois sculpté. A part ça, les chambres sont assez quelconques.

🛏 **Imperial Palace :** Tecseqocha 492 (plan B1-2). ☎ 22-33-24. Un 3 étoiles récent, propre et à un prix très abordable. Petit déjeuner compris. Supplément pour avoir du chauffage la nuit.

Plus chic

🛏 *Colonial Palace :* calle Quera 270 (plan C3). ☎ 23-21-51. A deux cuadras de la plaza de Armas. Première rue à droite, en descendant l'avenida Sol (au début, elle s'appelle « Almagro »). Ancien monastère avec cloître splendide. Vraiment beaucoup de charme.

🛏 *Samana Hotel :* calle Nueva Baja 472 (plan A3). ☎ 22-63-27. Là, c'est un ancien hôtel particulier colonial du XVIIᵉ siècle transformé. Beau jardin intérieur. Situé à peu près à mi-chemin de la gare et de la plaza de Armas. Un poil plus cher. Si vous réglez avec une carte de crédit, ne vous y prenez pas au dernier moment, car ils mettent un temps fou pour effectuer l'opération.

– L'*hostal Mantas* ne présente plus du tout, pour le même prix, les mêmes qualités qu'autrefois.

Bien plus chic

🛏 *Hôtel Cuzco :* Heladeros 150. ☎ 22-28-32 ou 22-48-21. Un 4 étoiles bien situé, à côté de la plaza de Armas, et qui occupe tout un pâté de maisons. Certaines chambres donnent sur la plaza del Rogocijo, d'autres ont vue sur la plaza de Armas. Calme, confortable et bon accueil. Salle de bains avec baignoire et w.-c. Assez cher.

PRÈS DE LA GARE DE MACHU PICCHU

Pratique pour ceux (celles) qui prennent le train tôt le matin. Mais le quartier, vivant la journée (euphémisme !), est désert le soir et assez sombre. Pas vraiment sécurisant, donc, pour nos lecteurs au seuil de parano particulièrement bas !

🛏 *Tambo Real :* calle Belén 592 (plan C-D4). ☎ 22-16-21. Près du marché San Pedro. Bien tenu. Chambres doubles avec salle de bains. Un peu cher tout de même. Direction serviable (des lecteurs en ont témoigné). On peut déposer ses affaires à la réception en toute sécurité. Laverie.

🛏 *Hostal Machu Picchu :* calle Quera 282 (plan C3). ☎ 23-11-11. Cour intérieure avec véranda en bois. Un peu moins cher que l'adresse précédente, mais un peu plus rustique. Il y a aussi des grandes chambres pour les groupes. Baignoire dans la salle de bains commune. Patronne adorable. Une bonne adresse.

🛏 *Hôtel Imperio :* calle Chaparro 121, à côté de la gare de Machu Picchu (plan A4). ☎ 22-89-81. Demandez une chambre au 3ᵉ étage : il y a une terrasse. Eau chaude. On peut laver son linge et laisser ses affaires si on fait le chemin des Incas. Calme, assez propre. Pas cher.

Prix moyens

🛏 *Hôtel el Solar :* plaza San Francisco 162 (plan B3). ☎ 23-24-51. Situé sur une place agréable. Très correct et plaisant. Ils gardent les affaires et organisent des balades dans la Vallée sacrée. De plus, le patron peut s'occuper d'acheter vos billets de train, de réserver et de confirmer vos billets d'avion...

AILLEURS

Voici quelques adresses un peu excentrées, mais pas forcément inintéressantes !

🛏 *Pension Irma :* Zarumilla 2A-101 (F2 hors plan). ☎ 23-35-97. A environ 15 mn à pied de la plaza de Armas (tout à fait accessible, donc). Venant du centre, suivre l'avenida de la Cultura, sur le trottoir de gauche. Passé le lycée (long bâtiment de brique rouge), vous trouverez un groupe d'immeubles, style HLM (face au 326 de l'avenida de la Cultura). Prendre la ruelle jusqu'au bâtiment 2A. C'est au rez-de-chaussée (porte 101). Seulement trois chambres, mais accueil chaleureux et atmosphère familiale. Petit déjeuner compris dans le prix.

🛏 *Albergue juvenil* (l'A.J. locale) : avenida Guayruro Pata 1861, Huanchac. ☎ 22-33-20. Près de l'aéroport, assez éloigné donc. Grand, neuf. Accueil très impersonnel.

🛏 *Hostal La Esmeralda :* avenida de la Infancia 433, Huanchac. ☎ 22-62-24. Compter 25 mn du centre. Suivre Sol, Garcilaso et Tacna avant d'arriver à ce quartier excentré, mais pas désagréable, et, bien sûr, pas touristique du tout. La pension de famille classique et sympa. Copieux petit déjeuner.

🛏 *Hostal Raymi :* avenida Pardo 954 (plan F4). ☎ 22-51-41. L'avenida Pardo est parallèle à l'avenida Sol. L'*hostal* se situe dans la dernière cuadra, juste avant d'arriver à la gare de Puno (accessible à pied du centre). Adresse qui conviendra à ceux qui souhaitent résider dans un quartier tranquille. Maison particulière offrant des chambres agréables à prix vraiment modérés.

Où manger ?

Bon marché

✗ *El Tronquito :* Plateros 327 (plan B2). Ouvert midi et soir jusqu'à 23 h. A deux pas de la plaza de Armas. Beaucoup plus de Péruviens que de touristes, c'est bon signe ! Décor banal. Plutôt animé et sympa. Bonne réputation de la nourriture qui tient bien au corps, surtout pour ses énormes portions de poulet et son *pejerrey tronquito* (un poisson fort bien cuisiné).

✗ *Cafétéria Haylliy :* Plateros 363. ☎ 23-18-96. Sur le même trottoir, un peu plus haut. Ça, c'est plutôt le resto pour manger dans la journée. Ferme de très bonne heure le soir (vers 20 h). Clientèle de routards du monde entier venue pour toutes les variétés de snacks, omelettes, burgers, jus de fruit naturels.

✗ *Royal Qosqo :* Plateros 345. Bons menus (entrée + soupe + plat) pas chers. Bonne carte également. Quand la cuisine est bonne...

✗ *Los Candiles :* Plateros 323. Pas mal non plus. Cuisine tendance rital et accueil sympa.

✗ *La Cholia :* calle Pumacurco 336 (plan C1). Une des *picanderías* les plus connues. Cour authentique de l'époque coloniale. Hyper bon marché, puisque les picanderías sont par définition des restos ouvriers et toujours les moins chers de Cuzco. Nourriture typique locale souvent bonne, servie de 14 h 30 à 19 h, tous les jours, mais les critères d'hygiène en cuisine ne sont évidemment pas les mêmes que dans les restos touristiques (autant le savoir avant). En outre, essayer d'y aller plutôt avec un ami péruvien (ça fait toujours bizarre de voir des gringos se précipiter dans des endroits où l'on mange pour moins de 10 F). En profiter pour goûter aux *salteros rocotos* (piments farcis) et aux rognons frits.
Une autre picandería, *La Nusta*, calle Triunfo 392 (mais moins d'intérêt architectural et encore plus « rustique » !).
— La calle Procuradores nous a fourni par le passé pas mal d'adresses mais, aujourd'hui, nous ne lui trouvons plus guère d'attraits. Trop de restos changent de proprios (ou de raison sociale pour se refaire une virginité). Cuisine souvent bâclée et service peu attentif ont tué sa réputation. Enfin, fiez-vous à votre intuition !

✗ *Café Ayllu :* portal de Panes 208. Sur la plaza de Armas (à gauche de la cathédrale). Ouvert de 6 h 30 à 22 h 30. Grande salle sans charme, violemment éclairée. Très populaire chez les Péruviens qui font souvent la queue. Rotation des tables assez rapide. Spécialistes des jus de fruits, milk-shakes, yaourts, punchs, matés, desserts et sandwiches de toutes sortes.

✗ *Café Samama :* plaza Nazarenas 119. ☎ 22-40-92. A côté du musée d'Archéologie. Intérieur propre, avec des ponchos accrochés aux murs. Tenu par une Française née en Argentine et mariée à un guide de montagne indien. Elle prépare de super petits déjeuners (café, gâteaux) et mitonne de bons repas végétariens le midi. Son mari peut vous emmener en trek dans les Andes.

✗ *Tienda Los Picarones :* casa del Futbolista, au coin des rues Ruinas et Tullumayo, près du musée d'Art religieux. Excellents *picarones,* sorte de beignets avec du sans miel. De plus, la patronne vend de délicieux fromages *(queso de Azangaro).* Fréquenté par de nombreux Péruviens.

✗ *Picandería Los 4 Suyos :* calle Nueva Alta n° 470. Une adresse de derrière les fagots, située au fond d'une cour, sans indication car elle n'en a pas besoin. Les Péruviens, eux, connaissent la cuisine de Manuela et n'ont aucune envie d'ébruiter ce bon tuyau. A découvrir.

Prix moyens à plus chic

✗ *Roma :* portal de Panes 105 (au coin de Plateros), plaza de Armas. Atmosphère raisonnablement touristique. Excellent, surtout les steaks et les *anticuchos mixtos* et de *pescado.* Mur inca dans la salle en prime. Le soir, orchestres andins de bonne qualité (vers 20 h).

✗ *La Mamma :* plaza del Regocijo (Cabildo), portal Escribanos 177 (plan B-C2). ☎ 23-24-04. Du même côté que la calle Medio. Ouvert jusqu'à 23 h. « The » pizzeria à la mode. Bonnes pizzas et toutes sortes de pâtes. Décor assez plaisant, serviettes blanches, bougies, etc. Service indifférent. A notre avis, un peu surestimé quand même.

✗ **Puccara** : Plateros 309. ☎ 22-20-27. Un restaurant aux prix encore raisonnables, tenu par une famille chinoise. Décor très agréable avec chaises et tables en bois, un peu genre crêperie bretonne. Un coucou suisse, qui sonne tous les quarts d'heure, rythme le repas. Carte variée et plats copieux.

Plus chic

✗ **La Mesón del Espadores** : calle Espadores. Au 1er étage, avec vue sur la plaza de Armas. Ouvert midi et soir jusqu'à 23 h. Les meilleures *parilladas*. Il y a du monde. Touristes et *middle-class* locale. Ambiance pas routarde du tout. Cher, mais ça vaut le détour. Goûtez le *cuy* (cochon d'Inde). La *parillada* de la *mesón* reste abordable.

✗ **El Truco** : plaza del Cabildo (côté calle Santa Teresa). Très touristique. Grandes salles animées (pas mal de groupes). Réservation recommandée. Vous n'y trouverez guère d'atmosphère locale, seulement une bonne nourriture à prix raisonnables, eu égard au standing de l'établissement. Le soir, surtout en fin de semaine, bons groupes de musique andine.

Où écouter de la musique ? Où boire un verre ?

– **Taverne Kamikase** : plaza Recocijo, portal del Cabildo. Au 1er étage. ☎ 23-38-65. Entrée payante (gratuite jusqu'à 21 h avec demi-tarif sur les boissons). Accueil assez impersonnel. De bons spectacles parfois. Ça touche pas mal de genres (chanteurs-poètes, variété traditionnelle ou folk). Bref, qualité des soirées très inégale, comme on dit !

– **Centre folklorique Inti Raymi** : calle Saphy 605 (plan A1-2). Spectacle, chant, musique et danses folkloriques de 18 h 45 à 20 h 15. Restrictions économiques obligent : le pisco n'est plus compris dans le prix d'entrée. Petite salle assez intime. Spectacle de bonne qualité.

– **Centre Q'osqo Native Art** : avenida Sol 604. Représentations de folklore traditionnel. En principe, tous les jours, de 18 h à 21 h. Se renseigner à l'office du tourisme. Assez cher.

– **Café literario Varayoc** : plaza del Cabildo (au coin de la calle Espaderos). Clientèle assez routarde. Bonne atmosphère. Gâteau au chocolat ou tarte aux pommes. Excellent café.

– **Café Extra** : Espadéros 116. Un café qui ne paie pas de mine, donc très peu fréquenté par les touristes. Les intellectuels de la ville s'y retrouvaient autrefois pour jouer aux échecs. Exposition de tableaux sur les murs.

– **Cross Keys Pub** : Portal Commercio 233, plaza de Armas. Ouvert de 18 h à 1 h. Comme le nom l'indique, ça ressemble étrangement à un pub anglais, où les amateurs de whisky auront plus de choix que les fans de pisco !

– **Café teatro Peña Turistica Ch'Aska** : au coin de l'avenida Los Incas et d'Angamos 1610. ☎ 23-45-11. En fait, derrière le titre à rallonge, c'est tout simplement un cabaret pour la *middle-class* locale. Spectacles « légers », shows divers, etc. Quelques « sirènes » pour vous inciter à boire. Sombre, un peu sordide mais pas désagréable. Ne pas venir avant minuit, ça ne s'anime vraiment que de 1 h à l'aube. Peu de touristes, ça va de soi. N'intéressera évidemment que ceux qui sont motivés par ce genre de lieu. Assez excentré, y aller en taxi.

A voir

Il existe maintenant un forfait pour visiter les musées et les ruines environnantes (sauf le Machu Picchu), qui s'achète à la cathédrale Santa Catalina et est valable 5 à 10 jours, au choix. Il comprend la visite de la cathédrale Santa Catalina, le musée régional, le marché de Chenchero, le musée d'Art religieux, la chaire de San Blas, Sacsahuamán, Pisaq, Ollantaytambo, entre autres. Attention, valable cinq jours seulement à partir de la date d'achat si on l'achète ailleurs qu'à l'office du tourisme. Moitié prix pour les étudiants. Forfait en vente dans toutes les agences de voyages, à l'office du tourisme et sur les sites. On peut aussi visiter les sites séparément. Visite gratuite des églises et de la cathédrale le dimanche. Le tremblement de terre d'avril 86 a endommagé certains édifices.

▶ **La plaza de Armas** (plan C2) : bordée par la cathédrale et la Compañía, la plus belle église de Cuzco, chef-d'œuvre de l'architecture catholique, édifiée par les jésuites. La plaza s'étend exactement sur l'espace cérémoniel inca et était entourée de prestigieux monuments. Il n'y a qu'à étudier de près l'appareillage de pierre dans le restaurant *Roma* pour imaginer la qualité de la construction. Aujourd'hui, presque entièrement bordée de galeries à portiques, avec ses deux prestigieuses églises, c'est l'une des plus jolies places coloniales du Pérou.

▶ **La cathédrale :** édifiée en 1560. Autel principal et retable entièrement en argent. Derrière l'autel, un autre retable en bois brut sculpté. Admirables stalles de bois sculpté style baroque du XVIIIe siècle (ainsi que le lutrin). Dans la sacristie, belle collection de meubles coloniaux. Un retable, « Christ en croix » attribué à Van Dyck. Noter la superbe porte ciselée d'éléments floraux. Derrière leur clôture de bois, l'argent coule à flots dans la plupart des chapelles. Richement décorées, elles abritent aussi d'intéressantes peintures de l'école de... Cuzco (ça va de soi !). Dans la *chapelle du Christ des tremblements* (nef de droite près du passage menant à l'église du Triunfo), « Christ noir » offert par Charles Quint.

▶ **L'église de la Compañía :** construite un siècle après la cathédrale, sa façade baroque peut être considérée comme l'une des plus belles du Pérou. Comme en beaucoup d'endroits, orgueilleux et assoiffés de pouvoir, les jésuites avaient voulu éclipser celle de la cathédrale (aux austères réminiscences de Herrera). A l'intérieur, retable monumental que vous aurez peu de chances d'admirer car l'église est en restauration (suite au dernier tremblement de terre).

▶ **Calle Loreto :** longée de chaque côté par des murs de pierres incas en parfait état de conservation. Elle passe derrière l'église de la Compañía pour aboutir sur la plaza de Armas.

▶ **Calle Hatun Rumiyoc :** autre ruelle inca (dans le prolongement de la calle Triunfo), mais qui possède la fameuse pierre à 12 angles. Et vérifiez comme tout le monde si celle-ci a bien le compte. Cependant, elle a été battue par une pierre à 22 angles découverte au Machu Picchu.

▶ **Musée d'Art religieux :** angle de la calle Hatun Rumiyoc et de San Agustín (plan D1-2). Ouvert de 9 h à 12 h et de 15 h à 18 h, tous les jours même le dimanche. L'un des chefs-d'œuvre d'architecture civile de la ville, synthèse de l'art inca et colonial. Sur les structures d'un édifice inca s'est élevé ce palais colonial devenu ensuite l'archevêché. Superbe portail d'entrée. Musée aussi intéressant pour son décor intérieur que pour les œuvres présentées. Dans un petit retable doré, « Sagrada Familia » du XVIIIe siècle, beaux meubles sculptés et peints, nombreuses peintures de l'école de Cuzco. Noter comme, dans la peinture de Cuzco, le sens de la décoration, le raffinement des couleurs l'emportaient sur le sujet lui-même.
Admirable retable churrigueresque et plafond ciselé. Salle de réception avec porte de style mudéjar (influence arabe), plafond peint, voûtes et colonnes torses. Splendide « Vierge en majesté » derrière l'estrade.

▶ **L'église de San Blas :** remontez la pittoresque rue San Blas (prolongement de la calle Hatun Rumiyoc) pour parvenir à l'une des plus jolies placettes de Cuzco (plan D-E1). Ouvert seulement pendant les offices religieux, au petit matin. Cette modeste église renferme pourtant un véritable chef-d'œuvre, pur joyau de la sculpture coloniale : une chaire sculptée dans un seul morceau de bois, triomphe du baroque le plus fou, le plus exubérant, qui demanda à son auteur péruvien plus de 25 ans de patience. Festival de figures grotesques, d'anges, colonnettes sculptées de pampres, figures des évangélistes, chimères, un invraisemblable foisonnement végétal. Richesse décorative inouïe, extraordinaire travail d'orfèvre ! Plus, en prime, un superbe retable du XVIe siècle.

▶ **La calle San Agustín :** longue rue bordée de nombreux édifices coloniaux. En particulier, au n° 400, s'attarder sur la **casa de Los Cuatro Bustos** qui abrite aujourd'hui le luxueux hôtel *Libertador*.

▶ **Le couvent Santo Domingo** et **le Coricancha** (plan E3) : plaza de Santo Domingo (entre l'avenida Sol et la calle San Agustín). Ouvert de 8 h à 12 h et de 14 h à 17 h 30, tous les jours. Le couvent fut construit sur le plus célèbre lieu de l'Empire inca, le temple du Soleil ou *Coricancha* (« enclos de l'Or »). Il faut imaginer la stupéfaction des Espagnols lorsqu'ils le découvrirent. Tout était en or : trônes, animaux, arbres entiers, statues, etc. Bien entendu, tout fut pillé et partit en lingots pour l'Espagne ou coula au fond des mers. Malgré l'acharnement des conquistadores et de l'Église à liquider la civilisation inca, c'est un miracle qu'il en reste tant de vestiges significatifs. En particulier à Cuzco, symbole typique de son rayonnement et de sa richesse.

En arrivant de l'avenida Sol, vous aurez bien sûr remarqué, de l'extérieur, ce mur courbe qui tourne autour du chevet. Très probablement un vestige de l'enceinte du temple du Soleil. Vous le verrez de près à l'intérieur. Admirable précision de l'ajustement des pierres. Notez les petites protubérances sur la pierre qui permettaient que les cordes ne glissent pas au moment des opérations de levage. Dans le couvent même subsistent quelques pans de murs monumentaux. Ce qui stupéfie le plus, c'est que les Incas augmentaient même la difficulté de construction en inventant des pierres aux formes et angles insensés (souvent en zigzag) auxquelles devaient nécessairement s'ajuster d'autres pierres aux formes tout aussi compliquées ! Ce sont souvent les pierres dans les murs en angle ou celles d'encadrement des portes. Bien sûr, les murs possèdent la fameuse inclinaison inca (s'harmonisant miraculeusement avec la forme trapézoïdale des portes). Sur l'un des côtés du couvent, vous découvrirez une succession de chapelles incas. A l'occasion de la restauration du couvent, à la suite du terrible tremblement de terre de 1950, on n'a pas relevé le mur extérieur qui a été remplacé par une verrière. Les chapelles sont de ce fait prodigieusement mises en valeur. Dans la dernière d'entre elles admirez l'alignement parfait des fenêtres. La chapelle précédente devait être celle des sacrifices, si les trois trous qu'on y voit, comme on le pense, servaient à l'évacuation du sang. En conclusion, Hergé a commis une erreur que nous tenons à relever : le trésor inca se trouvait là et non dans la jungle (mais de nombreuses générations lui ont déjà pardonné pour nous avoir fait tant rêver !).

▶ *Le couvent Santa Catalina* (plan D2) : calle Arequipa (joignant la plaza de Armas à la calle Maruri). Ouvert de 8 h 30 à 18 h. Fermé le dimanche. Ancien couvent donc, transformé en musée d'art religieux. Superbe restauration architecturale. On y trouve quelques œuvres intéressantes, notamment, au rez-de-chaussée, « la Virgen del Buen Suceso », toile anonyme de l'école de Cuzco. Fontaine du cloître primitif. Au premier étage, grandes salles avec les portraits de toutes les femmes martyres, exposition de meubles anciens, armoires sculptées, coffres peints, ostensoir de procession en argent, etc., « Virgen del Carmen avec saint Ignace de Loyola ».

Retour au rez-de-chaussée où une petite porte (si elle est fermée, en demander l'ouverture à l'une des gardiennes) mène à d'autres salles. Vierges peintes très enluminées. L'une d'entre elles est habillée comme une reine d'Espagne, ce qui montre qu'à l'époque le sens décoratif l'emportait nettement sur la piété. Tout au fond, chapelle peinte. Crucifixion dans une armoire dorée.

▶ *L'église* et surtout *le couvent de la Merced* (plan C3) : calle Mantas (à deux pas de la plaza de Armas). Ouverts de 8 h à 18 h. Fermés le dimanche. Réductions étudiant, mais il faut insister. Un des plus beaux cloîtres du Pérou, de style baroque et Renaissance tout à la fois, avec un magnifique plafond. Le cloître possède un petit musée d'art religieux avec une custode en or pesant 22 kg et ayant plus de 1 500 diamants et 600 perles. Remarquable christ en ivoire également.

▶ *Musée historique régional :* Palacio del Almirante (plan C1-2). Petite rue partant de la plaza de Armas (à gauche de la cathédrale). Ouvert de 9 h à 18 h (12 h le samedi). Fermé le dimanche. Était récemment en cours de rénovation et fermé temporairement au public. Ancien palais au beau portail de pierre sculptée.

▶ *Musée régional :* casa Garcilaso, calle Heladeros, à l'angle avec Garcilaso. Ouvert de 8 h à 18 h. Fermé le dimanche. Un petit musée consacré pour l'essentiel aux peintres indiens de l'époque coloniale (école de Cuzco). Avec aussi de beaux meubles sculptés de la même époque.

▶ *Musée archéologique :* palacio del Almirante. Ouvert de 8 h à 19 h. Fermé samedi et dimanche. Au 1er étage d'un bâtiment colonial magnifiquement restauré. En profiter pour visiter, au rez-de-chaussée, la pinacothèque de la Banco de los Andes (entrée gratuite). Vous y verrez une belle « Virgen del Carmen » et d'autres toiles intéressantes, des *petacas de cuiro* (coffres en cuir du XVIIIe siècle), des céramiques incas, des vases en bois, un petit meuble incrusté d'ivoire, etc.

POUR CEUX QUI ONT LE TEMPS

▸ **Église Santa Teresa :** calle Siete Cuartones (plan B2). Église du XVIIᵉ siècle. A l'intérieur, curieux contraste entre l'appareillage de grosses pierres des murs et les fines briques de la voûte et de la coupole du chœur. Superbe autel en argent repoussé, surmonté d'un retable de cèdre sculpté. Remarquez aussi le fin travail de la chaire.
En sortant, voir la **maison des Pumas,** maison coloniale qui réutilisa des matériaux incas dans sa construction (frise de pumas).

▸ **Église et couvent San Francisco :** plaza San Francisco (plan B3). Belles stalles du XVIIᵉ siècle. Possibilité de grimper sur le toit pour le panorama sur les vieux toits patinés.

BALADE A NE PAS MANQUER

▸ **Le quartier San Blas :** à notre avis, le plus séduisant de la ville. Vieux quartier populaire, lacis de ruelles escarpées bordées de maisons très anciennes. Arpenter les calles San Blas, Carmen Alto, Canchi Pata, Ladrillo, Huaynapata, Quiscapata, etc. Adorable place San Blas, très homogène architecturalement. Déserte, silencieuse, écrasée de chaleur et pourtant si romantique au moment de la sieste, quand il n'y a plus de promeneurs.
Splendide plazoleta Nazarenas, plus bas, une des plus croquignolettes de la ville. Festival de porches baroques sculptés, tranchant sur le blanc des façades. Élégant édifice à campanile avec fondations incas. La balade, le soir, dans le quartier, permet de voir vivre vraiment les gens, loin du tintouin touristique. Des flots de musique indiquent les fêtes dans les maisons. Les notes se mêlent aux vibrations du quartier pour susciter chez le visiteur à l'écoute une réelle sensation de bien-être... (fin du paragraphe lyrique).

Achats

A Cuzco, cœur de l'Empire inca, on trouve des ponchos et des mantas très beaux (surtout pour les amateurs d'ancien) que l'on ne retrouve nulle part. Cela dit, vu le nombre de touristes, l'artisanat est loin d'être bon marché à Cuzco et les aléas des fluctuations monétaires ont inversé les données. La Bolivie est redevenue meilleur marché que le Pérou. Il peut être intéressant d'attendre pour faire ses achats. A Cuzco, ne pas se précipiter sur les boutiques de la plaza de Armas, souvent bien plus chères. Jetez un œil sur celles de la calle Triunfo ou de la calle Santa Clara (près de la gare du Machu Picchu). Vous pourrez, éventuellement, trouver aussi votre bonheur au marché San Pedro ou sur celui de la plaza San Francisco. Au 501 de la calle Santa Clara, une boutique vend de beaux et anciens ponchos.
– **Retablos** (petites figurines en plâtre dans un décor miniature en bois) : les plus jolis s'achètent à la Empresa Peruana para la Promoción Artesanal, sur la plaza de Armas.
– **Charengos, mandolines et guitares :** calle San Agustín se trouve un fabricant. A gauche, venant de la plaza de Armas (indiqué à l'entrée d'une ruelle). Autre adresse, le magasin en face de la pierre aux douze angles. Entrer et traverser la cour, c'est à gauche. Très bons instruments.

Les ponchos et les mantas de Cuzco et de la Vallée sacrée

D'abord, un poncho (pour un homme) ou une manta (pour une femme) sont une carte d'identité. Leurs dessins varient selon les *ayllú* (villages). Le poncho est parfois la seule richesse de l'Indien. Voilà pourquoi il ne faut jamais demander à un Indien de le vendre. Soit il le propose lui-même, soit vous lui demandez où l'on peut acheter des ponchos aussi beaux. S'il désire le vendre, il comprendra. Les plus beaux ponchos viennent bien sûr de Cuzco, ancienne capitale des Incas, et des alentours, en particulier dans la Vallée sacrée. Dans cette région, plusieurs sortes de ponchos en fonction des villages. D'abord ceux de :
– **Quiquijana :** là, une population d'Indiens tisse des ponchos particulièrement renommés.

– *Tinta :* ponchos avec des dessins de fleurs (rouge, blanc, vert).
– *Checcacupe :* les meilleurs pour la variété de couleurs, si nombreuses qu'on ne sait plus aujourd'hui les reconstituer toutes.
– *Catcca :* là, on utilise le système du huatay qui rappelle un peu le batik. Sur le poncho, on coud des bouts d'étoffe sur les endroits qu'on ne veut pas teindre. On passe le tout à la teinture, puis on retire les bouts d'étoffe.
– *Keros :* petite peuplade tellement isolée dans la montagne que les Espagnols ne les ont jamais découverts. L'influence catholique ne les a jamais atteints, à tel point qu'ils vénèrent encore le soleil. D'ailleurs, sur les ponchos sont dessinés des petits soleils.
– *Canchis :* ponchos avec des *caballitos* (petits chevaux). Certains représentent des scènes de guerre entre les Incas et les Espagnols.
– *Ollantaytambo :* ponchos assez courts avec des oiseaux. Dominante rouge.
– *Ocongate :* dans ce village situé dans la montagne, les ponchos sont rouges et bleus. Les dessins varient selon les métiers. Les musiciens font un dessin musical, tandis que les maçons dessinent leurs instruments spécifiques.
Attention aux ponchos synthétiques (orlon), aux couleurs plus brillantes.
Les Indiens utilisent deux ponchos :
1) *el mestizo :* de couleur marron ou grise, en lama ; poils longs.
2) *el tradicional :* décrit plus haut ; poils courts ; dessins et couleurs beaucoup plus riches ; uniquement pour les grandes occasions.
Les femmes attachent leurs châles (*mantas*) à l'aide de broches appelées *tupus*. Utilisé depuis l'époque inca, le *tupu* devint, sous la domination espagnole, le symbole de la fortune. Ainsi, la plupart des *tupus* que l'on trouve à Cuzco sont en forme de cuiller, ce qui signifie que la femme possède un service de table. Parfois attachées à cette cuiller, des miniatures représentant un meuble, une maison, une vache...

Artisanat

– *Hilario Mendivil :* sur la place de l'église San Blas au n° 634 (plan D-E1). A l'aide d'une pâte mystérieuse faite de plâtre, de farine de blé et de pommes de terre, sont fabriquées des figurines de saints d'une grâce étonnante, avec un long cou, comme les portraits de Modigliani. Hilario est mort, mais ses fils continuent son œuvre.
– *Ediberto Merida :* Carmen Alto 133 (plan D1). ☎ 22-17-14. Pas loin du précédent, dans le quartier San Blas. On le surnomme le « Picasso de Cuzco ». En effet, l'angoisse et la détresse transparaissent sur ses personnages d'argile (cf. « Guernica » de Picasso). Remarquables têtes et figures de paysans, souvent imitées dans certaines boutiques.

Quitter Cuzco

En train

Attention, deux gares.
– *Estación San Pedro* (dans le marché indien, pour le Machu Picchu (la station s'appelle Puente Ruinas) et Ollantaytambo. On nous a signalé des escroqueries et des vols dans le quartier de la gare, dans le marché autour, et surtout dans les trains.
• Horaires de vente des billets :
- Pour le *tren local :* du lundi au samedi. Ouvert quelques heures par jour seulement. Horaires variables : se renseigner à l'office du tourisme. Possibilité d'acheter son billet une heure avant, mais fortement conseillé de l'acheter la veille.
- Pour le *train des touristes (autovagon) :* du lundi au vendredi de 9 h à 11 h et de 15 h à 16 h, les samedi et dimanche de 9 h à 10 h. Attention, le billet s'achète à la gare de Puno (et non celle de San Pedro) et il est obligatoire de réserver la veille.
• Horaires des trains :
- *Tren local* (1ʳᵉ et 2ᵉ classes) : horaires variables selon la saison. Se renseigner. Deux trains par jour, le premier tôt le matin, le second en début d'après-midi. En moyenne, comptez *au moins* 4 h pour Puente Ruinas, 3 h pour le km 88 et 2 h pour Ollantaytambo. Le dimanche, seul le train de l'après-midi fonctionne.

- *Train des touristes (autovagon)* : un seul train par jour tôt le matin. Tous les jours même le dimanche. Comptez 3 h pour Puente Ruinas, 1 h 30 pour Ollantaytambo. Ce train s'arrête aussi au km 88.
  • Remarques importantes :
- Il y a quelques années, le train local s'est enrichi d'un wagon nommé Pullman, beaucoup plus cher. Au début, les touristes étaient plus ou moins obligés d'utiliser ce wagon et il devenait difficile d'obtenir, sans ruser, un billet de 1ʳᵉ ou de 2ᵉ classe. Mais avec la chute du tourisme, la situation s'est un peu calmée et on peut de nouveau voyager sans problème dans les wagons de son choix... ou de ses moyens.
- C'est, bien entendu, dans le train local qu'il y a le plus de vols. Pour la faible différence de prix, il est recommandé de prendre la 1ʳᵉ classe. Attention aux lumières du train qui s'éteignent d'un seul coup. C'est là qu'il faut être vigilant pour ses affaires.
- Pour l'achat des billets, nécessité d'être présent au moins une à deux heures avant l'ouverture des guichets. Même remarque concernant la gare de Puno.
- Pour éviter les attentes pénibles, on peut faire acheter son billet par son hôtel, mais il risque en ce cas de prendre une bonne commission.

- *Estación ferrocarril del Sur* (pour Arequipa et Puno)
  • Horaires de vente des billets :
- Du lundi au vendredi : de 9 h à 11 h et de 15 h à 16 h. Le samedi et le dimanche de 9 h à 10 h.
  • Horaire des trains :
- Pour *Puno* : un train par jour à 7 h, sauf le dimanche. 2ᵉ classe Pullman ou classe buffet. Conseillé de réserver une place « fenêtre », côté gauche du train (dans le sens de la marche). Pour la 1ʳᵉ classe, nécessité de réserver la veille.
  • Voyage en 2ᵉ classe assez rude, mais bien sûr plus vivant. Ne pas perdre de vue un seul instant ses affaires, en particulier à Juliaca (panne d'électricité se produisant opportunément en arrivant). La solution la plus sûre, la plus confortable (et, bien sûr, la plus onéreuse) consiste à prendre un billet « classe buffet ». Pas de va-et-vient de passagers étrangers au wagon et gardes à l'entrée. Repas corrects et à prix raisonnables. Trajet en une dizaine d'heures. En principe, pour ceux qui vont à Arequipa dans la foulée, correspondance assurée pour le train de nuit Juliaca-Arequipa. Prévoir cependant des retards plus ou moins importants pour de multiples raisons (nous, en pleine campagne, nous avons dû changer de loco !).
  • Quand le choix se présente, préférer le train au bus : plus rapide et plus confortable.

	Distances en km	Durée en h	Fréquences par jour
MACHU PICCHU	120	4	2 trains « local » + 2 de tourisme
OLLANTAYTAMBO	68	3	2
JULIACA	338	9	1
PUNO	390	10	1
AREQUIPA	675	18	1
SICUANI	140	4	1

En avion

Réservez votre billet à l'avance en haute saison (le plus tôt possible). Bien vérifier la réservation (plutôt deux fois qu'une).
- *Faucett* : avenida Sol 567. ☎ 23-31-51 et 23-19-92 (à l'aéroport). Ouvert de 8 h à 18 h (dimanche de 9 h à 12 h).
- *Aeroperú* : avenida Sol 600. ☎ 23-30-51 et 23-34-47 (aéroport). De 8 h à 18 h (samedi, dimanche et fêtes de 8 h 30 à 12 h). Réduction étudiants jusqu'à 25 ans.

– *Lan Chile :* Aldo Tours, calle Heladeros 157 (bureau 22).
– *Avianca :* hôtel *Alhambra II,* avenida Sol.
– *Andréa Airlines :* avenida Sol, centre commercial Coricancha, Of. 110. ☎ 22-16-41.

Pour aller en Amazonie

– Possibilité d'aller à Puerto Maldonado par ses propres moyens (camion en 2 ou 3 jours, ou avion en 30 mn) et, une fois sur place, de trouver un guide local sympa (moins cher qu'en passant par les agences de voyages). Une demi-douzaine de guides à Puerto Maldonado.
– *Transamazón :* avenida Sol 612. ☎ 23-89-71. Un vol par jour pour Puerto Maldonado.
– *Tambo Lodge :* portal de Panes 123 (2ᵉ étage), plaza de Armas. ☎ 23-61-69. Pour un petit voyage en Amazonie. Gens de confiance parlant le français. Organisent des séjours de deux ou trois jours pour des prix raisonnables, comparés aux autres agences de Cuzco.

Autocars pour les environs de Cuzco

	Distances
PISAC	32 km
URUBAMBA	71 km
OLLANTAYTAMBO	89 km
ANDAHUAYILLAS	30 km
CHINCHEROS	32 km

– *Transporte Valle Sagrado :* calle Huascar.
– *Transporte Turistico :* plaza de Armas, à côté de l'office du tourisme. Excursions les mardi, jeudi et dimanche. Départ à 8 h, retour vers 17 h.

Autocars longues distances au départ de Cuzco (et durées)

	LIMA	LA PAZ	NAZCA	PISCO	JULIACA	PUNO	AREQUIPA
International Ormeño Terminal : av. Huascar 129. ☎ 23-34-71.	38		32	30			
Cruz del Sur Bureau : av. Pachacutec 510. ☎ 22-19-09.	36				10	12	14

Remarque : les durées sont celles annoncées par les compagnies, donc sujettes à des variations importantes.

SACSAHUAMÁN ET « LA FÊTE DU SOLEIL »

L'*Inti Raymi*, la fête du Soleil, se déroule tous les 24 juin (et non une fois par siècle !), c'est-à-dire lors du solstice d'hiver dans l'hémisphère Sud. C'est le jour où le soleil est le plus éloigné de la Terre. Les Incas, grands astronomes, adorateurs du soleil, effectuaient alors de grandes incantations pour qu'il revienne près de notre planète.

Autrefois au temple du Soleil de Cuzco, la cérémonie a lieu maintenant à Sacsahuamán : un site inca fantastique à 3 km de Cuzco. Cette fête a pris une ampleur étonnante au Pérou car elle fut évidemment interdite pendant toute l'occupation espagnole, puisque considérée comme anticatholique, donc sacrilège. La fête du Soleil est donc le symbole de l'indépendance vis-à-vis du joug espagnol, et le retour aux valeurs anciennes. Elle est aujourd'hui à la fois attraction touristique et fête populaire réunissant des Indiens de la sierra. A l'époque inca, la nuit précédant la cérémonie, on éteignait tous les feux dans l'Empire et une foule silencieuse défilait avec l'Inca sur la place des Armes de Cuzco, jusqu'à la réapparition du soleil. Cette procession existe encore et réunit toutes les corporations de la ville : les costumes de certaines tribus sont fort intéressants. Ensuite, pendant la journée, la joie était dans les esprits. On sacrifiait rituellement un lama dont on retirait le cœur pour l'offrir au dieu Soleil. Cette cérémonie est elle aussi aujourd'hui retracée symboliquement. La fête se termine par des danses satiriques qui ridiculisent les médecins, les avocats de l'époque hispanique ainsi que les *curanderos* (guérisseurs).

La cérémonie peut décevoir certains routards car elle est en *quechua*, et bon nombre de gestes symboliques et paraboles restent mystérieux.

Et puis, on n'a plus l'âge de se faire des illusions sur la spontanéité et l'authenticité d'une telle fête. C'est intelligemment orchestré par le ministère du Tourisme. D'ailleurs, le chef inca s'appelle *Faustino Navarro* et est payé tout simplement par le syndicat d'initiative. Malgré cela, cette fête, un peu dépassée, attire des milliers d'Indiens des environs, vêtus de ponchos anciens vraiment fabuleux. Tout ça, c'est quand même à voir. Si vous êtes fauché, pas la peine de payer un prix exorbitant pour une place sur les gradins. Allez plutôt dans les champs autour voir ces Indiens cuisant des pommes de terre dans des fours de fortune.

La cérémonie est particulièrement lente, mais les costumes et le nombre d'acteurs ainsi que la participation populaire en font une des fêtes les plus importantes du Nouveau Monde.

Le site

▶ Le cadre même de Sacsahuamán est merveilleux. De Cuzco, allez-y à pied (45 mn). Par le sentier qui grimpe au site, vous découvrirez un superbe panorama sur Cuzco. Sacsahuamán est une « forteresse » inca, très célèbre pour ses blocs de pierre (certains pèsent plusieurs dizaines de tonnes) si bien ajustés qu'il est rigoureusement impossible d'y glisser une aiguille. On est proprement stupéfait par ces trois murailles cyclopéennes, étagées en zigzag. La présence d'un centre cérémoniel en haut laisse penser que c'était peut-être plus un temple qu'une forteresse ! En effet, comment expliquer des lignes de défense aussi massives... contre frondes, arcs et flèches (et quand on songe, en plus, aux prouesses techniques qu'il fallut réaliser pour amener tous ces blocs !) ? Une hypothèse intéressante avance que ces grands travaux, mettant en œuvre des dizaines de milliers de personnes en même temps (en général, des peuples vaincus), permettaient de les homogénéiser beaucoup plus rapidement !

Dans les environs

D'autres sites incas, ne manquant pas d'intérêt, vous attendent sur un parcours d'une quinzaine de kilomètres environ (aller et retour).

▶ *Kencco* : à 1,5 km, important sanctuaire dont on pense qu'il était consacré au culte du puma (dieu de la Guerre). L'amas rocheux que vous apercevez servait d'autel. Devant s'étend une sorte d'amphithéâtre avec une vingtaine de sièges. Des archéologues imaginèrent un palais de justice avec les places des juges, mais cela relève à l'évidence d'une vision totalement européenne des choses. Plus probablement, l'amphi permettait à la classe dirigeante et aux grands prêtres d'attendre le résultat de l'oracle quand ils envisageaient de se lancer dans une guerre.

Un tunnel naturel, à l'intérieur, mène à un autel où l'on sacrifiait les animaux pour l'oracle. Sur la plate-forme taillée, une plaque d'argent amenait les rayons du soleil sur la cérémonie. Pour nos lecteurs un peu plus curieux, à la sortie du tunnel, grimper à droite les petites marches. On accède ainsi à la fameuse rigole en zigzag creusée dans la pierre (*kencco* voulant dire zigzag en quechua).

▶ *Puca-Pucará :* appelée la « forteresse rouge ». Petit ensemble fortifié, poste de défense avancé entre Cuzco et le bain de l'Inca. Rien de particulier. Seulement une succession de passages, terrasses et tours à parcourir tranquillement.

▶ *Tambomachay :* dans un site bien protégé et paisible s'élève le *bain de l'Inca*. Trois terrasses avec, là aussi, des murs faits d'énormes blocs. La qualité de la construction et le bel appareillage de pierre permettent de penser que c'était un lieu très important. L'Inca y venait pour la source sacrée qui coule de terrasse en terrasse et pour y accomplir certains rites religieux.
Pour se rendre au bain de l'Inca, quelques colectivos. Balade à pied pour le retour très agréable (et ça descend !).

LA VALLÉE SACRÉE DES INCAS

Il s'agit de Sacsahuáman, Pisac, Urubamba, Chincheros et Ollantaytambo. Ici, on va parler des différentes possibilités de circuits pour éviter trop de perte de temps. Cependant, à notre avis, pour jouir pleinement de la visite, prévoir au minimum quatre jours pleins.

– *Pour Sacsahuáman :* pas de problème, possibilité d'y aller à pied de Cuzco. Pour les sites incaïques de Kencco, Puca-Pucará et Tambomachay, situés après Sacsahuamán : à pied, taxi ou colectivo (c'est la route de Pisac). *Transporte Turistico*, plaza de Armas, propose l'excursion sur ces quatre sites en un aprèsmidi. Prix intéressant.
– *Pour Pisac :* bus ou colectivo. De l'avenida Tacna 193-B, ou l'avenida Huascar (voir chapitre « Pisac »).
– *Pour Ollantaytambo :* bus, train ou colectivo.
– *Pour Chincheros :* camion ou colectivo.
De nombreuses agences de voyages proposent un circuit comprenant Pisac, Chincheros et Ollantaytambo. Comme les célèbres marchés de Pisac et Chincheros ont lieu le dimanche, c'est avant tout ce jour-là que le circuit est proposé. A moins que vous ne puissiez vraiment agir autrement, nous le déconseillons formellement. « Faire » dans une seule journée (donc en courant) deux sites aussi prestigieux que les ruines de Pisac et Ollantaytambo, c'est tout simplement du gâchis. D'autant plus que vous n'y serez pas seul ! Bonjour le rêve ! Nous pouvons vous garantir qu'autant Ollantaytambo est à la limite de la saturation et du supportable le dimanche, autant en semaine il n'y a pratiquement personne. Et encore moins à l'ouverture du site (même en juillet !). Nous irons encore plus loin : Ollantaytambo mérite presque qu'on y passe la nuit. Vous mesurez donc combien ça serait dommage de se priver de visiter ces sites à son propre rythme !
– Pour ceux qui ne disposeraient que de deux jours, voici une petite organisation de circuit (hors le dimanche, bien sûr) qui permet d'économiser pas mal d'heures et de visiter Machu Picchu, Ollantaytambo et Pisac.
• 1er jour : train local à 5 h 30 de Cuzco à Aguascalientes. Réserver l'hôtel. Montée à pied au Machu Picchu, c'est plus rapide. Retour le soir et nuit à Aguascalientes.
• 2e jour : à 8 h, prendre le train local à Puente Ruinas (et non Aguascalientes). Il y a moins de monde. 10 h à Ollantaytambo. Puis, vers 12 h, aller à Urubamba en colectivo ou minibus. Traverser la ville. Prendre un autre bus pour Pisac. Visites des ruines, puis retour sur Cuzco le soir.

PISAC

A 32 km de Cuzco, le site archéologique inca le plus fascinant après le Machu Picchu. Autant par la qualité des ruines, leur approche, que la beauté de l'environnement.
Quant au marché du dimanche matin, il est devenu abominablement touristique en haute saison. Peu à peu, les vendeurs autochtones de fruits, légumes et

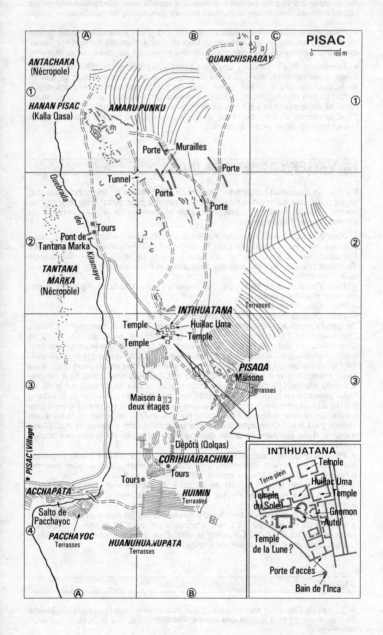

PISAC

0 ——— 100 m

ANTACHAKA
(Nécropole)

QUANCHISRAQAY

HANAN PISAC
(Kalla Qasa)

AMARU PUNKU

Porte — Murailles

Porte

Tunnel

Porte

Porte

Quebrada del Kitamayu

Tours

Pont de
Tantana Marka

**TANTANA
MARKA**
(Nécropole)

Terrasses

INTIHUATANA

Temple — Huillac Uma

Temple — Temple

PISAQA
Maisons
Terrasses

Maison à
deux étages

Dépôts (Qolqas)

CORIHUAIRACHINA

Tours Tours

HUIMIN
Terrasses

ACCHAPATA

Salto de
Pacchayoc

PACCHAYOC
Terrasses

HUANUHUANUPATA
Terrasses

PISAC (Village)

INTIHUATANA

Temple

Terre-plein

Huillac Uma

Temple
du Soleil

Temple

Gnomon

Autel

Temple
de la Lune ?

Porte
d'accès

Bain de l'Inca

PISAC

diverses productions locales en sont chassés pour céder la place aux commerçants d'artisanat (qui viennent la plupart de Cuzco !). D'ailleurs, on déconseille
fortement d'y acheter. 25 cars de touristes arrivent en même temps et les
« Indiens » sont au minimum bilingues. Il n'y a pratiquement plus rien d'authentique. Les objets et ponchos sont moins chers à Cuzco et la qualité y est meilleure. On vend cependant de superbes petites perles peintes en terre cuite. Si
vous voulez vraiment aller au marché de Pisac, partez de bonne heure. De 8 h à
10 h, vous ne rencontrerez pas trop de touristes. Marché le jeudi également.
Heureusement, il reste les ruines. Mais le dimanche, elles aussi ont leurs touristes ! Hors saison, le marché retrouve presque son naturel.
Dans le village, ne pas rater dans la rue principale la boulangerie et son four à
pain immense (au 572, rue Castilla).

Comment y aller ?

— De Cuzco, 2 solutions. Prendre un bus pour Calca sur l'avenida Tacna. Ou un
bus pour Urubamba sur l'avenida Huascar. Bus souvent pleins le dimanche
matin.
— Il existe différents tours organisés pour le seul site archéologique de Pisac.
Compter environ 5 h en tout. Seul problème, beaucoup d'agences se
contentent de la visite du sanctuaire principal, ne vont pas dans les ruines du
haut, et, de toute façon, les tours n'ont lieu que les jours de marché, c'est-à-dire
les jeudi et dimanche.
— Une bonne solution (surtout en semaine) consiste à chartériser un taxi pour la
journée. En principe, prix fixes. A quatre ou cinq, c'est très intéressant.
— Aller et retour en taxi avec une heure d'attente aux ruines. C'est un peu
rapide, évidemment moins qu'à la journée, mais la faible différence de prix (en
équivalent de notre monnaie) ne justifie guère une visite aussi frustrante.
— Autre possibilité, faire le trajet en camion ou camionnette. Départs du même
endroit que les bus. Fréquents entre 6 h et 10 h. Retour l'après-midi dans les
mêmes conditions. Ne partez quand même pas trop tard car vous risqueriez de
ne plus trouver de camions pour Cuzco.

Où dormir ? Où manger ?

🛏 **Hôtel Pisac :** plaza de Armas 333. Bien tenu. Chambres très correctes et à
prix modérés. Possibilité d'y manger.
— Nous ne recommandons absolument pas l'hôtel Roma, d'une grande saleté.
✗ **Restaurant Samana Wasi :** plaza de Armas (à l'angle de la rue où il y a la
boulangerie). Ouvert de 7 h à 20 h. Jolie cour fleurie. On mange sous les bou-
gainvillées, une nourriture simple et correcte. Pour les grosses faims, le mon-
tado, plat classique (bifteck, œufs, riz et tomates).

Plus chic

🛏 **Chongo Chico :** à 1,5 km de Pisac, sur la route des ruines. Racheté par la
chaîne Royal Inca, qui a de vastes projets. Hôtel de luxe, avec restaurant,
piscine et golf...

Visite des ruines

— Surtout pas un dimanche en haute saison (bis repetita).
— Monter en taxi ou en camionnette jusqu'en haut des ruines (quartier de Quanchisraquay) par la nouvelle route, puis tranquillement redescendre à travers le
site. Possibilité de récupérer le taxi au parking intermédiaire, au bout du chemin
menant au sanctuaire principal. Il est également possible de louer des chevaux
avec un guide pour un tarif très abordable. On peut aussi effectuer tout le retour
à pied par le petit chemin qui permet de regagner le village.
— Monter à pied depuis le village. Superbe balade assez fatigante, mais pas
trop dure quand même. Le chemin démarre à gauche de l'église. Compter environ 1 h 30 de grimpette (à vitesse modérée) jusqu'au sanctuaire principal.
C'est, en tout cas, une bonne préparation pour ceux qui veulent entreprendre le
chemin des Incas. Sur place, environ 1 h 30 de visite si l'on veut tout voir.

— Notre itinéraire commence donc tout en haut, du quartier inca de **Quanchisraquay**. D'emblée, saisissant panorama sur la vallée. On note, sur la montagne en face, combien les parcelles de terres cultivables montent haut. Magnifiques terrasses incas, avec leurs murets anti-érosion, d'une harmonie complète avec la montagne. Suivre la ligne de crête, le long des gros buissons de lupin, jusqu'au *quartier de Hanan Pisac*, ceint de murailles. C'était le plus important. Accès par une belle porte inca, fusion de la roche et du travail de l'homme (noter la petite cavité traditionnelle pour le système de fermeture sur le côté de la porte).

— Escalier un peu raide, puis petit passage étroit, avant d'aborder *le tunnel du Puma* taillé dans le rocher. Vous remarquerez combien les Incas étaient petits (1,56 m pour les hommes, 1,45 m pour les femmes). On croise ensuite quelques vestiges de tours de guet. Chemin odorant. Outre le lupin et la bruyère, poussent la *muña-muña* (menthe sauvage), la *mancaphaki* et la *thankarq'iska* (épineux, appelé aussi « couronne du Christ »). Sur la pierre pousse un lichen, la *sunkha káká* (la « barbe de la roche »), utilisée en infusion pour les maux de gorge (fin de la parenthèse botanique). Sur les flancs de la montagne, nombreuses tombes incas et grottes funéraires.

— Arrivée à un superbe point de vue, d'où l'on peut admirer le temple du Soleil (l'*Intihuatana*) sur sa crête et le panorama sur les deux vallées. Avec du recul, c'est de là que vous verrez le mieux la rigoureuse et parfaite architecture du centre cérémoniel. Avant de l'aborder, on passe d'abord par un petit *quartier des prêtres* (le *Tianayoc*). Pour que les touristes puissent se reposer, les Incas avaient même mis à leur disposition une belle « banquette monolithe ».

— *L'Intihuatana :* là encore, temple en fusion harmonieuse avec la roche. État de conservation et ajustement de l'appareillage de pierre tout à fait admirables. L'architecture inca se révèle ici à son apogée. Au centre du temple du Soleil, calendrier solaire sculpté dans le rocher. Noter, dans le mur du fond, les sept niches (chiffre sacré pour les Incas).

— Du temple, un chemin mène, 700 m plus bas environ, au parking intermédiaire (où s'arrête la grande majorité des tours organisés).

— Sinon, du temple redescend aussi le sentier permettant de regagner Pisac à pied. A main droite, maison à deux étages. Sur la gauche, l'important quartier de Pisaqa avec de nombreuses terrasses. Puis, on passe par le *Corihuairachina*, tours de guet s'élevant sur un rocher escarpé. Terrasses encore d'un parallélisme quasi parfait, puis franchissement d'un escalier. Dernières terrasses d'*Acchapata*, avant d'arriver au village.

Aux environs

▶ *Calca :* grosse bourgade à une vingtaine de kilomètres de Pisac sur la route d'Urubamba. N'a pas grand-chose à proposer. Strictement pour ceux qui effectuent systématiquement des bains de vie locale dans des endroits pas touristiques.

Le 15 août, fête locale assez intéressante. Très populaire dans le coin. Marché de troc. Avoir un bon duvet si on veut y passer la nuit avec les paysans près de l'église.

🛏 Près de la grande place du village, deux petits hôtels, **Alojamiento Central** et **Alojamiento San Martín,** pas chers mais très mal tenus. Beaucoup mieux, *hôtel Pitusireay,* au bord de la route de Pisac. Un 2 étoiles confortable, propre et bon marché. A côté, le restaurant zoologique **El Carmen** avec son jardin agréable et reposant où vivent toucans et éperviers.

URUBAMBA

Ville-carrefour à l'intersection des routes pour Pisac et Chincheros. Coin riche en cultures. Agréable sans plus. Rien à y voir. Les autorités ont de gros projets de développement du coin. Assez nombreuses possibilités de logement. Si vous y passez un dimanche après-midi, occasion d'assister parfois à des combats de coqs à la *quinta Galu*. Spectacle garanti, autant autour de l'arène que dedans.

Où dormir ? Où manger ?

Bon marché

🛏 *Hôtel Véra :* à l'entrée du bourg (venant de Pisac). Pas cher, mais assez rudimentaire et pas très bien tenu.
🛏 *Hôtel Urubamba :* calle Bolognesi. A une cuadra de la plaza de Armas. Quand vous vous dirigez vers la plaza, c'est la rue à droite, juste avant d'y accéder. L'hôtel le moins cher de la région. Assez rustique, mais plus central, sanitaires acceptables et, généralement, mieux tenu que le précédent.
🛏 *Quinta Galu :* dans une rue un peu en marge du centre ville. Quinta très populaire localement. Grande cour agréable. Endroit très apprécié pour boire une *cerveza* accompagnée de poulet frit. Parties acharnées de *sapo*. Derrière le resto, petite arène pour les combats de coqs (surtout le dimanche après-midi). Atmosphère assurée.
🛏 *Centro vacacional Urubamba :* avenida Ferrocarril. ☎ 22-32-39. Grand centre de vacances et de loisirs, à la sortie de la ville (vers Ollantaytambo). Possibilité de louer, à des prix fort intéressants, des bungalows équipés et plaisants. Piscine (mais ciel, que l'eau est froide !). Resto, bar, cafétéria, laverie, change, salle de jeux pour les enfants, etc. ; idéal pour familles (et souffler un peu). Siège également de l'*albergo juvenil* local.
✗ *Casa Grande :* restaurant à l'entrée de la ville, en arrivant de Pisac. Buffet à prix intéressants le jeudi et le dimanche. Jardin agréable et tranquille... en dehors des jours de grosse fréquentation.

Plus chic

🛏 *Hostal Naranjachayoc :* à l'entrée de la ville, côté Yucay. ☎ 23-32-92. Hôtel installé dans une ancienne hacienda. Très confortable. Grand jardin. Piscine. Chambres agréables. Immense salle à manger (c'est l'hôtel favori des groupes organisés). Nourriture correcte (le midi, menu pas cher).
🛏 *Hôtel Alhambra III :* plaza Maco II. Au centre de Yucay, village à 3 km d'Urubamba (route de Calca-Pisac). ☎ 22-40-76. Plus chic que le précédent. Là aussi, grande hacienda coloniale transformée en hôtel de luxe. Un certain charme. Le patron a même créé un petit musée privé (pour la visite, demander à la réception). Très grandes chambres meublées en style local. Tout confort. Le jeudi et le dimanche midi, buffet somptueux en plein air à prix raisonnable (et souvent avec orchestre). Atmosphère quelque peu touristique, faut-il préciser ! Le soir, dîner au restaurant du patio colonial (au 1er étage). Bonne nourriture, mais là, assez cher.

Aux environs

Pour ceux qui en sont à leur deuxième ou troisième visite à la Vallée sacrée, Urubamba peut également servir de camp de base pour la visite de quelques villages pittoresques alentour comme *Maras* qui propose une église coloniale. Ensuite, belle balade à pied pour *Moray* (à 7 km) pour admirer l'ingénieux système de terrasses incas en amphithéâtre. Pittoresques maisons rurales de style colonial et vue spectaculaire sur la cordillère.

CHINCHEROS

A une trentaine de kilomètres de Cuzco, l'un des villages les plus intéressants de la région. De Cuzco, superbe route pour s'y rendre, traversant de fascinants paysages et livrant d'intéressantes scènes de la vie rurale. Le village en lui-même possède une grande homogénéité architecturale. Indépendamment du grand marché du dimanche, visite enrichissante pour ceux qui disposent d'un peu de temps. Chincheros ressemble à ces pueblos que l'on découvre dans les Sergio Leone les plus célèbres. Complètement perdu dans un cirque de montagnes, ce peut être le point de départ de bucoliques promenades dans les environs. Belle église coloniale du XVIe siècle (à l'intérieur, quelques peintures dignes d'intérêt). A propos, vers le 10 septembre, fête de la Vierge. A côté de la place du marché, immenses terrasses incas. Dans ses abords immédiats, vous découvrirez, çà et là, des vestiges de murs traditionnels aux blocs taillés et super bien ajustés. Chouette balade autour du lac (à 1 km, en repartant sur Cuzco).

Comment y aller ?

– *De Cuzco :* colectivos de la calle Arcopata (rue réputée dangereuse, ne pas y aller quand elle est déserte ou si vous êtes seul). En moyenne, toutes les 40 mn, de 7 h à 15 h. Le dimanche, véhicules bondés, ça va de soi.
– Si vous ne faites que le marché et trois petits pas aux environs, intéressant de chartériser un taxi à plusieurs (en principe, prix fixes).

Où dormir ? Où boire un verre ?

Il ne reste plus qu'un hôtel à Chincheros depuis que l'auberge a été transformée en centre médical.

🛏 *Hostal Los Incas :* Jr Garcilaso 601. Dans la partie basse du village, assez éloigné du marché. Les chambres avec douches sont correctes. L'entretien des douches collectives, en revanche, laisse à désirer.
– *Café* avec quelques bancs dehors, sur la place du Marché.

Le marché du dimanche

Incontestablement le plus coloré, le plus pittoresque de la région. Chincheros fait partie du forfait des visites que vous avez acheté (entrée payante donc si vous n'avez pas ce forfait). Les villageoises dans leurs costumes traditionnels vendent fruits, légumes et feuilles de coca. Pour les transactions de produits alimentaires, elles font appel au système du troc, tout comme à l'époque préhispanique. Il faut dire cependant que ce système est lentement en voie de disparition. Le long du mur inca (aux niches trapézoïdales), dans les seaux des villageoises, la *chicha* bouillonne. Beaucoup d'entre elles ont apporté galettes, tamales, gâteaux fabriqués à la maison. Il est pourtant de bon ton d'affirmer que Chincheros est devenu aussi pourri que Pisac. La situation n'est pas aussi schématique que cela. Chincheros reste un marché authentique. La partie artisanale et ouvertement commerciale s'étend sur une pelouse à côté et se révèle pour le moment bien moins développée qu'à Pisac.
Le problème de Chincheros, c'est son succès précisément. De plus en plus de touristes le dimanche (des cars entiers). Ça donne effectivement une impression désastreuse d'invasion. D'autres grands marchés d'Amérique du Sud, comme celui de Tarabuco en Bolivie, font également face à un afflux très important de visiteurs. Mais à Tarabuco viennent des milliers d'Indiens et « seulement » quelques centaines de touristes. Le marché, très étendu, permet de les absorber et le rapport de forces est encore durablement en faveur des autochtones. A Chincheros, au contraire, sur cette petite place du marché, s'il y a autant (ou plus) de touristes que d'Indiens, c'est à l'évidence l'overdose. Les proportions « idéales » ne sont plus respectées et c'est le malaise certain. Le problème, c'est qu'on ne peut même pas dire que les lève-tôt seront récompensés, car le marché débute assez tard et tout le monde arrive en même temps. Le mieux, c'est encore de venir effectivement de bonne heure, de visiter avant village, église et terrasses incas, d'assister au début du marché et de s'en aller dès que le « seuil de tolérance » touristique est franchi !

OLLANTAYTAMBO

A 97 km de Cuzco, ancienne forteresse inca qui surveillait le chemin du Machu Picchu. Très imposante. Elle se tient en haut d'un défilé où coule le rio Urubamba, au fond de la Vallée sacrée. Du haut des ruines, vous serez émerveillé par la vue. Lors de la conquête espagnole, Manco Inca, après avoir perdu Sac-sahuamán, remporta à Ollantaytambo une ultime victoire sur l'envahisseur. Outre le prodigieux intérêt de la forteresse, le village en lui-même regorge de découvertes étonnantes. Relativement peu touristique au sens où les touristes font un petit tour rapide dans les ruines et s'en vont. Dommage pour eux et tant mieux pour ceux qui prévoiront, avec sagesse et bon sens, de lui consacrer du temps. Quelques *hostales* bon marché et sympathiques les encourageront même à rester une nuit. Bon, on y grimpe...

Comment y aller ?

– **En bus :** de Cuzco pour Urubamba. Les colectivos partent de l'avenida Huas-car. Surtout le matin. Correspondance à Urubamba pour Ollantaytambo. Quasi-ment pas de bus direct.
– **En train :** Ollantaytambo est à peu près à mi-chemin entre Cuzco et Puente Ruinas. Comptez au moins 2 h dans un sens comme dans l'autre avec le train local.
– **En taxi :** en principe prix fixe. Intéressant à plusieurs.

Où dormir ? Où manger ?

Bon marché

🛏 **El Tambo :** dans une ruelle donnant dans la place principale. Tout le monde connaît. Cour très fleurie où se baladent tous les animaux familiers de notre enfance. Bon accueil. Atmosphère familiale. Chambres au 1er étage, sur véranda. Confort réduit à sa plus simple expression, mais propreté acceptable. Et l'ensemble est si calme et si bon enfant !
🛏 **Hostal Miranda :** dans la rue qui mène de la plaza aux ruines. Très bon mar-ché. Petites chambres toutes simples. Assez bien tenu. Patronne sympa.
🛏 **Alcazar Café :** peu avant la plaza. Quelques chambres à louer. Bonne cui-sine végétarienne. Possibilité de changer de l'argent.
✗ Quelques **restos** sur la plaza de Armas. En général, sympa et typiques.

Prix moyens

🛏 **L'Albergue :** près de la gare, sur le chemin du village. Peu fiable car semble préférer les groupes envoyés par les agences.

La forteresse

L'avantage de dormir sur place, c'est qu'on a les ruines pour soi tout seul dès l'ouverture. Impression grandiose que de grimper l'escalier très raide qui mène au site, à travers les splendides terrasses incas. Songez que les *conquistadores* tentèrent la même chose, mais sous une pluie de flèches et de pierres, et durent battre en retraite.
Superbe et impressionnant appareillage de pierre. La curieuse impression d'ina-chevé provient de ce que le temple était en pleine construction lors de la conquête espagnole et ne fut, de ce fait, jamais terminé. Tout en haut, vous ne manquerez pas les deux énormes linteaux de 50 t au moins. Une anfractuosité en dessous permet d'y passer la main. Notez combien c'est lisse : polissage parfait pour permettre une mise en place et un ajustement impeccable des pierres. Imposante paroi de 6 blocs en hauteur aussi. La figure géométrique qu'on y trouve symboliserait le cycle de la vie. Au milieu, c'est la Terre. Tout ce qui est au-dessus représente ce qui est connu. Puis le relief s'estompe peu à peu à mesure qu'on va vers le ciel, donc vers l'inconnu (on retrouve ces sym-boles au site de Tihuanaco).
Profitons-en pour dire un mot sur les techniques de construction incas : tout à gauche (quand on est face au fond de la vallée, avec le village dans le dos), on aperçoit ce qui reste des rampes qui amenèrent les pierres. Elles provenaient d'une carrière sur le versant de la montagne en face, au-delà du rio Urubamba. Pour traverser le rio avec leurs matériaux énormes, les Incas passèrent leur temps à combler le lit du rio sur une moitié, à amener les blocs au milieu, puis à

combler l'autre moitié tout en redétournant le courant sur la première moitié progressivement libérée. Un travail de Romain ! Il reste d'ailleurs sur le chemin de la carrière d'énormes blocs. Ce sont ceux que même des centaines d'esclaves ne parvenaient plus à faire bouger. Les Indiens les baptisèrent les « pierres fatiguées ».

Au-dessus du temple, vestiges du quartier d'habitation. Sur la montagne, de l'autre côté du vallon, au-dessus du village, on distingue nettement un bâtiment de 4 étages (c'était l'école militaire). Plus haut, à gauche, s'élevait la prison. Redescendons. On pense que la grande masse grise, au pied des terrasses, était probablement une table d'opération chirurgicale. On notera effectivement cette étrange surface bien dessinée et plane, avec une petite rainure (pour évacuer le sang ?).

Devant la « table », tout un ingénieux système de rigoles pour la distribution de l'eau. Ce qui pouvait être du temps des Incas un centre de soins par l'eau (petites piscines) fut déterré il y a quelques années à peine ! Passer le petit pont de pierre pour découvrir un autre système original de fontaines. Voir le bain de la Princesse *(baño de la Nusta)*, de forme trapézoïdale.

Le village

Ollantaytambo est la seule agglomération au Pérou qui ait conservé intact le plan de la ville inca. C'est donc un témoignage exceptionnel sur leur urbanisme. Les demeures coloniales s'appuyèrent sur les soubassements d'origine sans nullement modifier le tracé des rues. Au milieu des ruelles on retrouve, d'ailleurs, la rigole originelle d'évacuation des eaux. Essayez de vous faire inviter à visiter une cour, laquelle présente toujours un portail inca avec linteau. Dans les blocs sur les côtés, on peut trouver les cavités d'où l'on actionnait, avec des cordes ou un bâton, le système d'ouverture et de fermeture des lourdes portes de pierre.

Enfin, en quittant Ollantaytambo, au moment d'aborder le virage (où la route retrouve le goudron), jeter un œil sur le pont inca dont il reste le gros appareillage de pierre au milieu. Devant, ils avaient placé deux énormes roches pour casser le courant en période de crue. A propos, voici un proverbe indien pour la saison des pluies : « Aux larmes des femmes, aux chiens qui boitent, au ciel des Andes, nul ne peut croire ! »

Quitter Ollantaytambo

– *Pour Cuzco :* colectivo jusqu'à Urubamba et correspondance pour Cuzco. S'il y a de la place, possibilité aussi de prendre le bus qui assure la correspondance avec le train arrivant de Puente Ruinas (Machu Picchu) à 11 h 30 et 16 h 30.

– *Pour le Machu Picchu,* en train (km 88, Aguascalientes et Puente Ruinas) : à 12 h et 16 h 45 avec l'autovagon et à 7 h 45 et 16 h 15 avec le train local. Vérifier quand même ces horaires.

LE CHEMIN DES INCAS

L'eau à la bouche !

Cette marche d'environ 3 jours sera pour ceux qui la feront un des meilleurs souvenirs de leur voyage. Traverser des zones tropicales, suivre des sentiers à flanc de montagne, franchir un col à 4 200 m, c'est loin d'être facile (c'est même très dur !), mais c'est extraordinaire. Tout le long de cette marche de 43 km, on rencontre ruines, forteresses... Un grand moment.

Avertissements

– L'entrée du chemin des Incas est payante et uniquement en monnaie locale. Les dollars ne sont pas acceptés et il n'y a pas de change sur place. La visite du Machu Picchu est comprise dans le ticket, ne pas le perdre donc.

– En raison des voleurs qui sévissent, demandez à l'office du tourisme de Cuzco s'il y a des risques. Certaines personnes se sont fait tout voler. Une petite bombe lacrymogène est un bon moyen de protection. Il arrive parfois que les autorités interdisent ce trekking quand la sécurité n'est pas assurée.
– Évitez, le soir, de trop vous éloigner des campements, notamment près du village de Wayllabamba. Il est plus sûr de se retrouver à une dizaine. Certains se sont fait voler au campement (découpage à la lame de rasoir de la tente). Faites attention aussi au vol des chaussures.
– Il est préférable de partir à plusieurs, ne serait-ce que pour porter les sacs à tour de rôle. Possibilité de trouver des compagnons de route sur le tableau d'affichage de l'office du tourisme. Mais si vous êtes nombreux, prenez 1 ou 2 porteurs, ce trek est physiquement éprouvant. Si vous partez en agence, évitez *Coopsetur* : des lecteurs en ont un très mauvais souvenir.
– Pour commencer la marche, prendre à Cuzco le train du Machu Picchu et s'arrêter au km 88. Si vous prenez le train local, n'hésitez pas à réserver une place en première (on conseille vraiment la première), la veille.
– On manque parfois l'arrêt (le train stoppe une minute à peine). Préparez-vous à descendre avant le premier tunnel.
– Il est recommandé de ne pas croire ceux qui affirment qu'il ne pleut jamais : prévoyez absolument des vêtements imperméables.
– Laissez vos affaires superflues chez quelqu'un ou dans un hôtel qui a votre confiance.

Où se renseigner ?

Le chemin est désormais bien balisé. Demandez toutefois le plan délivré par l'office du tourisme de la plaza de Armas. En librairie, on peut trouver des guides en anglais plus explicites.
A noter enfin qu'Uniclam édite un petit guide excellent sur le chemin des Incas et le Machu Picchu. Il s'appelle *Parc archéologique du Machu Picchu*. Il vous évitera de rater des à-côtés intéressants.

Le matériel

Tout le matériel peut se louer dans les agences de voyages près de la plaza de Armas. Des cartes y sont en vente. Mais attention aux agences : elles louent souvent très cher n'importe quoi. Bien vérifier l'état devant le loueur avant de partir. Caution parfois lourde (allant jusqu'à 200 $!). Un tuyau : ces agences peuvent, après votre trekking, racheter le matériel qui vous encombre pour la suite de votre voyage.
– Les tentes des agences sont lourdes et pas terribles. Achetez en France soit une tente ultra-légère (mais vous devrez ensuite la garder tout le reste de votre voyage ou la vendre), soit un sursac de bivouac (enveloppe imperméable qui recouvre le sac de couchage ; très léger et pas cher).
– Un bon sac de couchage.
– Une gourde d'au moins un litre PAR PERSONNE (impératif !).
– La liste précise de tout le matériel est indiquée au dos du plan de l'office du tourisme : sac de couchage, sac de bivouac ou tente, pulls, anorak, bonnet, chaussettes de laine, gants, écharpe, couteau, torche, papier hygiénique (vert ou marron, c'est plus discret dans la nature), chaussures de marche, imper, allumettes, savon, gourde. La corde est inutile.
Il est conseillé de prendre un réchaud à gaz et deux cartouches. Vérifiez son fonctionnement avant le départ.
– Enfin prévoir un antimoustiques pour le deuxième bivouac.

La nourriture

Deux recettes nourrissantes : le porridge et le riz au thon avec du jus de citron. Vous pouvez aussi emporter de la pâte de coings et des purées vite faites. Mais le matin, un café chaud, et le soir une soupe sont les bienvenus. Donc le réchaud est conseillé.

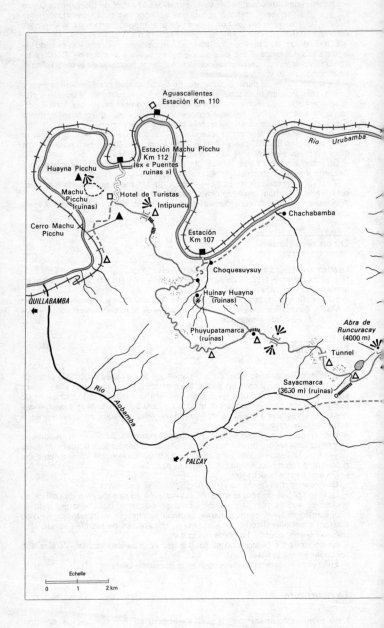

MACHU PICCHU

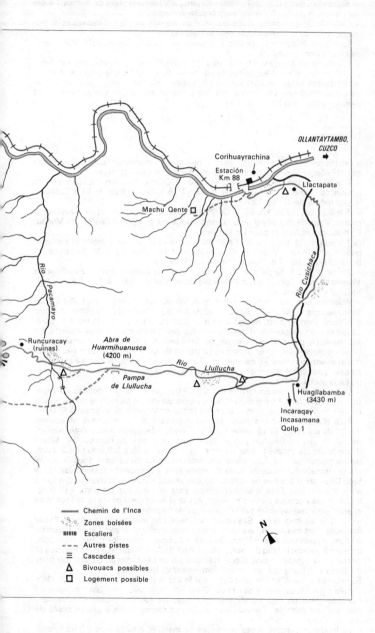

LE CHEMIN DES INCAS

– *Supermarchés à Cuzco* : l'un calle Plateros à 50 m de la plaza de Armas, l'autre sur l'avenida del Sol à l'angle avec la calle Almagro.

– Calle Medio, une petite *épicerie* où l'on trouve des denrées chinoises et du fromage, nourriture légère idéale pour le trekking.

– Quelques ingrédients faciles à trouver sur place : chocolat, fruits, sucre, salami, lait concentré.

– On demande à ceux qui font cette randonnée d'éviter de laisser leurs ordures sur le chemin, surtout les boîtes de conserve. S'ils n'ont pas le courage d'enterrer les boîtes vides, qu'ils prennent autre chose pour se nourrir. Leur santé n'en sera que meilleure. On précise que les pâtes et les soupes instantanées sont moins lourdes que les conserves.

Itinéraire

Voici les temps approximatifs de marche entre les points de repère. Ces temps ont été réalisés en marchant trois jours, donc assez rapidement.

– 6 h 30 : départ du train local à la gare de Cuzco. Première classe vraiment conseillée. Acheter le billet la veille de 15 h à 16 h. Pour le train de 14 h, l'acheter le jour même de 10 h à 12 h.

– 9 h 30 : arrivée au km 88, à Corihuarachina. Un pont permet de traverser la rivière. Vous devrez payer un droit de passage qui comprend l'entrée du Machu. En principe, réduction pour les étudiants !

A 1 km du pont, les polards d'archéologie peuvent tourner à droite et visiter le petit site de *Q'ente*. A une demi-heure du pont, on longe le site de *Llactapata*, au bord du rio Kusichaka. Puis le chemin suit la vallée.

– Au bout de 2 h 30 de marche (depuis le pont du départ), arrivée au village de *Wayllabamba* (appelé aussi Patawasi), le dernier du trajet à être habité. Altitude : 3 000 m environ.

– Première nuit : évitez de dormir près de Wayllabamba. Mieux vaut aller à *Llulluchapampa* : environ 2 h 30 avant de passer le premier col (la Warmiwacunca à 4 200 m). Évidemment, ne pas dormir en haut du col, il y fait très froid. Et puis, ça fait une petite période d'adaptation utile avant d'aborder la vraie montée. Le sentier suit le cours du rio Llulluchayoc. Très belle végétation. A Llulluchapampa, bons emplacements pour dormir et on trouve du bois. Après, plus d'eau et pas d'abri avant au moins 3 h de marche. Si vous arrivez de bonne heure à Llulluchapampa, possibilité de continuer un peu plus d'une heure encore et de passer la nuit à la sortie de la forêt.

– Le lendemain : franchir ce premier col. Ce tronçon est le plus difficile. La végétation devient rare. Le col de la *Warmiwacunca* sera le plus élevé de l'itinéraire (4 140 m). Superbe panorama. Derrière, le massif *Vevado Huayanay* (5 480 m).

– Puis *Runcuracay* : désormais redescendre vers le rio Pacamayo. A environ 1 h 30 du col (à 3 500 m), arrivée au Pacamayo. Puis, après la descente, remonter par la gauche (chemin pas évident) vers les ruines de Runcuracay. Moins d'une heure de montée, mais assez rude. Ruines situées à 3 800 m. Là aussi, beaux points de vue. Les ruines de Runcuracay se présentent sous la forme d'une citadelle ronde de 20 m de diamètre avec une enceinte rectangulaire plus bas. Ceux qui n'ont pas de toile et qui souhaitent y dormir trouveront quelques abris sous roche. Puis le sentier grimpe vers un nouveau col (vers 4 000 m). Importantes sections bien empierrées. Passage entre deux petits lacs. Très beau chemin pour redescendre jusqu'aux ruines de Sayaqmarca.

– Fin d'après-midi donc, *Sayaqmarca* : deuxième nuit dans les ruines. Assez agréable. Plus loin, la nature se révèle trop hostile pour y dormir. On peut prendre de l'eau un peu plus bas, à 5 mn. On trouve du bois derrière les ruines. Pour cela, prendre à gauche le long du mur, juste en haut de l'escalier, passer les toilettes et descendre l'échelle de bois. On se retrouve sur un petit chemin qui sert aux gens du coin et où l'on peut ramasser énormément de bois mort.

Sayaqmarca, « la Ville inaccessible », est le site le plus intéressant du trek. On y parvient par un escalier assez raide. C'est une vraie ville avec une vingtaine de maisons dans un état significatif, un réseau de ruelles, escaliers, terrasses, ceinte d'une muraille. *Torreón* bien visible, en forme de fer à cheval percé de niches.

– Le lendemain matin, après une heure de marche, arrivée vers 9 h au tunnel. Probablement ancienne fissure naturelle, agrandie par les Incas. Prodigieux travail que la fabrication de l'escalier, taillé dans la roche sur 20 m environ.

Passage d'un troisième col et apparition du site de **Phuyupatamarka** (« village au-dessus des nuages ») qu'on atteint vers 12 h. Groupes de maisons avec un temple et des bains rituels. A signaler que la fontaine inca n'est pas un vide-ordures, contrairement aux apparences. Merci d'avance. Sinon, merveilleux endroit pour dormir. Pour rejoindre Huiñay Huayna, une nouvelle voie a été ouverte qui fait gagner environ 3 h. A la sortie de Phuyupatamarka, prendre à droite, au lieu de suivre l'ancien chemin de la ligne de crête. Cet itinéraire n'est pas mentionné sur la plupart des cartes (notamment celle qui donnait l'office du tourisme, l'année dernière), mais il figure, bien entendu, sur la nôtre. Un pylône de la ligne de haute tension de l'Urubamba sert de repère.

– 15 h 30 : **Huiñay Huayna.** Attention, pour le troisième bivouac à Inti-Punku, prendre son eau aux ruines de Huiñay qui sont indiquées par des pancartes en anglais. En principe, possibilité de prendre une douche à l'hôtel *Huiñay Huayna* (elle est chaude et ne coûte pas cher).

Ruines intéressantes. L'ensemble, divisé en deux parties, possède un certain charme. Dans la « ville haute », *torreón*, maisons et fontaines. Un escalier bordé de fontaines et traversant d'anciennes terrasses (andènes) rejoint la ville basse. Quelques maisons y possèdent encore un bel appareillage de pierre (notamment les portes). Certaines sont à deux étages.

– 18 h : **Inti-Punku :** situé à 2 h environ de Huiñay Huayna. Troisième nuit. Emplacements pour dormir à Inti-Punku après 18 h (le gardien n'autorise pas le campement avant). Quand vous arrivez dans ce site le soir, ne pas descendre au Machu Picchu. L'arrivée sur les ruines le lendemain matin est merveilleuse (sans les touristes). De plus, le billet visé par les contrôleurs n'est valable que pour le jour même.

C'est d'Inti-Punku (la porte du Soleil) que vous obtiendrez dès l'aube votre première et saisissante vision du Machu Picchu. Ensuite, moins d'une demi-heure de descente vers le site. Obligation de laisser le sac à dos à la consigne.

LE MACHU PICCHU

Ce n'est qu'en 1911 que Bingham, archéologue américain, découvrit le Machu Picchu, tout à fait par hasard. Il fut d'ailleurs étonné de constater que cette cité perdue était habitée par un couple d'Indiens cultivant les terrasses, alors que l'endroit était recherché depuis des siècles par les archéologues. Le Machu Picchu est sans conteste le monument précolombien le plus spectaculaire d'Amérique du Sud, autant par l'importance des constructions que par l'incroyable splendeur du site.

Le Machu Picchu n'a rien perdu de son mystère : fut-il une forteresse établie pour prévenir une invasion des tribus amazoniennes ? Fut-il une capitale religieuse ou simplement un lieu de culte consacré au soleil ? Fut-il une dernier refuge des Vierges du Soleil ou la dernière capitale inca ? On dit que Manco Capac, le dernier roi inca, recherché par les Espagnols, s'y réfugia. Et jamais Pizarro ne trouva l'emplacement du Machu Picchu. Cela s'explique aisément : le Machu est au sommet d'une montagne coupée de telle façon que le site est parfaitement invisible de la vallée.

Rumeurs d'un projet de construction d'une route menant à un point de vue sur les ruines. Ainsi, on ne les visiterait plus pour éviter les détériorations causées par les hordes de touristes. Si cela se révélait exact, se dépêcher de venir pour figurer parmi les derniers privilégiés. Cela dit, il se peut que la rumeur disparaisse rapidement comme ce projet dément de téléphérique amenant directement les touristes sur le site (heureusement, l'idée fut abandonnée).

Comment y aller ?

– Voir au chapitre : « Quitter Cuzco ».

Conseils divers

– A Cuzco, faites très attention à la gare : à l'arrivée et au départ du train, ils éteignent parfois les lumières ; c'est le moment préféré des découpeurs de sacs.

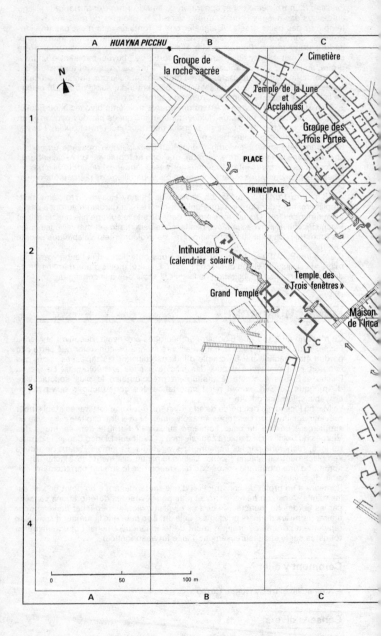

MACHU PICCHU

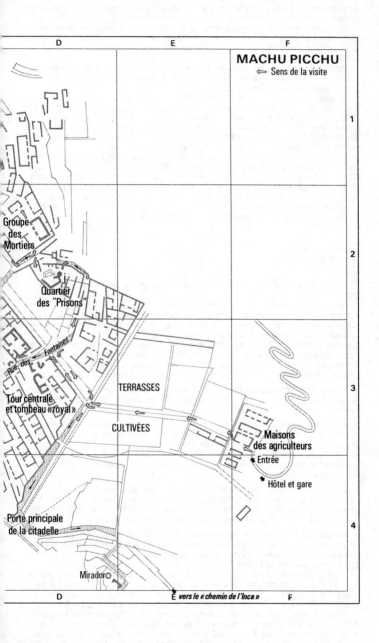

MACHU PICCHU
⇐ Sens de la visite

Groupe des Mortiers

Quartier des "Prisons"

Rue des Fontaines

TERRASSES

Tour centrale et tombeau «royal»

CULTIVÉES

Maisons des agriculteurs

Entrée

Hôtel et gare

Porte principale de la citadelle

Mirador

vers le « chemin de l'Inca »

Prévoir une lampe de poche pour surveiller ses petites affaires. Ceux qui ont peur prendront le train des touristes (beaucoup moins de risques).
– Dès l'arrêt du train, se précipiter pour prendre le bus qui monte au site pour être dans les premiers (mais en principe, il y a assez de bus pour monter tous les passagers du train). Ne pas jeter le billet de bus qui va au Machu Picchu, car il est utilisé pour le retour.
– Pour les amateurs de solitude, on précise qu'il y a moins de touristes le dimanche sur le site (ils sont tous au marché de Pisac).
– Consigne à l'entrée du site.
– Le Machu Picchu est ouvert de 7 h à 17 h.
🛏 Il est interdit de dormir sur le site même. Un seul hôtel, bien sûr cher et quasiment trusté tout le temps par les agences. Les touristes individuels peuvent néanmoins réserver depuis leur pays d'origine, en s'y prenant assez en avance. De même, à Lima, ils peuvent tenter le coup dans une agence locale et bénéficier d'une ultime annulation. Accueil très impersonnel. Self-service le midi assez médiocre. Le soir (mais cela ne concerne bien sûr que les résidents de l'hôtel), nourriture correcte sans plus. Service plutôt déficient et serveurs peu aimables.
✗ Le seul restaurant du Machu Picchu est assez cher. Et puis, vous perdriez votre précieux temps. La « loi 24047 » interdit cependant d'emporter un repas sur le site. Mais elle n'interdit pas d'avoir des bananes à grignoter et de garder les pelures dans un sac plastique (en plus, facile de planquer aussi un sandwich). Possibilité d'acheter un Coca au snack. Le petit déjeuner y est, à la rigueur, acceptable.

Visite du site

Le Machu Picchu se divise en quartiers séparés en grande partie par l'esplanade centrale.
On reconnaît les édifices religieux et les maisons habitées par les notables aux pierres qui sont parfaitement jointes, alors que pour les autres maisons (celles des agriculteurs, par exemple) les Incas utilisaient de l'adobe (chaux + terre) entre les pierres beaucoup plus grossièrement taillées.
Les murs étaient inclinés vers l'intérieur afin de résister aux tremblements de terre. A noter que ces murs étonnamment robustes n'étaient recouverts que de frêles toits de joncs et de roseaux. Enfin, vous remarquerez que, du haut du mirador, tout l'ensemble du Machu Picchu est vert, alors que du bas tout devient gris.

▶ *Le quartier des Agriculteurs :* à l'entrée, avant des terrasses cultivées. Notez l'ingénieux système d'irrigation. La terre arable dut être apportée de la vallée.

▶ *Le mirador :* prendre le grand escalier qui longe le rempart à gauche après les terrasses. De cet endroit, qui domine tout le site, vous aurez la plus belle vue. Derrière le mirador aboutit le « chemin des Incas ».
Au retour, passant par la porte principale de la citadelle, vous noterez l'ingénieux système de fermeture : l'anneau de pierre au-dessus et les deux poignées dans les cavités sur les côtés.

▶ *Le tombeau royal :* juste en dessous de la porte de la citadelle. Caverne en dessous de la tour centrale qui fut peut-être un tombeau d'Inca. A remarquer les gradins et les niches taillés dans le rocher. La tour centrale possède une forme de fer à cheval *(torreón)* qu'on retrouve souvent sur les sites incas.

▶ *La rue des Fontaines :* étonnante ruelle composée d'une série de petits bassins disposés les uns à la suite des autres. Ces fontaines étaient sans doute utilisées pour les ablutions rituelles. Elles fonctionnèrent jusqu'à ce que l'eau soit détournée au profit de l'*hôtel Turistas !*
– A ce moment-là, on distingue mieux les différents quartiers, séparés par la vaste esplanade de gazon où broute le dernier alpaga du Machu. Pourquoi le dernier ? Parce que tous ses compagnons importés comme lui de l'Altiplano (à 4 000 m et plus) sont morts à cause de... l'herbe trop tendre, ici à 2 500 m ! Habitués à croquer de durs épineux, les dents des pauvres lamas se déchaussèrent et ils attrapèrent différentes maladies. Seul l'un d'eux survécut, allez savoir pourquoi ! (mais il est devenu omnivore, gare aux bananes dans votre sac !). Donc, de l'autre côté de l'esplanade s'étendent le quartier industriel, celui des Artisans et la « chambre de Torture » (que nous décrivons plus loin).

— De ce côté-ci, entre la rue des Fontaines et le temple des Trois Fenêtres, vous découvrirez la *maison de l'Inca*, avec ses patios intérieurs. Reconnaissable aussi grâce à son appareillage de pierre particulièrement soigné et aux restes d'un mortier.

▶ Juste au-dessus de l'escalier nord (délimitant l'esplanade à un bout) s'élève la *maison du Prêtre*, début du quartier religieux. Derrière s'étend la place sacrée, bordée par deux autres édifices : le *temple des Trois Fenêtres* qui est le seul à construction vraiment mégalithique et le *Grand Temple* qui, comme à Pisac, présente sept niches au fond. En continuant par la gauche du Grand Temple, découvrez l'un des bâtiments les plus curieux du site : la *sacristie* où se préparaient les prêtres, appelée aussi chambre des Ornements. Dans le mur du fond, des niches trapézoïdales et une énorme banquette de pierre. L'une de ses utilisations présumées aurait été de servir au « séchage » des momies (avant de les placer dans leur sépulture). En effet, le climat assez humide de la région risquait de les faire pourrir trop vite. Le mur d'entrée de droite propose la fameuse *pierre à 22 angles* (et non 32 comme le prétendent certaines brochures ; on les a comptés scrupuleusement !).

▶ *L'Intiwatana :* dans le prolongement des temples, par une série d'escaliers, on parvient à l'observatoire astronomique, le point le plus élevé de la ville et le plus mystérieux. Tout d'abord, une curiosité fort peu connue des visiteurs : à l'entrée de la plate-forme où se trouve le cadran solaire (à droite des trois petites marches), s'élève une mince roche assez étrange. Regardez de près : la roche présente exactement la même découpe que les montagnes alentour, les reproduisant en réduction très fidèlement ! A partir du Wayna Picchu, comparez les montagnes une par une, c'est tout simplement prodigieux ! Sculpture de la main de l'homme ou étonnant hasard ?
La « table » centrale est surmontée d'une pierre angulaire aux formes géométriques précises : c'est le *calendrier solaire*. Son ombre portée sur les multiples angles de la table permettait aux astronomes incas d'effectuer leurs calculs astronomiques. C'est l'un des rares à subsister, n'ayant jamais été découvert par les Espagnols.

De l'autre côté de l'esplanade

Retour à l'escalier nord, qui délimite l'esplanade à l'opposé du Wayna Picchu, pour parvenir au quartier des Prisons, au quartier industriel et au groupe dit des Trois Portes.

▶ *Le quartier des Prisons :* lieu à deux étages où Bingham découvrit des sépultures. A remarquer sur le sol une large pierre plate rappelant la forme d'un condor la tête vers le soleil levant. Cela aurait été un endroit de sacrifice : un petit canal pour écouler le sang le laisse supposer. A la hauteur de la tête, ce canal s'enfonce dans le sol afin que le sang nourrisse la Terre, divinité pour les Incas. Les pièces à côté du grand rocher ont été (sans beaucoup de preuves) baptisées « chambres des Tortures ». Bingham fantasma aussi probablement pas mal sur ce secteur.

▶ *Le quartier industriel (ou des Mortiers) :* plus haut que le groupe des Prisons. La présence de mortiers dans l'une des grandes pièces laissa penser que ce secteur était consacré à des activités domestiques et artisanales. Noter au passage le grand nombre de niches et de pierres en saillie.
— Dans le prolongement du quartier industriel, le *quartier des Intellectuels et des Comptables*. Là aussi, pures supputations de Bingham. Ensemble de maisons à l'architecture relativement simple, suivi du groupe des *Trois Portes*. La présence de pièces sans aucune fenêtre fit supposer qu'il pouvait s'agir là de l'endroit où vivaient les femmes (ou les vierges du temple).

Le Huayna Picchu

A l'extrémité des ruines part un chemin qui monte au *Huayna Picchu*, montagne plus haute, située en face. La vue est magnifique sur la vallée de l'Urubamba. L'ascension, assez difficile, dure environ une heure. Il ne faut pas être chargé, car on doit parfois monter à quatre pattes. Attention, au début du parcours, il y a un embranchement, il faut prendre le chemin qui continue à descendre (c'est en principe indiqué). Par ailleurs, c'est sur ce trajet qu'avec un peu de chance et de bons yeux, on peut trouver des orchidées. D'en haut, vous serez époustouflé par la vue sur le Machu. La première scène d'*Aguirre ou la colère de Dieu* de Herzog a été filmée dans le creux qui sépare les ruines du Machu et le Huayna Picchu. On ne peut aller à Huayna Picchu que de 7 h à 13 h. En haut, quelques vestiges de terrasses et de portes monumentales.

Quelques conseils importants : la grimpette au Huayna ne doit pas être considérée comme une simple promenade de santé. Sans être dangereuse en soi, elle présente cependant quelques passages délicats. Ce n'est pas un hasard qu'il faille signer un registre avant de monter. D'abord, équipez-vous de chaussures qui adhèrent bien au sol. Les passages les plus difficiles sont, en fait, certains tournants et grimpettes un peu abrupts (présence de cordes pour s'aider) et, surtout, quelques passages étroits avec des à-pics de plusieurs centaines de mètres (il est clair que cette balade n'est donc guère recommandée aux lecteurs très sujets au vertige).

Quelques statistiques : une chute mortelle tous les trois ans, donc rythme très très faible. En conclusion, rude montée, mais tout à fait faisable. Pas vraiment conseillée aux enfants néanmoins. Ne pas la considérer comme un record à battre (comme certains). Pour les adultes et les ados sûrs d'eux, être naturellement prudent suffit amplement... Enfin, là-haut, on est vraiment récompensé de ses efforts par le panorama.

Le musée

▶ Petit musée à la station Puente Ruinas. A quelques centaines de mètres de la gare. Quelques photos, documents et infos sur le site. A notre avis, à faire éventuellement au retour (si vous avez le temps), avant de reprendre le train. A l'aller, il vaut mieux foncer tout de suite sur le site.

AGUASCALIENTES

Village situé 2 km avant Puente Ruinas. C'est là que les routards vont dormir le soir. Atmosphère tout à fait Sergio Leone avec pratiquement tous les restos et hôtels qui donnent sur la voie ferrée directement. Y passer la nuit se révèle plutôt sympa, et surtout permet aux lève-tôt d'être sur le Machu Picchu dès l'ouverture (comme les riches de l'*hôtel Turistas !*). En outre, dès 16 h, il n'y a plus de touristes (ils sont redescendus à la gare). Donc, vous pouvez rester seul à admirer le Machu jusqu'au coucher du soleil. Ensuite, retournez à pied jusqu'à la gare par le petit chemin qui commence en face du snack à l'entrée du site. Un peu raide, mais faisable. Comptez 45 mn jusqu'à la gare, puis longez les rails jusqu'à Aguascalientes.

Cependant, même le village commence à se moderniser et, en quelques années, avec le tourisme de masse, il perdra probablement son aspect de ville de chercheurs d'or.

Où dormir ?

🏠 *L'albergue juvenil* (A.J.) : en remontant sur quelques centaines de mètres la route à droite de l'église. Moderne et propre, mais sans charme particulier. Décor bois style chalet. Chambres à 2, 3 ou 4 lits. Snack pas terrible et service assez lent. Attention, A.J. plus chère que la plupart des hôtels.

🏠 *Hôtel Machu Picchu :* l'entrée donne sur la voie ferrée, mais les chambres sont un peu en retrait (ce n'est cependant pas le bruit des trains ne circulant pas la nuit qui vous réveillera !) Bien tenu. Notre meilleur rapport prix-qualité.

🏠 *Hôtel Los Caminantes :* sur la voie aussi. En dernier recours. Le moins cher, mais confort très spartiate, sanitaires mal tenus, chambres peu reluisantes et accueil pas vraiment cordial.

🏠 *Hôtel Qoñi Unu :* situé sur la gauche de la place de l'Église. Tenu par un Américain marié à une Péruvienne. Propre et souvent complet. A fait construire un 1er étage et de nouvelles chambres avec véranda fort agréables. Un peu plus cher que les précédents, mais prix encore tout à fait raisonnables. Le restaurant *Gringo Bill's* fait partie de l'hôtel.

Où manger ?

✗ Les gargotes ne manquent pas le long de la voie.
✗ **El Refugio** : propose une nourriture de bonne qualité et copieuse. Grande variété de spaghetti. Bonnes viandes et excellents *pancakes*.
✗ **Aïko** : l'un des derniers restos à gauche (en direction du Machu). Pas cher. Carte assez variée.
✗ **Machu Picchu** : en face de l'A.J., sur la route menant aux sources d'eau chaude. Cuisine simple, mais correcte et bon marché.

A voir

A Aguascalientes, voir la source d'eau chaude. A 700 m du village. Entrée payante. Ne pas s'inquiéter de la couleur et de l'odeur de l'eau : ce sont des sources thermales. L'eau du grand bassin est en fait tiède et elle s'écoule en permanence (ce qui n'est pas le cas du petit). En tout cas, un bain chaud est merveilleux après la grimpette du chemin des Incas. A voir aussi l'artisanat de sculpture sur pierre, spécialité du village.

Pour monter au Machu Picchu

Pour se rendre sur le site, partir à 5 h 15, longer la voie ferrée jusqu'à Puente Ruinas, monter à pied par le raccourci (ne pas oublier sa lampe de poche) et compter 1 h 30 à un rythme rapide. Vous trouverez le chemin sur votre droite, après le pont derrière la gare. On arrive à 7 h environ, heure d'ouverture du site. Là, pas encore de touristes. Pour ceux qui ne veulent pas monter à pied, le premier bus part de la gare en principe à 8 h.

PAUCARTAMBO

A 105 km de Cuzco, sur la route de la jungle, se trouve Paucartambo, une petite ville éloignée des circuits touristiques du Pérou. Avant toute chose, vérifier à l'office du tourisme de Cuzco ou de Lima que les risques de guérilla n'en interdisent pas l'accès aux touristes. Pour s'y rendre, des camions y vont et rapportent les produits tropicaux pour les marchés de Cuzco. Tous les deux jours, avenida Tullumayo. Les autobus sont rares, il reste les taxis collectifs et les voitures privées. L'hébergement est un problème : deux petits hôtels, c'est tout ; mais on peut faire du camping ou loger chez l'habitant, ce qui est vraiment possible si on met un peu de bonne volonté à établir le contact.
Cette région offre, de par son mode de vie, un témoignage vivant aux visiteurs. Il s'exprime par la coexistence du peuple quechua et des descendants des immigrants européens installés depuis la conquête du Pérou. La situation géographique de Paucartambo, par contre, s'avère être un véritable handicap à son développement. Depuis très longtemps, chaque année, le 16 juillet, la fête de la Vierge « del Carmen », qui dure une semaine, fait venir au village tous les dévots de la Vierge ; les uns, pour lui rendre le culte catholique traditionnel avec messes, processions et autres manifestations ; les autres (généralement les métis et les Quechuas), pour exprimer à leur manière leur dévotion, mais, surtout, leur histoire à travers la musique, les costumes, les danses d'une beauté remarquable et authentique que l'on retrouve en peu d'endroits au Pérou, en dehors des scènes et autres lieux touristiques.
A 30 km de Paucartambo, en allant vers la forêt, se trouve le *col d'Akanaku,* merveilleux paysage naturel. Un chemin de 15 km conduit à *Tres Cruces,* une plate-forme des Andes à plus de 4 000 m d'altitude au pied de laquelle s'étend la forêt amazonienne. C'est là, au pied du volcan *Apukagnac-Huai* (mot indigène

qui signifie endroit d'où l'on regarde le dieu Soleil), que l'on peut voir un des plus beaux levers du soleil au monde. On a l'impression que le soleil sort de terre. Ce phénomène est dû à la position exceptionnelle qu'offrent les hauts sommets de la cordillère des Andes et à la vaste étendue de la jungle, au fond de laquelle le soleil se lève. Depuis 1975, il existe à Tres Cruces un refuge pour ceux qui attendent le soleil à 3 heures du matin. Apportez de la nourriture pour deux jours. Attention, durant l'hiver, il est fréquent que le brouillard voile le lever du soleil.

YAWAR FIESTA (la fête du Sang)

Il s'agit d'un combat à mort entre un taureau et un condor. Ce combat, qui est le grand événement du village, fut imaginé par un cacique lors de la colonisation espagnole pour répondre à l'invasion de la culture espagnole. Le taureau symbolise les Espagnols, tandis que le condor, l'oiseau des dieux, rappelle la culture inca. Le sang versé s'écoule dans la terre pour la fertiliser.
D'abord, le sorcier du village et ses aides vont à la recherche du nid du condor royal (à col blanc). Pour cela, ils montent très haut dans la cordillère avec un cheval. Une fois arrivés à une bonne altitude, ils égorgent le cheval (l'animal préféré des Espagnols) pour rappeler le sort qui fut réservé à Atahualpa. Puis, à l'aide d'un poignard, ils tracent de profondes entailles sur les flancs du cheval, dans lesquelles ils versent de larges quantités de pisco. Ce rite terminé, les hommes vont se cacher en attendant l'arrivée du condor.
Le rapace repère vite sa proie. Mais rapidement, le condor, lourd de viande et soûl de pisco, a du mal à se tenir debout. Il lui est alors impossible de repartir vers les cimes. Les hommes en profitent pour le capturer et le descendre dans la vallée.
Dans une arène réservée à cet effet, on attache, à l'aide de cordes, le condor sur le dos du taureau. Une lutte sans merci va s'engager. Le combat dure souvent plusieurs heures, voire une journée. Cela se termine toujours par la victoire du condor sur le taureau. Alors, le village se sent, le temps de la fête, libéré de l'envahisseur espagnol. Le condor sera choyé, dorloté. Le lendemain, il repartira vers ses cimes.
Mais ne vous faites pas d'illusions. Vous aurez bien peu de chance de voir cette fête puisqu'elle a été interdite par les autorités péruviennes. A moins qu'à la fin juillet, vers *Cotabambas,* dans ce village perdu à 200 km de Cuzco...

▶ *CUZCO-NAZCA*

Route assez extraordinaire, mais ô combien difficile. Un de nos lecteurs l'a faite à vélo ! En chemin, quelques sites intéressants. Cependant, aux dernières nouvelles, les zones de guérilla du Sentier Lumineux s'étendant sans cesse, ce parcours est devenu peu sûr. Bien se renseigner avant de tenter quoi que ce soit !
▶ A 76 km, 2 km avant Limatambo, au lieu dit *Tarahuasi,* ruines d'une imposante plate-forme inca de 28 niches.
▶ A 153 km, dans un cadre de hautes montagnes, la *pierre de Sayhuite.* Assez étonnante. C'est une reproduction taillée dans la pierre d'un village inca miniature. A 2 km de la route.
▶ Au milieu du trajet, dans la vallée du *río Chalhuanca,* on peut voir encore une dizaine de chercheurs d'or en activité.

▶ *CUZCO-PUNO*

– *Le train.* On déconseille fortement l'autocar, vu l'état de la route. Le train met 12 h et traverse des montagnes somptueuses. Troupeaux de lamas parfois gigantesques. Les gares ressemblent à celles des films de Sergio Leone. C'est là, en voyant ces gens et ces paysages, qu'on s'aperçoit que les images de *Tintin et le temple du Soleil* sont conformes à la réalité. S'asseoir absolument du côté gauche (dans le sens de la marche).
Pour plus de détails sur les horaires, se reporter au chapitre « Quitter Cuzco ».

▶ *CUZCO - PUERTO MALDONADO*

Puerto Maldonado : à 500 km de Cuzco. Pour ceux qui veulent revivre *Le Salaire de la peur,* y aller en camion. Compter au moins trois jours. Prendre le train jusqu'à Urcos sur la ligne de Puno, et de là prendre le camion. Peut-être 1 à 2 jours d'attente.

Possibilité aussi d'y aller en avion par *Transamazón* (tous les jours), *Andréa Airlines* (5 vols par semaine), *Aeroperú* (4 vols) ou *Grupo 8* (transport aérien militaire). Avec les soldats, pas de réservation et avion à hélices. Mais moins cher qu'Aeroperú. On se retrouve assis dans la carlingue comme les paras ! Distribution de tuyaux d'oxygène au-dessus des montagnes. Épique ! Deux fois le prix du camion pour 1 h...

Puerto Maldonado est une ville près de laquelle on peut voir le travail des chercheurs d'or.

– **Les frères Balasero,** près du collège, en bord de fleuve, organisent des excursions en forêt. Sympa et intéressant.

– **La señora B.B. Revilla,** calle Cajamarca, propose également de bonnes balades. Avantage : organise des tours en fonction du temps dont on dispose (même pour 2 jours). Pas trop cher. Excursion sur lac, promenade en pirogue la nuit pour voir les crocos, marches en forêt pour découvrir la faune, etc.

– De même que **Beti Montero,** jirón Gonzalez Prada 347. Elle organise avec ses deux enfants des excursions pas chères en forêt. Et c'est vous qui lui dites ce que vous voulez faire.

🛏 On peut dormir à l'*hôtel Tambo del Oro,* correct sans plus. L'*hôtel Moderno,* avenida Billinghurst 359, est propre et bon marché. Plus chers et plus confortables, l'*hostal Wilson* et le *Royal Inn.*

🛏 Enfin, à 8 km de Puerto Maldonado, l'*Albergue Tambo Lodge,* déjà en pleine forêt. Agréable et pas trop cher. Demi-pension obligatoire.

SICUANI

A Raqchi, à 20 km de Sicuani vers Cuzco, s'étendent des ruines incas très belles et très importantes, notamment ce qui reste du temple de Viracocha. Situées juste à côté d'une ravissante petite église. Entrée payante sur le site. Vers le 10 août, grande fête religieuse (danses, musiques...).

Le mieux est de descendre du train à San Pedro (*hôtel Viracocha,* sur la place) et de prendre ensuite un camion pour aller aux ruines qui se trouvent à 3 km de là. A San Pedro, une source d'eau minérale gazeuse, réputée pour ses effets bénéfiques contre les maladies de l'estomac. On vient avec son verre et on se sert au puits. Très agréable.

Où dormir ? Où manger ?

🛏 **Hôtel Obada :** Jr Tacna 104 et avenida 2 de Mayo. Deux bâtiments pour un même hôtel. Le meilleur de la ville, mais il faut dire que le choix n'est pas bien grand. Propre et assez bon marché. Eau chaude jusqu'au 2e étage ; plus haut, problème de pression.

🛏 **Hôtel Quispe :** avenida 2 de Mayo 209. Pour les tout petits budgets qui ne craignent pas la saleté. Pas de douches.

– D'autres hôtels bon marché mais assez sales dans l'avenue Manuel Callo Zevallos qui longe la voie ferrée.

✗ **Puente Viejo :** avenida 2 de Mayo, à côté de la Banco de los Andes. Un petit restaurant avec une carte assez fournie. Copieux et pas trop cher.

AYAVIRI

Si vous avez un peu de temps devant vous, descendez du train à Ayaviri, en plein dans l'Altiplano. C'est vraiment super. Là, près de l'église *(parroquia),* une communauté indienne travaille la laine. Le curé est français. Très beaux pulls et ponchos. Achetez vos tricots ici, on trouve aussi des poupées et des terres cuites assez belles.

Vous pouvez rester toute une journée et reprendre le train le lendemain. Vous pouvez aussi attraper un camion pour Juliaca ou Sicuani.

Où dormir ? Où manger ?

☝ *Hôtel Marconi :* Jr Jorge Chavez 739, entre la gare et la plaza de Armas. Bon marché et sympa. Fait aussi restaurant.
☝ *Hôtel Ayaviri :* calle Grau 180, à gauche en regardant la cathédrale. Chambres autour de deux cours successives. Correct.
✗ Quelques *restaurants* sur la plaza de Armas.

A voir

▶ Du 8 au 13 septembre, *grande fête* de la région. La ville a conservé de nombreuses coutumes espagnoles : processions, corridas, etc. Peu de touristes, comparé à Cuzco.

▶ A voir et à tester aussi, *les eaux thermales :* avenida Garcilaso, à la sortie de la ville (2 km environ du centre : on peut y aller en vélo-taxi). Pas cher et agréable.

JULIACA

Centre sud-andin péruvien du commerce de la laine et la plus grande ville de la région. Elle ne présente vraiment pas d'intérêt. La gare de Juliaca possède l'une des plus mauvaises réputations du Pérou. Nombre de touristes s'y sont fait voler. Ne quittez pas vos affaires des yeux une seconde si vous débarquez du train (pannes de lumière fréquentes à l'arrivée). Parfois, vols à l'arraché dans le wagon même. Un bon truc : attacher les sacs au porte-bagages avec antivol de vélo ! Nombreuses tanneries (tissus d'alpaga). Peu de choix et assez décevant, mais on trouve des pulls de laine doublés assez rares. Heureusement, ce n'est pas cher. Les chaussettes, tapis et écharpes sont de bonne qualité. Les fourrures en alpaga y sont les moins chères du pays. Marché le lundi toute la journée. Pas d'artisanat, donc pas de touristes.

Où dormir ? Où manger ?

☝ *Hôtel Yasur :* Mariano Nunez 414, à 500 m de la gare. Un des meilleurs rapports qualité-prix de la ville. Eau chaude quelques heures par jour.
☝ *Hôtel Sakura :* San Roman 133, en face d'Aeroperú. Bien, propre et bon marché. Sans eau.
☝ *Hôtel Don Pedro :* face à la gare. Très rudimentaire (pas de douche) et assez bruyant, mais vraiment pas cher.
☝ *Hôtel Residencial Perú :* sur la place de la gare. Un cran au-dessus des précédents, pour le confort comme pour le prix. Chambres donnant sur une cour bien agréable. Bains chauds, matin et soir.
☝ *Royal Inn Hotel :* San Roman 158. ☎ 32-15-61. Hôtel impersonnel mais les chambres sont grandes et propres. Le début du luxe à un prix encore raisonnable. Possède son snack.
☝ *Hôtel Turista :* un peu plus chic et beaucoup plus cher.
✗ *Restaurant El Tibujón sonriente :* cebicheria-snack, calle San Roman. Petit et sympa, pas cher, très bon. Fréquenté par les Péruviens.
✗ *Restaurant El Pio :* plaza Bolognesi (c'est la place de la gare). Attente assez longue.

Transports

– *Juliaca-Cuzco :* en train, 319 km (9 h). Réservez votre place du côté droit (dans le sens Juliaca-Cuzco).
– *Juliaca-Puno :* 45 km. Une heure de bus ou une heure de train. Les colectivos en face de la gare vous y emmèneront pour un prix modique dès que vous

serez 5. Pour les touristes, le chauffeur propose de faire un détour par les ruines de Sillustani. Marchandez, car ce n'est pas loin.

Aux environs

▶ **Lampa** : à environ 30 km de Juliaca (vers le nord-ouest), un grand village au fond d'une large vallée qui a conservé un authentique charme colonial. Quelques bus depuis Juliaca, par une route en terre battue pas trop mauvaise. Les bus se prennent près du marché de Santa Barbara. Mais attention, après 16 h le retour sur Juliaca devient bien aléatoire. Visite qui plaira à ceux qui veulent découvrir la région en profondeur.
Sur la place principale, maison très ancienne avec balcon en bois vermoulu. Simón Bolívar y prononça un discours lors de son passage à Lampa.
L'église se révèle le véritable chef-d'œuvre du village. Magnifique appareillage de pierre. Édifiée en 1685. Architecture baroque harmonieuse. Toit aux tuiles polychromes. A l'intérieur, remarquable travail de bois sculpté : retables, chaire, encadrements de fenêtres. L'église abrite aussi le curieux mausolée d'un habitant du village qui fit fortune et couvrit la région de ses largesses. Il fit tapisser l'intérieur de son tombeau (en forme de rotonde) de squelettes. Le côté monumental de l'ensemble détonne avec la simplicité du village. Demander la clé de l'église et du mausolée au guide officiel à la mairie. Bureau-musée consacré au philanthrope ouvert de 8 h à 12 h et de 14 h à 17 h. Mais l'année dernière, il était fermé par manque de personnel. Là aussi, découverte étrange : la seule réplique de la « Pietà » de Michel-Ange existant au Pérou (et, paraît-il, en Amérique du Sud).
🛏 Pour dormir : petit *hostal municipal*.
✗ Pour manger, le resto *Delicias* : sur la place principale. Copieux *picante* (plat du jour). Accueil sympa.
- Balades intéressantes à pied dans le coin, notamment pour découvrir quelques vestiges de peintures rupestres à 5 km du village (peu significatives, prétexte à une belle balade uniquement). Renseignements à la mairie. Peut-être rencontrerez-vous la personne responsable du tourisme au village.

PUNO

Située au bord du Titicaca, la ville n'est pas bien belle, mais on l'oublie vite à cause du lac. Perchée à 3 810 m d'altitude, les journées y sont souvent ensoleillées, avec un fond d'air frais comme à la montagne. En revanche, il gèle la nuit et le ciel est fantastiquement étoilé. Les levers de soleil sur le Titicaca sont dignes de Hollywood. L'altitude signifie aussi qu'il faut éviter les efforts physiques intenses, les longues marches. C'est la région des Andes où l'homme possède une cage thoracique modèle supérieur, avec un supplément de globules rouges : leurs pommettes violacées s'expliquent d'ailleurs par cette augmentation du nombre des globules rouges.
Puno est également le port d'embarquement pour l'île de Taquile et la dernière étape importante avant la Bolivie.

Adresses utiles

– **Foptur** : avenida de La Torre 224, à côté de la gare. ☎ 35-40-54. Ouvert de 7 h 30 à 19 h du lundi au vendredi. Assez efficace au niveau de l'information. Un second bureau plaza de Armas, côté de jirón Lima. ☎ 35-38-04.
– **Poste centrale** : jirón Moquegua 269.
– **Entel** (téléphone) : à l'angle des rues Arequipa et Fedérico More.
– **Banco de Credito** : jirón Lima 510. ☎ 35-12-81 ou 35-11-52. Accepte les chèques de voyage et la carte VISA.
– **Consulat de Bolivie** : jirón Arequipa 140. ☎ 35-12-51.
– **Solmartour** : calle Libertad 244 (en face de l'*hostal Internacional*). ☎ 35-29-01. Une bonne agence de voyages. On y met sur pied des excursions.

Où dormir ?

Bon marché

En général, pas d'eau dans les hôtels bon marché dans la journée. Il n'est pas toujours facile de trouver une chambre. Aucun hôtel de charme. Il faut donc se contenter de ce qui est à peu près propre.

🛏 *Los Uros :* calle Theodoro Valcarcel (plan A1-2). En face de l'*Italia*. Bâtisse sans attrait, personnel fantasque, mais chambres en général bien tenues. Assez bon rapport qualité-prix (bien que quand c'est plein, ça fasse un peu usine). Douche chaude tôt le matin et en début de soirée seulement.

🛏 *Hôtel Europa :* Alfonso Ugarte 221. ☎ 35-30-23. Près du marché permanent. Rénové en 90 par le nouvel administrateur, un Belge qui vit depuis longtemps au Pérou. Vous pouvez demander à le rencontrer : il saura vous fournir les derniers trucs et ficelles sur la région du lac Titicaca et sur Taquile. Propre et confortable. Une bonne adresse.

🛏 *Hôtel Monterrey :* jirón Lima 447 (plan A2). ☎ 35-16-91. Chambres s'ordonnant autour d'une petite cour. En général, bien tenu. Eau chaude à la douche commune seulement le soir, pendant une heure environ. Assez populaire chez les routards. Bon resto au rez-de-chaussée.

🛏 *Hôtel Lima :* Tacna 248 (plan B2). Moderne, central, pas loin de la gare. A peine plus cher que les précédents. Accueil peu chaleureux. Chambres avec douche. Possibilité de laver son linge. Aurait tendance à se dégrader sérieusement.

🛏 *Hôtel Arequipa :* jirón Arequipa 153. De la gare, prendre jirón Pardo, c'est la 2ᵉ rue à gauche. Bon marché, eau chaude, mais un peu bruyant. Très propre. Possibilité de changer de l'argent à des taux intéressants. On peut y laisser ses bagages.

– C'est sur Tacna qu'on trouve les hôtels les moins chers. Éviter l'*hôtel Colón,* trop sale.

Prix moyens à plus chic

🛏 *Hostal Nesther :* Deustua 268 (plan A2). ☎ 35-16-31. Construction moderne et ambiance un peu triste. Chambres correctes sans plus. Eau chaude de 7 h à 9 h 30.

🛏 *Hôtel Ferrocarril :* avenida de La Torre 185. ☎ 35-20-11. Juste en face de la gare. Très bien tenu. Resto correct, mais service très lent. Musique à partir de 20 h.

🛏 *Hôtel Italia :* Theodoro Valcarcel 122. ☎ 35-25-21. Vraiment très bien pour cette catégorie. Eau chaude toute la journée. Cafétéria. Un peu cher.

🛏 *Ambajador :* avenida Los Incas. Propre. Vastes chambres. Situé en plein cœur du marché permanent.

Plus chic

🛏 *Hôtel Sillustani :* Lambayeque et Tarapaca (plan A2). Le meilleur hôtel de Puno. Bien situé. Pas chauffé la nuit.

Très chic

🛏 *Esteves Turistas :* sur une presqu'île, à 5 km de la ville. Fenêtres sur le somptueux soleil levant du Titicaca. C'est son seul avantage. Sinon, architecture nulle (qui casse le paysage d'ailleurs). Très isolé (pas de transport pour retourner en ville). Service assez routinier et atmosphère plutôt tristounette.

Où manger ?

Bon marché

✕ *Monterrey :* pasaje Grau 148 (plan A2). Donne dans jirón Lima. Ouvert midi et soir jusqu'à 22 h. Grande salle, genre cafétéria années 50 (néons, plastique, etc.). Connu localement pour ses plats simples et abondants : *trucha* ou *pejerrey* « al Monterrey », une quinzaine de sortes de *lomos*, une dizaine de sortes de *churrascos*, soupes, *corvinas*, pâtes, omelettes, etc. Menu très bon marché le midi. Probablement le resto qui en donne le plus pour son argent en ville. Toutefois, certains lecteurs de votre guide préféré y ont eu de mauvaises surprises.

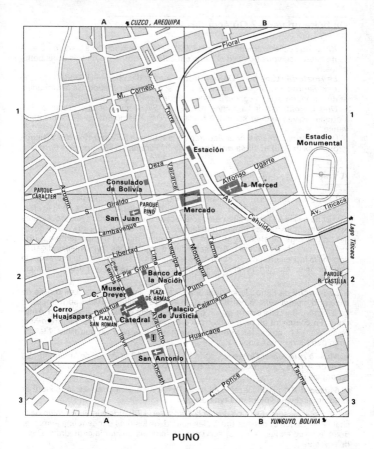

PUNO

✗ **Restaurante Internacional :** au coin des calles Libertad et Moquegua (plan A-B2). C'est en général correct. Fait aussi *chifa* (cuisine chinoise). Salle au premier. Musique certains soirs. Y arriver tôt car souvent complet. Service cependant lent (et vérifier la *cuenta* !).

✗ **La Caravan :** calle Valcareel 181. Spécialité de *mariscos* le midi, poulet à la braise le soir. Carte complète. Pas cher.

✗ **Pizzeria Europa :** à l'angle de Tacna et Ugarte. A côté de l'hôtel du même nom. Décor agréable avec le four à pizzas dans la salle, ce qui réchauffe l'atmosphère au propre comme au figuré. Une vingtaine de variétés de pizzas, 3 tailles différentes...

✗ **Bar-café Le Delta :** jirón Moquegua, en face de l'*hôtel-restaurant International*. Ouvert dès 6 h. Petits déjeuners à la carte.

Prix moyens

✗ **Ito's :** jirón Puno 425 (plaza de Armas). Sert le soir jusqu'à 21 h. Propre. Cuisine possédant une bonne réputation.

✗ **Quinta Cancharani :** avenida Circunvalación Sur 1880 (et jirón Ciudad de La Paz). ☎ 35-22-19. Ouvert tous les jours de 9 h à 19 h. Dans un quartier un peu excentré. Y aller en taxi. Excellente et copieuse cuisine criolla et délicieuses *parilladas* qu'on déguste dans le grand jardin. Dépaysement assuré. Très populaire chez les autochtones. Beaucoup de familles le dimanche. Pas touristique pour deux sous, et prix raisonnables. Bon accueil. Notre meilleure adresse !

Où boire un verre ? Où écouter de la musique ?

— **Kimamo :** calle Arequipa 509 (plan A2). Ouvert tous les jours jusqu'à 22 h. A toute heure, ici, vous boirez de l'excellent café, accompagné de très bons petits gâteaux.
— **La Hosteria :** Lima 501. On se retrouve autour d'un bar en U. Goûtez donc le « cocktail-grog » local : le *Wacsapta*. Du pisco, de l'eau chaude, de la grenadine et du citron, un peu de cannelle et de clou de girofle. Ça requinque !
— **Don Gerolamo :** Jr Lambaye, à côté du *Sillustani*. Musique créole et folklorique les vendredi et samedi à partir de 20 h. Restaurant correct avec carte variée.
— Deux autres adresses pour écouter de la musique : **Recuerdos del Titicaca** (jirón Ancash 239) et **Casa del Abuelo** (jirón Tarapaca 178), souvent fermé.

A voir

▸ **La cathédrale :** plaza de Armas (plan A2). Avec le lever du soleil sur le lac, le seul beau monument de Puno. Construite au XVIIIᵉ siècle. Entourée de la Prefectura et du palais de justice. Remarquable façade en pierre rouge sculptée. Figures extrêmement stylisées donnant une facture presque moderne, alors que le décor est un mélange de style baroque et Renaissance, mâtiné d'importants apports indiens. Un chef-d'œuvre ! Amusez-vous à repérer les symboles indigènes comme la représentation du soleil et de la lune, les sirènes jouant du *charengo*, le guerrier ailé, etc. En revanche, l'intérieur, en contraste, est froid, presque funèbre.

▸ **Le marché** de Puno : le long de la voie ferrée. Tous les jours. Les motifs de laine et d'alpaga sont, à notre avis, de meilleure qualité (certains sont doubles) qu'à Cuzco. Certains disent qu'ici, on trouve la plus belle laine d'alpaga d'Amérique. En cherchant un peu, vous trouverez de bien jolies choses. Encore moins cher vers 17 h, quand les vendeurs commencent à avoir un peu froid. Méfiez-vous parfois du « pur alpaga ».

▸ **Musée municipal Dreyer :** Conde de Lemos 289, à droite de la cathédrale, plaza de Armas. Ouvert de 8 h à 12 h et de 15 h à 17 h (en hiver). Archéologie et art populaire.

▸ **Musée d'Art :** jirón Deza. Ouvert de 15 h à 19 h. Peintures sur le folklore et expo de quelques vêtements typiques.

▸ Ceux qui passeront à Puno durant la **Candeleria** (Chandeleur) auront bien de la chance. Musique et danses toutes les nuits dans les rues pendant une semaine. Boire le pisco au jus de fruits, servi par les femmes devant la cathédrale. C'est délectable.

LE LAC TITICACA

Le plus grand lac du monde au-delà de 2 000 m d'altitude. Il mesure 175 km de long et couvre 8 000 km². On imagine difficilement qu'il faille au moins une journée pour le traverser en bateau. Qualité de la lumière particulièrement exceptionnelle à cette altitude. Des montagnes qui semblent toutes proches sont en fait à 20 ou 30 km.

▸ **Les îles flottantes :** les autochtones déclarant qu'il faut aller voir les Uros qui vivent sur les îles flottantes sont des menteurs : le dernier est mort, il y a bien des années, miné par l'alcool et la misère. Depuis, les Indiens Aymaras, comprenant l'intérêt pécuniaire qu'ils pouvaient en tirer, s'établirent sur les îles et se firent passer pour des descendants d'Uros. Malgré leur côté touristique, la visite des îles flottantes s'impose afin de découvrir un style de construction et de mode de vie unique. Environ 300 personnes vivent sur l'ensemble des îles. Elles subsistent de la pêche, de la production de canards et d'œufs qu'on vend sur les marchés. Cependant, ne vous faites pas d'illusions, les habitants vivent bien plus des produits artisanaux vendus aux touristes. D'ailleurs, vous n'y verrez pas d'hommes : ils travaillent tous à Puno et reviennent seulement le soir. Seuls les femmes et les enfants restent pour accueillir les touristes.

Il existe environ 60 îles, mais seulement 5 sont abordables (non pas que les 55 autres refusent les touristes, oh non, mais leur petitesse empêche l'accostage des bateaux à moteur !). Ce n'est pas la peine d'aller sur la quatrième ou la cinquième île. C'est tout aussi frelaté, et bien plus cher. On conseille d'aller seulement sur la première île : elle est plus grande (il y a un terrain de foot pour les enfants !) et surtout, on y découvre une intéressante église cachée dans une maison de roseaux. Le roseau occupe d'ailleurs une place très importante dans la vie des Uros. Il protège les îles contre les vagues. Les îles sont elles-mêmes fixées à l'aide de poteaux d'eucalyptus. Tout le coin est désormais parc protégé (des fabricants de papier s'intéressèrent un moment aux roseaux pour leur production, ce qui aurait liquidé rapidement le mode de vie des Uros). Une partie de la racine est comestible, l'autre se transforme en une efficace brosse à dents. Certains bâtiments sont en tôle (ils ont été offerts par l'Église protestante aux habitants qui ont accepté de se convertir), mais il reste suffisamment de maisons de roseaux pour prendre de belles photos couleur locale ! Pour y aller, une kyrielle de petits bateaux à moteur partent aux îles le matin de 8 h à 14 h. Difficile de marchander (prix officiels). Comptez 3 à 4 h pour la balade. Le soleil tape assez durement, emporter un chapeau.

Si on ne veut pas aller spécifiquement aux îles flottantes, on peut essayer de demander au bateau qui va à Taquile de s'arrêter à l'une d'entre elles pour prendre des photos. Mais il est préférable de le demander après le départ du bateau (car c'est en principe interdit). Moyennant un pourboire de la part de chaque passager, ça peut marcher !

L'ILE DE TAQUILE

A ne pas manquer. A environ 3 h de bateau de Puno. Là aussi, attention aux coups de soleil pendant la traversée (surtout sur le nez !). On conseille d'y dormir pour avoir le temps de tout visiter. Hébergement très abordable chez l'habitant (mais sans aucun confort), et la communauté d'Indiens est fort accueillante (on en compte environ 1 500). Elle possède surtout beaucoup de bon sens et refusa d'un bloc l'installation d'un hôtel de luxe sur l'île, sachant que cela signifierait très vite la mort de leur esprit communautaire et démontrant aussi que la population entend bien contrôler et contenir le développement touristique à un niveau raisonnable. Les nuits sont très froides. Ceux à qui les 4 ou 5 couvertures fournies ne suffisent généralement pas prévoiront un duvet (sac à viande également le bienvenu, les conditions de couchage étant parfois extrêmement rudimentaires). Bien entendu, pas d'électricité sur l'île. Ne pas oublier sa torche électrique et, surtout, bien repérer la maison qui vous hébergera pour être sûr de la retrouver à la nuit (aventure vécue !).

Départ des bateaux le matin à partir de 8 h dès qu'il y a 10 participants. Après 9 h, c'est parfois difficile d'avoir un bateau. Retour fixé à 14 h. Deux possibilités s'offrent à vous : soit rester une heure ou deux, soit repartir le lendemain. Vous pouvez encore, au lieu de prendre la « navette touristes », utiliser la « navette marchande » des Indiens de l'île. Un peu moins cher (mais aucune chance de s'arrêter aux Uros).

Franchement, on déconseille la visite de l'île en une seule journée : le trajet en bateau est assez épuisant (6 h aller-retour) et il faut monter 533 marches pour accéder au village. Et à 4 100 m, c'est du sport (ne pas avoir un sac à dos trop lourd). De plus, c'est trop court (visite comme au zoo !) pour apprécier vraiment le mode de vie des habitants et leur hospitalité. Prendre au moins le temps d'apprécier la bonne truite pêchée dans le lac et la balade à pied autour de l'île ! Un conseil pour la balade : l'effectuer juste après le lever du soleil. Merveilleux moment quand, vers 4 h 30, le soleil jaillit du lac comme une boule de feu. C'est à ce moment-là que vous découvrirez vraiment cette « petite Irlande » au Pérou. L'île de rêve : pas d'autos, même pas de vélos. Environ 7 km dans sa plus grande longueur. Face au lever du soleil, partir par les chemins creux, à droite. Sentiers de pierre ou sablonneux, murets franchis par de petites marches (s'il y a un branchage servant de porte, ne pas oublier de le remettre en place), chaumières, moutons qui attendent qu'on les libère de leur enclos de pierre, etc. Vous engrangerez tous les détails pittoresques de la vie rurale à l'aube. Hommes et femmes partent à la corvée d'eau, la cruche attachée dans le dos. Aucun risque d'être agressé par un chien, il n'y en a tout simplement pas ! Grande poésie des paysages.

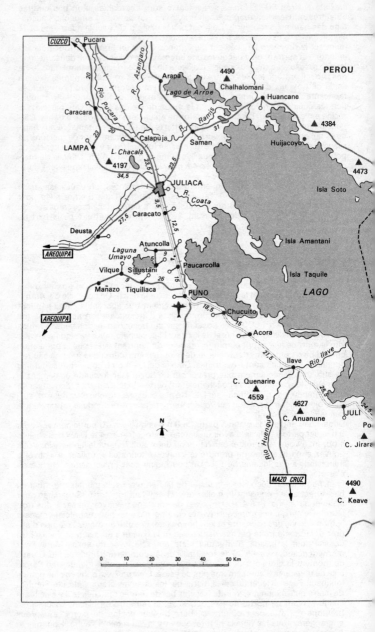

CUZCO Pucara

PEROU

Río Azangaro

Arapa

4490 ▲
Chalhalomani

Lago de Arroe

Huancane

R. Ramis

Caracara

R. Ramis

31

4384 ▲

Calapuja

Saman

Huijacoyo

Río Pucara

LAMPA

20

23

20

L. Chacals

4197 ▲

23,6

23,5

23,5

34,5

4473 ▲

JULIACA

Isla Soto

9,5

R. Coata

21,5 Caracato

12,5

Deusta

Atuncolla

Isla Amantani

AREQUIPA

Laguna
Umayo

5

9

Paucarcolla

Isla Taquile

Vilque Sillustani

9

26

15

LAGO

Mañazo Tiquillaca

PUNO

AREQUIPA

18,5 Chucuito

15

Acora

21,5

Ilave

Río Ilave

C. Quenarire

25,5

24,5

4559 ▲

4627 ▲

JULI

Río Huenque

C. Anuanune

Po

N
↑

C. Jirara

MAZO CRUZ

4490 ▲
C. Keave

0   10   20   30   40   50 Km

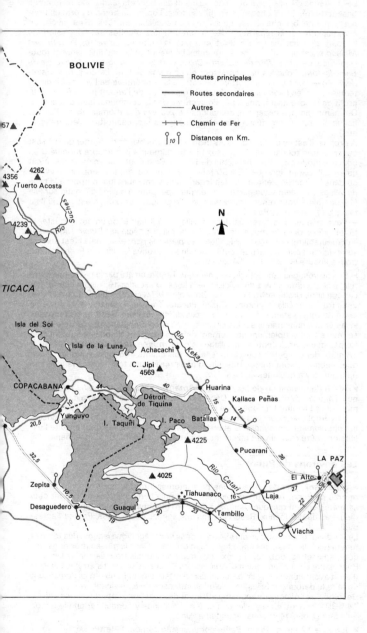

LE LAC TITICACA

Les hommes du village tricotent des gilets et des bonnets tandis que les femmes tissent de très jolies chemises en grosse toile. Lorsqu'un homme porte un bonnet à pointe blanche, c'est qu'il est encore célibataire. Les gens vivent en communauté, et la répartition des cultures et des récoltes est faite selon les besoins de chacun. Le 25 juillet et toute la semaine suivante, la *fête des Moissons* est un vrai spectacle : grandes beuveries et les Indiens dansent toute la journée. Le 3 mai, *fête de la Sainte-Croix*. Vers le 15 mai, grande *fête rurale de Saint-Isidore*. Tous les habitants sont en costume de fête. Le 24 juin, la *Saint-Jean,* également fêtée. Important : achetez à la coopérative de l'île et non directement chez les habitants. En effet, si la répartition de l'argent ne se fait pas au profit de la collectivité, peu à peu ce système de vie communautaire disparaîtra. De même, ne pas céder aux demandes de *propina* des mômes, sinon l'île est fichue. Il vaut encore mieux leur acheter ce qu'ils proposent (bracelets tressés, etc.).

A propos, il est de bon ton dans les milieux routards blasés d'affirmer que l'île est devenue très touristique. C'est faux ! Le tourisme n'a pas encore modifié d'un pouce le mode de vie des habitants de Taquile. Ce qui est vrai, en revanche, c'est qu'en juillet-août, lorsque 30 à 50 touristes se retrouvent sur la place du village ou dans les restos alentour, ça fait légèrement surnombre (par rapport à la taille du village). On peut vous garantir qu'en principe, pour la balade du matin sur l'île (4 h de trajet), vous rencontrerez bien peu de gringos ! Cela dit, c'est vrai qu'il ne faut plus traîner pour venir !
– Pour manger, 5 à 6 restos dans le village où il faut absolument déguster la truite grillée ou à la mode de l'île. Sur la place principale, l'*Inca Taquile* est incontestablement le meilleur (goûter ses *platanos pancake*), mais c'est surtout au *restaurant communal* que tout le monde se retrouve le soir. Sur le chemin, on trouve encore le *Tambo* et l'*Anco Pata*.

▶ Peu de vestiges archéologiques, bien que Taquile ait été par le passé un centre religieux, comme les îles du Soleil et de la Lune. Une curiosité : sur une carte, tracer une ligne droite entre Potosi (en Bolivie) et le Machu Picchu. Sur cette ligne, vous trouverez Ollantaytambo, Cuzco, Pucara, Taquile, Tiahuanaco, Oruro. Une sorte de « ligne spirituelle » relie donc ces différents lieux. Restent les terrasses incas et quelques ruines sur les collines, d'où la contemplation de la Voie lactée se révèle tout simplement un moment de pure magie et de poésie authentique. Ne pas manquer, à l'entrée du village, le petit **musée des Costumes** de l'île. A 18 h 30, dans la petite cour du musée, parfois chants et danses typiques. Quelques habitants sont encore très fiers d'avoir réalisé une tournée en France et en Belgique, il y a quelques années.

▶ A 4 h de navigation de Puno, l'**île d'Amantani** est encore moins fréquentée que Taquile. Mérite le voyage. Départ le matin. Retour le lendemain. Hébergement chez l'habitant, coopérative artisanale. Mêmes paysages que Taquile.
– L'hydroglisseur qui vous conduit aux îles du Soleil et de la Lune, en revanche, est absolument à proscrire. D'abord les îles ne valent pas le coup, ensuite l'excursion coûte cher, il vaut mieux, et de loin, la faire à partir de Copacabana.

Les environs de Puno

▶ **Sillustani :** une des balades les plus intéressantes, à une trentaine de kilomètres de Puno. A visiter absolument pour qui cherche la paix de l'esprit et la sérénité pendant quelques heures, à 4 000 m d'altitude. Le panorama est splendide. Pas de bus locaux. Réserver dans une agence de voyages. Prévoir l'après-midi.
Là, il y a, sur une presqu'île qui s'avance dans une magnifique lagune, des tombes funéraires *(chullpas)*, des époques inca et pré-inca. Dans le musée (très ringard) à côté, squelettes, poteries, bijoux et de nombreux outils trouvés sur les lieux.
Pour visiter ce site, en venant d'Arequipa ou de Cuzco, on peut s'arrêter à Juliaca (l'arrêt avant Puno) et de là, partir en taxi chartérisé pour Puno, en lui demandant de faire le détour par Sillustani. Solution intéressante à plusieurs.
De Puno, les agences de tourisme affrètent des minibus : départ tous les jours à 14 h 30. On peut aussi y aller en taxi à six, qui vous y conduit, attend le temps qu'il faut (1 ou 2 h) et vous reconduit à Puno.

▶ **Ichu :** à 12 km de Puno. Petite communauté sympa. Fête de Saint-Pierre et Saint-Paul, le 29 juin : danses et pisco. Tous les pêcheurs de la région s'y retrouvent.

▶ *Chucuito :* à 18 km au sud de Puno. Village des périodes pré-inca, inca et coloniale, très belle vue sur le lac. A voir, son église, son cadran solaire et son musée phallique. Le deuxième dimanche d'octobre, fête de la *Virgen del Rosario :* messe, procession, corridas, danses, pendant deux jours. Deux hôtels à Chucuito (environ 1 km avant d'arriver au village), agréables mais assez chers.

Quitter Puno

A la gare, la corruption est totale. Les Péruviens passent avant les touristes, notamment les jeunes qui travaillent pour les agences de voyages ou les revendeurs de rue. Les touristes qui attendent depuis 7 h n'ont que quelques places à se partager. En se plaçant dès 6 h (et même un peu avant), on a parfois des chances d'en obtenir une. Toutefois, la situation s'est un peu détendue ces dernières années avec le développement des lignes aériennes... et grâce à la chute du tourisme.

En train

— *Vers Cuzco :* départ à 7 h 25 tous les jours (sauf le dimanche). Réserver la veille. Première chose à faire en arrivant à Puno : si vous repartez le lendemain pour Cuzco ou Arequipa, vous enquérir des heures d'ouverture des guichets. Arriver une à deux heures avant pour effectuer la queue. Malgré cela, souvent il n'y a pas de place et pour cause : les réservations se retrouvent sur le marché noir, deux fois plus chères. Passez donc plutôt par une agence. Parfois, elles imposent des excursions en plus du billet acheté (clair chantage et plus cher, bien sûr !). Il y a également un bus dans la journée, mais il faut préférer le train, car la piste est très mauvaise. Dans le train, réserver une place fenêtre à droite pour mieux savourer le paysage (13 à 14 h de trajet).
— *Vers Arequipa :* train en début de soirée (vérifier l'horaire). Prévoir d'être chaudement vêtu car la température est glaciale. Conseillé à ceux qui n'ont pas de duvet d'acheter une couverture. Environ 12 h de trajet. Dernier conseil : la ligne Puno-Arequipa est l'une des pires pour les vols. Ne pas relâcher sa vigilance d'une seconde (encore plus au départ et à l'arrivée dans les gares sombres ou sujettes aux « pannes d'électricité »).

En bus

Pour les inconditionnels, car les routes sont la plupart du temps en mauvais état ou franchement exécrables. Quelques destinations et horaires (à vérifier bien entendu, ça donne de toute façon une idée de la périodicité).
— *Pour Cuzco :* par Cruz del Sur à 17 h.
— *Pour Arequipa :* par Victoria del Sur et Sur Peruano à 15 h, par Jacantaya et Cruz del Sur à 17 h. Le colectivo coûte au moins 30 % plus cher que le train en 1re classe.
— *Pour Lima :* par Victoria del Sur et Sur Peruano à 15 h. Par Jacantaya et Cruz del Sur à 17 h.

En avion

— *Aéroport de Juliaca* (à 45 km au nord). S'y rendre en colectivo (sur l'avenue Tacna, toutes les 15 mn environ).
— *Pour Arequipa-Lima :* par *Aeroperú*, tous les jours. Par *Faucett*, les mercredi, vendredi et dimanche.
— *Pour Arequipa-Cuzco :* par *Andréa Airlines* les mardi, vendredi et samedi.
— *Pour Cuzco :* par *Transamazón*, un vol le vendredi.
— *Pour Puerto-Maldonado :* par *Transamazón*, un vol le samedi.

VERS LA BOLIVIE

En bus ou colectivo

Trois routes, trois moyens de transport, ça fait un certain nombre de possibilités différentes pour se rendre en Bolivie. Les voici :

— *Par Desaguadero :* parcours le plus direct et donc le plus rapide (7 h au minimum). Possibilité de voir en cours de route les ruines de Tiahuanaco.

• *Par agences :* les compagnies de transport en général préfèrent la route de Copacabana, mais empruntent celle de Desaguadero au moins le vendredi, jour de marché dans cette ville frontière. Attention aux vols.
• *Par colectivos :* prendre un minibus pour Desaguadero à Laïkakota (station de l'avenue del Sol), puis, après la frontière, nouveau minibus pour La Paz.
– *Par Yunguyo et Copacabana :* la route la plus fréquentée bien que plus longue.
• *Par agences :* de nombreuses compagnies de Puno vous proposent des billets à des tarifs vraiment intéressants, surtout si vous faites bien marcher la concurrence (*Collectur :* Tacna 232, ☎ 35-16-82 ; *American Tours/Andes Tour :* Tacna 255, ☎ 35-19-66 ; *Panaméricano :* Tacna 245, ☎ 35-11-81, etc.). Vous pouvez aller directement à La Paz ou vous arrêter plusieurs jours à Copacabana.
• *Par colectivos :* prendre un minibus à Laïkakota destination Yunguyo. Après la frontière, nouveau minibus pour Copacabana.
– *Par l'est :* plus original, on peut contourner le lac par l'est. Prendre un bus à Juliaca jusqu'à Moho. Route pas très bonne, mais peu fréquentée par les touristes. De là, aller à La Paz en camionnette ou en taxi. Bien se renseigner à l'avance, risque de terrorisme côté péruvien...

En bus, puis bateau et bus

– *Transturín :* jirón Tacna 147-149. ☎ 35-27-71. Strictement pour nos lecteurs les plus argentés. Départ de Puno de bonne heure le matin pour Copacabana. Arrêt d'une demi-heure à Juli pour visiter l'église. Arrêt déjeuner (compris dans le prix) à Copacabana avant de prendre un catamaran pour Huarina. En cours de route, très courte visite à l'île du Soleil (plutôt frustrant !). Fin du voyage en bus pour La Paz où l'on arrive à la nuit. Assez cher, bien entendu. Balade sur le lac plutôt reposante.

JULI

A 80 km de Puno, sur la route de Copacabana, quelques restaurants et un hôtel sur la plaza de Armas. Village au marché sympathique ; légumes et autres denrées, animaux. *Église San Pedro*, sur la plaza de Armas. Propose une belle façade sculptée et une tour baroque. A l'intérieur, riche ornementation. Grand retable, mélange original de bois sculpté, d'or et d'argent. Incroyable retable baroque dans la nef. Noter la finesse des tableaux du chemin de croix (dans le style Watteau).

> **POUR COPACABANA ET TIAHUANACO**
> **VOIR CHAPITRE « LA BOLIVIE »**

AREQUIPA

Toutes les révolutions péruviennes y sont nées ! Une grande partie de la ville est construite en pierre de lave blanche, ce qui lui donne un charme fou (elle est d'ailleurs surnommée « la ville blanche »). Et, de plus, elle est située dans un site fameux, au pied du *Misti*, gigantesque volcan éteint. Mérite au moins deux jours de visite. Arequipa est l'une des seules villes du pays qui soient propres, lavées et balayées tous les jours.
Pas de bus à l'aéroport. Taxis assez chers. Le mieux est de sortir de l'aéroport, puis se diriger vers les maisons sur la gauche. Bus toutes les 20 mn.

Adresses utiles

– *Alliance française :* jirón Santa Catalina 208 (plan B1). ☎ 21-55-79. Près de la plaza de Armas. Belle bâtisse coloniale. Lecture des journaux français. Ils ne sont pas très récents, bien sûr... Toutefois, l'endroit reste très accueillant et on y projette des films certains jours (le plus souvent à 19 h, le vendredi soir).

- **Bureau de poste :** calle Moral 116 (plan B-C2). A 50 m de Jerusalén.
- **Téléphone :** Alvarez Thomas 201 (plan B3).
- **Aeroperú :** plaza de Armas. *Faucett* juste à côté.
- **Police touristique :** calle Jerusalén 317 (plan C1). Assez sympa pour donner des renseignements.
- **Banco de Credito :** calle Domingo 101 et calle Moran. Change les chèques de voyage. Attention aux changeurs de rue devant qui proposent très souvent un taux plus défavorable pour ces chèques.
- **Banco Sur de Perú :** calle General Moral (et Jerusalén).
- **Banco de la Nación :** calle Nicolas de Pierola.
- **Solmartour :** Jerusalén 306 C. ☎ 23-45-23. La meilleure agence d'Arequipa. Tous les jours, sauf samedi après-midi et dimanche.
- **Club de Andinismo Arequipa :** Castilla 162 et 416 municipal. ☎ 23-35-35. Toutes les informations pour escalader... le Misti ou d'autres volcans. Souvent fermé (normal, ils n'ont pas le don d'ubiquité !).
- **Air France :** calle Mercaderes 409, dans la cour de l'hôtel *El Conquistador*.

Où dormir ?

Arriver tôt le matin, car les meilleures adresses sont vite complètes.

Bon marché

🛏 **Santa Catalina :** Santa Catalina 500 (plan B1). Près du monastère. Assez bon marché. Douches chaudes. Possibilité de laver son linge sur la terrasse. Très simple, sanitaires corrects, cadre agréable. Les chambres sur la cour intérieure sont calmes.

🛏 **Pension Thelma Valdivia :** calle Palacio Viejo 319 (plan B2). ☎ 21-10-23. Excellent rapport qualité-prix. Tenu par une dame charmante parlant le français. Possibilité de laver son linge et de le faire sécher sur une terrasse ensoleillée. Très bonne adresse, propre et pas loin du couvent.

🛏 **Pension Residencial Nuñez :** Jérusalén 528. ☎ 21-86-48 et 22-01-11. Très correct. Atmosphère familiale. Bonne sécurité. Sanitaires impeccables. Chambres avec ou sans douche. Une de nos meilleures adresses. Eau chaude le matin seulement.

🛏 **Albergue Juvenil :** ronda Recoleta 104 (plan A1). De l'autre côté du rio. Pas loin du musée de la Recoleta. Accès par le pont Grau au nord ou le pont Bolognesi au sud. Pour les adeptes de ce mode de logement, auberge sympa !

🛏 **Hôtel Niko's :** calle Mercaderes. ☎ 21-51-87. Très propre. Douches chaudes. Pas cher. Certaines chambres sont moins bien que d'autres car très sombres. Ils peuvent garder vos sacs si vous allez au canyon de Colca.

Si tout est complet !

🛏 **Hostal Concorde :** calle Perú 322 (plan C3). Au-dessus du marché. Pas cher, mais aucun charme et tenu moyennement. La plupart des chambres donnent sur un couloir et ne possèdent pas de fenêtre. Au n° 109, le *Grillon Serano*. Très bon marché, mais confort extrêmement sommaire. Eau chaude plutôt rare.

🛏 **Hostal Bolívar :** calle Bolívar 202 (plan B1). ☎ 22-60-36. Dans une ancienne maison coloniale. Propreté acceptable.

🛏 **Hostal Sucre :** calle Sucre 407 (plan B2). ☎ 21-91-96. A trois blocs de la plaza de Armas. Chambres pour la plupart au 1er étage, sur terrasse et véranda. Simple, assez bien tenu. Accueil peu chaleureux.

De prix moyens à plus chic

Dans cette catégorie, des adresses de charme intéressantes à des prix très raisonnables. Là aussi, arriver de bonne heure le matin !

🛏 **Hostal Mi Abuela :** calle Jerusalén 606 (plan C1). ☎ 24-12-06. En haut de la rue principale d'Arequipa. Un peu plus loin que l'*hôtel Jerusalén* (et de l'autre côté). Un haut mur et deux portes avant d'y pénétrer. Sécurité assurée ! Grand jardin et pelouse bien agréables où il fait bon lire au soleil. Maison particulière et chambres fort bien tenues. Patron un peu maniaque. Malgré cela, de toute évidence, une bonne adresse !

🛏 **Hôtel Fernandez :** Quesada 106 (A1 hors plan). ☎ 22-36-33. Dans le quartier résidentiel de Yanahuara. Pas trop loin du centre. Pour s'y rendre : bus vert

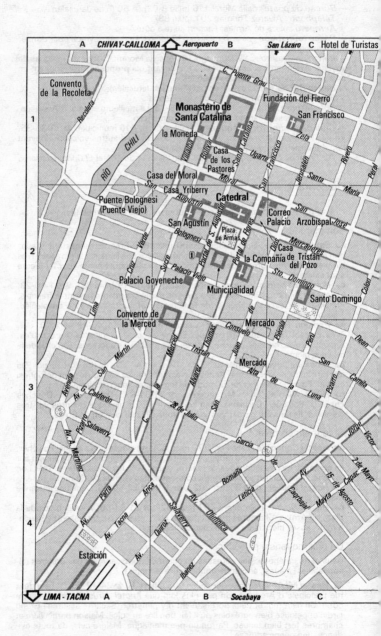

A *CHIVAY-CAILLOMA* ⬦ *Aeropuerto* **B** *San Lázaro* **C** Hotel de Turistas

Convento de la Recoleta

Recoleta

RÍO CHILI

1

C. Puente Grau

Fundación del Fierro

Monasterio de Santa Catalina

San Francisco

la Moneda

Santa Catalina

Zela

Bolívar

Villalba

Casa de los Pastores

Ugarte

San Francisco

Jerusalén

Bueno

Santa

Peral

María

Casa del Moral

Moral

San

Casa Yriberry

Catedral

San Augustin

Correo

Palacio Arzobispal

San José

Puente Bolognesi (Puente Viejo)

San Agustín

Bolognes

Plaza de Armas

Verde

Mercaderes

Sucre

Cruz

Palacio Viejo

Portal de S. Augustín

Portal de Flores

Sto. Domingo

Casa de Tristán del Pozo

la Compañía

Colón

2

Palacio Goyeneche

Municipalidad

Santo Domingo

Lima

Convento de la Merced

de

Mercado

Piérola

Pierola

San

Ñeah

Consuelo

Martín

Tristán

Juan

Thomás

San

Peral

San

Camila

Arequipa

San

G. Calderón

Pizarro

Salaverry

Alvarez

Mercado Alta

de

la

Luna

Pizarro

3

Av. A. Martinez

20 de Julio

Garcia

Jorge

Victor

Romaña

de

2 de Mayo

15 de Agosto

Av.

Parra

Av. Tacna

Arica

Av.

Salaverry

Leticia

Carbajal

Mayta

y

Olímpica

Quiroz

4

Estación

Av.

Ibanez

⬦ *LIMA - TACNA* **A** **B** *Socabaya* **C**

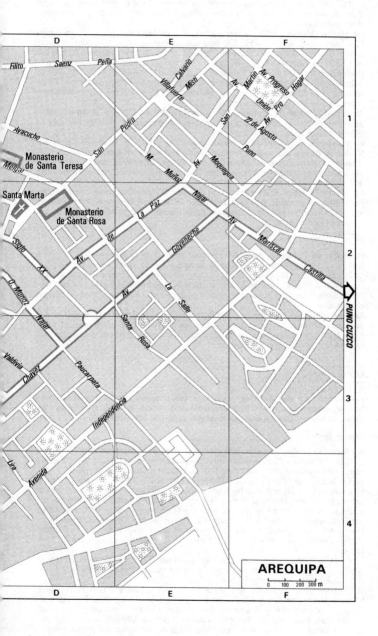

n° 152. Hôtel situé en face du consulat britannique. Superbe jardin avec fauteuils. Bon accueil et belle vue sur le volcan Misti. Grande demeure propre et calme. Adresse très recommandable.

🛏 *Hostal Alemán, villa Baden-Baden :* Manuel Ugarteche 401, Selva Alegre (C1, hors plan). ☎ 22-24-16. Pas trop loin du centre. Dans quartier résidentiel calme. Situé au-dessus de la grande place où aboutit la calle Jerusalén (et pas loin de l'*hôtel de Turistas*). Une belle maison avec un grand jardin, tenue par une prof d'allemand (parlant aussi le français) qui pratique l'hôtellerie par hobby. Atmosphère familiale. 5 chambres seulement. La patronne a une autre passion : l'ésotérisme (elle dialogue avec les extra-terrestres). Une adresse particulièrement originale... et pas chère du tout !

🛏 *Hôtel Jerusalén :* Jerusalén 601 (plan C1). ☎ 24-44-81 ou 24-44-41. Hôtel moderne proposant des chambres doubles fort correctes. Assez cher tout de même. Eau chaude toute la journée.

🛏 *Hostal El Conquistador :* Mercaderes 409 (plan C2). ☎ 21-29-16 et 21-89-87. A quatre blocs de la plaza de Armas. Ancien hôtel particulier colonial. Splendide architecture et beaucoup de charme. Chambres dans une annexe moderne s'intégrant bien à l'ensemble. Bar et cafétéria. Impeccable ! Notre meilleur rapport qualité-prix sur la ville.

🛏 *Hostal El Tumi de Oro :* calle San Agustín, 311-A. Chambres confortables. Petit déjeuner compris. Eau chaude. Possibilité de laver son linge et de l'étendre sur une vaste terrasse. La patronne parle plusieurs langues dont le français. Propre et bon marché.

Plus chic

🛏 *Hôtel de Turistas :* plaza Bolívar, tout en haut de la calle Jerusalén, puis à gauche (C1 hors plan). A 1 km de la plaza de Armas, donc accessible à pied. ☎ 22-99-33. Bordé par un bois et entouré de pelouses. Piscine. Calme assuré. Grand hôtel gouvernemental à l'architecture de style colonial. Service un peu routinier, mais belles chambres. Pas si cher pour ceux qui voyagent avec un budget confortable.

🛏 *La Posada del Puente :* avenida Bolognesi 101 (A1 hors plan). ☎ 21-74-44. Situé de l'autre côté du pont Grau. Au bord de la rivière. Environnement extrêmement agréable. Bungalows en dur et petits bâtiments donnant sur les jardins. Restaurant réputé, mais très chicos.

Où manger ?

Ne pas hésiter à aller dans les quartiers un peu excentrés. Bus ou taxi pas chers pour s'y rendre. Vous serez récompensé de vos efforts : c'est là qu'on trouve les meilleurs restos, une superbe atmosphère et peu de touristes.

Bon marché

✕ *Bonanza :* calle Jerusalén 100 (plan C2). Près de la plaza de Armas. Ouvert midi et soir jusqu'à 22 h. A nourri des générations de routards. Depuis, se laisse aller à une cuisine assez routinière, tout en restant globalement correcte.

✕ *El Galeón :* puente Bolognesi 147 (plan B2). ☎ 21-23-76. A deux pas de la plaza de Armas. Ouvert tous les jours jusqu'à 22 h. Nous, on aime bien ce petit bistrot populaire, discret et sympa. Recommandé aux amateurs de *ceviches* qui pousseront, en salivant, les « portes façon western ». Il en propose de nombreuses variétés, tous aussi délicieux les uns que les autres. Bons poissons également. Une polémique agite d'ailleurs les « ceviches addicts » : le fameux restaurant *Pulpo* n'est-il pas meilleur qu'*El Galeón* ? Non, pouvons-nous affirmer avec force...

✕ *Polleria Piopio :* calle Santo Domingo 210 (plan C2). Le meilleur poulet rôti de la ville. Très populaire. Préférable de s'y rendre avant 18 h 30 ou après 20 h, si on veut être sûr d'avoir une table de suite.

✕ *Picantería « Tradición Arequipeña » :* Cmdte Canga 112, Santa Rosa, Mariano Melgar. ☎ 23-68-61. Ouvert tous les jours de 14 h à 19 h. Dans un barrio excentré de la ville, y aller en taxi. Pour nos lecteurs désireux de découvrir un « vrai » resto populaire, en dehors des sentiers battus. Melinda, la mère, en cuisine, et Vicky, la fille, en salle. Recommandé pour son animation joyeuse et fiévreuse. Excellente cuisine régionale à petits prix. Accueil sympathique. Une de nos meilleures adresses.

✗ **Cebicheria El Pulpo** : avenida Agricultura 111 (Maria Isabel). ☎ 22-35-57. En contrebas de la rue, près de l'église de la Virgen del Pilar. Excentré lui aussi. Y aller en taxi. Ouvert tous les jours jusqu'à 16 h. Maison particulière sans aucun décor. Les gens viennent avant tout pour tous les *ceviches, corvinas, chicharrones, tallarines, sudados, sarsas* qui abondent sur la carte. Goûter aux spécialités : *cau-cau* ou *picante de mariscos, tortilla con fruto del mar*, etc. Clientèle locale et populaire exclusivement (musique criolla à tue-tête, il vaut mieux le savoir avant !).
✗ **La Canasta** : Jerusalén 115 (plan C1). Ferme à 21 h. Au fond de la cour d'une vieille bâtisse coloniale. Excellents gâteaux et de consistants sandwiches. Quelques tables dehors.

Bon marché dans le quartier de Yanahuara

Un quartier riche en petits restos, *picanterias* typiques et pas chers. Visite obligatoire. Pour s'y rendre, bus vert direction Yanahuara, calle Puente Grau. Demander à descendre au niveau des calles Jerusalén ou Misti.

✗ **El Sol de Mayo** : calle Jerusalén 207, Yanahuara. ☎ 24-12-54. Ouvert tous les jours pour le déjeuner et jusqu'à 19 h. La meilleure *picantería* d'Arequipa. Très populaire, ça va sans dire. On mange dans de grands jardins. La première « salle », bordée d'arcades, est ombragée. Ceux qui souhaitent manger au soleil, dans la verdure, s'installeront tout au fond du resto. Terrasses gazonnées avec parasols. Calme, bucolique, très sympa. Service diligent. Carte classique : *arroz chaufa de chancho, sarsa de patita de cordero, anticuchos, estofado de lengua, picante de gallina*, etc. Ne pas manquer leur bon et copieux *ceviche mixto* en entrée et les *rocotos rellenos* (poivrons farcis), le tout arrosé de leur bonne *chicha* maison. C'est aussi le moment de goûter au *cuy chactado* (cochon d'Inde grillé) pour ceux qui n'en ont pas encore fait l'expérience (être patient pour décortiquer toutes ces petites chairs délicates sur de si petits os !). Bon, c'est pas le tout, mais on y retourne...
✗ **El Perol** : Recoleta 228, pas loin de l'auberge de jeunesse, à l'entrée du quartier de Yanahuara. ☎ 23-72-19. Ouvert de 10 h à 17 h. L'une des meilleures cuisines criolla de la ville. Atmosphère familiale. En plus des plats traditionnels (*ceviche* ou *escabeche de cojinova, cau-cau, frejoles con seco, papa à la huancaina*, etc.), le jeudi, propose le *sabroso menestrón* et, le lundi, le *riquísimo sanco chado*. Bref, va-t-on avoir le temps d'y aller, si on ne reste que deux jours à Arequipa ?
✗ **La Palomino** : calle Misti 400. Ouvert jusqu'à 18 h 30 tous les jours. Avant de pénétrer dans ce resto bon marché plein de Péruviens, il faut traverser la cuisine, appétissante et très pittoresque. Tout au feu de bois. Idéal pour les petits budgets, car c'est l'un des restos les moins chers d'Arequipa.
✗ D'autres **picanterias** bon marché sur la calle Misti.

Prix moyens à plus chic

✗ **Central Garden** : San Francisco 127. ☎ 23-22-81. Ouvert de 8 h à minuit. Décor moderne, mais plaisant. Atmosphère plus calme et reposante, presque feutrée. Cuisine internationale appréciée dans le quartier. Bonnes viandes et beaucoup de choix à la carte : *anticuchos, lomo, mixto* de viandes, pâtes, omelettes, etc.
✗ **Marabu** : Cahuide 119, barrio Carmen Alto, dans le haut d'Arequipa, au-delà du quartier de Yanahuara. ☎ 22-60-05. Ouvert de 13 h à 19 h. Parfois ouvert les vendredi et samedi soir, avec orchestre criollo (téléphoner avant pour vous en assurer). Ça, c'est une bonne adresse pour les aventuriers gastronomiques restant quelques jours à Arequipa. Nécessité de s'y rendre en taxi. Resto situé à la lisière de la ville. Grande maison particulière. Salle à manger avec vue panoramique sur le Misti et la campagne. Spécialités de *pollo al horno, cuy chactado* (cochon d'Inde grillé), *lomo à la parilla, arroz con pato, chicharrones de chancho*, etc.

Plus chic

✗ **Pizzeria Royal Drink** : centre commercial Cayma. T. 20. ☎ 22-52-73. Dans le prolongement du quartier de Yanahuara (sur la même avenue après le pont Grau). Ouvert tous les jours, midi et soir jusqu'à 22 h. Décor et clientèle un peu conformistes, avec cependant une atmosphère nonchalante (voire décontractée) assez surprenante. En tout cas, c'est bien agréable. Service impeccable. Une des meilleures réputations en ville. Profitez-en, spécialités de poisson. Cuisine particulièrement soignée. Plats copieux et sauces exquises. En particulier, l'*anticucho mixto gigante*, le *lomo parmezano*, le *sudado mixto de mariscos* (hmm !), le *corvina en salsa de marisco* et, bien sûr, le *churrasco a la parilla*. Et, finalement, une addition étonnamment douce. Adresse hautement recommandable.

✕ *Le Paris :* Mercaderes 228 (plan C2). Pas loin de la plaza de Armas. ☎ 21-37-98. Cadre bizarre : sous une élégante voûte de pierre, un décor kitschy-clinquant ! Cuisine possédant de nombreux adeptes, à n'importe quelle heure du jour. Dès 7 h, *desayuno* ; à 10 h, copieux *piqueo de mariscos* ; à 12 h 30, déjeuner classique ; à 17 h, le thé ; à 19 h le dîner ; et à minuit possibilité de souper. « Happy hours » (50 % de réduction) sur les cocktails entre 17 h et 19 h. Goûter au *chupe de camerones*, aux coquilles Saint-Jacques grillées au fromage (*abanico*), aux *calamares al ajillo*, *corvina* à tous les modes, poulet (à la crème et au cognac), *lomo* à la parisienne, etc. Pour les joyeuses bandes de copains en nombre impair : *gran fritura de mariscos* (obligatoirement pour 3 ou 5 personnes !).

Très chic

✕ *Posada del Puente :* avenida Bolognesi 101 (A1 hors plan). ☎ 21-74-44. Juste après le puente de Grau. Descendre quelques marches pour accéder au restaurant le plus chic d'Arequipa. Réservation hyper recommandée. Décor style fausses colonnes grecques et tons vieux rose. Atmosphère chicos un peu pesante. Musique d'ambiance aseptisée et incolore. Cuisine internationale réputée. Carte assez fournie. Très cher pour le pays.

A voir

Arequipa est une ville se prêtant merveilleusement à la marche. Nombreux détails architecturaux insolites, comme ces banques qui occupent d'anciens hôtels particuliers ou des petits palais de style colonial. Très conseillé de refaire le parcours de nuit, pour l'atmosphère.

▶ *Le monastère de Santa Catalina :* calle Santa Catalina 301 (plan B1). ☎ 22-97-98. Ouvert tous les jours de 9 h à 16 h. Bien pratique, plan du monastère au dos du billet d'entrée. Ce monastère, ouvert au public depuis une vingtaine d'années, a été fondé en 1580 par une riche veuve. Il est probablement unique au monde. Véritable ville dans la ville, avec ses rues, places, nombreux cloîtres, etc. C'était du dernier cri, pour les héritières des grandes familles espagnoles, d'y entrer comme religieuse (en y apportant en même temps une dot conséquente, ça va de soi).
Aujourd'hui, seule une toute petite partie du monastère abrite encore quelques poignées de religieuses. Pour la visite du pape en 1985, elles furent exceptionnellement autorisées à rompre leur isolement et leur silence. Compter au moins deux heures pour la visite. Belles diapos assurées (de bonne heure le matin). Extérieur et intérieur présentent une architecture massive qui lui donne une allure de forteresse. Tons bleu et orange en adoucissent la sévérité.
Cloître des Novices, entouré de fresques contant les litanies. Celui des Orangers est tout bleu. Fresques symbolisant ici les différentes phases de l'âme en état de péché jusqu'à l'état de grâce final (quel chemin à parcourir !). A côté, salle des veillées funèbres. Puis délicieuse courette menant à l'ancienne infirmerie. Noter les cellules portant les noms de leurs riches proprios. Elles comprenaient même une cuisine particulière et une chambre pour la... servante ! Dans l'ancienne infirmerie, un « Saint Michel » attribué à Zurbarán, vêtements religieux, porcelaines, diverses peintures (adorable « Virgen de las Mercedes », dans sa petite vitrine).
Curieux et insolite quartier d'habitation avec ses maisons basses ocre-rouge couvertes de tuiles patinées, tout le long de rues portant des noms de villes espagnoles (d'où étaient généralement originaires les religieuses). Tout au fond, la buanderie (grandes demi-jarres) et le cimetière. Calle Burgos, noter la splendide *demeure de sœur Manuela Ballón*, avec jardins, courettes, etc. Cafétéria pour goûter au bon *quéqué de naranja*. Visite des immenses cuisines assombries par des siècles de fumée et bien fraîches par grosses chaleurs. Place Zocodober, fontaine et le « bains-douches » des sœurs. Puis le réfectoire.

Grand cloître orné de fresques sur la vie du Christ et l'église (*coro bajo*). *Musée* avec de nombreuses toiles des XVI° et XVII° siècles (école de Cuzco), statues très kitsch, manuscrits, tissus très anciens, section archéologique, poteries mochica, chimu et nazca, etc. Une visite à ne vraiment pas manquer !

▸ *La cathédrale :* plaza de Armas (plan B2). Nous sommes heureux de pouvoir enfin présenter à nos lecteurs une cathédrale sans intérêt majeur (à cause, cependant, de divers incendies et tremblements de terre qui la frappèrent au XIX° siècle). Intérieur au décor néoclassique assez chargé. Noter pourtant la chaire reposant sur une étrange bête à face humaine (de facture apparemment plus ancienne). Une curiosité à relever : la façade très large qui se révèle en fait n'être qu'un « décor », puisque c'est le côté de l'église !

▸ *La plaza de Armas,* au bel ordonnancement. Bien qu'elle ne date que du siècle dernier, c'est l'une des plus jolies du pays avec sa double rangée d'arcades. Elle fait penser aux plus séduisantes plaza Mayor d'Espagne.

▸ *La Compañía :* au coin d'Alverez Thomas et de Santo Domingo (plan B2). Église des jésuites datant du XVII° siècle. Façade splendide rappelant celle de la cathédrale de Puno par sa richesse d'ornementation baroque et son coup de ciseau rude. Côté calle Alvarez Thomas, portail intéressant également (« Saint Jacques triomphant des Maures », reconnaissables à leurs turbans). A l'intérieur, fascinante *sacristie* : coupole polychrome et influences espagnole et arabe dans la décoration. Aux quatre angles, les évangélistes. Abondance exubérante de perroquets et de fleurs multicolores. En effet, des missionnaires dépendant de la Compañía évangélisèrent la selva. Lavabo très ancien dont vous noterez le cadre original (jambes se terminant par une tête !). Il faut aussi admirer l'éclat des couleurs de l'ensemble après trois siècles (et donc la qualité des colorants végétaux). Dans l'église, grand *retable* de bois sculpté doré. Retable de gauche : un « Saint Jacques » qui fut rapporté d'Espagne et, à droite, un « Saint Sébastien » du XVI° siècle.
Le *cloître* a été superbement restauré et abrite aujourd'hui des boutiques. Piliers du premier patio (avec la fontaine) présentant une ébouriffante profusion d'entrelacs, motifs floraux et grappes de fruits.
A propos, si vous rentrez sur Lima, c'est le moment de faire emplette d'anis Nagar (spécialité de la ville) à la *bodega Nagar* (dans le cloître même, calle Santo Domingo 120).

▸ *L'église Santo Domingo,* un peu plus loin dans la même rue, complètement démolie suite à un tremblement de terre et reconstruite, ne propose plus de l'ancien édifice, malheureusement, qu'une tour et son portail sculpté.

▸ *L'église San Francisco :* calle Zela et San Francisco (plan C1). Façade d'une sobre élégance. Lignes épurées. Portail en brique. Comme seul décor, deux silhouettes de saints sur la façade nue. Tout le coin dégage une aura terriblement romantique la nuit.

▸ *Convento de la Recoleta :* calle de la Recoleta, 117 (plan A1). Rue située en bordure du rio, mais de l'autre côté du puente Grau. Pas loin de l'A.J. Ouvert de 9 h à 13 h et de 15 h à 17 h. Un petit musée le plus souvent ignoré des touristes et c'est dommage, propose, lors d'une visite qui n'est pas trop longue, un certain nombre d'objets dignes d'intérêt. Sala Fernandez : *art précolombien.* Masques, objets domestiques, poteries chavín, céramiques chancay, momies, tissus anciens, beaux objets des cultures huari et mochica. Armoires à textiles chancay (800-1300 apr. J.-C.). Certes, tout cela apparaît un peu désordonné et poussiéreux, mais assez intéressant dans le détail. « Virgen de la Peñas del Cuzco ».
Après le cloître, curieuse petite *section amazonienne.* Oiseaux tropicaux, perroquets, toucans, pia-pia, gauto de las rocas, armadillo (tatou), fourmiliers, paresseux et, pour les amoureux des petites bêtes, araignées, tarentules, mygales, insectes et papillons. Vêtements, parures de fête, bijoux, artisanat, arcs et flèches, instruments de musique, deux tambours de communication d'une portée de 30 km. *Section d'art religieux :* meubles peints, christ en ivoire. Cloître datant de 1646 (cellule avec fouet de pénitence). Petite pinacothèque.

▸ Le dimanche, quand tout est fermé, faites un tour à *Tingo* par le bus (marqué « Tingo Hunter ») pour y déguster des brochettes (*anticuchos*), des beignets et des *hoclos* (épis de maïs avec du fromage). Piscine.

▸ *Quartier Yanahuara :* en haut de la ville. Un des quartiers résidentiels les plus agréables de la ville. Pour y aller, bus vert n° 152 sur la calle Grau. Pas un quartier inconnu pour ceux qui fréquentent déjà ses petits restos typiques. D'en haut, du mirador, vue superbe sur les trois volcans et la ville.

▶ *Fête d'Arequipa* : du 15 au 22 août. Pas vraiment très spontanée. Lors du défilé du 15 août, les chars sont sponsorisés. L'atmosphère rappelle plus une foire commerciale qu'une fête folklorique. Cependant, la veille, le 14, feux d'artifice, danseurs, musiciens, alcool, ambiance et fête dans tous les quartiers. Festival international de danse. Expo d'artisanat du Pérou au Fundo el Pierro.

Petite balade urbaine et architecturale

Voici, à l'occasion d'une promenade en ville, quelques édifices, palais et hôtels particuliers de style colonial intéressants à découvrir. Des banques s'y sont souvent installées, ainsi que les sièges sociaux de nombreuses entreprises. Enseignes discrètes pour respecter le caractère des rues. Ne pas rater, au 106, calle San Francisco, le splendide portail ouvragé de la *Banco Continental*. Possibilité de visiter la journée. Première cour avec décor sculpté. A droite, galerie qui présente d'intéressantes expos. Belle salle voûtée aux portes anciennes.
A côté, très romantique (surtout la nuit) *pasaje de la Catedral* avec ses réverbères. L'*église San Agustín* (San Agustín y Sucre), malgré les tremblements de terre, propose encore une magnifique façade sculptée, véritable retable de pierre. A un bloc, au 318, calle Moral, voir aussi la belle façade et le patio de la *Banco Industrial del Perú*. Calle de la Merced, le *palacio Goyeneche* abrite la banque de réserve du Pérou. Calle Mercaderes, au n° 239, *théâtre-cinéma* avec façade typique. Même les édifices nouveaux se mettent au « style Arequipa », comme la *Banco International del Perú* (au 217 Mercaderes) et la *Banco de Credito*, au 101, calle Domingo. D'autres clins d'œil architecturaux à saisir tout au long d'une balade à pied assez fascinante.

Où écouter de la musique ?

– *El Sillar* : Claustros de la Compañía, à 20 m de la plaza de Armas, jirón Santo Domingo (plan B2). ☎ 22-35-86. Bonne musique. Prix élevés, mais ça en vaut la peine. Forfait boisson imposé. Fréquenté par les Péruviens.
– *Peña Romie* : calle Zela 202, près de la plaza San Francisco. Petit mais sympa. Musique les mercredi, jeudi, vendredi et samedi à partir de 21 h.
– *Osker* : avenida Averino Cacerés. Les vendredi et samedi, spectacles en principe vers 22 h. Musique noire et créole. Parfois aussi des shows de danses noires. Se renseigner à l'office du tourisme.

Achats

A partir du 7 août et pendant trois semaines, vente de très beaux pulls par des coopératives au marché couvert, derrière la plaza San Francisco. Difficile de marchander.

– *Asociación de Artisanos de la provincia de Caylloma*, Tienda 14, fundo el Pierro, plaza San Francisco. Beaux pulls, écharpes, couvre-lits, etc. Directement du producteur au consommateur.

Dans les environs

Pour ceux qui seraient tombés amoureux d'Arequipa et de sa région (ou qui en sont à leur 2ᵉ ou 3ᵉ voyage au Pérou), voici de quoi nourrir quelques jours de présence.

▶ *Sabandia* : petit village à 10 km d'Arequipa. Bus jaune (Enatruperú), calle Bolivar. Jolies cultures en terrasses, moulin, resto sympa dans le bourg. Pour le moulin, chemin à droite à l'entrée du village (c'est payant). Le *El Lago* propose une cuisine typique et internationale de bonne qualité. Pas trop bon marché.

Buffet imposant le dimanche midi. Bateau, piscine, chevaux, etc. Projet de bungalows en pleine campagne.

▸ *Le canyon de Colca :* le must d'Arequipa, bien que fatigant ; possibilité de l'effectuer en une journée avec une agence ou d'en organiser la visite soi-même en deux-trois jours. Voir plus loin le chapitre qui lui est consacré.

▸ Il est possible d'escalader le *Misti*, le volcan superbe qui domine la ville. Guide obligatoire. Renseignements à l'office du tourisme. Zarate Sandoval, un des plus grands spécialistes du volcan, calle Jorge Chavez 201 (☎ 21-55-15), vous y mènera en un ou deux jours (c'est mieux). 5 822 m, c'est pour les sportifs !

▸ *La laguna de Salinas :* à environ 4 h de route d'Arequipa. Pas de bus pour s'y rendre. Obligation de passer par un circuit d'agence (*Solmartour* propose cette excursion). Visite du pittoresque village indien de *Chiguata* (église coloniale et terrasses préincas). Montée en car à 4 000 m. Nombreux lamas et alpagas, peut-être des vigognes. Lagune salée où vivent plusieurs centaines de flamants roses. Ils sont habitués au froid. Possibilité d'observer d'autres oiseaux typiques des montagnes. Au fond de la lagune s'élève l'*Ubinas*, seul volcan encore en activité au Sud-Pérou. Il y a toujours des fumerolles.

▸ *Site de Toro Muerto :* à notre avis, n'intéressera que les lecteurs passionnés d'archéologie. Les autres risquent d'être déçus. En effet, on se trouve en zone extrêmement aride, par une très grande chaleur, à la recherche de pierres de toutes tailles et couvertes de dessins, sculptés ou gravés (pétroglyphes). Ils symbolisent oiseaux, animaux, plantes, soleil, lune. Souvent difficiles à analyser et, surtout, répartis sur plusieurs dizaines de kilomètres carrés. On en a évalué environ 5 000. Recommandé de prendre un guide qui saura trouver de suite les plus significatifs. Ceux qui désirent y aller seuls peuvent évidemment coupler cette visite avec celle du rio Majes. Prévoir chapeau, gourde d'eau et crème antimoustiques. Voici la marche à suivre : quitter Arequipa en bus, par la Panamericana Sur pour *Corire* (à environ 160 km d'Arequipa). Prévenir le chauffeur qui sait où arrêter les visiteurs. Un peu plus d'une heure de marche pour parvenir au champ de pétroglyphes, puis environ une heure pour découvrir les premiers réellement intéressants. Pour le retour, même itinéraire, mais aucune garantie de retrouver un bus qui rallie Arequipa le même jour. Bien se renseigner au départ. A Corire, un petit hôtel pas cher, mais assez sommaire. Le mieux, bien entendu, consiste à louer une voiture à plusieurs ou à passer par une agence. En cours de route, si vous en avez l'occasion, arrêtez-vous à *Punta Colorada*, tout près du rio Majes. Petit village avec deux ou trois restos. On y déguste de succulentes écrevisses.

▸ *Excursion de la vallée du Majes :* à environ 190 km d'Arequipa. C'est avant tout une balade de détente, surtout le week-end. D'Arequipa, se rendre à Aplao (par Corire). Dans le coin, on trouve une A.J., l'*Albergue Turistico Majes River*, un peu plus au nord d'Aplao, ouverte à tout le monde. Le rio Majes est plutôt tranquille. Faible relief, ce n'est pas le canyon de Colca. Il y fait assez chaud. Canotage paisible. Piscine également. Possibilité de faire du cheval. Parfois, des démonstrations de rodéo.
Si l'on veut, par la route sud, visiter le *canyon de Colca*, dans sa partie la plus profonde, pas de bus. Nécessité de louer une voiture, et ce n'est pas l'itinéraire le plus intéressant. La route nord, par Chivay, est l'itinéraire logique.

▸ *La vallée des Volcans :* d'Arequipa, bus (Cie *Delgado*, entre autres) sur San Juan de Dios pour Andagua (parfois écrit « Andahua » sur certaines cartes). On passe, comme pour l'excursion du rio Majes et Toro Muerto, par Punta Colorada et Corire. Attention, deux à trois bus par semaine seulement. Route assez fatigante. L'intérêt principal de cette excursion à travers la vallée des Volcans est, bien entendu, de disposer de temps pour se balader à son rythme. Emporter des provisions, de l'eau et une tente pour pouvoir camper dans la vallée. Dominée par le *Nevado Coropuna* (6 377 m), la montagne la plus haute du Sud-Pérou, longue d'une cinquantaine de kilomètres, elle n'aligne pas moins de 40 volcans. Par moments, superbes paysages lunaires.
Possibilité de survoler la vallée en avionnette de 9 places depuis Arequipa. Environ 1 h 30 de vol avec *Expresso Aerio* (avenida Ejercito ; ☎ 21-49-78). Compter plus de 100 $ par personne. On survole aussi, dans le même élan, le canyon de Colca et parfois, en prime, le cratère du volcan Misti. Il y aurait même un avion de 25 places. Nécessité de réserver.

Quitter Arequipa en bus

Tous les bus ou colectivos ont leur bureau calle San Juan de Dios. Gros problèmes pour avoir un billet de train ou de bus à la fin des vacances scolaires d'hiver, vers le 10 août.

Vers Lima

1 000 km de désert côtier. Comptez environ 20 h de bus pour atteindre Arequipa de Lima ou inversement. Beaucoup de possibilités :
– *Ormeño :* San Juan de Dios 657. L'une des compagnies les plus fiables, mais chère. Compter 18 h de voyage. 7 à 8 départs par jour, de 10 h à 20 h 30.
– *Victoria del Sur :* San Juan de Dios 309. Environ 4 départs de 14 h à 20 h.
– *Cruz del Sur :* San Juan de Dios 529. De 12 h 30 à 20 h, six départs.
– *Tepsa :* San Juan de Dios 543. Bonne compagnie. 5 départs de 12 h à 20 h. Propose les bus directs les plus rapides (les plus chers aussi).
– *El Expreso Sudamericano :* San Juan de Dios 516. Fiable et moins cher qu'*Ormeño*. Ils sont aimables, en plus ! Trois départs quotidiens.
– *Roggero :* San Juan de Dios 613. Assure Lima aussi.

Vers Nazca et Ica

Nazca est à 567 km et Ica à 711 km.
– *Ormeño :* adresse ci-dessus. A peu près un départ toutes les heures jusqu'à 20 h 30. Ainsi que *Cruz del Sur*.

Vers Puno, Juliaca et Cuzco

Nous le répétons ici, voyage bien plus éreintant qu'en train, même si c'est plus rapide et que le problème des vols se pose un peu moins en bus.
– *Juliaca Express :* Salaverry 111. Pour Juliaca, environ 8 h de trajet et 1 h de plus pour Puno.
– *Sur Peruano :* San Juan de Dios, 313. Pour Juliaca et Puno. Assure aussi Lima et Tacna.
– *Victoria del Sur :* assure Juliaca-Puno et Desaguadero.

Vers le nord : Trujillo, Piura, Ancash, Tumbes, etc.

– *Ormeño :* la meilleure compagnie (*bis repetita*). Toutes destinations.
– *El Expreso Sudamericano :* San Juan de Dios 516. Pour Trujillo et Tumbes.

Quitter Arequipa en train

– **Pour Puno,** environ 10 h de trajet. Assez lent, mais beaux paysages. Tous les jours, train de nuit à 21 h. Pas de train de jour. Ne pas oublier son duvet ou, à défaut, acheter une couverture. Le voyage se déroulant la plupart du temps à 4 000 m, les nuits sont très froides et les wagons rarement chauffés. Avertissement : l'année dernière, la ligne Arequipa-Juliaca-Puno fut le terrain de prédilection des voleurs, tireurs et spécialistes du rasoir de tout acabit. Ne jamais se séparer de ses affaires et ne pas relâcher une seconde sa vigilance dès la gare d'Arequipa. En particulier durant le voyage dans la 2ᵉ classe surpeuplée. Les premières classes « Pullman » et « Buffet » sont en principe chauffées et beaucoup mieux surveillées. Aux lecteurs de calculer le bon rapport entre budget à surveiller et tranquillité d'esprit !
– **Pour Cuzco :** le train de 21 h pour Puno permet la correspondance à Juliaca avec le train de Cuzco.
– *Remarques :* les horaires du Bureau de réservation 1ʳᵉ et 2ᵉ classe changent fréquemment aussi. Un conseil : venir de toute façon deux à trois heures avant. Avant la baisse du tourisme, pour le train de 21 h allant à Puno, il fallait faire la queue dès 6 h pour 9 h (et espérer avoir des places à 11 h !). Si vous ne voulez pas trop attendre, arrangez-vous avec le patron de l'hôtel ou avec une agence de voyages pour que l'un ou l'autre prenne votre billet (moyennant finances, bien sûr).

Quitter Arequipa en avion

– **Pour Lima** : deux vols quotidiens avec *Aeroperú* et *Faucett*.
– **Pour Cuzco** : départ à 8 h avec *Aeroperú*. Vol *Faucett* pour Juliaca-Cuzco également.
– **Pour Juliaca-Puno** : horaire variable, le matin de toute façon.

LE CANYON DE COLCA

C'est le nouveau plus de la région d'Arequipa. Ça vaut vraiment la peine de prévoir d'y rester deux à trois jours de plus pour réaliser cette balade. Le canyon s'étend sur une centaine de kilomètres. Les Péruviens prétendent qu'il est plus profond que celui du Colorado et avancent le chiffre de 3 000 m. Évidemment, pour en arriver là, ils calculent la hauteur du sommet de la montagne la plus élevée en face (qui culmine effectivement à 3 000 m), alors que l'autre bord du canyon est, quant à lui, beaucoup moins haut. Polémique stérile, il faut comparer ce qui est comparable. Le Grand Canyon du Colorado est incontestablement plus impressionnant en tant que phénomène géologique.
En revanche, le canyon de Colca possède sa propre personnalité, une approche et un dépaysement très différents. Ce qui fascine en particulier, et qui en fait un lieu unique, ce sont les milliers d'hectares de terrasses (*andenes*) harmonieusement dessinées et sculptées dans la montagne, dans les sites les plus sauvages et les plus escarpés. Époustouflant de se retrouver ainsi devant des réalisations humaines aussi gigantesques, œuvres des Indiens Colluhuas, une civilisation de 1 000 ans plus ancienne encore que celle des Incas !

Comment y aller ?

Vérifiez avant de partir que le passage est bien ouvert. En effet, il y a de temps en temps des attaques d'autobus à la suite desquelles les autorités ferment le passage. Évitez d'y aller pendant la saison des pluies car le brouillard ne laisse rien percevoir de la vue superbe.

En un seul jour

Pour ceux qui ont un programme serré et ne peuvent y consacrer qu'une journée, possible de « faire » le canyon de Colca quand même. Assez fatigant, car on ne quitte pratiquement pas le bus et, bien sûr, frustrant car on ne peut en jouir vraiment. Après coup, l'appréciation sur la qualité de cette excursion est éminemment subjective : d'aucuns diront que le spectacle et les émotions offerts ne valent pas la fatigue du voyage ; d'autres affirmeront que, au contraire, malgré la journée extrêmement chargée en transports, on rapporte un souvenir émerveillé de cette balade. Nous appartenons incontestablement à cette dernière catégorie. Rentré au pays, il reste en définitive les merveilleuses cartes postales du canyon dans la tête, pas la fatigue ! Bonne route de terre battue.
Les trois temps forts du voyage sont essentiellement la traversée sur une centaine de kilomètres d'une pampa désertique où vous rencontrerez des troupeaux de lamas et d'alpagas dans des paysages d'une telle austérité qu'ils en sont beaux. Avec un peu de chance, possibilité de voir aussi quelques vigognes. Passage du col de Patapampa à 4 800 m (le mont Blanc sans effort, en quelque sorte !). Puis, les profondes et sauvages vallées où s'amorce le canyon, couvertes de superbes *andenes* (probablement les plus importantes du Pérou), avant d'aborder, au *mirador de la croix du Condor* (à 197 km d'Arequipa), les impressionnantes gorges elles-mêmes (1 200 m de profondeur). De nombreuses agences programment l'excursion d'une journée en bus. Départ vers 5 h, retour vers 21 h. Repas de midi pris au complexe de tourisme d'Achoma, 20 km avant la croix du Condor.

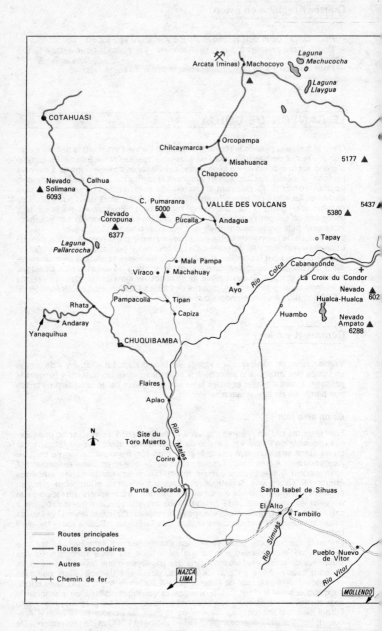

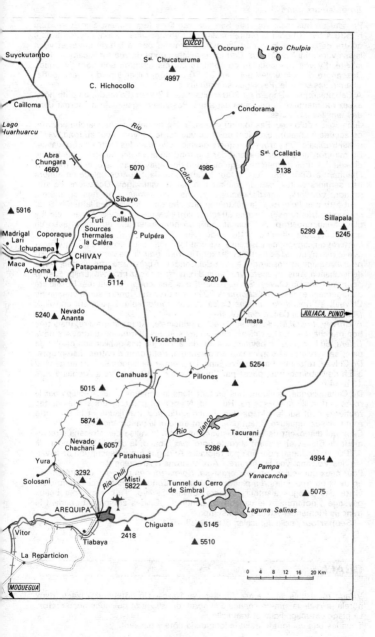

CANYON DE COLCA ET VALLÉE DES VOLCANS

En plusieurs jours

Prendre un bus local sur calle San Juan de Dios (notamment *Sur Express* au n° 535 à 5 h 30) pour la petite localité de *Cabanaconde*. Sinon, environ trois à quatre départs par jour (par Chivay). Le premier part à 5 h du matin et vous laisse vers midi à la *Cruz del Condor*, le célèbre point de vue sur le canyon. Possibilité d'y voir des couples de condors parfois (comme son nom l'indique). Descendre dans la vallée puis, en 2 h 30 environ, rallier à pied Cabanacondé. Chemin assez facile. Paysages somptueux.

A Cabanacondé, village de 1 200 habitants à 3 200 m d'altitude, un petit hôtel assez rudimentaire et quelques gargotes. Possibilité également de dormir dans des familles indiennes.

Jolie église coloniale. Pas loin du village, à une demi-heure de marche environ, on accède à un autre excellent point de vue sur le canyon. Tout au fond, vallée quasi tropicale. On y trouve un genre de microclimat et des fruits en abondance. Du mirador, un sentier descend dans le fond de la vallée. Compter une bonne dizaine d'heures de marche jusqu'au bourg de Tapay. Possibilité de dormir chez l'habitant à *Coñishua*. Puis, retour à Cabanacondé. Superbe balade en dehors des sentiers battus, pas de touristes, paysages sauvages. Occasions de surprendre condors, renards « andinos », chamois, lamas, vigognes et, même, peut-être des *huanacos*, la quatrième branche de la famille des lamas (tête et cou noirs, très rares !). Ne pas effectuer cette balade de janvier à mars, car il y pleut beaucoup trop. A Cabanacondé, on peut louer âne ou cheval avec un guide local pour effectuer cette randonnée.

L'intérêt du canyon, ce sont aussi les condors. On ne les observe pratiquement que le matin, quand ils partent chasser. Un truc : prendre le car qui part à 4 h 30 pour Arequipa et descendre à Cruz del Condor. Après, attendre un peu. Avec de la chance vous en apercevrez vers 8 h, parfois assez proches. Ensuite, stop pour Achoma ou Chivay. Soyez patient, pas beaucoup de voitures. Possibilité de logement et resto à *Achoma* (à 20 km de Cruz del Condor sur le chemin de Chivay), à l'*hostal de Turistas Colca*. Assez confortable. Également une A.J. *(Albergue juvenil Cañon del Colca).*

A *Chivay*, hostal *Moderno*, sur la place principale. Assez sommaire, mais très bon marché. Le must à Chivay, ce sont les sources thermales sulfureuses de *la Calera*, où l'on peut se baigner, à 4 km de la ville (ne pas oublier son maillot de bain, sa serviette et son canard en plastique). Petit droit d'entrée. Eau propre. De Chivay, retour en bus sur Arequipa. Le premier de la journée part en général à 5 h de Cabanacondé, passe par Chivay vers 5 h 30 et arrive à Arequipa vers 13 h-14 h.

De Cabanacondé, quelques bus partent dans la semaine pour Arequipa par la route sud, celle qui passe par Huambo. N'apparaît pas toujours sur les cartes routières sauf sur la « Mapa Perú Fisico », *Politico Vial* (jaune et bleu). Cette route, assez rugueuse, il faut dire, rejoint ensuite la panaméricaine.

Ceux qui disposent de temps peuvent rejoindre la vallée des Volcans directement de Chivay en suivant la route nord, par Sibayo, le col d'Abrachungara (à 4 700 m), Cailloma, pour finir par rejoindre Andagua (pour description de la vallée des Volcans, voir le chapitre « Aux environs d'Arequipa »).

Pour ceux qui veulent un tour organisé, *Solmartour* en propose un intéressant en deux ou trois jours. En plus de la Cruz del Condor, des sources thermales, visite des villages alentour, Pulpera, Callali, Sibayo, Tuti, etc. Très beaux paysages, notamment le canyon de Canocota. Guides compétents parlant le français (demander Alveira, très sympa !).

– *Solmartour :* calle Jerusalén 306. ☎ 23-45-13.

CHALA

Village minuscule situé entre Arequipa et Nazca. Un hôtel sur la place, deux hôtels près de la station-service à la sortie du village et quelques bons restos. La plage est magnifique et tranquille.
Tous les bus qui font le trajet le long de la côte y passent.

🛏 *Hôtel Grau :* sommaire mais bon marché.
🛏 *Hôtel HB :* petit mais propre.

NAZCA

Juste avant d'arriver dans la petite ville, on traverse un énorme plateau désertique, semblable au plateau du Tademait, au Sahara. C'est dans cette pampa aride que l'on découvrit en 1939 d'étranges figures, tracées probablement entre l'an 300 et 900 de notre ère. La route panaméricaine coupe malheureusement cette zone. Ces motifs gigantesques, dessinés ou gravés à même le désert de Nazca, s'étendent sur des dizaines de kilomètres. Tout autour sont creusées dans les roches de curieuses figurines d'animaux stylisés. Ces figures franchissent les ravins ou escaladent des collines sans que leurs formes ou la rectitude de leurs lignes en soient affectées. Ces lignes sont semblables à de profonds sentiers qui atteignent parfois une largeur de plus de 3 m. On ne sait pas encore aujourd'hui qui a tracé ces énormes dessins ; les archéologues reconnaissent là un calendrier astronomique mais ne savent pas avec certitude pourquoi il a été dessiné dans la pampa.

Les prêtres de Nazca étaient de remarquables astronomes. On pense aujourd'hui que ces dessins sont des copies de figures formées par les étoiles. Cela permettait d'enregistrer le mouvement exact des astres.

Ces mêmes dessins apparaissaient dans le ciel à certaines époques bien précises qui correspondent à des périodes agricoles fondamentales telles que les semailles, les pluies, les récoltes. En fonction des astres, les paysans décidaient de leurs activités agricoles. Tous les dessins ont un accès pour que l'homme puisse y pénétrer sans piétiner une ligne. L'unité de mesure est l'avant-bras humain (32,5 cm). Et 8 est pour eux le chiffre sacré (l'araignée a huit pattes, par exemple).

Mais le plus mystérieux reste ces gigantesques traces rectilignes qui se chevauchent. D'après certains ethnologues, dont Charroux que rien n'effraie, elles seraient l'œuvre d'extra-terrestres. Non, ces lignes parfaitement droites, dont certaines ont 10 km de long, ne sont pas des pistes d'atterrissage pour aéronefs... Elles permettaient de repérer les alignements du soleil, de la lune et de certaines étoiles pour calculer les saisons.

On tient à féliciter les inconscients qui se promènent sur les sites en voiture et brouillent les figures.

Avec un peu de chance, peut-être rencontrerez-vous *Maria Reiche,* celle que l'on appelle « la Dame de Nazca ». Elle est née en 1903 en Allemagne. Venue un peu par hasard à Nazca en 1946, elle n'en est jamais repartie. C'est à elle que l'on doit toutes les interprétations les plus sérieuses. Si on veut la rencontrer, loger à l'*hôtel de Turistas* à l'entrée de la ville. C'est cher, mais le service est extra. Maria Reiche y habite à l'année, tout lui étant payé par le gouvernement péruvien en hommage aux travaux de recherche qu'elle a effectués à Nazca. Elle s'exprime en français, en anglais, en allemand et en espagnol. Trop âgée aujourd'hui, elle a confié à sa sœur, depuis quelque temps, le soin de donner les conférences (tous les soirs à 19 h 15, s'il y a au moins 10 personnes).

Comment voir les signes de Nazca ?

Deux possibilités

• *La première,* c'est l'avion : trois compagnies proposent leurs services. Il existe un prix officiel qui n'est pas toujours respecté : alors marchandez, même s'il n'existe pas de véritable concurrence entre les compagnies.

Surtout ne vous laissez pas avoir par ceux qui, dans la rue, se prétendent agents d'une compagnie. Ils feront les démarches avec vous, prendront votre billet et... toucheront au passage une solide commission sur votre dos.

L'aéroport – si l'on peut dire, piste minuscule – est situé à 4 km de la ville. C'est assez cher, mais la dépense vaut la chandelle. Un conseil : ne rien manger avant le vol, vous le regretteriez.

– *Aero Montecarlo :* son siège est à l'hôtel *Montecarlo.* Un avion à 5 places, neuf. Possibilité de réserver depuis Lima (Las Camélias 5 11).

– *Aeroica :* calle Lima, à l'entrée de la ville, devant Ormeño. Des avions à 3 places (on peut partir à 2), à 5 places et à 7 places. 45 mn (prévues, en fait c'est plutôt une demi-heure), y compris le trajet jusqu'à l'aéroport (4 km). Proposent un forfait comprenant le vol + 1 nuit d'hôtel, à *La Maison Suisse.* Cher. Hôtel en face de l'aéroport, loin du centre.

– *Aero-Condor :* bureaux en face d'*Aeroica*. Mêmes conditions générales. Pas de forfait hôtel.

L'appareil volant à 300 m d'altitude, à la vitesse de 220 km/h, il est bon d'utiliser un film rapide et un filtre polarisant pour éviter les reflets sur la vitre. Objectifs conseillés : 50 et 135 mm.

• *La seconde,* c'est un mirador situé à une trentaine de kilomètres au nord de Nazca, le long de la panaméricaine. On voit trois figures (une main, un lézard, un arbre).

Dans les environs : Chauchilla

Ce cimetière préincaïque, situé à 20 km de Nazca, ne manque pas de piquant. Ambiance évoquant *La Nuit des morts-vivants...* Le cimetière recèle de véritables momies mises au jour par les pilleurs de tombes et, sur quelques kilomètres, on marche parmi les ossements, les lambeaux de tissus anciens, les fragments de poterie, les cordelettes funéraires, etc.

Il n'y a pas de bus qui aillent jusqu'au cimetière, ils s'arrêtent tous à l'aérodrome.

Allez voir *José* de notre part : Bolognesi 282. Taxi-guide très sympa qui vous y emmènera en 2 h 30 avec, en prime, la visite d'une coopérative agraire, avec les explications. Il vous proposera aussi d'autres balades aux alentours dans les mêmes conditions. Très consciencieux aussi, il a changé le moteur de sa Chevrolet.

L'*hôtel Nazca* propose aussi ce genre d'excursion.

Une bonne adresse : *Alegría Tours,* jirón Lima 166. Au même endroit se trouvent l'auberge de jeunesse et le terminal de bus Expresso Sudamericano. Le patron, très sympa et très professionnel, organise des excursions pour les aqueducs et les ateliers de chercheurs d'or. Il réserve des places dans le bus du soir pour Arequipa, et vend aussi des billets d'avion pour les signes de Nazca. Enfin, huit guides locaux viennent de se regrouper. Ils ont un bureau au *Tourist Office,* plaza de Armas, à côté du petit musée.

Où dormir ?

Bon marché

🛏 *Hôtel Nazca :* calle Lima. Un hôtel fleuri. On peut laver son linge. Bien organisé pour les touristes, on peut réserver pour les excursions en taxi. Sympathique accueil, garde les bagages. Douches collectives propres, chaudes et froides. Agréable. La patronne vend les billets d'avion sans commission.

🛏 *Albergue juvenil Alegría :* jirón Lima 168. ☎ 22-02-31. Près du terminal de bus. Hôtel récent, donc propre. Douches communes. De plus en plus fréquenté par les touristes. Eau chaude toute la journée.

🛏 *Hôtel El Sol* (anciennement *San Jorge*) : plaza de Armas. Propre et sympa. Possibilité d'y prendre son petit déjeuner.

🛏 *Albergue juvenil Nido del Condor :* de l'autre côté de l'aéroport. C'est l'A.J. officielle. Assez agréable.

🛏 *Hôtel Lima :* plaza de Armas. Chambres petites donnant sur un couloir central à l'air libre. Propre, repeint. Cher pour ce que c'est. Eau chaude.

🛏 *San Martín :* Arica 116. Bains collectifs ; rudimentaire mais pas cher.

🛏 *Posada Guadalupe :* à 3 mn des arrêts de bus. Petits bungalows, sympa et pas chers. La patronne est très gentille. Salle de bains. Eau chaude toute la journée.

Prix moyens

🛏 *Hostal Las Lincas :* plaza de Armas. Réception à l'étage. Hôtel récent, un peu impersonnel, mais propre et sympa. Presque luxueux.

Plus chic

🛏 *Montecarlo :* à l'entrée de la ville en arrivant de Lima. Salle de bains particulière avec eau chaude, piscine, bar. Préférez les chambres sur jardin (bungalow double ou simple). Les autres sont moins chères. Agréable. Assez bon marché pour l'endroit, mais de plus en plus mal tenu.

Où manger ?

✕ *El Ambiance :* calle Arica 213. Restaurant en sous-sol. Menu copieux et bon marché.
✕ *Los Angeles :* avenida Bolognesi, à côté de la plaza de Armas. Là aussi, un menu à prix intéressant. Yaourts ou gâteaux en supplément.
✕ *Restaurant de l'hôtel de Turistas :* profitez-en pour écouter Maria Reiche (voir plus haut). Un peu cher mais vraiment très bon.
✕ *La Taberna :* calle Lima, pas loin de l'hôtel *Nazca,* sur le même trottoir. Soupes excellentes. Sympa, si vous aimez écrire sur les murs, la patronne vous prêtera un feutre pour écrire votre nom. *Peña* (musique le soir). Un peu cher toutefois et beaucoup de touristes. Ça sent un peu l'arnaque !
✕ *Restaurant Continental :* face à la plaza de Armas. Spécialisé dans les poulets à la braise.

Vers Arequipa

Ne pas rater l'occasion d'éprouver de fortes sensations par autobus. Le paysage est féerique, surtout en longeant la côte. On peut voir les précipices de très près. Fascinant le matin, si on part de nuit.
– Avec la compagnie *Ormeño,* 3 bus par jour, bus de nuit à 3 h. Arrivée à Arequipa vers 14 h. Réservez votre place dès votre arrivée à Nazca. Attention, *Ormeño* fait parfois payer la totalité du billet Lima-Arequipa même au départ de Nazca. Dans ce cas, préférer *Sud-Americano,* une bonne compagnie, à côté de l'auberge *Alegría.*
– A plusieurs, possible de le faire en taxi.

Vers Ica

– Compagnie *Ormeño :* 10 bus par jour, entre 6 h et 18 h 45. Dunes superbes sur le trajet.

Vers Pisco

– Compagnie *Ormeño :* 4 bus par jour. Comptez 4 h de route.

Vers Lima

– Bus *Ormeño :* 4 bus par jour : 2 le matin, 2 le soir (22 h 30 et 23 h 30). Comptez 8 h de route.
– La compagnie *Sudamerico* a un premier départ de bus vers 5 h (9 h seulement avec *Ormeño*).

ICA

Ville possédant un splendide musée sur l'art préincaïque. Celui qui comporte le plus d'explications.
Tout le monde se retrouve sur la plaza de Armas où il y aura toujours un étudiant sympa pour vous renseigner sur les possibilités de la ville. Essayez de visiter une hacienda à Tacama ou à Ocucaje. Le déplacement vaut la peine.

Adresses utiles

– *Office du tourisme :* calle Gran 150. Ouvert du lundi au vendredi de 9 h à 13 h 30 et de 15 h 30 à 17 h 30.

– *Ormeño :* Lambayeque 180. Nombreux départs.
– *Tepsa :* avenida Manzanilla (dans le prolongement de Municipalidad).
– *Change :* dans la calle Municipalidad, au coin de la plaza de Armas.

Où dormir ?

Bon marché

– Beaucoup d'hôtels abordables, calle Independencia. Évitez l'*hôtel Colón* sur la plaza de Armas : sale. Certains routards y ont même partagé leur chambre avec certaines bébêtes peu sympathiques.
☛ *Hostal San Isidro :* Jazmines 127. ☎ 23-54-74. Bus 17 de la plaza de Armas. Dans le quartier San Isidro, calme et résidentiel. Plus ou moins auberge de jeunesse (carte non obligatoire). Propre et agréable. Accueil sympa. Une dame très aimable, qui aime bien la France, raconte des histoires typiques sur les coutumes de la région. Très bonne adresse, mais hôtel un peu cher tout de même.
☛ *Hostal Ica :* calle Independencia 182. Près de la plaza de Armas. ☎ 23-53-67. Chambres sans fenêtre, tubes au néon, douches collectives sans eau chaude.
☛ *Hostal del Valle :* San Martín 169. Pas d'inscription sur la façade. Même genre que le précédent, mais toutes les chambres ont une salle de bains privée.
☛ *Hôtel la Viña :* San Martín 260. Propre. Chambres avec douche mais eau froide.

Plus chic

☛ *Hôtel Siesta :* Independencia 160. Récent, propre, semi-luxe. Vue pas terrible sur l'arrière.
☛ *Hôtel Sol de Ica :* calle Lima 265. ☎ 23-61-68. Déjà le luxe pour un prix encore raisonnable, surtout pour les groupes (il y a des chambres pour 4 et même pour 5). Bains turcs. Antenne TV parabolique.
☛ *L'hôtel de Turistas* n'est pas pour vous, mais possibilité de se baigner dans la piscine de l'hôtel en payant, bien sûr.

Où manger ?

✗ *El Perioneito :* calle Bolívar 219. Petit restaurant, propre, très sympa et pas cher... et quoi encore ? Ah oui, excellents jus de fruits.
✗ *San Remo :* plaza de Armas, à l'angle avec la calle Grau. Menu à un prix intéressant. Trois sauces au choix sur un joli présentoir.
✗ *El Nuevo Cortijo :* Municipalidad 283. Une toute petite pâtisserie, mais avec d'excellents gâteaux et yaourts.
✗ Devant l'agence *Ormeño,* petits stands de nourriture cuisinée pas chère et excellente.

A voir

▶ *Le musée Cabrera :* horaires fantaisistes ; en théorie de 9 h à 13 h et de 16 h à 20 h (en fait, souvent ouvert seulement à partir de 17 h). Collections rassemblées par un original croyant en une civilisation d'extra-terrestres. Assez fou. Voir les pierres noires gravées en couleur, représentant différentes scènes de la vie (scènes chirurgicales), découvertes par le docteur Cabrera. La plupart sont des faux. Entrée chère, mais la première salle, gratuite, est intéressante.

▶ *Lagune de Huacachina :* une oasis dans un désert en miniature. Dunes de sable comme au Sahara algérien. Des bus partent de la plaza de Armas toutes les 10 mn vers la lagune. Durée du trajet : 15 mn. Jolie route. Sur place, 3 restaurants et 2 hôtels. Le *Mossone* est vraiment reposant. Piscine. Assez cher, mais 50 % de réduction du dimanche soir au jeudi soir inclus.

▶ *Musée archéologique :* à la sortie de la ville. Bus n° 17 de la plaza de Armas (direction Santo Domingo). Ouvert de 8 h à 19 h du lundi au vendredi, de 8 h 30

à 18 h 30 le samedi et de 9 h à 13 h le dimanche. Entrée bon marché. Collections de quipus et de momies encore plus belles qu'à Lima. Bien expliqué (en espagnol). Belles poteries de l'époque Nazca.
Ne pas manquer, derrière le musée, la superbe reproduction des lignes de Nazca.

▸ *Distillerie Vista Alegre* : bus n° 8 Tinguiña de la plaza de Armas (on ne conseille pas d'y aller à pied, quartier dangereux). Visite de 8 h à 13 h. Fabrication de pisco, vins. Boutique.

PISCO

Pas grand-chose à voir sauf un port de pêche industriel et une base aérienne, ce qui n'a jamais intéressé beaucoup les routards. Halte toutefois agréable. Voir le tri des poissons sur la jetée.
Pour la *promenade en bateau,* se renseigner à l'*hôtel Pisco* sur la plaza de Armas, toute carrelée. Très agréable.
Très grande plage pour bronzer. De Pisco, on peut gagner le petit village de *San Andrés* (5 km) et déguster un plat de tortue de mer. Fruits de mer.

Adresse utile

– *Bus Ormeño :* calle San Francisco 259. A gauche de la mairie (elle vaut le coup d'œil).

Où dormir ?

Bon marché

⌂ *Hostal-Residencial Progresso :* Progresso 254. Derrière l'*hôtel Pisco.* Pour petits budgets car extrêmement bon marché, mais très sale. Si vous avez absolument des économies à faire...
⌂ *Hôtel Pisco :* plaza de Armas. Hôtel assez chic autrefois, convenable sans plus maintenant.

Prix moyens

⌂ *Hôtel Embassy :* calle Comercio 180 (à l'étage). Propre et agréable. Attention aux vols fréquents. Cafétéria à l'intérieur. Souvent plein car réservé par des voyages organisés.
⌂ *Hôtel San Jorge :* jirón Juan Osores 267, Urbanization San Jorge. En dehors du centre, mais pas trop loin et facile à trouver. Propre et sympa : une bonne adresse.
⌂ *Hôtel Portofino :* près de la mer, mais loin du centre. Agréable patio, mais pas d'eau chaude et tout juste propre. On y rencontre les étudiants de l'université de la pêche. On y mange bien et pas cher.

Où manger ?

✗ *As de Oros :* plaza de Armas. Près de l'église. Ouvert midi et soir. Fermé le lundi. Superbe carte de poisson pas cher. Sympa.
✗ *Lucho y Marilucha :* Independencia 146, à côté du cinéma Solar. Bon accueil et plats copieux. Quand le service est trop long, ils offrent un en-cas pour faire patienter.
✗ *Estrellita :* à San Andrés. On y mange des coquilles Saint-Jacques *(conchas).* Assez cher.
✗ *Oh ! Que Rico :* Genaro Medrano 444, à San Andrés. Bonne cuisine, très propre, et patron cordial. Bien situé, à 300 m du port. Face à la plage. Goûtez aux poulpes, aux *corvinas,* à la tortue, aux *mariscos* pendant que les pélicans effectuent leurs ballets au soleil couchant.

– Goûtez les confiseries appelées *tejas*, le plus souvent à base de citron. Celles de Pisco sont renommées pour être les meilleures.

Vers Lima

En bus. Environ six départs par jour avec *Ormeño*.

Vers Nazca

Bus direct à 10 h et 16 h. Trajet : 4 h. Le bus vient de Lima et est donc archiplein. Il ne reste à Pisco que quelques places généralement attribuées aux groupes. Il est conseillé de prendre un bus (toutes les heures) pour Ica. Le bus est bondé mais il n'y a qu'une heure de trajet. D'Ica, de nombreuses compagnies de bus vont à Nazca.

Vers Cuzco

La route Cuzco-Nazca par Abancay et Puquio et la route Cuzco-Pisco par Abancay et Ayacucho traversent un vrai paysage lunaire aux couleurs surprenantes. Attention, guérilla active, zone contrôlée par l'armée.

PARACAS ET LES ILES BALLESTAS
(les Galapagos du pauvre)

A 18 km de Pisco, Paracas, c'est un petit port de pêche, des plages, deux hôtels, quelques restaurants et de magnifiques villas. C'est de là que partent les bateaux pour les îles Ballestas. Une balade de 4 h environ. Au passage, on admire le gigantesque et magnifique candélabre, tracé sur la rive par les Paracas. Visible uniquement de la mer, c'est un point de repère utile pour les caphorniers voguant vers les mers australes.
Les îles Ballestas sont peuplées et même surpeuplées de phoques, de manchots, de pétrels, de cormorans et autres oiseaux aquatiques, producteurs de *guano* dont les gisements étaient connus des Incas, qui les firent exploiter. Au début de l'extraction intensive du guano, à partir de 1870, la couche du gisement ne mesurait pas moins d'une trentaine de mètres d'épaisseur.
Pour bien apprécier l'excursion, prévoir un bon pull, surtout en juillet-août. Ne pas oublier non plus un imperméable. Enfin, la mer est souvent agitée et on est pas mal secoué dans les petits bateaux. Voilà, vous êtes prévenu, si vous avez le mal de mer, il ne faudra pas vous plaindre. Pour se rendre aux îles, il est nécessaire de prendre son billet un jour à l'avance dans une agence de voyages de Pisco. Prix raisonnables. Pour une balade plus « authentique », vous pouvez contacter à San Andrés 2 pêcheurs reconvertis dans le tourisme : *Carlos de la Cruz,* calle Santa Cruz 301 (ne soyez pas surpris, c'est une petite épicerie).

🛏 Pas grand-chose pour loger à Paracas. L'*hôtel Mirador* (au bord de la route, au niveau du dernier croisement avant Paracas) est propre et agréable, mais assez cher. L'*hôtel Paracas* est très, très bien (piscine, tennis, minigolf, etc.) mais trop cher.

Enfin, Paracas, c'est aussi une réserve classée depuis 1975, avec des plages qui comptent parmi les plus belles du Pérou.
Les routards courageux peuvent faire le tour de la presqu'île de Paracas en deux ou trois jours à pied. Prévoir une réserve d'eau et de la nourriture car on n'en trouve pas sur place. Colonies de lions de mer, condors, vautours, flamants roses. Carte en vente à l'*hôtel Paracas*. A 5 km de Paracas, par une route désertique surprenante, vous arrivez au **musée Julio C. Tellio** (assez cher). 7 km encore pour atteindre *Lagunillas*, petit port de pêcheurs. De là, on longe l'Océan à la rencontre des animaux. Les agences de voyages de Pisco proposent une excursion d'une demi-journée dans la réserve.

CERRO AZUL

Petit village de pêcheurs, à 130 km de Lima. Pour les amis des oiseaux, magnifique endroit (plage cependant pas très propre). Dans les rochers, cormorans, pélicans, mouettes, martins-pêcheurs et dauphins pas farouches. Il y a de très belles ruines d'une forteresse inca, mais les habitants vous laisseront y aller seul... Ils ont peur des fantômes !

Où dormir ? Où manger ?

Les possibilités de logement sont assez limitées. Les chambres chez l'habitant sont plus que rudimentaires, la plage servant de toilettes... Il reste :

🛏 *Hôtel Diana :* dans le centre, derrière l'église et le poste de police. Facile à trouver. Accueil sympa. Hôtel propre et bon marché. Quelques chambres ont une salle de bains... mais pas d'eau chaude.

🛏 Au bout de la plage, après le ponton, plusieurs hôtels. Le *Salcuaro* et le *Marbella* sont bien mais un peu cher. Les petits budgets préféreront la *pension Don Santo,* une grande bâtisse blanc et rouge, aux couleurs de Coca-Cola. Des dortoirs de 4. Pas très propre, mais vue sur mer.

✕ *La Malla :* petit resto sur la plage. Bons plats de poisson. Goûter à l'apéritif « de la casa ».

2ᵉ ITINÉRAIRE : NORD DU PÉROU ET ÉQUATEUR

1ᵉʳ jour : Lima
2ᵉ jour : Lima
3ᵉ jour : départ pour Huánuco
4ᵉ jour : Huánuco
5ᵉ jour : bus pour Tingo María
6ᵉ jour : Tingo María (se renseigner sur la situation)
7ᵉ jour : bus pour Pucallpa
8ᵉ jour : Pucallpa
9ᵉ jour : retour à Huánuco
10ᵉ jour : bus pour Tantamayo
11ᵉ jour : Tantamayo (se renseigner sur la situation)
12ᵉ jour : bus via La Unión – Huallanca puis camion pour Canac via le parc de Huascarán. Nuit à Huaráz.
13ᵉ jour : bus pour Chavín de Huántar
14ᵉ jour : retour à Huaráz
15ᵉ jour : Huaráz, Monterrey. Possibilité d'extension de 5 jours pour le trekking à la lagune de Llanganuco.
16ᵉ jour : Caraz
17ᵉ jour : Trujillo
18ᵉ jour : bus pour Cajamarca
19ᵉ jour : Cajamarca
20ᵉ jour : Piura
21ᵉ jour : Tumbes
22ᵉ jour : Tumbes, Puerto Pizarro
23ᵉ jour : Cuenca (Équateur)
24ᵉ jour : Riobamba (samedi)
25ᵉ jour : Santo Domingo
26ᵉ jour : Esmeraldas, Atacames
27ᵉ jour : Atacames
28ᵉ jour : Quito
29ᵉ jour : Quito
30ᵉ jour : Otavalo (samedi). Retour à Quito.

HUÁNUCO

Pour se rendre à Huánuco depuis Lima, il vaut mieux éviter de prendre le train qui passe par La Oroya car les correspondances sont longues. Prendre le bus jusqu'à Huánuco, il suit le chemin de fer et arrive en fin d'après-midi, donc gain d'une journée. Petite ville agréable entourée de montagnes. Les ruines de Kotosh, les plus anciennes découvertes au Pérou, à 4 km de la ville, sont absolument sans intérêt.

Où dormir ?

Dur de trouver un hôtel bon marché qui ne soit pas complet, ou alors il est vraiment trop sale.
- *Hôtel Las Vegas :* plaza de Armas. Récent et propre.
- *Hôtel Impérial :* jirón Huánuco 581. Sans charme. Télévision.
- *Gran Hôtel Confort* (sans enseigne) : jirón Huánuco 608. Très correct mais cher.

Où manger ?

✕ *Bar Saloon :* jirón Huánuco 8. On mange bien, sans se ruiner, dans une joyeuse ambiance.

Pour Tantamayo

– *En bus :* compagnie *Bella.* Derrière l'église San Sebastián. Départ quotidien à 8 h. On arrive vers 20 h. Si on cherche le dépaysement, on le trouve. Pratiquement impossible pendant la saison des pluies.

Pour Huaráz, sans repasser par Lima

Tout le monde vous dira que c'est impossible, ce n'est pas vrai. Le trajet est certes pénible, mais vaut le coup. Chercher un microbus pour La Unión ou Llata. Descendre à Pachas. Là, dormir dehors ou essayer le poste de garde (il y a un lit). A 6 h passe le bus pour Huaráz (si vous le ratez, prenez un camion). Attention, la nuit, il fait très froid.

TINGO MARÍA

L'avantage de Tingo María est d'être situé dans la « selva alta ». La végétation exubérante, la forme des maisons, les visages même rappellent l'Amazonie. Mais l'altitude (650 m) rend la chaleur moins accablante qu'à Pucallpa ou Iquitos et il y a moins de moustiques. Cependant, depuis quelque temps, la région fait l'objet d'affrontements entre le Sentier lumineux, fabricants de cocaïne, d'un côté, et l'armée de l'autre. Bien s'informer sur la situation.

Comment y aller de Huánuco ?

– *Colectivos* (Comete 1) : jirón Abato. Un peu plus cher que le bus, mais plus rapide. Durée 2 h 30 pour 135 km.
– *Bus* ou *mixto* de la jirón Ayacucho, près du marché. Plusieurs départs dans la matinée. Durée 4 h.

Où dormir ?

Hôtels souvent complets.
- *Gran Hôtel :* avenida Raimondi.

Où manger ?

Les spécialités de Tingo María sont les *anticuchos* (brochettes) et *buñuelos* (beignets).

✕ **Café Rex** : avenida Raimondi 500. Les *tallarines* sont excellents et les hamburgers aussi. Musique et glaces. Cher.
✕ **Gran Chifa Oriental** : avenida Raimondi 301. Du choix à un prix abordable. Goûtez aux *camarones de piña*.

A voir

▶ **La cueva de las Lechuzas** : prendre un colectivo (et non un taxi), à la hauteur du 101 de l'avenida Raimondi. Entrée payante. Munissez-vous de bottines et d'une lampe-torche. Située à 10 km de la ville, cette grotte est en pleine jungle amazonienne. Les courageux ou ceux qui n'auront pas trouvé de taxi peuvent donc y aller à pied. La balade est agréable et on est accompagné par les papillons. Les cris d'oiseaux (perroquets, chouettes) valent vraiment autant que la grotte elle-même. Malheureusement, depuis que le sable devient humide, il sécrète une moisissure (l'*histoplasmosis spec.* pour être précis) qu'il faut éviter de respirer. Ne pas s'enfoncer à plus de 300 m dans la grotte et mettre un mouchoir sur le nez si l'on veut aller plus loin. Ce sont des amis biologistes qui nous l'ont dit !

▶ **La cueva de las Pavas** : y aller en colectivo. A 8 km de Tingo María, sur la route de Huánuco. Longez le torrent en amont, puis traversez-le. Vous ne trouverez pas de grotte, mais certainement les plus beaux papillons de votre séjour, et le tout dans un cadre magnifique. Entrée gratuite.
🛏 **Hôtel de Turistas** : 1 km avant d'arriver à la ville. D'abord, il y a une piscine (payante) mais le gardien risque d'être en train de prendre l'apéritif. Sinon, l'hôtel une suite de bungalows sur pilotis, très conforme à l'Amazonie du temps des colons. A voir seulement. Éventuellement, prendre un *pisco sour* au bar.

▶ **Jardín Botanico** : près de l'hôtel de Turistas. Pas très bien entretenu, mais gratuit et agréable.

▶ **La Bella Durmiente** : une montagne autour de Tingo María dont la forme rappelle étrangement la silhouette d'une femme endormie.

Vers Pucallpa

De Tingo María, la route emprunte le *Boquerón del Padre Abad*, immense canyon aux parois de 1 500 m, qui donne accès à la forêt amazonienne et au port fluvial de Pucallpa.
Comptez 8 h de bus pour atteindre Pucallpa. Seulement quelques petits tronçons goudronnés. La plupart du temps, on mange de la poussière et c'est un festival de nids-de-poule.

PUCALLPA

La ville de Pucallpa ne présente pas d'intérêt en dehors des vautours qui rappellent Lucky Luke.
– **Office du tourisme** : jirón 2 de Mayo 111.

Où dormir ?

En saison, réservez votre chambre d'hôtel, car c'est souvent complet. C'est bien ici que vous ne regretterez pas d'avoir emporté vos bonnes chaussures, car la ville est souvent un bourbier.
Les hôtels sont chers.

➳ *Hôtel Excelsior :* calle 7 de Junio. Le meilleur marché.
➳ *Hôtel Perú :* pas trop cher.
➳ *Hôtel Europa :* au bout de la calle 7 de Junio. Propre, même si c'est également une maison de rendez-vous.
➳ *Hôtel Combi :* à côté du marché aux fruits, près de la rue principale. Prix raisonnables car confortable. Piscine !
➳ *Hôtel Marinhor :* calle Raymondi. En face du resto *Raymondi*. Correct, mais pas de ventilo.
➳ *Hôtel Sisley :* coronal Portillo. Très propre.

Si vous ne trouvez pas de chambre, allez quémander un bout de sol au poste de police. Mais attention aux moustiques : nécessité absolue d'avoir une crème antimoustiques.
➳ Ou alors trouver un moyen d'aller à la *lagune de Yannacocha* (5 km de Pucallpa). Abords très agréables. Allez chez Thomas qui vit sur les rives de la lagune depuis 5 ans, dans une jolie maison, *La Perla :* pension complète à un prix raisonnable compte tenu des prestations. 3 chambres. Électricité de 18 h à 21 h grâce à un groupe électrogène. Thomas est un ancien cuisinier qui vous préparera de bons plats. Il organise aussi toutes sortes de balades dans les communautés indiennes. Accueil très sympa de Thomas et sa petite famille.

Où manger ?

✗ Au *comedor nacional.*
✗ *Don José :* jirón Ucayali, en face de l'*hostal Mercedes*. Les plats sont excellents. Spécialités péruviennes et d'Amazonie.

Dans les environs

Si vous avez peu de temps, vous pouvez louer à plusieurs un petit bateau avec un Indien comme guide, il vous emmènera dans les villages indiens des alentours. Sachant que vous ne serez pas les seuls à avoir cette idée, il faut s'éloigner d'au moins deux heures pour que l'expédition en vaille la peine. Partir pour deux jours avec nuit en forêt, c'est formidable.

LAGUNE DE YARINACOCHA

Des bus toutes les 15 mn depuis Pucallpa.

Hébergement et excursions

➳ *Ucayali Lodge :* Yarinacocha, Casilla Postal 133. Chambres avec salle de bains. Récent. Tenu par un Français, Pierre. On y organise des excursions en forêt. Forfait 3 jours-2 nuits assez intéressant. Pour y aller, soit avec un bateau de l'hôtel, soit demander un colectivo à Puerto Callao (passage remboursé à tout client de l'hôtel). On peut réserver de Lima en s'adressant au correspondant du *Point, agence El Punto,* 742 La Colména. Dirigée par Gérard, un Français.
➳ *Hostal Los Delfines :* bien et bon marché. Frigo avec boissons et ventilateur dans la chambre. Près du port.
– Des « indépendants » organisent également des promenades de 3 jours en bateau en assurant l'hébergement dans un village indien ou au bord du rio. Bien discuter les prix et les conditions. Méfiez-vous des escrocs.

Où manger ?

✗ *Restaurant El Pescador :* poisson frit, riz, bananes cuites et *yucca* (sorte de manioc, très bon pour couper les repas relevés). Prix très corrects.

✕ *El Cordito :* en face du marché. Spécialités de poisson. Demandez *la don-cella al polone :* poisson, banane, betterave, riz, œuf, avocat, oignons et tomates. C'est la grande et bonne cuisine à peu de frais.

Balade en bateau

Autour du lac, une multitude d'embarcations. Vous pouvez donc demander de partir avec un Péruvien pour un ou plusieurs jours sur l'Ucayali et en forêt. Assez cher. En revanche, il y a des bateaux-bus qui font le tour de la lagune pour ramener les enfants des écoles dans les villages. Beaucoup moins cher et aussi agréable. En une heure, vous êtes à San Francisco. Ne vous attendez pas à voir les Indiens des films U.S. de série B. Il y a à l'école, l'église, l'*hôtel de Raoul*, et, hélas, de moins en moins de poteries finement dessinées, et de plus en plus d'objets pour touristes !...

▶ Visiter *l'Institut linguistique* d'été et ses jardins : un petit paradis pour cher-cheurs américains.

PUCALLPA - HUANCAYO

— *Bus Tepsa.* Réserver un jour à l'avance. Départ à 10 h. Le bus dessert Tingo María et Lima. Arrivée à La Oroya à 8 h le lendemain matin. Pucallpa-Lima en 24 h.

PUCALLPA - IQUITOS

— *Le bateau :* la tarte à la crème pour les amateurs d'aventure ! On descend le fleuve Ucayali, puis l'Amazone lui-même. Le seul danger, ce sont les moustiques.
Certains bateaux de marchandises acceptent les passagers. On peut installer son hamac sur le pont, mais il y a toujours des cabines. Les bateaux affichent sur la proue dates et heures de départ. Prévoir la nourriture ; à bord, ce n'est pas génial. Durée : 3 jours pour la descente (1 ou 2 journées de plus pendant la saison sèche, car le rio Ucayali est assez bas) et 5 à 8 jours pour la montée.
Renseignements à Pucallpa : sur le port *Agencia Fluviac Teixeira,* calle Huascar, ou, plus sympathique, *César Vargas, casería* San José, qui vous apprendra à pêcher, en prime. La balade est amusante le premier jour, mais on s'en lasse vite, d'autant plus que l'Amazone, c'est large.
Remarque : pour l'Amazonie, l'achat d'une pommade antimoustiques n'est pas superflu, pas du tout ! Pensez à prendre votre antipaludéen, au vaccin contre la fièvre jaune et à ne jamais boire d'eau (déjà dit).

IQUITOS

A 3 700 km de l'embouchure de l'Amazone, cette grande ville a la particularité de n'être reliée au reste du monde que par air et par eau. Iquitos, c'est le rendez-vous avec la jungle. Contrairement à Manaus, au Brésil, la ville s'est très peu développée. Le boum du caoutchouc auquel elle doit son expansion n'a été qu'un feu de paille. Celui du pétrole prendra-t-il le relais ? Rien n'est moins sûr. Les habitants y gagnent en nonchalance, en sympathie. On vit au rythme de l'Amazone, très lentement.
Pas grand-chose à voir dans ce gros bourg provincial, mis à part l'incroyable marché du quartier de Belén. Mais il constitue un point de départ unique pour une expédition dans la jungle. Les agences sont nombreuses et il serait dommage de passer par Iquitos sans consacrer au moins 4 ou 5 jours en jungle. Sachez que la plupart des Indiens de la région sont occidentalisés et corrompus. Ils connaissent mieux les programmes de télé que la technique de la sarbacane. Un des grands moments de la ville d'Iquitos est la troisième semaine de juin. Pour la Saint-Jean *(San Juan),* toutes les tribus des environs se retrouvent à la ville pour une fête musicale et religieuse. Elle a lieu à 4 km d'Iquitos dans le vil-lage de San Juan de Miraflorés.

Un peu d'histoire

Fondée au milieu du XVIII° siècle par une mission jésuite, la ville ne connut un réel développement qu'avec le boum du caoutchouc qui sévit de 1900 à 1912. S'il a enrichi les gros exploitants, les Indiens de la région pâtirent sévèrement de cette dure exploitation pour laquelle ils étaient utilisés comme main-d'œuvre très bon marché. Malheureusement, ou plutôt heureusement, le marché du caoutchouc chuta rapidement et la ville retrouva son rythme et sa vie paisible. De cette période, il ne reste que quelques édifices richement décorés d'azulejos.

Comment s'y rendre de Lima ?

— *En avion :* avec les compagnies *Faucett* ou *Aeroperú.* Deux vols par jour minimum. Prévoir 10 $ pour les taxes d'aéroport. Le survol de la sierra et de la forêt amazonienne est un must. On suit les méandres de l'Ucayali. De temps en temps, connexions pour Tarapoto et Pucallpa. De Pucallpa, on peut prendre un bateau jusqu'à Iquitos (voir à la fin du chapitre précédent la rubrique « Pucallpa-Iquitos »).
— *Par terre et par eau :* attention, ce voyage est vraiment éprouvant. Prévoir un hamac, un *repellent*, des gâteaux secs... et de la patience. Bus depuis Lima jusqu'à Pucallpa (28 h en tout) en passant par La Oroya (5 h de trajet), Huanuco (plus 7 h), Tingo María (plus 6 h), et enfin Pucallpa (plus 10 h). De là, on emprunte un bateau qui descend le rio Ucayali pour se jeter dans l'Amazone non loin d'Iquitos. En tout, 5 ou 6 jours de navigation. Dans le sens inverse (Iquitos-Pucallpa), compter 1 à 2 jours supplémentaires car on est à contre-courant.

Transports

— Partout en ville on trouve des tricycles motorisés, genre de trishaw à moteur, qui font office de taxis. Pratique, sympa et bon marché.

Adresses utiles

— *Office du tourisme (Foptur) :* sur la plaza de Armas, côté calle Arica, 122. Ouvert de 9 h à 12 h 30 et de 15 h à 18 h en semaine et le samedi matin. ☎ 23-85-23.
— *Banco del Perú :* Raimondi 240.
— *Importaciones Lima :* Prospero 341. Change un peu plus intéressant que les banques. Ne change pas les chèques de voyage.
— *Poste :* sur Morona, au coin d'Arica. Ouvert de 8 h à 18 h.
— *Entelperú :* Arica 251. Appels nationaux et internationaux.
— *American Express :* Prospero, second block. ☎ 23-17-70.
— *Hôpital principal :* carretera de la Marina. ☎ 23-24-72.
— *Faucett :* Prospero 630. ☎ 23-91-95.
— *Aeroperú :* Prospero 246. ☎ 23-14-54.
— *Varig :* Arica 273. ☎ 23-43-81.
— *Agence consulaire de France :* Prospero 282. ☎ 23-45-11.
— *Consulat du Brésil :* Sargento Lores 363. ☎ 23-41-33.
— *Consulat de Colombie :* plaza de Armas. ☎ 23-14-61.

Où dormir ?

Bon marché

☝ *Hôtel Isabel :* Brasil 156 à 174. ☎ 23-49-01. Un des moins chers. Murs blanc et bleu, patronne charmante. Beaucoup de chambres donnent cependant sur un couloir. Propre. Le meilleur rapport qualité-prix de la ville. Garde vos affaires si vous partez en forêt. Notre préféré.

 ✒ *Hôtel Lima :* jirón Prospero. ☎ 23-51-52. Petit hôtel proposant des chambres avec lavabo et w.-c., propres mais sans fenêtre. Accueil très charmant. Un coin où l'on peut s'asseoir et discuter avec la patronne, très affable surtout lorsqu'il s'agit de son hôtel.
 ✒ *Hôtel Perú :* jirón Prospero. ☎ 23-49-61. Même genre que le précédent mais un peu plus froid. Les chambres sont propres et pas chères mais sans fenêtre. Un peu sombre. Les murs sont d'un vert foncé qui étouffe la lumière.

Prix moyens

 ✒ *Hostal la Pascuana :* jirón Pevas 133. ☎ 23-14-18. Les chambres sont disposées autour d'un jardinet, à la manière d'un petit motel. Atmosphère familiale. La patronne est charmante, tout comme ses prix. Une bonne adresse, très propre. Ventilateur dans les chambres.
 ✒ *Hostal Internacional :* avenida Prospero 835. ☎ 23-46-84. Un peu plus cher. Entrée un peu clinquante. Chambres nickel, avec douche et w.-c.
 ✒ *Hostal Maynas :* avenida Prospero 388. ☎ 23-58-61. Prix moyens et prestations honnêtes, sans plus.

Bien plus chic

 ✒ *Hostal Dos Mundos :* Tacna 631. ☎ 23-26-35. Entrée tout en bois. Populaire, très propre, ce qui explique les prix élevés. Douche et w.-c.
 ✒ *Hostal Safari :* Napo 118. ☎ 23-55-93. Nettement plus cher que le précédent mais bien tenu. Chambres avec vue sur l'Amazone, air conditionné, douche, toilettes. Déjà le petit luxe.
 ✒ *Hôtel Ambassador :* Pevas 260. ☎ 23-31-10. Hôtel tout confort à l'accueil charmant. Cafétéria où l'on sert des petits déjeuners à partir de 7 h 30.

Où manger ?

Bon marché

 ✗ *El Mesón :* Napo 116. A côté de l'*hôtel Safari*. Petit resto populaire et sympa, arrangé avec goût. Plats régionaux copieux. Un des meilleurs restos de la ville.
 ✗ *El Pinasco Restaurant :* Prospero y Raimondi. Cuisine nationale et internationale de qualité mais sans prétention. Déco populaire et ambiance bon enfant.
 ✗ *Gran Chifa Wai-Ming :* sur la plaza 28 de Julio. Un des chinois les plus prisés de la ville. Les travailleurs y viennent le midi. Extrêmement bon marché. Ils font aussi des plats à emporter. A emporter où ? Franchement !

Plus chic

 ✗ *Gran Maloca :* Malecón Taracapá. En face de l'*hôtel de Turistas*. On descend quelques marches pour accéder à une terrasse de bois surplombant l'Amazone d'où l'on aperçoit les baraques de pêcheurs. Atmosphère très agréable. Dans l'arbre jouxtant la terrasse, quelques iguanes batifolent. Service un peu lent mais bon *cebiche de pescado*. Poursuivez avec un *pescado à la Maloca*. Une des meilleures cuisines de la ville. D'ailleurs, c'est là que les notables du coin se retrouvent le midi. Pour les fauchés, il y a aussi un menu économique.
 ✗ *La Terraza :* à côté du précédent. Un autre resto sur le bord de l'Amazone mais moins chic, et plus populaire. Au comptoir, on s'assoit sur des selles de cheval. Cuisine familiale honnête. Goûtez au *cordon blue Terraza*, une spécialité de steak avec jambon, champignons et fromage. Le *paiche a la Loretana* n'est pas mal non plus. C'est un gros poisson découpé en tranches et servi en brochette.

Où boire un verre le soir ?

Il faut bien avouer que l'animation de la ville est réduite à sa plus simple expression le soir venu. Seuls les vendredi et samedi soir sont animés.

– La *Peña Amauta,* sur Nauta 250, à deux rues de l'Amazone, est le seul endroit où passe, rarement, un peu de musique. Un effort pour la déco.

— *Fast food* à l'américaine sur la plaza de Armas. Il reste ouvert jusqu'à 22 h-23 h. Pour faire des rencontres avec la jeunesse du coin. Dans une vaste salle aérée et lumineuse. Les serveuses sont très attachantes.

... Que boire en jungle ?

Si vous allez en jungle, n'oubliez pas de goûter une boisson super, préparée par les Indiens, le *masato*. Buvez-en avant de poursuivre votre lecture. Ça y est ! Bon, maintenant, voilà de quoi il s'agit. Le masato est composé de manioc mâché, salivé par de vieilles Indiennes puis recraché. On laisse fermenter pendant deux jours. On adjoint un peu d'eau et de sucre. Servir frais, sec ou « on the rocks », et à notre santé ! C'est la boisson favorite des Indiens.

A voir

▶ *Le marché de Belén* : au sud du centre, en longeant l'Amazone. Belén, c'est un quartier d'habitation assez incroyable, mais c'est aussi un marché. Ceux qui connaissent le marché de Manaus se sentiront en famille. Le quartier est composé de deux parties, la haute et la basse. La limite entre les deux est créée par la montée des eaux. Si vous venez en hiver ou en été, le spectacle sera tout à fait différent. L'hiver, un des bras de l'Amazone noie sous les eaux tous les rez-de-chaussée des maisons. D'autres habitations sont construites en fait comme des radeaux. Elles montent et descendent au gré des humeurs de l'Amazone, retenues par des cordages. On pourrait dire que le quartier a du charme, mais c'est le charme du sordide. Les gens se déplacent et font leur marché sur des canoës ou des barques de bois. L'été, le rio à sec laisse apparaître les tonnes d'immondices et de travées boueuses où les habitants improvisent des toilettes avec quatre panneaux de tôle. Les maisons-radeaux sont alors vautrées dans la boue et le quartier devient vraiment insalubre. Les enfants ont pour compagnons les vautours.
Dans ce quartier indéfinissable, fait de taudis sur pilotis et de baraques bringuebalantes, au bord de l'Amazone et dans les rues avoisinantes, se tient toute la journée (mais le matin est le plus intéressant) un des marchés les plus vivants de l'Amazone. Les Indiens viennent de loin pour vendre leurs régimes de bananes. Les superbes fruits de la jungle se vendent au milieu d'une pourriture qui tient du sordide, les poulets essaient de crier plus fort que la radio, les porteurs disparaissant sous leur charge se fraient un chemin à grands cris au milieu de la foule compacte. Des vieilles femmes vendent quelques légumes, assises, impassibles, du matin au soir. On trouve ici du manioc, des épices, de beaux fruits, du poisson. Enfants en guenilles et souriants. Après le marché, les vautours font le ménage. En s'éloignant de l'Amazone, en regagnant la partie haute de Belén, on trouve le marché des tissus et produits divers.

▶ *Le musée municipal* : Tawara 133. En longeant l'Amazone vers le nord, à 10 mn de l'*hôtel de Turistas*. Ouvert de 8 h à 19 h, en théorie. Si vous avez un peu de temps à perdre, allez voir ce musée. Il s'agit d'une grande et unique salle où sont exposés, pêle-mêle, comme dans un grand débarras mal rangé et poussiéreux, un tas d'animaux empaillés qui vous feront passer l'envie de vous aventurer seul en forêt. Le côté foutoir de ce musée n'enlève rien à l'intérêt des bestioles présentées : oiseaux, poissons, serpents...

▶ *La maison de fer* : sur la plaza de Armas, au coin de Putamayo, on aperçoit une maison tout en fer, réalisée par Gustave Eiffel. Bon, la maison ne saute pas aux yeux, il faut y regarder à deux fois. On la remarque grâce à ses pylônes métalliques frappés de gros clous. Cette maison fut achetée par un parvenu du caoutchouc et fut remontée ici, pièce par pièce. Elle fut inhabitable, vu la chaleur qu'emmagasinait le fer. Tout cela ne vaut que pour l'anecdote.

▶ A noter, sur Malecón Taracapá, au coin de Putamayo, une ancienne demeure bourgeoise couverte de quelques panneaux d'*azulejos*.

▶ *Plage de Santa Clara* : à 12 km de la ville, sur le rio Nanay. On s'y baigne en famille le week-end.

▶ *Parc de Quistococha* : ce grand zoo qui tombe en ruine est également un lieu de rencontre des gens d'Iquitos qui viennent le week-end s'y promener et se baigner dans le petit lac. Situé à 15 km d'Iquitos. Pour y aller, prenez un tricycle à moteur qui vous y conduira ou un bus colectivo à l'angle de Prospero et de José Galvez. Pas cher mais pas pratique du tout. De toute manière, on ne vous conseille pas d'y aller. Le zoo était encore bien il y a peu mais, aujourd'hui, les animaux crèvent de faim et les cages ne sont pas entretenues. Seuls les singes en liberté semblent heureux.

Expéditions en jungle avec agence

La meilleure raison de venir à Iquitos est de partir en jungle pour 3, 5, 15 jours ou plus. Pour les pressés, sachez que 3 jours sont vraiment un strict minimum. De nombreuses agences organisent des tours de 1 jour à une semaine ou plus. Elles possèdent un programme préétabli mais souple. La plupart de ces agences ont acheté un bout de terrain au bord de l'Amazone ou dans un de ses bras et construit des « lodges », sortes de bungalows sur pilotis avec plus ou moins de confort. Il est difficile de conseiller une agence plutôt qu'une autre. La réussite d'une expédition étant souvent liée à la qualité intrinsèque et aux connaissances de votre guide. Et cela, vous ne le saurez que sur place.
Les agences se trouvent pour la plupart dans la *calle Putamayo*, entre la plaza de Armas et le Malecón Taracapá. Leurs prix varient assez peu. Parallèlement aux agences, des guides privés vous proposeront des expéditions bien moins chères. Certaines sont sérieuses, d'autres pas. Là encore, difficile de séparer le bon grain de l'ivraie. La plupart des expéditions de 2 ou 3 jours consistent à rejoindre en quelques heures le « lodge ». Le confort peut y être rudimentaire ou excellent. Tout dépend. Puis on se balade en jungle, on pêche les piranhas, sans oublier la balade nocturne en canoë ni la rencontre d'Indiens qui n'ont plus rien à raconter, dans un village qui n'a rien d'authentique. Ne vous étonnez pas de voir un poste de télé sur une table ! En général, ces visites de pseudo-indigènes permettent aux locaux de vendre leur artisanat aux touristes. Bref, les Indiens que vous rencontrerez sont aussi corrompus que les artistes de la butte Montmartre à Paris. En revanche, plus vous vous éloignez d'Iquitos, plus la rencontre d'autochtones deviendra intéressante.
Pour bien choisir votre agence, voici quelques conseils élémentaires :
– Comparer les programmes et les prix.
– Ne pas accepter d'emblée les propositions que les taxis vous font dès l'aéroport. Nombreux rabatteurs avec albums photos à l'appui.
– L'office du tourisme possède une petite carte où les différents lodges des principales compagnies sont indiqués. Ça peut aider à comparer.
– Faites-vous décrire le parcours et les activités. Cela vous permettra de savoir si votre interlocuteur connaît lui-même la jungle ou si ses qualités sont avant tout commerciales.
– Plus vous vous éloignerez d'Iquitos, plus votre séjour sera intéressant.
– Les agences qui n'incluent pas dans leur circuit des visites de villages d'Indiens ont tendance à se vouloir moins « touristiques ».
– Suivez votre feeling.

Quelques agences

– *Moise Torres Viena* et son agence *Expediciones Jungle Amazonica* organisent des expéditions d'au moins 6 jours. Adresse : jirón Brazil 217. C'est un type très sérieux qui connaît vraiment son affaire puisqu'il a été guide de l'armée péruvienne. Il prépare aussi des expéditions plus longues. On prépare son circuit avec lui. Un de ses guides ou lui-même vous apprendra à reconnaître les plantes, celles qui soignent, celles qui étanchent la soif, celles qui empoisonnent... Pêche, observation de la faune, etc.
– *Amazón River Lodge :* Putamayo 184. ☎ 23-39-76. Possède plusieurs lodges plus ou moins éloignés d'Iquitos. Expéditions de 2 jours et plus. Prix équivalents aux autres. Sérieux.
– *Iquitos Paseos Amazonicos :* calle Pevas 264. ☎ 23-31-10. Des sorties à 60 km. Minimum 2 jours. Sérieux et compétent.
– *Amazón Selva Tours :* Putamayo 150. ☎ 23-93-24. Fax : 23-69-18. Même genre que le précédent, réputé pour la qualité de ses guides.
– *Amazonias Lodge* est hors de prix.
– On peut aussi réserver de Paris pour une balade de 15 jours en jungle. *Antoine de Peyret*, un type dynamique, a mis au point un circuit très intéres-

sant. Vendu en France par *UNICLAM* (voir « Comment aller en Amérique du Sud ? »). A Iquitos, agence *APES* à l'*hôtel de la Cascana* (calle Pevas 133). Allez le voir directement, s'il est sur le point de partir en jungle et s'il a de la place, il vous prendra dans son groupe avec plaisir.

Visite des villages de l'Amazone autour d'Iquitos

Pour ceux qui répugnent à se retrouver en groupe organisé, une balade le long du fleuve est toujours possible.
— Une journée : vers le village de **Tamshiyacu**. Départ de Venecia, sur le port de Belén le matin vers 8 h… ou 9 h. 3 h sur un bateau-bus avec les locaux pour rejoindre le petit village. Retour vers 15 h, à Iquitos vers 18 h. Un petit hôtel permet de passer la nuit dans le village et repartir le lendemain.
— Une journée : vers le village d'**Indiana**. Cette fois, on descend l'Amazone. Prendre un bateau-bus sur l'avenida Coronel Portillo, au coin d'Arequipa. C'est le « port », appelé Puerto del Camal. Un bateau part aux alentours de 8 h. Retour en fin d'après-midi. Il n'y a pas d'hôtel au village mais on peut toujours dormir chez l'habitant.
— Ceux qui veulent pousser encore plus loin pourront le faire en empruntant tous les jours des bateaux-bus qui descendent l'Amazone en s'arrêtant dans tous les villages, jusqu'à la frontière colombienne.

Quitter Iquitos

Avant toute chose, si vous devez quitter le Pérou par l'Amazone vers la Colombie ou le Brésil, il n'est pas inutile d'aller faire un tour au consulat de Colombie ou du Brésil à Iquitos pour s'informer des formalités d'entrée et des documents nécessaires (visa ou pas visa) qu'il vous faudra produire à la frontière colombienne ou brésilienne. Ça change si souvent ! Renseignez-vous aussi sur le bateau, avant d'atteindre Islandia, pour savoir où obtenir votre tampon de sortie du Pérou. Normalement, il y a un poste frontière avant Islandia.
Il faut trois jours pour atteindre la frontière. Munissez-vous d'eau, d'un hamac, d'un *repellent* et de gâteaux secs, de livres et de boules Quiès !
— **Vers le Brésil et la Colombie :** les bateaux qui partent d'Iquitos jusqu'à la frontière colombo-brésilienne ne sont pas quotidiens. On les prend au puerto del Banco de la Nación. Ce sont généralement des bateaux marchands, qui font escale à Iquitos. A noter que l'embarcadère est en pleins travaux. D'ici quelques années, le béton aura remplacé les rives boueuses du « port ». Parfois plusieurs jours d'attente. Les bateaux péruviens vont jusqu'à Islandia (Pérou).
- Ceux qui veulent poursuivre vers Manaus (Brésil) en bateau traverseront le fleuve, sur une sorte de ferry, pour rejoindre Benjamin-Constant (Brésil) d'où ils prendront un bateau qui fera route vers Manaus.
- Ceux qui se dirigent vers la Colombie iront d'Islandia à Leticia (Colombie). Liaisons aériennes avec Bogota.
— **Vers Lima :** l'avion est la seule solution vraiment intéressante. Attention, taxe d'aéroport importante.
- Pour les acharnés qui voudraient regagner Lima comme la plupart des locaux, voir le paragraphe « Comment s'y rendre par terre et par eau ? » et faire la route en sens inverse.

TANTAMAYO

Avant d'y aller, renseignez-vous sur les activités du Sentier Lumineux… Aux dernières nouvelles, le coin a été « pacifié » et est désormais protégé par les militaires.
Les ruines aux alentours comptent parmi les plus originales du Pérou. Découvertes en 1945 par un explorateur français, Bertrand Flornoy, elles étonnent par leur forme de « gratte-ciel » de 4 ou 5 étages érigés à l'aide de pierres plates. Cette excursion ne concerne que les routards qui ont du temps, car les communications sont difficiles. L'idéal serait de louer une voiture à plusieurs de Huaráz.

Longtemps déserté par les touristes en raison de la guérilla. D'ailleurs, énorme concentration militaire dans les environs. Il faut aimer.

Comment y aller ?

– *De Huánuco :* bus *Transportes Bella*, jirón Junin 635. Tous les matins à 8 h. Durée : 10 h. Attention, le bus s'arrête à Chavín de Pariarca (ne pas confondre avec Chavín de Huantar). Dans ce cas, 15 km à cheval jusqu'à Tantamayo... ou à pied, ou camion tous les deux jours environ.
– *De Tingo Chico :* camion-bus.

Où dormir ? Où manger ?

Pas d'hôtel. La nuit, il fait très froid (on est à près de 4 000 m).
☛ Il n'y a qu'une famille qui assure l'hébergement : **Consuelo Romero de Marticorena (albergue Ocaña Alhuas),** sur Captain Espinoza. Accueil superbe. La maîtresse de maison est aux petits soins pour ses hôtes. Excellente cuisine familiale.

Les ruines

Les sites appartiennent à une culture originale qui a existé du Xe siècle de notre ère jusqu'à l'époque inca. En effet, le style des constructions est très particulier. Les voûtes sont formées d'une succession de dalles plates qui se chevauchent progressivement. Les étages sont desservis par des escaliers en colimaçon. B. Flornoy a découvert 41 sites, mais 3 seulement valent vraiment la visite.

▶ *Susupillo* (il fait assez frais !) : compter 4 h avec un guide, et 5 h sans guide, mais il est assez difficile de trouver le chemin le plus court. Susupillo est la principale forteresse contre les invasions des peuplades d'Amazonie qui pouvaient remonter le Marañon.

▶ *Piruro :* 2 h avec un guide, mais guère nécessaire. Sur la colline en face de Tantamayo. Les courageux peuvent faire Susupillo et Piruro dans la journée. *Piruro* signifie fusaïole en quechua ; la nuit, en effet, le vent qui pénètre dans les ruines rappelle le son de cet instrument. C'est un petit village avec des ruelles et des maisons à étages. Ruine la plus grande.

▶ *Japalan :* ruine la plus éloignée mais la plus impressionnante. Comptez au moins 5 h. Citadelle sur la crête d'une montagne. Vue vraiment splendide sur la cordillère Blanche et les Trois Vallées (faire l'excursion par temps clair). Sur le chemin, une grande pierre étonnante, surnommée *llama llama,* sur laquelle sont gravés une multitude de petits lamas.
Demandez où se trouve le *Transito de la sierra* (peut-être plus connu sous le nom de *Granero*), ruine accrochée sur un flanc de montagne et qui ressemble à un petit train.

A voir dans le village

▶ *L'église* du XVIIe siècle et son clocher très harmonieux. L'église est fermée faute de curé mais avec un peu de chance (demandez au maire !), vous pourrez admirer un magnifique autel polychrome sur le côté droit. Derrière l'autel principal, un mur qui date, dit-on, de l'époque inca. Face à l'entrée, on aperçoit un portrait de Vierge avec des visages à ses pieds, qui, selon un ethnologue italien, seraient non pas ceux de villageois, mais d'Incas.

▶ *Le four à pain,* très ancien, derrière l'église.

TANTAMAYO - LA UNIÓN - CHIQUÍAN - HUARÁZ

La route Tantamayo-Huaráz par les *puya raimondi* est géniale (nous pesons nos mots).

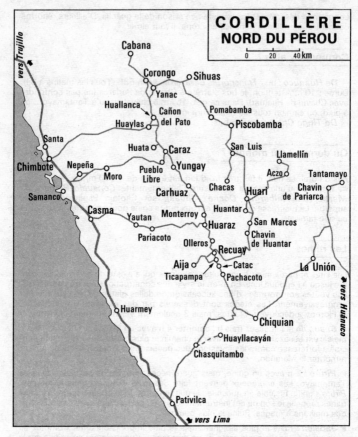

CORDILLÈRE NORD DU PÉROU

0   20   40 km

vers Trujillo

Cabana

Corongo   Sihuas

Yanac

Huallanca   Cañon   Pomabamba
Huaylas   del Pato   Piscobamba

Santa   Huata   Caraz   San Luis   Llamellín

Chimbote   Nepeña   Pueblo   Yungay   Aczo   Tantamayo
Moro   Libre   Chacas   Huari   Chavin
Carhuaz   de Pariarca

Samanco   Casma   Monterroy   Huantar
Yautan   Huaraz   San Marcos
Pariacoto   Olleros   Chavin
Recuay   de Huantar

Aija   Catac   La Unión
Ticapampa   Pachacoto

vers Huánuco

Huarmey   Chiquian

Huayllacayán
Chasquitambo

Pativilca

➤ *vers Lima*

— De Chavín de Pariarca, compter 2 h 30 pour Puente Tingo, bifurcation par La Unión. Le bus s'arrête généralement la nuit à Puente Tingo (on peut dormir dans le bus !).

— Les ruines de Huánuco Viejo, qui se trouvent près de La Unión, sont difficiles d'accès, mais c'est une balade très agréable. La compagnie *Acosta* assure la liaison. Elle est située deux rues à droite après le marché. Départ à 8 h. Très long.

— De La Unión à Huanzala, la route passe par des défilés très pittoresques. Des « mixtes » partent de la place du marché tous les jours de 7 h à 9 h. Compter 2 h de route.

— La route qui va directement de Huanzala à Pachacoto (sans passer par Chiquián) traverse la cordillère Blanche. Paysages vraiment époustouflants. Un bus fait la liaison deux fois par semaine, mais il ne s'arrête pratiquement pas et on n'a pas le temps de voir. En camion, c'est plus long, mais on peut mieux admirer les paysages. Vous y verrez des *puya raimondi*, cactus géants qui ne poussent que dans cette région.

HUARÁZ

Elle était belle la Huaráz d'antan. Malheureusement, un tremblement de terre la détruisit entièrement en 1970. D'ailleurs, c'est toute la vallée qui fut ravagée.

80 000 morts en tout ! Bien plus que la tragédie arménienne de fin 1988. La ville fut reconstruite à l'américaine, comme la plupart des villes du Pérou. Rues larges tracées au carré, petits immeubles de béton... Pas beaucoup de charme donc, mais un dynamisme étonnant, une grande animation dans les rues, une population cosmopolite où se mêlent les touristes, les randonneurs, les Indiens, les archéologues...

Perché à 3 091 m, Huaráz est le plus grand centre de départ des treks de toute la région. La ville est entourée par la cordillère Blanche et la cordillère Noire, imposantes et superbes. La première possède des sommets couverts de neige toute l'année ; la seconde, moins élevée, conserve ses couleurs austères, d'où son nom. A ce propos, savez-vous pourquoi l'une est noire et l'autre blanche ? C'est à cause des vents chauds venus de l'océan. Ils viennent s'échouer sur les pentes de la cordillère Noire qui protège ainsi les pics de la Blanche. Ceux qui prévoient une expédition en montagne loueront leur matériel à Huaráz, où l'on trouve tout ce qu'il faut. La ville possède un petit musée intéressant et un marché coloré. A quelques heures de là, on trouve le superbe site de *Chavín de Huántar*. A ne pas louper.

Le parc national Huascarán

Huaráz est à l'entrée du *Parque Nacional Huascarán*, l'un des joyaux du Pérou, déclaré Patrimoine Naturel de l'Humanité par l'Unesco ! Les plus grands alpinistes du monde sont venus ici tutoyer les sommets au-dessus de 6 000 m. Le plus beau peut-être est le Huascarán lui-même, qui domine la vallée à 6 768 m, puis le Huandoy avec ses 6 342 m. C'est aussi dans cette région qu'on trouve l'une des plus curieuses plantes du Pérou, la *puya raimondi*, longue verge dressée vers le ciel et qui peut atteindre 12 m de hauteur.

Adresses utiles

– *Douches chaudes :* avenida Raimondi 904. Celles des hôtels sont froides en général, même si les patrons disent le contraire.
– *Poste :* sur la plaza de Armas. Ouverte de 8 h à 19 h.
– *Centre téléphonique :* à côté de la poste. Ouverte tous les jours de 7 h à 23 h.
– *Police touristique :* jirón José de Sucre, 2ᵉ bloc. ☎ 72-13-41.
– *Hôpital régional de Huaráz :* avenida Luzuriaga y Barrio de Belén. ☎ 72-18-61.
– *Lavanderia Liz :* jirón Simon Bolívar 709.
– *Banco de la Nación :* avenida Luzuriaga 690. ☎ 72-11-13.
– *Casa de cambio :* au deuxième étage de la *cafétéria Montecarlo*, avenida Raimondi y Lucar y Torre.
– *Change :* dans la rue Luzuriaga, un peu avant la plaza de Armas. Taux guère plus intéressants que ceux de la banque.

Où dormir ?

L'été, on peut parfois avoir des difficultés pour se loger à Huaráz. Tous les montagnards partent d'ici pour leurs expéditions. On vous donne pas mal d'adresses, vous devriez trouver une place. Les douches sont rarement chaudes. Le matin, vous avez plus de chance.

Bon marché

🛏 *Albergue Copa :* Bolívar 615. Petit immeuble neuf. La patronne a mis des petits drapeaux de tous les pays pour que les routards se sentent à l'aise. Pas cher et très bien. On peut y faire sa lessive et les douches sont chaudes. Une bonne adresse.

🛏 *Hôtel Cataluña :* calle Raimondi 622, près du coin de l'avenida Luzuriaga. ☎ 72-11-17. Simple. Devenu assez cher. Chambres de 1 à 4 personnes. Le proprio, Pépé, est un type dynamique qui parle le français et connaît bien la montagne. Il pourra vous donner un tas de conseils très utiles. Il a travaillé avec des types comme Demaison. Bref, il connaît son affaire.

Au premier étage, il a fait un bar-resto très sympa. Ambiance chaleureuse et bonne cuisine typique, mais il n'ouvre le resto que l'été. Il a même une machine à café. Que c'est bon un expresso ! Il loue aussi du matériel de bivouac. Une adresse très utile pour les petits randonneurs. Les professionnels de la montagne se référeront plutôt au chapitre consacré au trekking.

🛏 *Pension Señora Lopez :* avenida Bolognesi. Pas évident à trouver. Demander « el Coliseo de Gallos ». Bon accueil. Chambres propres. Petit déjeuner en plein air. Prix très serrés.

🛏 *Pension Estella :* jirón Nueva Granada 731. Dans une maison sympa et agréable. On peut utiliser la cuisine. Pas cher, bien sûr.

🛏 *Hostal pension Maquiña :* avenida Tarapacá 643. Face aux transports *Rodriguez*. Propreté douteuse. Eau chaude parfois. Le fils parle le français, c'est pour cela qu'on l'indique. Petit bar au rez-de-chaussée. Bon marché.

🛏 *Alojamiento Galaxia :* jirón Juan de la Cruz Romero 638. La petite patronne est bien aimable et accueille avec gentillesse les routards. Maison calme et simple. Plusieurs chambres récentes. Très bien pour le prix. On peut y faire sa lessive.

Plus chic

🛏 *Alojamiento Yanett :* avenida Centenario, après le pont. ☎ 72-14-66. Très chouette maison particulière bien tenue et à 5 mn du centre. Hyperpropre et arrangée avec goût. Chambres autour d'un jardinet. Prix étonnamment modiques pour le confort.

🛏 *Eduard's Inn :* avenida Bolognesi 121. ☎ 72-26-92. Près de la prison et un peu excentré. Tenu par des gens adorables. Nickel. Un peu plus cher que le précédent. Très calme. On peut y prendre son petit déjeuner. Chambres de 3 ou 4 également.

🛏 *Hôtel Colomba :* Francisco de Zela 210. ☎ 72-15-01. Bungalows très bien tenus, situés dans une pinède. L'entrée donne sur un patio avec plantes, fontaines, colombes (d'où son nom). Attention, l'entrée n'est pas facile à trouver. Elle se situe dans un renfoncement, au bout d'une entrée de garage. Vraiment très charmant et pas si cher. Petit déjeuner à la demande des clients. Idéal pour se reposer.

Beaucoup plus chic

🛏 *El Andino :* sur les hauteurs de la ville. Un chalet suisse aménagé dans le luxe montagnard. Très agréable. Vue superbe sur le Callejón. Bien mieux que l'*hôtel de Turistas* pour le même prix. Bien sûr, eau chaude, téléphone, restaurant... et petit jardinet fleuri où promener son regard à l'approche du crépuscule.

Où prendre le petit déjeuner ?

– *Casa de guías Alpes Andes :* selio Villón. Sur la petite place derrière la Banco de la Nación. Petit déjeuner continental, américano et local. Copieux et bien servi dans un cadre montagnard. L'occasion de glaner des infos sur la région.

– *Crêperie Patrick :* voir « Où manger ? ».

Où manger ?

✕ *Crêperie Patrick :* avenida Luzuriaga 424. En plein centre. Ouvert matin et soir. Tenue par un Français d'Orléans qui fabrique lui-même jambon, saucisses et saucisson, moutarde, yaourts et confitures. Le rendez-vous des routards de tous les pays. On met les tables en terrasse dès les premiers rayons de soleil et on échange les dernières nouvelles autour d'un pastis. Très bonnes crêpes mais aussi choucroute, truites, omelette, spaghetti, raclette, fondue, *conejo al vino*... et bien d'autres choses dont la spécialité du pays : le *cuy broaster*. Bref, une bonne ambiance et de chouettes rencontres.

✕ *Chifa Min Hua :* à côté de chez *Patrick*. Le meilleur resto chinois de la ville. Très apprécié par les locaux. Que voulez-vous de plus ?

✕ *Recreo Pilato :* calle Pedro Cochachin. Un peu au-dessus du *Chalet Suisse*. Ouvert midi et soir. Tables disposées autour d'un agréable patio. Cuisine typique de la région. L'occasion d'aller faire un tour sur les hauteurs de Huaráz. Très calme, voire intime.

✗ *Chez Pépé :* au premier étage de l'*hôtel Cataluña*. Seulement l'été. Cafétéria tenue par Pépé, bien sûr. Fait aussi bar où l'on peut prendre un *capuccino !* Atmosphère routarde et bons petits plats.

✗ *Recreo la Unión :* jirón Manco Capac 135. Bon petit resto typique. Pour ceux qui n'auraient pas le courage de monter jusqu'au *Pilato*. L'ambiance est plus populaire et la déco moins soignée. Très sympa et plutôt animé.

Plus chic

✗ *Hostal Ondina (le Chalet Suisse) :* au-dessus du village, près du cimetière. Du centre, 15 mn à pied ou prendre un taxi. Le resto d'un des hôtels les plus chic de la ville. Tenu par un Suisse. La meilleure table de la ville. Cadre agréable sans plus, mais bonne nourriture : fondue savoyarde ou truite meunière. Bonnes soupes aussi. Cher, mais ça fait du bien de reprendre goût à la bonne cuisine.

Où écouter de la musique ? Où danser ?

– *El Tambo :* calle La Mar 766. Ferme à 2 h. Une chouette *peña* arrangée avec goût et chaleur. Les groupes qui s'y produisent sont bons. Consommations abordables.
– *La Puka Ventana Bar :* en face de l'université. Seulement le week-end. Musique rock des années 60. Attention, en fin de soirée, quelques accrocs entre les locaux, dus à l'alcool.

Trekking dans la cordillère Blanche

La cordillère Blanche offre des dizaines de possibilités pour le marcheur, comme pour l'alpiniste chevronné. Notre propos n'est pas de les recenser. Mais sachez que l'éventail des possibilités à partir de Huaráz est énorme, de 1 à 15 jours. Une des randonnées les plus prisées se fait au départ de la laguna de Llanganuco en 2 ou 4 jours. Super et pas difficile (voir plus loin le chapitre qui lui est consacré). Pour d'autres randonnées, renseignez-vous auprès des adresses ci-dessous.
– Même si certaines villes sont plus proches de votre point de départ pour une marche en montagne, c'est à Huaráz qu'il faut préparer votre randonnée. Pour cela, l'*office du tourisme* vous donnera toutes les infos nécessaires. Ils sont compétents et disposent de classeurs avec des cartes de tous les treks de la région.
– *La Casa de Guías :* Selio Villón. Sur la petite place derrière la Banco de la Nación. Une association qui regroupe des professionnels de la montagne. En plus des informations sur les treks de la région, vous pouvez vous renseigner sur les conditions météorologiques et les dernières nouvelles du parc. Également une bonne adresse pour trouver un guide.
– *Trekking and Backpacking Club :* pasaje Francisco Sal y Rosas 358. Une autre bonne adresse pour glaner des infos sur les treks, des cartes et des conseils. Organise aussi de nombreuses sorties. Pour ceux que les condors intéressent, ils connaissent un coin inédit, réputé infaillible. Nous, on n'en est pas si sûr. Les condors ont de grandes ailes, les montagnes sont vastes... et les commerçants péruviens ont la langue bien pendue.
– L'ouverture d'une *librairie* spécialisée sur la montagne est prévue au parque Lunebra, Galeria Jinebra, oficina 101.
– Pour *louer du matériel* voici deux adresses :
• *Anden Sports Tours :* Luzuriaga 571. Le magasin le plus pro et le plus complet pour acheter vos cartes et louer votre matériel. Le livre de Jim Bartle donne aussi d'excellentes infos sur les randonnées.
• A l'*hôtel Cataluña,* Pépé loue du matériel de bivouac et organise des treks de 2 à 15 jours avec guide et cuisinier. Il est compétent et connaît la montagne. Prix honnêtes et on est en confiance (Pépé, si tu exagères, on te vire du bouquin !).
– *Le magasin Ortiz :* avenidas Luzuriaga et Raimondi. Pour acheter de la nourriture spéciale montagne : fruits secs, lait en poudre, etc.

Combats de coqs

– *Coliseo Gallo de Oro :* le dimanche après-midi. Au bout de la ville, en allant vers Monterrey. Cruel et drôle. Parfois, les paris se terminent en bagarre. Les spectateurs essaient alors de faire combattre les protagonistes dans l'arène. C'est rare mais c'est plus amusant que de voir les pauvres coqs se crêper le chignon.

A voir

▸ *Musée archéologique :* sur la plaza de Armas. Ouvert de 9 h 15 à 16 h 30, le samedi de 10 h à 14 h. Petit mais très intéressant. Nombreuses sculptures *chavín*. A voir avant d'aller à Chavín de Huántar. On peut y prendre des photos.

▸ *Marché* tous les jours dans l'avenida San Martín. Le dimanche est le meilleur jour. Explosion de couleurs et d'odeurs. Les gens de la sierra viennent y vendre leurs produits. Ici, on a conservé la tradition du costume, surtout les femmes. Jupes rouges, orange, jaunes ou vert pomme, avec un chemisier tout aussi flashant. Les couleurs sont choisies parmi les primaires ou les complémentaires. Résultat éclatant de beauté et de fraîcheur. Les cheveux sont très longs et sagement réunis en deux nattes parfois jointes en leur extrémité. La tête est ornée d'un chapeau le plus souvent melon. Un gilet de laine et un poncho protègent du froid. Des bas épais couvrent les jambes. Le marché est vivant et agréable. Les produits sont vendus à même le sol ou dans de petites cabanes de bois et de tôle. Ami photographe, vous n'êtes pas le bienvenu ! Soyez discret, demandez la permission, ou abstenez-vous. Les Andins ont horreur des photos et ils détournent la tête à la simple vue d'un appareil autour du cou. A vous de respecter leur identité.

▸ *Le mirador de Rataquena :* à 2 km au sud-est de Huaráz, après le cimetière. De là, on domine la ville et on peut admirer les deux cordillères d'en face.

Chouettes balades aux environs

▸ *Chavín de Huántar :* voir le paragraphe qui lui est consacré plus loin.

▸ *Ruines de Willakawain :* compter 4 à 5 h aller et retour, en marchant tranquille. Ce site archéologique, situé à 7 km sur une colline au-dessus de Huaráz, vaut plus pour la chouette balade dont il constitue le but que pour son intérêt archéologique. Sortir de Huaráz en direction de Monterrey. Après l'*hôtel de Turistas* et le stade, tourner à droite. Puis une bonne grimpette jusqu'aux ruines par un chemin cahotang offrant d'admirables panoramas sur les montagnes environnantes. On passe par de petits villages, encadrés de prairies où jouent les enfants et paissent les moutons. On rencontre des femmes qui lavent le linge. Si vous n'êtes pas habitué à l'altitude, on vous conseille d'attendre le deuxième jour pour effectuer cette balade. On peut aussi louer un taxi à plusieurs, mais ce n'est plus une promenade. Munissez-vous d'une lampe de poche pour visiter les ruines à l'intérieur. Petit droit d'entrée.
Le site, au sommet d'un mamelon verdoyant, entouré de paysages très beaux, se compose essentiellement d'une pyramide à plate-forme, construite avec de gros blocs de pierre. Elle date du Xe siècle. Allez jeter un œil aux galeries intérieures dont les voûtes sont soutenues par de larges pierres.

▸ *Le lac Churup :* une journée. Départ de Huaráz tôt le matin jusqu'à Pitec en taxi (négociez les prix, mais ceux-ci sont assez élevés). Ce petit village perché à 4 300 m jouit d'un paysage fantastique. Maisons rondes de pierre et chaume. Impressions étranges. De Pitec, 2 h 30 de marche pour rallier le lac à 4 600 m. Un des plus beaux lacs de la cordillère. Redescente sur Pitec et retour à Huaráz.

▸ *Caminata Huaráz-Pukaventana :* une balade sur les hauteurs de Huaráz. 5 km. Prévoir une demi-journée. Monter jusqu'au cimetière, et de là, prendre un chemin qui grimpe jusqu'au mirador de Rataquena (superbe vue sur la ville et la cordillère). Le sentier continue en longeant la crête vers le sud, contourne la ville et redescend vers la rivière.

Rafting, escalade et mountain-bike

– *L'agence Monttrek :* Luzuriaga 646, près de la plaza de Armas, organise de chouettes balades en raft. Assez cher.
Elle dispose également d'un mur artificiel de 7 m pour pratiquer l'escalade.
– *La Crêperie Patrick :* Luzuriaga 424, loue des moutain-bikes avec itinéraires à l'appui. Une façon originale de découvrir les environs, riches en sentiers et en paysages.

Quitter Huaráz

Vers Yungay, Caraz et Chimbote

– *Compagnie Moreno :* calle Raimondi 874. Va jusqu'à Chimbote par le cañon del Pato. Départs à 8 h et 20 h. Super parcours dans la vallée du Callejón.
– *Compagnie Huandoy :* calle Fitzcarrald, juste avant le pont, sur la droite. Un bus toutes les 15 mn en moyenne, toute la journée, qui dessert Yungay et Caraz. Si vous n'allez pas loin, c'est le moyen de locomotion le plus pratique.

Vers Lima

– *Empresa Ancash :* calle Raimondi, 8e Quadra. La compagnie la plus confortable. Un bus le matin, un à 14 h, deux le soir.
– *Bus Rodriguez :* Tarapacá 622. Départs à 9 h 30 et 21 h 30.
– *Empresa 14 :* Fiztcarrald 216. Bus neufs. Départs matin et soir.

Vers Trujillo (via Casma)

– *Empresa Chinchan Suyo :* avenida Bolívar 663. Un départ le soir. Durée 10 à 12 h. Bus corrects. On loupe le cañon del Pato. C'est tout de même dommage.
– *Empresa 14 :* Fiztcarrald 216. Même parcours. Un départ le soir.

De Huaráz à Pucallpa

Beaucoup de routards descendent de Huaráz à Pucallpa. Pas toujours aisé. Voici l'itinéraire : Huaráz - Chiquían - La Unión - Huanuco - Tingo - María - Pucallpa. Prendre tout d'abord un bus pour aller à Chiquían. Il part à 11 h au carrefour de l'avenue Caraz et de l'avenue Huascarán. A Chiquían, prendre un autre bus sur la plaza de Armas qui va à La Unión. De La Unión, bus jusqu'à Huanuco puis jusqu'à Tingo María et Pucallpa. De là, les vrais acharnés remonteront le fleuve Ucayali pour gagner l'Amazone et Iquitos.

MONTERREY

Petit village de quelques maisons, situé à 7 km de Huaráz. Connu pour ses bains thermaux. Assez super. Si vous séjournez à Huaráz, ne manquez pas de faire trempette dans une des piscines d'eau chaude. Très agréable. Ne prêtez guère attention à sa couleur jaunâtre : c'est le soufre qui lui donne cette teinte. Le week-end, les gens du coin y viennent en famille.
Pour y aller, prendre un des microbus *Linea Uno* qui partent de Huaráz toutes les 15 mn environ, sur l'avenida Luzuriaga ou l'avenida Fitzcarrald qui prolonge la première. On les reconnaît facilement à leurs couleurs blanc et vert. On peut aussi y aller à pied en passant par les *ruines de Willcawain* (voir ci-dessus le texte s'y rapportant). Depuis les ruines, il suffit de poursuivre le chemin.

Où dormir ?

Deux hôtels chers :

🛏 *Hôtel Monterrey :* situé au-dessus des bains, dans un cadre superbe. Grande maison blanche avec toit de tuiles, bien arrangé. Accès direct aux bains, et c'est bien là le seul intérêt car l'hôtel en lui-même est plutôt froid et impersonnel. Fait aussi cafétéria.

☛ *Hôtel Patio :* situé un peu plus bas, il est plus agréable que le précédent. Des petits bungalows tout confort sont disposés dans un très beau jardin aux couleurs vives. Très reposant. Certes il n'y a pas de bains thermaux mais ceux-ci sont ouverts à tous pour une somme modique.

CHAVÍN DE HUÁNTAR

Un des sites les plus fréquentés du nord du Pérou. Il n'y en a pas tant que ça. Situé à 115 km de Huaráz. Cette superbe excursion, à travers des paysages uniques, vous prendra une journée et demie.

Comment y aller ?

Le plus pratique, et en fait pratiquement la seule possibilité d'aller à Chavín, est de partir de Huaráz. Quelques agences de tourisme proposent de vous faire faire l'aller et le retour dans la journée. On ne le conseille vraiment pas. En effet, la route est très mauvaise, et chaque année il faut plus de temps pour y aller, surtout en période de pluie. Compter 4 h aller et 4 h retour ! Comme les chauffeurs des agences doivent être rentrés à une heure précise, on rogne sur le temps de la visite. 30 mn de visite pour 8 h de piste, ça fait des mécontents. On vous conseille donc de faire ça plutôt en deux jours, en prenant les bus locaux, c'est bien moins cher. On passe la nuit sur place et on revient le lendemain matin. Si c'est possible, et que vous n'avez pas le vertige, faites une partie du voyage (après le tunnel) sur le toit du bus. Vraiment sympa.
— Ceux qui n'ont vraiment qu'une journée à consacrer aux ruines et qui veulent y aller s'adresseront aux agences. Très cher mais on ne passe pas la nuit à Chavín. Les agences de tourisme qui proposent une telle excursion sont toutes situées sur l'avenue principale de Huaráz. Renseignez-vous, comparez les prix et discutez. Attention lorsque vous achetez un billet, assurez-vous que le bus part bien le jour dit. En effet, les agences ne font pas le trajet tous les jours et n'ont aucun scrupule à vous vendre un billet même s'il n'y a pas de bus. On en connaît qui sont restés en rade à Huaráz à cause de ça. Certaines compagnies ont des bus plus confortables que les autres *(Chavíntours, Condortour)* mais on revient tout de même éreinté.

Où dormir à Chavín ?

Il y a quelques hôtels mais ils sont vraiment sales. L'*hostal Inca* et le *Cantu* sont à déconseiller.

☛ *Hôtel Geminis :* proche des ruines. Logement et nourriture pas chers. Bon accueil.
☛ *Hôtel Monte Carlo :* assez sale, mais très bon marché.

Le site

▶ Le site archéologique de Chavín garde encore beaucoup de ses secrets. Situé au pied d'une montagne, entre deux fleuves, il révèle, par la disposition de ses édifices, la silhouette d'un jaguar, dieu puissant et terrible comme le suggèrent les sculptures terrifiantes qui lui sont consacrées. Cette civilisation antérieure aux Incas (1800-300 avenida J.-C.) était dominée par les prêtres qui vivaient dans les souterrains du Castillo, énorme bâtiment pyramidal. Un habile procédé de canalisation souterraine leur permettait de faire trembler la terre en y déviant les eaux des deux fleuves. La classe dominante régnait ainsi par la peur sur la population paysanne. Les sacrifices humains ne semblaient pas exclus des cérémonies, comme en témoignent ces têtes de mort sculptées dans la pierre et encastrées dans les murs des parois du temple.
Le site de Chavín est aussi intéressant pour sa représentation symbolique et l'image qu'il suggère de l'univers.

L'ensemble du site est construit avec des pierres blanches et noires. Cette dualité se retrouve avec force dans la porte principale du temple, soutenue par deux hautes colonnes, l'une blanche, l'autre noire. A noter également des représentations de têtes diaboliques qui suggèrent que ces hommes identifiaient le mal au Malin, conception purement biblique du reste.

Bien d'autres éléments font de ce site un des hauts lieux mystiques d'Amérique latine. Certains experts avancent en effet que toute l'architecture est basée sur la quadrature du cercle (figure hautement symbolique) et supposent que ces prêtres avaient des connaissances très poussées en mathématique astronomique... Tout cela pour dire que les « initiés » et autres gourous en quête de cogitations extatiques y trouveront leur compte. Pour ceux que cela intéresse, Miguel Chiri de *Trekking and Backpacking Club* (voir adresse plus haut, au chapitre « Huaráz », rubrique « Trekking dans la cordillère Blanche ») possède une documentation complète sur le site et s'intéresse lui-même à ces phénomènes.

Le clou de la visite est probablement l'intérieur de la **Grande Pyramide**. Elle renferme un monolithe effilé de 4,60 m (dit le *Lanzón*), représentant un personnage à la fois homme et félin, probablement dieu suprême de ces « Chavinois ». Après les tremblements de terre, la circulation de l'air à l'intérieur de cette salle cérémoniale est certainement la « chavinoiserie » la plus déconcertante. Face à la statue, de part et d'autre de l'autel, les murs comprennent des voies d'aération dont les orifices se font face. Normalement l'air devrait circuler de l'une à l'autre dans un sens unique. Or une simple expérience prouve que de chaque côté l'air est aspiré et qu'au centre il n'y a pas de turbulences. Mystère... que des années de recherches n'ont toujours pas élucidé. Salles ouvertes de 8 h à 12 h et de 13 h à 16 h ; les dimanches et jours fériés : de 9 h à 12 h et de 14 h à 16 h. Demandez au gardien de brancher la lumière. Il y a parfois des pannes de générateur.

A une demi-heure de marche vers Huaráz, des bains thermaux, le long de la rivière, dans un cadre fort agréable.

LAGUNE DE LLANGANUCO

Cette superbe lagune, située à 3 850 m d'altitude, est le point de départ d'une des randonnées les plus classiques de la région. Il est nécessaire de préparer son matériel depuis Huaráz. La ville de Yungay, plus proche de la lagune, est petite et on n'y trouve pas grand-chose. C'est pourquoi nous rattachons cette randonnée à Huaráz et non à Yungay.

Balade jusqu'à la lagune

Si vous désirez simplement aller voir la lagune puis redescendre sur Huaráz, deux solutions :
– Passer par une agence qui vous y emmènera et vous ramènera à Huaráz dans la journée. On vous déconseille cette solution car c'est cher. Pour atteindre la lagune, on passe par Yungay, situé à une heure de route au nord de Huaráz, puis on grimpe par une piste cahotique de 26 km (1 h 30) jusqu'à 3 850 m. Beau lac aux eaux vertes et transparentes, encadré de montagnes enneigées. Beau point de vue sur le parc Huascarán. Sur le chemin, des gosses font des barrages en dansant pour un peu de monnaie. On ne pense pas qu'il soit très judicieux de donner de l'argent.
– Les fauchés qui veulent faire la même balade pourront se rendre à Yungay en prenant les bus *Huandoy* ou un colectivo de Huaráz, puis attendront qu'une camionnette monte vers la lagune de la plaza de Armas. Renseignez-vous. Périodicité imprévisible. On peut aussi héler un minibus d'une agence venant de Huaráz si on en a assez d'attendre. Le chauffeur et le guide seront toujours réjouis de faire se serrer les autres passagers et de se faire un peu d'argent « en direct », sans rien dire à l'agence. Négocier le prix. Cette solution est la meilleure. Bien plus économique que la première.

Trekking dans le parc Huascarán depuis la lagune de Llanganuco

Randonnée pédestre fort intéressante, au cœur de la cordillère Blanche. De plus en plus de touristes. Entrée payante pour les étrangers. Ce qu'on découvre : des arbres très rares n'ayant pas d'écorce et qui poussent seulement au-dessus de 3 000 m ; de nombreux lacs, rivières, cascades, torrents où l'on peut

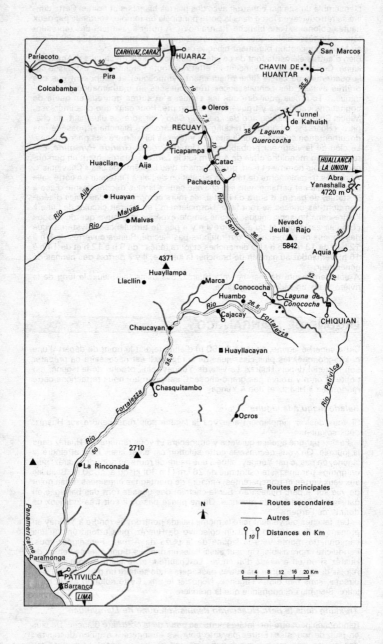

CALLEJÓN DE HUAYLAS (SUD)

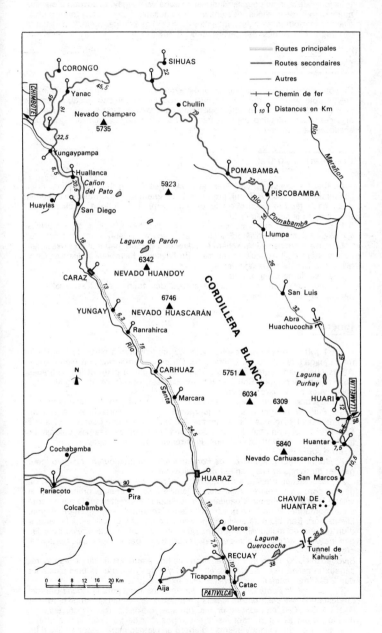

CALLEJÓN DE HUAYLAS (NORD)

pêcher la truite ; des caravanes de mulets et d'Indiens qui n'hésitent pas à faire trois jours de marche pour se rendre au marché de Yungay. Beaucoup d'oiseaux multicolores, des vallées, des chaumières ancestrales, le tout entouré de glaciers et de montagnes culminant à plus de 6 000 m. Le Huascarán, la plus haute montagne des Andes, est devant vous : 6 768 m.

Comment y aller ?

On vous déconseille de passer par une agence qui vous demandera une somme élevée pour vous y emmener. Prendre un bus ou un colectivo jusqu'à Yungay puis attendre une camionnette pour monter à la lagune. On peut aussi louer les services d'un colectivo à plusieurs. Mais la route est si mauvaise que peu acceptent d'y monter.

Préparation du trek

— En fonction de vos possibilités, le trekking se fait en 1, 2 ou 4 jours. Pour l'excursion de 4 jours (67 km), prendre l'équipement et la nourriture du « chemin des Incas » (voir le chapitre qui lui est consacré). Tout le long du chemin, on trouve du bois sec et de l'eau.
— Pour le matériel et les conseils, voir plus haut les adresses de la rubrique « Trekking dans la cordillère Blanche », au chapitre « Huaráz ».
— La carte du Huascarán s'achète à la direction du parc national du Huascarán, au ministère de l'Agriculture (en haut de l'avenida Raimondi à Huaráz). On y glane pas mal de renseignements.
— L'entrée du parc est payante.
— Ce trek devenant très populaire auprès des touristes, il l'est également devenu auprès des voleurs.

Itinéraires

— *En 1 jour :* prendre une camionnette ou un colectivo à partir de Yungay le matin jusqu'à la lagune de Llanganuco. On peut y emporter son pique-nique. Après une balade autour des lacs, redescendre par la piste et les pâturages pour rejoindre Yungay. Compter 5 h pour la descente. Pas trop fatigant. Très belles vues sur le parc Huascarán.
— *En 2 jours :* monter jusqu'à la lagune de Llanganuco tôt le matin (voir plus haut). Puis, emprunter le sentier qui monte au col de Portachuelo (4 770 m). Compter quatre bonnes heures de marche. On peut ensuite poursuivre jusqu'à Colcabamba où l'on peut dormir le soir dans la maison de la famille Calonje. Le lendemain, on revient sur la lagune. Puis redescente sur Yungay.
— *En 4 jours :*
- *1er jour :* monter jusqu'au *col de Portachuelo* en camion ou en colectivo (pour gagner du temps ; mais ce n'est pas obligatoire !).
- *2e jour :* descente jusqu'à *Colcabamba*. Bien se renseigner pour savoir si on peut encore s'y restaurer. Aller chez la famille *Calonje*. Ensuite prendre dans le village le premier chemin à gauche. Il faut absolument rester au même côté de la montagne, et donc ne pas franchir la rivière tout de suite (gain de temps). Elle ne sera franchie qu'à environ une heure de marche du village (à la hauteur d'un groupe de maisons). Emportez quelques crayons et *caramelos* pour les gamins. Avec un peu de chance, vous rencontrerez des vigognes, ce bel animal protégé.
Bivouac à 4 000 m, en montant environ une heure après la fin du plateau marécageux (à cause des insectes !... eh oui ! il y a des moustiques bien plus haut que 2 500 m... là où ils ne devraient plus exister...).
- *3e jour :* col de Punta Unión. Assez dur. Ensuite descendre la *laguna Grande*. En descendant le col, prendre le plus tôt possible le chemin qui longe le torrent PAR LA GAUCHE en montant un peu (on aperçoit des sortes de grottes à ce niveau). C'est très important, car il est impossible de traverser si l'on attend trop. En effet, deux inconvénients : d'abord un plateau marécageux au lieu d'un chemin sec à flanc de montagne (sur la droite à la descente). Ensuite, à la hau-

teur de la lagune, vous seriez obligé de franchir des éboulis de gros rocs (très éprouvant et assez dangereux). Bref, arrivé au bord de la lagune (la deuxième), possibilité de planter sa tente, près de maisons en torchis entourées d'un mur de pierres. On peut éventuellement cuisiner à l'intérieur.
- *4ᵉ jour :* de votre campement, 3 à 4 h de marche pour rejoindre Cashapampa et y emprunter l'unique camionnette qui passe normalement entre 11 h et 12 h. Elle vous emmènera à Caraz. Attendre son passage à la bodega située à côté de l'église, à l'entrée du village. Ceux qui voudront prolonger le séjour pourront aussi dormir à Cashapampa. Il n'y a qu'une seule maison qui accueille les voyageurs pour la nuit. Sept lits disposés dans des petites pièces. Demander, tout le monde connaît. Assez folklo. Puis prendre un camion ou la camionnette le lendemain, qui vous ramène à Caraz.

Autres treks dans les environs

Ceux qui sont intéressés par ces treks se renseigneront à Huaráz.
– *Ishinca :* trek de 2 jours à partir de Paltay, situé à 15 km de Huaráz.
– *Honda :* trek de 3 jours ou plus au départ de Marcara, à 26 km de Huaráz.
– *Ulta :* trek de 2 jours ou plus de Carhuaz, à 35 km de Huaráz.
– A 150 km de Huaráz, la ***Cordillera de Huayhuash*** permet de longs trekkings à partir de Chiquían. Pour se rendre à Chiquían, pas de bus mais des camions qui transportent un tas de choses, même des gens. A Chiquían, on peut dormir à l'*hôtel San Miguel*. Merveilleuses randonnées à travers la cordillère Rouge, dominée par les monts Rondoy, Jirishanca... Pour bons marcheurs.

YUNGAY

La route de Huaráz à Yungay offre de superbes panoramas sur la cordillère Blanche.
Cette petite ville aussi fut complètement détruite en 1962, puis une autre catastrophe tua 30 000 habitants en 1970 : ils furent tous enterrés vivants par une coulée de boue. Un pan de montagne se détacha et tomba dans un lac, provoquant une sorte de raz de marée. L'eau du lac descendit fougueusement dans la vallée.
Curieux destin que celui de cette cité qui ne semble pas encore relevée de son malheur. De l'ancienne ville, il ne reste rien que quelques bouts des palmiers qui ombrageaient la place d'Armes. Aujourd'hui, les pèlerins viennent se recueillir dans ce site qu'on appelle *Campo Santo*. A quelques centaines de mètres de là, la nouvelle Yungay est bien triste : maisons pas terminées, rues cabossées... Pas grand-chose à faire ici pour un routard.
Allez voir, dans l'unique rue, les petits vendeurs de glace pilée. Trois fois par semaine, ils redescendent de la montagne de gros blocs de glace qu'ils revendent en la râpant dans des verres et en y versant un sirop acidulé.
Petit marché le dimanche, mais rien de bien folichon. C'est de Yungay que part la piste de la lagune de Llanganuco (voir plus haut).

Où dormir ?

Évitez de dormir ici. La ville est vraiment peu engageante. Allez plutôt à Caraz (voir plus loin). Pour ceux qui insistent, voici deux bonnes adresses :

🛏 *Hostal Gledel :* dans la rue principale. Neuf, tout propre, eau chaude et électricité. On peut y manger. Très bonne cuisine. La patronne adore les Français et est très chaleureuse. Ambiance familiale.
🛏 *Hôtel Turistico Blanco :* dans le bois d'eucalyptus, c'est un sage qui a ouvert sa maison aux routards, après que sa famille l'eut quitté, préférant Lima. De plus, il fait la cuisine si vous êtes plusieurs. Chambres simples mais très calmes. La maison est entourée de plantes et de fleurs. Un véritable havre de paix.

Où dormir dans les environs ?

🛏 *Casa de Pocha* : Fundo Uranguay, Cajamarquilla, Caraz-Ancash (laisser des messages téléphoniques à la famille Figueroa : ☎ 111 à Caraz). En direction de Caraz, à 1 km du village, sur une colline au pied du Hualcán. Une auberge bâtie comme une ferme, selon les méthodes du pays, mais avec tout le confort d'un hôtel (douches, bar, sauna). Vue imprenable sur la cordillère Blanche. L'auberge fonctionne à l'énergie solaire et produit elle-même fruits, légumes et produits laitiers. Chevaux à disposition pour faire des excursions dans cette superbe vallée. Et, de plus, le patron parle l'anglais, le français, l'italien et le portugais ! Que demandez-vous de plus ? Attention, cette super adresse a été fermée provisoirement. Il est question qu'elle rouvre mais on ne sait pas quand. Tenez-nous au courant. On peut glâner des infos à son sujet à la *Crêperie Patrick*, à Huaráz.

A voir

– Pour la lagune de Llanganuco, voir plus haut le chapitre « Huaráz ».

CARAZ

Une adorable bourgade qui fut également en partie détruite par le séisme de 1970. Plutôt que de tout raser et reconstruire la ville de manière moderne et froide comme à Huaráz (à Yungay, les habitants n'avaient pas le choix), on choisit de conserver l'organisation de la cité, les rues étroites, le style des maisons... Le résultat est plutôt sympathique et il s'en dégage une atmosphère bien agréable. De plus, les montagnes environnantes offrent un spectacle superbe. Depuis quelques années, on y a développé la culture de fleurs, surtout des œillets, gypsophilias, roses, et une variété de petites marguerites. Tout a commencé avec un Japonais, puis un Allemand qui se mirent à « faire de la fleur » dont une grande partie pour l'exportation. On en trouve sur le marché. Le niveau de vie général des habitants a ainsi fait un important bond en avant, malgré le danger que représente cette monoculture pour l'économie de la ville. On ne peut que vous conseiller de faire halte à Caraz, avant d'attaquer la traversée du canyon del Pato.

Adresses utiles

– Pas d'office du tourisme.
– *Poste* : calle Olaya, une petite rue parallèle à la plaza de Armas, juste au-dessus.
– *Entelperú* : jirón Raimondi 405.
– *Change* : à l'agence de voyages *Top-Tours*, sur la plaza de Armas, ou à la *Banco de la Nación*, calle Minerva. Ouverte de 9 h 15 à 12 h 45.
– *Hôpital general de Caraz* : avenida Circunvalación. ☎ 2031.

Où dormir ?

🛏 *Professeur Aguilar* : il habite dans la maison bleue sur la gauche de l'*hôtel Chavín*, calle San Martín. Le professeur est un apiculteur professionnel. Il loue quelques chambres très simples, mais pas chères du tout. Ce brave homme n'aura de cesse de vous faire visiter ses ruches et de vous faire entrer dans le monde merveilleux des abeilles. Très intéressant. Il possède 300 ruches et a participé à plusieurs congrès mondiaux. Peu de chances que vous échappiez à la présentation de ses nombreux albums photos. Il loue également des chambres dans sa *fonda*, à 7 km de Caraz. Vue splendide sur les massifs environnants. Il a creusé une piscine où les touristes se baignent. Il loue aussi des chevaux. Un homme complet, ce professeur, presque aussi collant que son miel, mais adorable.

☛ *Hôtel Chavín :* à côté de la plaza de Armas, calle San Martín 1143. Le meilleur rapport qualité-prix de la ville. Notre adresse préférée. Propre, sûr, simple. Eau chaude mais prix en forte hausse.

☛ *Hôtel Moroni :* Luzulaga, 3e bloc. Seulement si les autres sont complets. Plus cher que le *prof*, moins cher que le *Chavín*. Correct, sans plus.

– L'*hôtel Suiza Peruana* est sale et l'accueil morose.

Où manger ?

✗ *La Capullana :* à 2,5 km en direction du nord, sur la gauche. Très bonne adresse, ouverte seulement le midi et jusqu'à 17 h. On mange sur des îlots au centre d'une pièce d'eau artificielle. Goûtez la *chicharón con mote*, spécialité de porc cuit avec du maïs, ou le *picante de cuy*.

✗ *Funda Palmira :* à l'entrée de la ville en venant de Yungay et à 3 km du centre. Ouvert seulement de 11 h à 17 h tous les jours. Spécialité de truites que l'on mange dans un cadre champêtre : tables dehors, ombragées par de gros arbres, tonnelles, petites chutes d'eau... Bien moins cher qu'on pourrait le penser et musée zoologique en prime.

✗ *La Punta Grande :* restaurant typique situé au bout de Daniel Villar. En face, *La Punta* est aussi bon, et plus populaire.

A voir

Rien, hormis les montagnes, superbes. Ceux qui ont quelques heures à perdre pourront aller se balader aux sources d'eau chaude situées non loin de là. Sortir de Caraz vers le nord. 10 m avant le contrôle Molino Pampa, prendre le chemin à droite. Les bains sont à une vingtaine de kilomètres. On peut y aller en taxi. Piscines en béton. L'eau est chaude à 40 C°. Il y a 2 sources, une d'eau chaude, une d'eau froide. On règle le débit à l'aide de pierres.

Quitter Caraz

Chimbote via le canyon del Pato

Vu les animations permanentes, récréatives et terroristes du Sentier lumineux, il est interdit d'emprunter la route du canyon del Pato autrement que par les bus des compagnies officielles. Pas de voitures, pas de taxis. De temps en temps, ils dévalisent un bus et puis s'en vont. Des Robin des Bois à l'envers, quoi !

– *Empresa Moreno :* jirón Daniel Villar 407. A 2 mn de la plaza de Armas. ☎ 20-14. Deux départs par jour. Normalement à 10 h et 22 h. A vérifier.

Vers Huaráz et Lima

– *Empresa Huandoy :* va jusqu'à Huaráz. Départs très fréquents. Dernier bus en fin d'après-midi.

– Les compagnies *Rodriguez, Ancash* et *Huaráz* font la route jusqu'à Lima, une fois par jour le soir. La compagnie Ancash assure trois liaisons, une le matin, deux autres le soir.

LAGUNE DU PARÓN

A 32 km de Caraz. Les colectivos partent de la plaza de Armas de Caraz toute la journée. Comptez 5 h aller et retour. Le paysage était superbe autrefois, malheureusement la lagune est maintenant à sec. Très décevant. En effet, l'eau a été utilisée pour une centrale hydroélectrique. On préférera largement sa copine, la lagune de Llanganuco.

CANYON DEL PATO

A faire de jour impérativement. C'est l'unique piste qui permet de rallier Chimbote. Les activités du Sentier lumineux font que seuls les autobus peuvent l'emprunter. De temps à autre, mais assez rarement, on s'y fait dévaliser, comme au bon vieux temps des bandits de grand chemin.

Pendant plusieurs dizaines de kilomètres, la piste se faufile dans les flancs de hautes parois rocheuses (ou sablonneuses) qui tombent en à pic de 200 m dans le *río Santa*. Les gorges étroites et profondes du canyon et les eaux tumultueuses de la rivière rendent ce paysage totalement irréel. Ça ressemble parfois à la lune, parfois au désert, ou aux mines du Nord. Splendide et impressionnant. Prendre une place sur la droite du bus et côté vitre. Les amateurs de sensations fortes en auront pour leur argent. Apportez des fruits pour boulotter en cours de route, ça détend. Plusieurs fois, on est amené à se poser une question, somme toute fondamentale : « Ma dernière heure est-elle arrivée ? ». A mi-parcours, la piste devient plus facile, la vallée s'ouvre, des cultures apparaissent. Jusqu'à Chambote, compter 6 à 7 h de route. Vers 14 h, on s'arrête dans un petit resto au milieu de nulle part.

CHIMBOTE

Grande ville peu intéressante et cependant curieuse. Chimbote s'étend tout en longueur, les bidonvilles étirant sans cesse ses frontières. Il flotte sur la ville une lourde odeur de farine de poisson qui tisse un voile épais et nauséabond dans l'atmosphère. Des hautes cheminées s'échappe continuellement une fumée qui charge le ciel. Il n'y a rien à voir ici, mais l'histoire du boom de cette ville mérite d'être racontée.

L'implantation d'une usine sidérurgique favorisa, au départ, le développement de la ville. Mais c'est la ruée vers l'anchois qui fit exploser la petite cité. L'*anchoveta* se ruait sur les côtes du Pacifique et ne demandait qu'à être pêché. Transformé en farine de poisson, l'anchois constitue un merveilleux aliment pour le bétail. La population s'accrut, l'exportation se développa jusqu'à faire du Pérou le premier pays du monde dans le domaine de la pêche. Sur le bord de mer, on peut aujourd'hui encore voir les petits chalutiers noirs. Les années 60 furent fastes pour les entrepreneurs. C'est Banchero, un industriel parti de rien, qui édifia la plus grosse fortune grâce à l'anchois. Là, l'histoire devient piquante. En 1972, Banchero se fait assassiner pour une raison encore inconnue. L'année d'après, on constate une chute brutale de la production de l'anchois. Les habitants firent le lien entre les deux événements et Banchero entra dans la légende. Pourtant la crise n'était due qu'à l'expansion anarchique de la pêche. Ce fut un dur réveil pour les entreprises de Chimbote, qui n'avaient pas cru bon de gérer la production. Plusieurs entreprises périclitèrent, et aujourd'hui Chimbote s'est reconvertie en partie dans la sidérurgie. Le boom de l'*anchoveta*, lui, appartient déjà au passé. Si vous êtes contraint pour une raison ou pour une autre de passer la nuit ici, voilà quelques infos. Sachez tout d'abord que c'est de Chimbote qu'est partie l'épidémie de choléra des dernières années. Ici plus qu'ailleurs, une hygiène sans faille s'impose. Ensuite, la ville est connue pour son insécurité. Donc beaucoup d'attention. Cependant il n'y a pas de quoi s'alarmer. Il vous suffit d'observer ces deux règles de prudence qui, du reste, sont de mise pour l'ensemble du Pérou.

Adresses utiles

- *Office du tourisme :* Bolognesi 465. 3e étage. Bureau 303. ☎ 32-49-12. Sur l'avenue principale.
- *Poste :* avenida José Pardo, dans le 8e bloc.
- *Banco de la Nación :* Galvez, 2e bloc.
- *Entelperú :* avenida Balta, entre Pardo et Bolognesi.
- *Casa de Cambio :* jirón Ruiz, 2e bloc. Derrière l'*hôtel de Turistas.*.
- *Hôpital :* sur la panaméricaine Norte en sortant de la ville.

Où dormir ?

Êtes-vous certain de vouloir dormir ici ? Bon, d'accord.

🛏 *Hostal la Glorieta :* Bolognesi 413. ☎ 32-38-01. On vous a déniché un petit hôtel tout neuf, tout propre, sûr, sympa et pas trop cher. Vraiment le meilleur rapport qualité-prix de la ville. Réservez, surtout le week-end.

🛏 *Hôtel Augusto :* Elias Aguirre 265. Central. Chambres correctes mais patronne inhospitalière. Un des moins crados.

🛏 *Hôtel Felic :* José Pardo 552. Curieux hôtel avec ses escaliers de bois genre labyrinthe. Les draps sont en général propres, pas comme les toilettes. Très sommaire, mais un des moins chers. Si vous êtes fauché ou si les autres sont complets. Prendre une chambre ne donnant pas sur la bruyante avenue.

– Nombreux autres hôtels bon marché tout autour des précédents. Crados et bruyants en général.

Un peu plus chic

🛏 *Hôtel San Felipe :* jirón Pardo 514. ☎ 32-48-11. Hôtel un peu sombre mais sûr et bien tenu. Les chambres sont correctes, certaines avec douche. Dans l'entrée, deux canapés devant un écran toujours allumé, où l'on prend la température de la ville avec les locaux.

Très chic

🛏 *Hôtel de Turistas :* José Galvez 109. Au bord de l'eau. ☎ 32-37-21. Grand hôtel déclassé mais bien tenu. Cher évidemment. Les colectivos pour Casma partent d'en face.

🛏 *Hôtel Presidente :* Leóncio Prado 536. ☎ 32-24-11. Chic et cher, mais impeccable et eau chaude. Mêmes prix que le *Turistas.*

Où prendre le petit déjeuner ?

Pas grand-chose d'ouvert tôt le matin dans cette ville.

– *Los Ferroles :* Bolognesi. Snack à l'américaine un peu défraîchi, comme leurs sandwiches. Seulement si vous avez un bus à prendre avant 9 h.

Où manger ?

✕ *Restaurant Franco :* avenida Bolognesi 361. Excellentes soupes de poisson. Elles peuvent constituer un repas à elles seules. On vous conseille la *sopa de parihuelas.* Ensuite, pour les gros appétits, un *picante de mariscos mixto.* Super. Bon service. Fréquenté par les cravatés du coin.

✕ *Resto Vicmar :* El Palacias 161. Cadre neuf et hyper *clean.* Très bon poisson aussi. Ambiance club, plutôt décontractée. Service soigné. Lumière tamisée.

✕ *Restaurant Venecia :* non loin des deux précédents, mais n'a pas le même cachet. Salle plus impersonnelle, éclairée au néon. Clientèle moins huppée mais service de qualité et carte variée. Poisson, viande, spaghetti, soupes, assiettes de crudités… Un peu moins cher.

Plus chic

✕ *Los Pinos :* Vivero Forestal. Sur la panaméricaine Norte en sortant de la ville, dans les pins comme son nom l'indique. Un des restaurants les plus réputés de Chimbote. On ne vous en dit pas plus sinon que, si vous vous décidez, prévoyez un taxi pour le retour surtout s'il fait nuit.

Quitter Chimbote

Vers Casma

– *Colectivos :* au coin de l'avenida Pardo et de José Galvez. Grandes voitures américaines déglinguées. On part quand la voiture est pleine.

– On peut aussi prendre les *bus* pour Lima qui passent à Casma (voir plus loin) ou les *microbus* noirs à côté des colectivos.

Vers Lima

– *En bus :* souvent complet. Présentez-vous quand même au départ. Ça peut s'arranger.

• *Turismo Chimbote :* avenida José Pardo 668. ☎ 32-14-00. 5 ou 6 départs dans la journée et la nuit. Compagnie la moins chère.

• *Empresa Tepsa* : avenida Bolognesi 940. ☎ 32-52-61. Plusieurs départs par jour. Plus chère que la précédente.
• *Norte Pacifico SA* : Galvez 249. 4 départs le soir et la nuit.
– *En colectivos :*
• *Empresa Comité 25* : jíron Elias Aguirre 264. ☎ 32-40-01. Nuit et jour normalement.
• *Empresa Comité 4* : avenida Bolognesi 592. ☎ 32-31-51.

Vers Caraz (par le canyon del Pato)

– *Transports Moreño* : Prolongation Galvez 1178. ☎ 32-12-35. Deux départs par jour, le matin et le soir. On vous conseille de le faire de jour. Se placer du côté gauche. Frissons garantis. *Moreño* va aussi à Huaráz par Casma. Deux fois par jour.

Vers Trujillo

– **Colectivos** au coin de José Galvez et du 3e bloc.
– *Bus :*
• *Empresa El Aguila* : avenida José Galvez 313. ☎ 32-24-16. Va aussi jusqu'à Chicloyo et Tumbes. Départs réguliers.
• *Chinchaysuyo* : jirón Elias Agirre 231. 3 départs : un le matin, un le midi, un le soir. Va jusqu'à Tumbes.
• *Tepsa* : Bolognesi 940. Trois départs le soir.

CASMA

Petite ville peu intéressante, mais à 7 km, sur la route de Huaráz, un des monuments les plus intrigants du Pérou : *Cerro Sechín*. A ne pas manquer.

Adresse utile

– Pas d'office du tourisme.
– *Poste :* sur la plaza de Armas, un peu en retrait.

Où dormir ?

Trois hôtels couvrent toute la gamme des prix, du moins cher au plus chic.

🛏 *Hôtel Central :* sur la plaza de Armas. Hôtel simple, pas cher mais bruyant et crado. Chambres en enfilade donnant sur un sombre couloir. Pour vous endormir, vous pouvez toujours compter les camions qui défilent sur la panaméricaine. Évitez les chambres du fond, lugubres.
🛏 *Hôtel Indoamerica :* sur la panaméricaine, avenida Huarmey 30. A 3 mn de la plaza de Armas. Plus cher et bien mieux que le *Central*. Chambres avec douches, mais eau froide. Impeccable.
🛏 *Hôtel El Farol :* Topac Amaru 450. Un peu excentré. Très bien tenu. Chambres autour d'un patio. Calme mais plus cher. Avec douches. Fait aussi resto.

Où manger ?

✗ *Resto Tio Sam :* à côté de l'*Indoamerica*. Resto chinois qui propose de bonnes choses. Plats copieux.
✗ *Resto Anthony :* un peu plus loin que le *Tio Sam* sur la panaméricaine. Resto typique et populaire, bien pour le déjeuner. Très fréquenté par les locaux qui apprécient grandement les soupes.
✗ *Resto Libertad :* avenida Magdalena 519. Bien pour prendre un vrai repas à l'heure du petit déjeuner.

A voir

▸ **Site archéologique de Sechín :** pour s'y rendre, prendre un taxi plaza de San Martín, derrière le marché. Il vous laisse à 400 m du site. Ceux qui ne souhaitent pas faire le chemin de retour à pied (7 km) pourront demander au taxi d'attendre. En période creuse, peu de voitures passent par là. On peut aussi faire du stop.

Le site se divise en deux parties : *Cerro Sechín* et *Sechín Alto*. Ce dernier n'est pas encore ouvert au public. Seuls les archéologues pourront éventuellement aller jeter un œil à l'état des fouilles, sur la colline.

Cerro Sechín est bien plus parlant. Ouvert de 9 h à 17 h tous les jours. Visiter d'abord le petit musée sur la gauche. Payant. Reconstitution d'un intérieur chimú (avec squelette). Poteries sechín également. Une maquette du site permet de se faire une idée de ce que l'on va visiter. Allez voir au sous-sol les audacieuses poteries *moche*. Également une incroyable momie de la civilisation wari (800 apr. J.-C.). Expression du visage prenante. La visite du site proprement dit se limite à l'enceinte de pierres gravées d'une sorte de sanctuaire. Mais quelle enceinte ! De ce site, on ne connaît en réalité pas grand-chose. Des bras, des têtes, des corps sectionnés. Séries de visages aux formes grimaçantes, aux rictus figés. On est fasciné par la modernité du trait. Au total, plus de 300 dalles gravées sur la partie extérieure d'un mur aux formes rectangulaires. On distingue deux types de dessins. Les vaincus ne sont représentés que par morceaux : troncs, têtes coupées, bras arrachés. Noter d'ailleurs les marques dans la pierre symbolisant le sang qui jaillit. De la grande épouvante. Les personnages en entier et costumés sont les guerriers vainqueurs. Ils apparaissent avec leurs armes. L'intérieur du sanctuaire n'est pas ouvert au public. C'est dommage, car on y trouve un mur peint de bas-reliefs. A côté, d'autres fouilles sont en cours. Ce site, bien que méconnu, figure au hit-parade des ruines les plus intéressantes.

Quitter Casma

Vers Chimbote

– *Minibus* sur la plaza de Armas. Passages fréquents. Pour Trujillo, aller à Chimbote puis changer de bus.

Vers Lima

On vous conseille de réserver vos places de Chimbote ou dès votre arrivée à Casma. En effet, en passant par Casma, les bus sont souvent déjà pleins. Tentez toujours votre chance. Toutes les compagnies sont dans la même rue. Quelques départs diurnes et de nombreux autres nocturnes.
– *Empresa Moreno :* Luis Ormeño 579. Va à Lima mais aussi à Huaráz.
– *Turismo Chimbote :* Luis Ormeño 544.
– *Empresa Chinchay-Suyo :* Luis Ormeño 539.
– *Empresa Tepsa :* Luis Ormeño 592.

TRUJILLO

Ville bien agréable et animée, où la pauvreté se fait moins sentir. Trujillo fait l'effet d'une oasis de fraîcheur sur cette côte désertique et pauvre. Le centre colonial, avec ses balcons de bois, ses grilles de fer forgé et ses anciens palais, donne du cachet à la cité. Son dynamisme économique semble rendre les gens plus accueillants, plus ouverts. Les rues étroites du centre sont vivantes, pleines de petits commerces florissants. Le doux climat tropical ne doit pas être étranger à tout cela.

Et puis, non loin de là, on trouve la cité de *Chan Chán*, l'ancien centre de l'Empire chimú, gigantesque cité en grande partie détruite, mais dont la visite (indispensable) donne l'idée de ce qu'a pu être cette civilisation, avant d'être « colonisée » par les Incas.

Un peu d'histoire

Fondée par les premiers Espagnols sur la route côtière qui menait à Lima, Trujillo était une ville prospère grâce, notamment, à la canne à sucre. C'était aussi un important centre religieux. De cette glorieuse époque, il reste de beaux palais richement décorés. La ville joua un rôle important durant les combats pour l'indépendance. Au début de ce siècle, c'est ici que l'APRA (l'Alliance Populaire Révolutionnaire Américaine) possédait son quartier général. L'APRA, dont vous verrez de nombreux slogans bombés sur les murs, reste dans la mémoire populaire comme le martyr de la sanglante répression militaire de 1932. Suite à un soulèvement du groupe révolutionnaire, l'armée fusilla entre 3 000 et 6 000 personnes, sans aucune forme de procès.

Adresses utiles

– *Office du tourisme (Foptur) :* jirón Independencia 628. ☎ 24-19-36. (Ne vous fiez pas aux belles pancartes en azulejos indiquant « calle San Francisco ».) Dans le centre. Ouvert de 9 h à 13 h et de 14 h à 19 h ; le samedi de 9 h à 13 h. Fermé le dimanche. Pas hyperdynamique. Plan.
– *Poste :* Bolognesi 410 ; au coin d'Independencia.
– *Centre téléphonique :* jirón Simón Bolívar 658. Ouvert tous les jours de 7 h à 23 h.
– *Alliance française :* calle San Martín 858.
– *Banco de la Nación :* calle Almagro 256 ; près de San Martín. Change les chèques de voyage.
– *Banco de Credito :* Gamarra 552.
– *Consulat de France :* Independencia 453. ☎ 23-40-12.
– *Consulat de Belgique :* San Martín 685. ☎ 23-22-35.
– *Faucett :* Pizarro 532. ☎ 23-22-32 ou 23-27-71. Va à Lima et Tarapoto.
– *Aeroperú :* Bolívar 393. ☎ 23-50-40. Va à Lima, Tarapoto, Iquitos et Jurimangas.
– *Lavanderia :* El Carmen, Pizarro 759.
– *Police touristique :* jirón Pizarro, dans l'édifice du conseil municipal.
– *Hôpital :* Bolívar 350. ☎ *urgences :* 24-52-81.

Où dormir ?

Bon marché

Difficile de trouver des hôtels centraux et pas chers. En voici tout de même une petite brochette.

🛏 *Hôtel Palacio :* Grau 709. ☎ 25-81-94. Bâtiment moderne. Chambres sobres avec salle de bains. Draps propres et accueil sympa. Le moins cher.
🛏 *Los Flores :* avenida Prado. Près du terminal de Chinchaysuyo. Hôtel de base. Les chambres sont propres mais les salles de bains un peu vieillottes. Eau chaude matin et soir (c'est eux qui le disent...).
🛏 *Hôtel Las Vegas :* España 1511. Complètement excentré, ce petit hôtel rudimentaire affiche une clientèle issue de la faune typique de Trujillo. Très particulier. Les chambres n'ont rien d'extraordinaire.
🛏 *Hôtel Americano Residencial :* Pizarro 764. Le moins cher de tous mais pas le meilleur. Cet ancien palace en déclin avec un patio n'a plus que son vieux charme colonial à offrir. Pour les nostalgiques de la Belle Époque. Les chambres sont vétustes, les draps douteux et les serrures défaites. Pas confortable.

Prix moyens

🛏 *Hostal Vogi :* Ayacucho 663. ☎ 24-35-74. Très bel hôtel de caractère avec meubles coloniaux. Ne pas se fier à la façade, elle est banale. Une bonne adresse à l'accueil chaleureux et attentionné.
🛏 *Hostal Recréo :* Estete 647. ☎ 24-69-91. Hôtel fonctionnel, chambres bien tenues avec douche. Tiens, du carrelage à fleurs ! Un peu cher pour ce que c'est, mais c'est sûr et agréable. Chambres pour 4 et 5 personnes aussi.

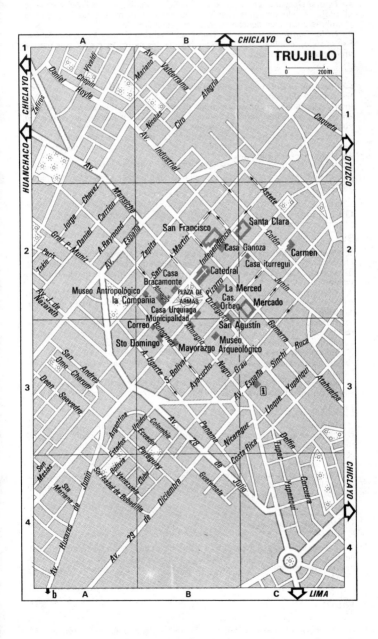

TRUJILLO

0   200 m

CHICLAYO

HUANCHACO

CHICLAYO

OTUZCO

CHICLAYO

LIMA

San Francisco
Santa Clara
Casa Ganoza
Carmen
Casa Iturregui
Catedral
Casa Bracamonte
La Merced
Museo Antropológico la Compañia
Cas. Orbeg.
Mercado
Casa Urquiaga
Municipalidad
Correo
San Agustín
Sto Domingo
Museo Mayorazgo Arqueológico

🛏 **Hostal Optgar** : Grau 595. ☎ 24-21-92. Genre motel américain. Simplicité et propreté. Un peu plus cher que les précédents mais c'est justifié. Les chambres ont toutes douche et w.-c., certaines, la télé.

🛏 **Hôtel Continental** : avenida Gamarra. Hôtel tout confort à prix abordables. Eau chaude, téléphone, radio... Plus cher que les autres bien sûr, mais parfois une escale dans un hôtel relax ne fait pas de mal.

Plus chic

🛏 **Hosteria el Sol** : calle Los Brillantes 224. ☎ 23-19-33. Dans le quartier de Santa Inés. Du centre, prendre un bus qui va vers ce secteur. Un hôtel incroyable, récent et construit comme un petit château, avec tourelles, escalier en colimaçon, hauts murs tout autour... et un plaisant jardinet au centre. Ce superbe lieu est tenu par des jeunes filles belles et charmantes, des Allemandes. C'est leur père qui fit construire l'hôtel. Les chambres sont impeccables, confortables mais simples. Pas si cher, compte tenu du standing. Excellent rapport qualité-prix.

🛏 **Hostal Los Escudos** : Orbegoso 676. ☎ 25-61-31. Une belle résidence chic et bien tenue, arrangée dans le style pseudo-ancien. Cher mais central. Un des plus *clean* de la ville.

Où manger ?

Bon marché

✕ **Chifa Ah Chan** et **Chifa Ming Yug** : avenida Gamarra 752. Deux restos chinois l'un en face de l'autre. Tous deux servent de bons plats copieux. Le deuxième est cependant plus agréable et plus typique, mais la carte est moins variée.

✕ **Restaurant végétarien El Sol** : Pizarro 660. Ouvert de 8 h à 22 h. Le nom parle de lui-même. Bons petits déjeuners avec yaourt, jus de fruits et salade. Très apprécié.

✕ **Ramiroz's** : Bolívar 458. Une vaste salle richement décorée à la façon d'un ranch texan. Vous l'avez deviné, ici on mange des viandes. Le service est un peu lent mais les parts sont copieuses et l'addition pas trop salée.

✕ **Restaurant Doña Peba** : Carrion 354. Salle dans les tons blanc et bleu ciel, toit en paille, plats régionaux... Bref, un *typico creole* selon les locaux. Une bonne adresse.

✕ **Big Ben** : avenida España 1319. Ferme à 18 h. Endroit simple mais populaire. Très réputé pour les *ceviches,* considérés comme les meilleurs de la ville.

Plus chic

✕ **Restaurante Demarco** : Pizarro 725. Une nourriture excellente. Les petits budgets s'en tireront à condition de ne prendre que le menu. Le café est un vrai régal (chose rare dans le coin). Déco très chic. Clientèle de notables.

✕ **Restaurant Romano** : Pizarro 747. A côté du *Demarco.* Même style aussi. Bonnes viandes et prix honnêtes.

– N'oubliez pas qu'un peu partout dans la ville, on trouve des pâtisseries excellentes. Il faut absolument goûter au gâteau King Kong. Une adresse : *La Reposteria Americana,* calle Zela.

Où voir un spectacle ?

– **El Sachun** : Pasaje Bartón 255, Urbanización Los Grenados. Prendre un taxi, sinon vous ne trouverez pas. Resto-spectacle assez touristique. Bons groupes parfois. Seulement le week-end, et encore ! C'est le « Moulin Rouge » de Trujillo.

Fête

– **Concours national de Marinera** : fin janvier. Pendant toute une semaine, on fête l'année qui commence. Concours de danses folkloriques traditionnelles de la côte.

A voir

▶ *Plaza de Armas :* belle, aux larges proportions, entourée de demeures colo-niales restaurées. Vue de la cathédrale, la statue au centre semble exécuter un numéro de french cancan, mais en réalité la jambe n'est que le bras du héros. Ça, nous l'avons trouvé dans le *Guide Bleu*, comme quoi ils peuvent avoir à la fois de la culture et de l'humour.

▶ Tout autour de la plaza de Armas, quelques maisons coloniales comme la *Casa Orbegoso*. Ce maréchal, héros de l'indépendance, habita cette belle demeure. Ouverte de 9 h à 16 h. Patio superbe, arcades de bois. On peut visiter les salons du fond, très bien restaurés. Toujours sur la plaza de Armas, en face, au n° 441 de la calle Independencia, la *Casa Bracamonte*, une autre maison coloniale typique, aujourd'hui siège d'une banque. En passant le jirón Pizarro, au n° 688, on a le regard naturellement attiré par le *palais Iturregui*. Palais gran-diose à l'architecture équilibrée. Aujourd'hui, c'est un club privé et on ne peut le visiter. Parfois les portes sont ouvertes. On peut alors admirer le patio avec ses riches galeries bordées de salons cossus. Au coin de Pizarro et de Bolognesi, on peut voir la *Casa del Mayorazgo*, dont les fenêtres sont protégées par de belles grilles de fer forgé du XVII° siècle. Ne se visite pas.

▶ *La cathédrale :* sur la plaza de Armas. Fondée par Pizarro. Elle est en restau-ration depuis... des lustres. Elle possède de beaux retables de l'époque colo-niale et des peintures de l'école de Quito.

▶ *Iglesia del Carmen :* calle Bolívar. Très endommagée par le tremblement de terre de 1970. A voir cependant pour la façade.

▶ *L'église de la Merced* présente quelques scènes polychromes sur ses murs. *L'église San Agustín* ne s'est toujours pas remise du tremblement de terre de 1970.

▶ *Museo de Arqueologia :* Pizarro 349. A deux pas de la plaza de Armas. Ouvert du lundi au vendredi de 7 h 30 à 13 h 30, le samedi de 8 h à 13 h. Petit et très intéressant. Nombreuses poteries des périodes préchavín, chavín, viru et *moche*. Squelettes, parures, instruments usuels. Belle tombe chancay, quel-ques têtes réduites et, pour le dessert, des poteries érotiques dues à ces coquins de Chimú. Le tout est très éducatif.

▶ *Museo Cassinelli :* entre la *Panamericana Norte* et la route de Huanchaco. Ouvert de 8 h à 11 h 30 et de 15 h à 17 h 30. Fermé le dimanche. Petit droit à l'entrée. Dans les sous-sols d'un garage (!), une intéressante collection privée (30 ans d'acquisitions) des époques chimú, viru et mochica : poteries, instru-ments de musique et bijoux en argent. Dommage que les objets soient trop nombreux et si peu mis en valeur.

▶ *Combats de coqs :* Jesús de Nazareth 317. Les samedi et dimanche. Cruel mais fascinant.

Dans les environs

▶ *Ruines de Chan Chán :* à 5 km de Trujillo, sur la route de Huanchaco. Ouvert de 8 h 30 à 16 h. Départ des microbus au coin de l'avenida Marsiche et de l'avenida de España, près du stade. On vous arrête sur la route. Empruntez le chemin sur la gauche pour atteindre le site visitable. Déjà, de chaque côté de la piste, vous pouvez voir les ruines de la cité, sortes de châteaux de sable comme rongés par la mer et séchés par l'air. 1 km sépare la route du site. En tout, la cité s'étend sur 18 km² et comprend 9 forteresses où régnait le roi chimú. Chaque citadelle est séparée des autres par de hautes murailles qui semblent aujour-d'hui fondues comme neige au soleil.

Les Chimú connurent leur apogée entre le XII° et le XIV° siècle. Avant eux les Mochicas (du IV° au IX° siècle), puis les Tiahuanaco-Huari (du VIII° au XI° siècle) dominèrent la région. Chan Chán fut leur capitale. On sait peu de choses sur cette civilisation qui ignorait l'écriture. En revanche, on connaît un peu mieux sa chute due à la conquête inca à la fin du XVᵉ siècle. Il semblerait que les Incas aient contraint les Chimú à se soumettre en les privant d'eau. Ces derniers ne virent pas la venue des Espagnols d'un mauvais œil, vu la haine qu'ils cultivaient envers les Incas.

Bien qu'on puisse se balader au milieu des autres cités, la visite du site se résume à une forteresse appelée *citadelle Tschudi*. C'est dans le cabanon près de l'entrée qu'on achète le ticket. Le billet d'entrée est également valable pour Huaca el Dragón.

La *citadelle Tschudi* est constamment en cours de restauration. Les bâtiments, édifiés en briques d'argile mêlée à de la paille, sont très peu résistants. Si les Chimú avaient choisi ce matériau, c'est que les pluies sont très rares sur cette côte. Pourtant, il a suffi de quelques orages pour que tout s'effondre.

Remarquer tout d'abord l'étroitesse de l'entrée, qui permettait de mieux contrôler les allées et venues. On accède à une grande place des cérémonies. Tout autour, une frise ornementale représentant les vagues de la mer ainsi qu'une sorte d'animal stylisé. On pense qu'ici on priait la lune et la mer. Remarquez, on vous dirait qu'on y priait le vin et le camembert que vous ne pourriez pas vérifier ! La vérité, c'est que personne n'en sait rien. On sort par la droite où l'on accède au *passage des Oiseaux et des Poissons*, formé par le mur extérieur de la place. Sur celui-ci sont dessinés des oiseaux, puis des lignes représentant la mer avec des poissons, de manière répétitive, sur 60 m.

En poursuivant, on peut apercevoir des reliefs constituant des sortes de croisillons, ou de niches, ou d'alvéoles qui, selon certains spécialistes, évoquent des filets de pêche. Sur le bas d'une frise bien abîmée, on découvre une série d'oiseaux symbolisés d'une manière très « moderne ». Plus loin, des trous rectangulaires composaient une sorte de réservoir d'eau. Au fond du palais, on trouve les tombes où l'on a découvert les fameux bijoux du *museo del Oro* à Lima. Finalement, en revenant vers l'entrée, une « salle d'assemblée » très restaurée, composée de 24 niches où, croit-on, les décideurs se réunissaient... pour jouer au scrabble. Mais là non plus, on n'est pas sûr. Pour ceux qui voudraient se payer un guide, Pedro Puerta est le meilleur. Il parle l'anglais, le français et un peu l'allemand. On peut le trouver à l'*hôtel de Turistas*, plaza de Armas. Entre nous, il ne vous en dira pas plus que le *Routard*.

▶ **Huaca Esmeralda :** à 3 km de Trujillo, sur la route de Huanchaco. En fait, un peu avant Chan Chán. Prendre le même bus que précédemment et descendre au village de Mensiche, c'est à 300 m. Ouvert de 9 h à 16 h. On conseille d'y aller à plusieurs, les gamins du village sont parfois un peu agressifs. Quelques vols et agressions ont été à déplorer. Découverte en 1925, cette pyramide provient, pense-t-on, de la dernière période chimú. Construite en adobe sculpté, elle est entourée d'une enceinte. Sur certains côtés du sanctuaire, des bas-reliefs bien conservés subsistent, poissons et oiseaux surtout. Des rampes d'accès permettent de grimper au sommet.

▶ **Huaca el Dragón ou del Arco de Iris :** sur la route de Chiclayo, à 4 km de Trujillo. Pour y aller, bus à prendre en face de ceux pour Chan Chán. Bus « Enatru Line A », ou Comité 23 au coin de Mansiche et España. Ce beau sanctuaire bien conservé, de forme pyramidale, possède des bas-reliefs visibles et sur lesquels on aperçoit des guerriers dansants, en hommage à l'arc-en-ciel. Sur un autre panneau, on distingue un homme et une femme entourés par un arc-en-ciel. Ces éléments laissent à penser que la *Huaca* était effectivement dédiée à l'arc-en-ciel. En grimpant sur la pyramide, on peut voir les différents compartiments où l'on entreposait des graines. A l'entrée, un petit musée bien pauvret.

▶ **Pyramides du Soleil et de la Lune :** les microbus partent d'une rue parallèle à la calle Galvez (le matin seulement). A 3 km de Trujillo, vers le sud. La pyramide du Soleil est l'édifice le plus important du Pérou. Elle mesure 228 m sur 136 ! Cela n'empêche pas que ça ressemble fort à un gros tas de terre sans grand intérêt. En s'approchant, on distingue les milliers de briques qui composent l'édifice. Elles sont très dégradées, mais représentent cependant des lieux religieux importants de la civilisation mochica. Elles subirent de nombreux pillages. La visite n'est pas indispensable.

Quitter Trujillo

Vers Lima et Chiclayo

– *Expreso Panamericano* : Amazonas 215. ☎ 24-12-22. Trois départs tous les soirs pour Lima.
– *Expreso Cajamarca* : avenida España, cuadra 20. ☎ 24-13-52. Va à Lima, Chiclayo et Cajamarca. Bus pas géniaux.
– *Expreso Pullman Tepsa* : Almagro 849. ☎ 24-46-72. Va à Lima et à Tumbes.
– *Empresa Chinchay-Suyo* : avenida Gonzalez Prado 337. ☎ 24-17-31. Pour Lima, Huaráz et Piura.
– *Transporte Emtrafesa* : avenida Miraflorés 117. ☎ 24-39-81. Vers Tumbes.

Vers Cajamarca

– *Empresa Diaz* : Nicolás de Pierola, 11e bloc. ☎ 24-22-51. Trois fois par soir.
– *Empresa Vulcano* : Leoncio Prado 09. Départs matin et soir.

Vers Chimbote

– *Empresa Elguila* : Nicaragua 220. Départs réguliers.

HUANCHACO

Petite station balnéaire sans charme, à une dizaine de kilomètres de Trujillo, bordée par la mer où surfeurs et pêcheurs jouent avec les vagues. Le village est en pleine expansion, pourtant la plupart des rues ne sont toujours pas asphaltées. Beaucoup de routards viennent ici se reposer quelques jours. Le village est connu pour ses frêles embarcations de roseaux rappelant celles des Uros du lac Titicaca.

– Bus de Huanchaco à Trujillo toutes les 30 mn. A prendre sur le Malecón, au bord de mer.

Où dormir ? Où manger ?

☙ *Hôtel Bracamonte* : Los Olivos 503. ☎ 25-76-33. En venant de Trujillo, à droite en arrivant. Très chouette hôtel près de la mer, tenu par Marco et Graciela. Prix très corrects. 26 chambres, toutes impeccables, dont 5 sans douche. Elles sont disposées autour d'une sympathique piscine. Le genre d'endroit où on se sent chez soi. Il y a même un générateur et un réservoir d'eau en cas de coupure. Demandez les chambres face à la piscine. On peut aussi y faire sa lessive et y prendre des petits déjeuners.
☙ *Hôtel Huanchaco* : jirón Victor Larco 287. Dans le centre. Propre et avec une petite piscine. On peut aussi laver son linge. Billard, petite cafétéria. Pas cher et la fille du patron parle le français.
☙ *Hôtel Sol y Mar* : Los Ficus 580. Hôtel avec petit jardin intérieur, mais pas de piscine et un peu froid. Prix honnêtes. On préfère quand même le *Bracamonte*.
☙ *Cabillito de Totora* : avenida Riviera 219. Propre, chambres spacieuses. Eau chaude. Vue sur la mer.
✗ *Restaurant Club Colonial* : plaza de Armas. Le seul resto ouvert le soir, et le meilleur du village. Belle demeure avec petit patio. La salle est arrangée avec beaucoup de goût : serviettes en tissu, fleurs sur les tables. On y mange très bien : *mariscos en salsa*, *cebiche*, pièces de viande. Service agréable. Vraiment une bonne adresse mais plutôt chère.
✗ *Lobo Marino* : calle M. Capac. Dans une maisonnette toute verte, aux volets marron, où l'on déguste les meilleurs fruits de mer et poisson. Sa réputation a largement dépassé Trujillo.
✗ *Restaurant Erizo* : juste en face de la plage. Spécialités de fruits de mer et *ceviches*. Goûtez à l'*ensalada de mariscos* ou au *ceviche mixto*.

CAJAMARCA

Petite ville très espagnole, entourée de collines verdoyantes, située à 2 750 m d'altitude. Les rues sont bordées de maisons coloniales à balcons de bois et aux toits de tuiles plates. On dit de Cajamarca qu'elle est la ville la plus espagnole du Pérou. Ça se discute. La verdoyante plaza de Armas et le peu de touristes qui viennent jusqu'ici en font une halte agréable. On y trouve aussi quelques belles églises et un climat enchanteur. Les femmes portent ici un chapeau haut à larges bords, d'une certaine élégance, et filent la laine en marchant. Le costume de Cajamarca est moins coloré que dans la cordillère Blanche. Beaucoup de misère et de mendiants. Peut-être les descendants indiens ne se sont-ils pas encore remis du traquenard mis en place par Pizarro et qui signa l'arrêt de mort de la civilisation inca ?

Un peu d'histoire

Le site était autrefois occupé par les Cajamarca, avant que les Incas ne les délogent en 1438. Lors de la guerre de succession, véritable guerre civile, que se menaient les deux demi-frères incas, Atahualpa et Huascar, tous deux fils de Huayna Capac, décédé en 1525, Atahualpa eut l'occasion de passer quelque temps à Cajamarca pour soigner une blessure dans les bains thermaux situés aux environs de la ville.
Atahualpa, né d'une mère équatorienne, était considéré comme « Inca par privilège » tandis que Huascar, né d'une mère venant de Cuzco, considérait, bien que plus jeune, être le véritable Inca. Cette guerre interne affaiblit le royaume et fut une aubaine pour les Espagnols.
Donc, Atahualpa était à Cajamarca avec ses 30 000 hommes, en route pour Cuzco, en vue de prendre définitivement le pouvoir sur l'Empire inca. Au même moment, Pizarro déboula avec ses 177 guerriers. Inférieur numériquement, Pizarro choisit la ruse pour attirer Atahualpa dans un guet-apens pas très fairplay. Ce dernier, loin de se méfier des hommes barbus chevauchant de drôles de montures, accepta une invitation à discuter de la part de Pizarro qui avait disposé ses troupes autour de l'actuelle plaza de Armas. En grand seigneur, le fils de l'Inca consigna ses troupes hors de la ville et rencontra les Espagnols en toute confiance. Très classe. Pizarro tenta le tout pour le tout. Aidé d'un canon placé sur une colline et qui effraya les autochtones, il captura Atahualpa, massacra quelques tonnes d'Indiens (environ 7 000 âmes en une journée), et modifia en quelques heures le cours de l'histoire de l'Amérique du Sud. Otage des Espagnols, Atahualpa proposa de remplir la pièce où il était maintenu prisonnier une fois d'or jusqu'à son bras levé et deux fois d'argent en échange de sa liberté. Pizarro, bon prince, accepta. Tous les Indiens apportèrent des merveilles de bijoux de tout le pays (6 t d'or et 12 t d'argent). Le tout fut fondu allègrement mais Atahualpa n'en fut pas libéré pour autant. Il fut jugé et condamné à mort en juillet 1533. Après lui avoir pris son or et sa liberté, les Espagnols lui prirent aussi son âme puisqu'il dut accepter de se faire baptiser pour éviter une mort trop atroce. Il ne fut donc qu'étranglé ! Les Espagnols réduisirent à néant toute trace de civilisation inca dans la ville. Il ne subsiste aujourd'hui que la chambre du Rachat, pièce où fut précisément emprisonné Atahualpa.
Au XVIIIᵉ siècle, Cajamarca prospéra grâce à l'essor des mines.

Adresses utiles

– **Office du tourisme :** jirón Santistebán 144. ☎ 92-22-28. Ouvert de 7 h 30 à 14 h 30 et de 15 h 30 à 18 h 30. Très sympa. Il possède une petite brochure très bien faite et pratique contenant toutes les infos utiles. Une excellente idée.
– **Banco de la Nación :** jirón Tarapaca 647. ☎ 92-27-35. De 9 h à 13 h et de 14 h à 17 h du lundi au vendredi. Change les chèques de voyage.
– **Banco de Credito del Perú :** jirón Lima, 679. ☎ 92-32-15. De 8 h 45 à 12 h 15 du lundi au vendredi. Change uniquement les dollars.
– **Poste :** jirón Lima 440.
– **Téléphone (Entel) :** plaza de Armas.
– **Hôpital (Area Hospitalaria) :** avenida Mario Urteaga 500. ☎ 92-21-56.

– *Lavanderia Dandy :* jirón Amallia Puga. Pas loin de la plaza de Armas.
– *Aeroperú :* jirón Lima 755. ☎ 92-21-15. Va à Lima une fois par semaine. Pas sûr.
– *Expreso Aero :* jirón San Martín 319 (deuxième étage). ☎ 92-22-25. Liaisons sur Lima les mardi, jeudi et dimanche.
– *Andreas Airlines :* vers Trujillo et Lima les mercredi et vendredi. Agence *Cajamarca Tours,* Dos de Mayo 311. ☎ 92-88-13.

Où dormir ?

En général, pas de problème pour se loger, sauf peut-être vers le 28 juillet, lors de la grande fête, et pendant le carnaval, fin février. Quelques très bons hôtels dans les prix moyens. Mais en général, les hôtels sont plus chers qu'ailleurs.

Bon marché

🛏 *Hostal Plaza :* plaza de Armas 669. Un vieux grand hôtel avec un balcon intérieur en bois. Les chambres sont propres, même si l'ensemble fait vieillot. Demandez les chambres donnant sur la place. Prix plus qu'honnêtes. Juste à gauche de l'entrée de l'hôtel, un petit café propose de bons petits déjeuners. Plein de gringos.
🛏 *Hostal Dos de Mayo :* Dos de Mayo 585. A deux pas de la plaza de Armas. Un peu délabré mais propre. Certaines chambres avec lavabo et w.-c. Simple et pas cher. Accueillant.
🛏 *Residencial Atahualpa :* Atahualpa 686. Là encore, à un jet de pierre de la plaza. Chambres propres mais donnant sur un patio genre cour de prison, le tout peint en jaune canari. Pas très gai, mais patron affable et tarifs serrés.
🛏 *Hôtel Prado :* jirón La Mar 580. ☎ 92-32-88. Petit hôtel rudimentaire qui propose des chambres bon marché, avec salle de bains commune. Eau chaude. Un rien plus cher que les précédents.

Plus chic

🛏 *Hôtel Cajamarca :* jirón Dos de Mayo 311. Dans une superbe demeure espagnole restaurée avec patio et balcons de bois où courent les chambres. Notre meilleure adresse à prix moyens. Avec douche et w.-c. Pour un peu plus cher que les précédents, c'est presque la catégorie luxe. On vous conseille aussi le resto, à prix corrects. Groupes le samedi.
🛏 *Hôtel Casa Blanca* (ex-*Gran Hotel Plaza*) : sur la plaza de Armas, en face de la cathédrale. Hôtel très bien tenu, avec des boiseries qui lui donnent un côté rustique bien agréable. Chambres sur la plaza de Armas, ou sur un patio intérieur. Un peu plus cher que les précédents, mais un luxe encore bien abordable. Évitez l'*Anexo* du même nom, bien cher à notre avis. Chambres de 3 également.
🛏 *Hôtel Turismo :* jirón Dos de Mayo 817. Moderne, propre et tout confort et à 5 mn de la plaza. Douche, w.-c. et eau chaude. Bon accueil.

Très chic

🛏 *Los Pinos :* jirón La Mar. Hôtel de luxe tout neuf et très moderne. Déco coloniale tout en bois, parterre en marbre, jolie fontaine érotique au milieu du patio, salle à manger dans le style gothique... et pour les amoureux, une splendide suite matrimoniale. Cher, bien entendu, mais abordable pour nous, Européens.

Où manger ?

✕ *Restaurant Salas :* plaza de Armas. Ferme à 22 h 30. Le meilleur resto de la ville. Un peu « la Coupole » de Cajamarca. Atmosphère un rien bourgeoise, déco surannée et cuisine délicieuse. Spécialités de la Sierra : *sopa de semola* (soupe de semoule), *estofado a la Italiana, cuy frito con papa criolla...* Une bonne adresse.
✕ *Chifa El Zarco :* Arequipa 170. Près de la plaza. Un ancien patio recouvert de plaques de tôle ondulée. Atmosphère de hangar. Plats chinois ou nationaux. Un des moins chers de la ville mais cuisine très simple. En face, au n° 169, jolie cour intérieure avec balcons fleuris.

✕ **Cebicheria la Fonda** : Dos de Mayo 587. Salle claire tout en longueur où l'on déguste les seuls fruits de mer de la ville. Cadre populaire et ambiance bon enfant. Très animée le soir.

✕ **La Taverna** : jirón Dos de Mayo 566. Cadre quelconque mais populaire. Cuisine simple et copieuse. Ambiance un peu terne.

✕ **Restaurant Turistico El Real Plaza** : plaza de Armas, 669. Sous l'hôtel *Plaza*. Le resto appartient à la même famille. Prix tout à fait raisonnables pour une carte variée (*bistec encebollado, churrasco, curry frito*, etc.). Joli patio colonial. Petit déjeuner copieux.

Plus chic

✕ **Hôtel Cajamarca** (voir « Où dormir ? Plus chic ») : le resto de l'hôtel a beaucoup de charme et on y mange bien. Un peu plus cher évidemment. Allez-y plutôt le samedi soir.

✕ **Cajamarques** : jirón Amazonias 770. Resto assez classe mais pourtant pas trop élégant. Bons *churrascos a la napolitana* ou *venetiana*. Manger plutôt dans le petit jardin intérieur. Serviettes en tissu, service rapide et prix un peu élevés.

Où écouter de la musique ? Où boire un verre ?

– **La Casita** : à côté du ciné, plaza de Armas. Le soir seulement. Petit bar vidéo où l'on vous matraque avec du hard-rock et des cocktails détonnants.

– **Le Cocktel** : jirón Junin 1128. Plus typique et propose des musiques folkloriques. Bien pour finir la soirée ou la commencer...

A voir

▸ **La plaza de Armas** : Atahualpa fut exécuté par strangulation sur cette place en 1533. Jolie fontaine coloniale sculptée dans un seul bloc de pierre.
Il s'y déroule un des plus célèbres carnavals sud-américains les quinze derniers jours de février. La ville vit une liesse folle et tout le monde y participe vraiment.

▸ **La cathédrale** : sur la plaza de Armas, à droite de l'*hôtel de Turistas*. Il fallut 250 ans pour la construire (elle fut achevée en 1960 !). En effet, la vice-royauté espagnole n'exigeait pas d'impôt tant que l'église n'était pas terminée. D'ailleurs, le clocher n'est toujours pas construit.
Façade plateresque un peu surchargée. Elle fut réalisée notamment avec des pierres de palais inca d'origine volcanique. Ils ne respectaient donc rien, ces gens-là ! Retable baroque pas très réussi à l'intérieur.

▸ **Église de San Francisco** : face à la cathédrale, de l'autre côté de la plaza de Armas. Là encore, façade très ouvragée, hésitant entre le classique et le baroque. Le résultat n'est pas miraculeux. Belle chaire de bois sculptée à l'intérieur. Par le bras gauche du transept, on accède à une chapelle possédant une très belle voûte en pierre sculptée.

▸ **Église de Belén** : jirón Belén, sur une petite place. Le ticket d'entrée est aussi valable pour la chambre du Rachat. Belle église à la façade travaillée de style plateresque. La plus jolie de la ville. Elle fut terminée au milieu du XVIIIe siècle. Les portes et la chaire (style rococo) sont aussi magnifiquement travaillées. Noter les atlantes de la coupole, angelots en jupe plissée et polychromés qui semblent faire les cornes aux fidèles. A côté de l'église, deux anciens hôpitaux accueillent aujourd'hui des petits musées. Les niches étaient les « chambres » des malades. Quand les malades étaient proches de la mort, on les mettait dans les niches du transept, près de la coupole, et donc plus près de Toi Mon Dieu. Une petite pinacothèque a aussi été aménagée. Toiles coloniales, un peu minables. A côté, un autre petit musée ethnographique peut se passer de votre visite.

▸ **La chambre du Rachat (Cuarto del Rescato)** : avenida Amalia Puga, près de l'église San Francisco. Ouvert de 9 h à 12 h 30 et de 14 h 30 à 17 h 30. Même ticket que pour l'église de Belén. Dans cette pièce, rare vestige inca de la ville, Atahualpa resta enfermé neuf mois. Pour sa libération, il offrit, rappelons-le, de la remplir une fois d'or et deux fois d'argent jusqu'à la hauteur d'un de ses bras levés. (D'après le trait qui rappelle la limite fixée, nos calculs nous laissent croire qu'Atahualpa mesurait 1,75 m, ce qui n'était pas si mal pour l'époque.) Au centre de la salle, la pierre sur laquelle l'Inca fut exécuté.

▶ *Museo arqueologico :* jirón Arequipa 289. Ouvert de 8 h à 12 h et de 14 h à 17 h (l'été de 8 h à 13 h 15) ; samedi et dimanche de 8 h à 12 h. Fermé le mardi. Petit musée un peu poussiéreux mais fort intéressant. On commence par le fond du musée. *Salle Chimú :* statuettes finement travaillées, à visages humains ou à têtes animales. *2ᵉ salle :* période mochica. Ne manquez pas les vases en forme de chien en position fœtale. *Salle Vicus :* quelques pierres chavín et poteries nazca. Voir le masque chimú dans la vitrine.
Demandez au petit monsieur d'ouvrir le meuble sur pied qui cache deux bonnes douzaines de céramiques érotiques mochica, très belles. On a le sentiment de lui demander d'ouvrir un magazine cochon. Dans une vitrine, étrange momie d'un enfant d'un an. *Dernière salle :* objets cajamarca.

▶ *Cerro de Santa Apolonia :* petite colline près de la plaza de Armas, où Pizarro fit installer un canon lors de l'arrestation d'Atahualpa. Au sommet, le trône de l'Inca, avec un serpent taillé dans la pierre. Très jolie vue sur la ville.

Fêtes et artisanat

– *Corpus Christi :* en mai ou en juin. On vient des villages voisins avec de beaux costumes et des groupes de musiciens.
– *Carnaval :* en février. Un des plus beaux du Pérou et le plus délirant en tout cas.
– *Grande fête* le 28 juillet : difficile de trouver une chambre.
– *Petit artisanat local :* sacs de coton ou de laine, vannerie. Un peu de céramique.

Dans les environs

Les agences de la plaza de Armas proposent des excursions d'une demi-journée dans ces différents lieux.

▶ *Baños del Inca :* à 6 km du centre. Microbus au coin d'Amazonas et de Dos de Mayo. Atahualpa y soignait une blessure à la suite de la guerre contre son frère. Les vestiges incas ont disparu, mais endroit bien agréable pour se relaxer. Bains individuels ou piscine. L'eau thermale est chaude et jaillit naturellement de la terre. De nouveaux bassins derrière les premiers ont été aménagés. Plus cher. Le seul hôtel est onéreux. Près des Baños del Inca, un petit élevage de poissons *(piscicultura)* où l'on peut faire du canotage.

▶ *Cumbe Mayo :* à 20 km du centre. Aqueduc taillé dans la paroi rocheuse avec beaucoup d'ingéniosité. A proximité, voir les *Frailones*, rochers aux formes étonnantes. Pas de bus ni de colectivo pour Cumbe Mayo. Seul le taxi y conduit. Les routards à petits budgets se contenteront de la maquette de l'aqueduc exposée au musée archéologique de l'Université.

▶ *La Colpa :* grande hacienda où tous les jours d'été, vers 14 h 30-15 h, on appelle les vaches par leur prénom pour les traire (ce qui amuse les touristes, paraît-il). Bon, pas de quoi grimper aux rideaux. Pour y aller, prendre une camionnette au coin de l'avenida Atahualpa et de la route pour Llacanora. Puis marcher 1 km. Pour le retour, se débrouiller.

▶ *Ventanillas de Otuzco :* à 8 km au nord-est de la ville. Pour s'y rendre, prendre un des vieux bus qui sillonnent les rues Rafael et Rubio. Les spécialistes seuls iront voir cette série d'orifices creusés dans la roche. Il s'agit d'une nécropole rupestre précolombienne. La campagne environnante ressemble un peu à la Californie.

Quitter Cajamarca

En avion

– *Aeroperú, Expreso Aero* et *Andreas Airlines* (voir « Adresses utiles »).

En bus

Toutes les compagnies de bus sont situées dans le même coin derrière la plazeta Bolognesi. Le restaurant *La Namarina* sert des plats copieux. Bien pour avant le départ.
– *Empresa Tepsa :* au coin de Sucre et Reyna Farje 100. ☎ 92-33-92. Vers Lima, tous les jours.
– *Empresa Diaz :* jirón Ayacucho 753. ☎ 92-34-49. Dessert Chiclayo, Trujillo, Cajabamba, Bambamarca, Celedin et Chota.
– *Expreso El Cumbe :* avenida Atahualpa 302. Vers Chiclayo, 3 fois par jour.
– *Expreso Sudamericano :* avenida Atahualpa, cuadra 3. Va à Lima, Trujillo et Chiclayo une fois par jour. La meilleure compagnie. Bus rapides et confortables.
– *Expreso Vulcano :* avenida Atahualpa, cuadra 3. Va à Trujillo et Chiclayo deux fois par jour.
– *Cooperativa de transportes Atahualpa :* avenida Atahualpa, cuadra 3. ☎ 92-30-60. Dessert Lima, Cajabamba, Celedin, Chiclayo tous les jours. Bus confortables.

CHACHAPOYAS ET LES RUINES DE KUELAP

Particulièrement difficiles d'accès, mais au moins vous n'y rencontrerez pas trop de touristes. Capitale du département d'Amazonas, située à 2 300 m d'altitude, cette petite ville coloniale semble vivre hors du temps, au bout du monde.

Comment se rendre à Chachapoyas ?

De Cajamarca (335 km, 20 h)

– **Bus de Cajamarca à Celedin** avec la *Empresa Atahualpa,* tous les jours à 13 h (à vérifier) ; ou *Empresa Diaz,* à 12 h. Durée 6 h. Passer la nuit à Celedin. Là on vous conseille l'*hôtel Celedin,* jirón la Unión 305. Si c'est plein, essayez le *Maxmar,* avenida 2 de Mayo 423. Pour manger, *El Celedin,* sur la plaza de Armas, est honnête.
– **De Celedin à Chachapoyas :** microbus seulement le dimanche à 19 h, le lundi à 3 h du matin et le jeudi à 19 h. Vérifier les horaires à l'office du tourisme de Cajamarca, ça peut changer. Microbus à prendre à Celedin sur la plaza de Armas ou près du marché, se renseigner. Durée : 14 h, sur une mauvaise piste (on est routard ou on ne l'est pas). Les autres jours de la semaine, il y a parfois des camions ou des camionnettes depuis la plaza ou près du marché. Là encore, c'est à vérifier sur place. Confort inexistant. Paysage superbe : précipices, cactus géants...
– Deux heures avant Chachapoyas, on passe par **Tingo** (ne pas confondre avec Tingo María). C'est de là que part en fait le chemin vers Kuelap. Mais la plupart des touristes vont passer la nuit à Chachapoyas et reviennent le lendemain, plus frais, pour se rendre à Kuelap. En effet, on y trouve des hôtels décents et des restos. Si vous voulez à tout prix rester à Tingo, allez voir au *restaurant Kuelap,* vous pourrez peut-être y trouver une chambre. C'est le meilleur resto de Tingo et c'est aussi là qu'on peut louer des chevaux pour se rendre à Kuelap (voir « Pour se rendre aux ruines »). On peut aussi dormir à l'*Hotelito Tingo,* décent. Chambres chez l'habitant.

De Chiclayo

– **Bus** qui vont jusqu'à Chachapoyas en passant par Olmos. Durée du trajet : 24 h pour une distance de 400 km. La route qui y mène est spectaculaire. Après avoir quitté le désert côtier, on franchit le col le plus bas du Pérou, l'*Abra de Porculla* (2 140 m), puis on redescend dans des vallées verdoyantes pour traverser le Marañon, affluent de l'Amazone, près de Jaen. On arrive enfin à Chachapoyas, loin de tout.
– **En avion :** liaisons Chiclayo-Chachapoyas le mercredi et le vendredi avec *Aeroperú.* Parfois, à cause des intempéries, les avions ont des problèmes pour se poser.

Où dormir ? Où manger à Chachapoyas ?

- 🛏 *Hostal Eldorado :* le meilleur hôtel car le plus propre.
- ✗ *Resto Chacha :* sur la plaza de Armas. Essayez aussi le *Chifa el Turista.*

Pour se rendre aux ruines

– Si vous êtes à Chachapoyas, prendre une camionnette tôt le matin sur la
plaza de Armas pour Tingo. Se renseigner sur l'heure.
De Tingo à Kuelap, 3 solutions :
– *En voiture :* encore faut-il en trouver une. 37 km en 1 h 30-2 h.
– *A pied :* 5 h de marche aller. Prendre un guide. On vous conseille de partir tôt
si vous voulez rentrer avant la nuit. On peut aussi coucher sur place, près des
ruines. Demander à la personne qui vend les tickets. Un campement avec
quelques lits est installé. Il est toutefois conseillé d'apporter son sac de couchage et de la nourriture. Ces infos, par définition périssables, sont à vérifier à
Chachapoyas ou à Tingo. La nuit, il fait froid : on est à 3 025 m. On repart le lendemain matin. Le lever du soleil sur la forteresse dominant la vallée est un must.
– *A cheval :* à Tingo, le resto *Kuelap* loue des chevaux pour se rendre aux
ruines. Renseignements au resto directement. S'il ne le fait plus, dites-le-nous.
Balade de 3 h. S'y prendre le plus tôt possible. Prendre un guide.

Les ruines

Le site est payant. Petit supplément avec un appareil photo. Kuelap est l'un des
plus beaux sites archéologiques des Andes. Un des plus mystérieux aussi.
L'énigmatique forteresse du Ve siècle est enfouie dans la végétation à 3 000 m
d'altitude. Cette cité pré-inca fut sans doute fortifiée plus tard. On remarquera le
système d'entrée qui obligeait à emprunter une série de couloirs entre deux
murailles avant de pénétrer dans la forteresse. On entre dans la cité par une
porte de 15 m de haut. La muraille extérieure atteint par endroits plus de 20 m
de hauteur. L'intérieur de la forteresse renferme trois autres murailles aussi
hautes que la première. La plupart des restes d'habitat sont recouverts par la
végétation. Sur quelques murs apparaissent encore des frises en pierre. Une
tour d'observation domine l'ensemble.

CHICLAYO

Grande ville moderne et sans intérêt. En fonction des horaires de bus ou de
votre circuit, vous serez peut-être contraint d'y dormir. Sans être désagréable,
Chiclayo n'offre rien à voir. En revanche, à 11 km de là, le village de *Lambayeque* possède un excellent musée archéologique. Si vous avez quelques
heures à perdre, c'est là qu'il faut aller.

Adresses utiles

– *Office du tourisme (Foptur) :* Saenz Peña 830. Ouvert de 8 h à 13 h 30.
– *Banco de Credito :* avenida Balta 630. Ouverte de 8 h 30 à 15 h 30.
– *Change* (au noir) : au coin de la calle José Balta et de la plaza de Armas.
– *Poste :* Elias Aguirre 100.
– *Alliance française :* J. Cuglievan 691. ☎ 23-75-71.
– *Centre de téléphone (Entelperú) :* calle 7 de Enero. Ouvert jusqu'à 23 h.
– *Hôpital Las Mercedes :* Gonzales 635. ☎ 23-70-21.
– *Lavanderia Dry Cleaner :* avenida Balta et plaza de Armas.
– *Police touristique :* Saenz Peña 838.

Où dormir ?

Bon marché

◻ *Hôtel Real :* Aguire 338. Des chambres au confort rudimentaire dans un hôtel un peu dépassé mais propre. Un des plus abordables dans cette gamme de prix. Les autres sont vraiment sordides.

◻ *Royal Hotel :* San José 787. Sur la plaza de Armas. Très grand hôtel, un peu vieillot mais pas exempt de cachet. Escalier de bois et murs jaunis. Grandes chambres avec lavabo. Pas cher et propre. Prendre une chambre donnant sur la plaza (sauf le samedi soir).

Prix moyens

◻ *Hôtel Paraiso :* Pedro Ruiz 1064. Près du marché. Très bien tenu et pas dénué de charme. Une petite salle et un bar lui confèrent une atmosphère chaleureuse. Les chambres sont modernes et soignées.

◻ *Hôtel Kalu :* Ruiz 1038. Même genre que le précédent mais un peu moins chic. Mêmes prix. Si l'autre est complet.

◻ *Hôtel Santa Rosa :* Luis Gonzales 927. Bâtiment en béton coincé entre deux gros édifices. Long couloir avant l'accueil. Moins bien tenu que les deux autres mais tout à fait recommandable et un rien moins cher. Bon rapport qualité-prix.

◻ *Hôtel El Sol :* Elias Aguirre 115. ☎ 23-21-20. Plus chic. Moderne et aseptisé mais sûr et avec eau chaude. A 5 mn de la plaza. Un peu plus cher que les précédents.

Plus chic

◻ *Hôtel Plaza :* Vincente de la Vega 843. Hôtel tout confort à mi-chemin entre le rustique colonial et le moderne. Chambres avec douche, télévision, téléphone, moquette. Fait aussi restaurant. Prix en conséquence.

Où manger ?

✕ *Restaurant Mi Tía :* Elias Aguirre 662. Sur la plaza de Armas. Ouvert matin, midi et soir. Petit restaurant bien sympathique où l'on sert de la bonne cuisine. Carte variée, plats copieux et bon service. Sert aussi des petits déjeuners. Petite salle toujours bondée qui ne manque pas de caractère.

✕ *Las Tinajas :* Elias Aguirre 957. Attention, l'entrée est très discrète. On longe un étroit couloir avant de déboucher sur une large salle tout en bambou aux tables en bois brut recouvertes de nappes magenta. Sa spécialité, les poissons et les fruits de mer. Sert aussi quelques viandes et des soupes.

✕ *Restaurant El Roma :* avenida Balta 512. A 2 mn de la plaza. Cuisine locale et internationale. Bons plats de pâtes, *sopa criolla* copieuse. Une bonne adresse qui a tendance à faire mousser ses prix et à négliger son service. A voir.

✕ *Restaurant El Impérial :* en face du précédent. Version moins chic et plus populaire que le *Roma*. Les plats sont copieux. La salle plutôt impersonnelle est large et haute, un peu comme un entrepôt.

Plus chic

✕ *Restaurant Le Paris :* calle Isaga 716, près de l'avenida Balta. Chic et bien plus cher que le précédent. Cuisine plus raffinée cependant. La façade du bâtiment a un petit côté féerique moyenâgeux qui contraste avec l'architecture impersonnelle et délabrée de la ville. Un reflet de la vieille Europe pleine de charme.

Dans les environs

▶ *Lambayeque :* petit village calme, au style vaguement colonial, sur la route de Piura. Pour y aller, prendre un microbus au coin de la calle San José et de San Martín. Il y a aussi des omnibus qu'on peut prendre 50 m plus loin, toujours sur San José. Pas d'hôtel. Pour le retour, microbus en face du musée.

– **Museo arqueologico Bruning :** avenida Huamachuco, au coin de jirón Atahualpa. Ouvert de 9 h à 18 h (12 h les samedi et dimanche). Excellent musée
moderne et bien aménagé, présentant une collection privée rassemblée par un
Allemand fana d'archéologie. Au rez-de-chaussée, on notera surtout les
incroyables céramiques préincas, notamment celles des cultures vicús, mochica
et chimú. A l'étage, nombreux objets usuels, très bien sélectionnés : instruments de pêche, armes, maquettes d'habitations. Dans une autre partie du
musée, ne ratez pas l'orfèvrerie mochica et chimú. Superbe.
– De la plaza de Armas, en empruntant la calle Dos de Mayo, au coin de la calle
San Martín, un des plus grands balcons coloniaux du Pérou. Pas très bien
conservé. C'est de là que fut proclamée, la première fois, l'indépendance du
Pérou, le 27 décembre 1820.

▶ **Pimentel :** c'est une petite station balnéaire à une dizaine de kilomètres de
Chiclayo. Pour y aller prendre un bus ou un colectivo au carrefour de l'avenue
Gonzales et V. de la Vega. Pas génial mais la longue plage est très jolie. Le
week-end, on s'y retrouve en famille. Les gens les plus aisés de Chiclayo y possèdent une résidence secondaire. Pas d'hôtel. A 6 km, au sud de Pimentel, sur
la plage de Santa Rosa, on trouve plusieurs restos de poisson. Le matin, les
pêcheurs ramènent des raies. Goûtez à la *cheriguita de guitarra*, spécialité de
raie séchée. Très bon.

▶ **Motupe :** dans ce village, la première semaine d'août, a lieu un des plus
importants pèlerinages d'Amérique du Sud. Pour s'y rendre, des colectivos
partent à l'angle de Ruiz et Gonzales.

▶ **Zaña :** on ne vous conseille pas de pousser jusqu'à ce village, à 45 km de
Chiclayo. Pourtant, l'histoire de Zaña mérite d'être contée. A l'arrivée des Espagnols qui la fondèrent, la ville devint riche très rapidement grâce à ses ressources naturelles. C'est sans doute cette prospérité qui attira le pirate anglais
Davis qui pilla la ville en 1586. Peu de temps après, sir Francis Drake remit le
couvert pour prendre les restes, laissant la ville exsangue. Une crue du fleuve
Zaña, au début du XVIII° siècle, porta le coup de grâce à la cité. Y'en a qu'ont
vraiment pas de chance !

▶ **Tucume :** un des derniers sites archéologiques découverts dans le nord du
Pérou. Situées en plein désert, des grosses murailles érodées par le vent et la
pluie suggèrent l'emplacement d'une ancienne (très ancienne) forteresse. Le
site est connu pour ses 26 constructions pyramidales et ses réalisations artistiques largement inspirées par le monde marin.
Le site est encore l'objet de fouilles et n'est pas toujours ouvert au public. Se
renseigner à l'office du tourisme. Pour se rendre à Tucume, prendre un colectivo ou un microbus au coin de Gonzales et Pardo.

Quitter Chiclayo

En bus

– Vers Tumbes

• *Empresa Tepsa :* avenida Bolognesi 536. ☎ 23-69-81. Durée : 10 h.
• *Empresa Olano :* Vincente de la Vega 101. ☎ 23-63-10. Une fois par jour le
soir.
• *Expreso Cruz del Sur :* jirón Quilca 531-561. Deux départs la nuit.

– Vers Cajamarca

• *Empresa El Cumbe :* Leoncio Prado 1139. ☎ 23-14-54. Un dans la journée et
un le soir. La meilleure des deux.
• *Empresa El Diaz :* avenida Bolognesi 1001. Un départ à midi.

– Vers Trujillo et Lima

• *Empresa Tepsa* (adresse plus haut). 3 ou 4 départs quotidiens.
• *Empresa Olano* (adresse plus haut). Deux bus par nuit et deux en soirée.
• *Chiclayo Expreso :* Mariscal Nieto 199. Va directement à Lima trois fois par
soir. Bus de qualité.
• *Expreso Continental :* Bolognesi 364. Un départ le soir.

• *Chinchaysuyo* : Castilla 216. Un bus pour Trujillo dans l'après-midi. Un pour Lima le soir. Compagnie irrégulière.

— **Vers Rioja, Moyobamba et Tarapota**

• *Chinchaysuyo* : départ tous les mardis à 20 h (à vérifier).

En avion

— *Aeroperú* : calle Elias Aguirre 380. ☎ 23-71-11. Dessert Lima tous les jours, Tarapoto les mercredi et samedi, Rioja le mercredi, Trujillo les mardi, vendredi, samedi et dimanche. Compagnie irrégulière.
— *Faucett* : avenida Balta 691. ☎ 23-48-71. Ouvert de 8 h à 19 h (13 h le dimanche). Vols vers Lima tous les matins. Vols vers Rioja les dimanche et mardi seulement. Vols vers Tarapota les lundi et jeudi.

PIURA

Petite ville au caractère tropical. Pas grand-chose à voir. Ce fut l'une des villes que les Espagnols fondèrent en premier. Aux environs, le petit village de Cata-caos est spécialisé dans le travail de l'or et de l'argent, et dans la confection des *panamas* (traditionnellement fabriqués en Équateur). Plusieurs boutiques calle Comercio. D'autres sur la place principale. On y boit aussi une très bonne chicha.

TUMBES

Petite ville sans particularité, si ce n'est son climat tropical et les plages de ses environs. C'est en effet le seul endroit du Pérou où le courant froid de Humboldt ne longe pas la côte : on peut donc se baigner. On y a tourné *Le Vieil Homme et la mer*, tiré du célèbre roman d'Hemingway. C'est aussi là qu'on passe la frontière. On est donc parfois obligé d'y dormir. Si vous pouvez éviter, ce n'est pas plus mal. Tumbes est connu pour être une plaque tournante de la drogue, frontière oblige. On y trouve également une importante garnison. Plus au sud, les plages sont superbes, propres et désertiques.

Adresses utiles

— **Office du tourisme (Foptur)** : Alfonso Ugarte 227. Au coin de Mayor Modero. Au 3ᵉ étage. Bureau 302.
— **Consulat d'Équateur** : plaza de Armas. Ouvert du lundi au vendredi de 8 h 30 à 13 h. On vous l'indique au cas où, car on n'a plus besoin de visa pour aller en Équateur. Attention, séjour de 90 jours maximum.
— **Poste** : calle San Martín 240. Ouvert de 8 h à 20 h.
— **Centre téléphonique** : calle San Martín 242. Ouvert de 7 h à 23 h.
— **Aeroperú** : Piura 780. ☎ 35-77. Dessert Lima les lundi, mercredi et vendredi.
— **Faucett** : calle Tacna 230. ☎ 26-55. Vols pour Lima tous les jours. La compagnie la plus fiable.
— **Banco de la Nación** : avenida Vasquez, au coin de Grau (près du pont).
— **Banco de Credito** : paseo Libertadores cuadra 1. Change également les chèques de voyage.

Où dormir ?

Plusieurs hôtels bon marché, mais peu bénéficient d'une propreté même sommaire. A noter que la plupart des hôtels n'ont pas d'eau chaude.
De l'aéroport, prendre un colectivo, 5 fois moins cher que le taxi. La ville est à 15 km.

🛏 *Hôtel Gandolfo :* Bolognesi 420. ☎ 52-28-68. Rue derrière la poste. Hôtel moderne non dénué de cachet. Très bien tenu. Sanitaires dans certaines chambres. Patron très honnête. Meilleur rapport qualité-prix de la ville.

🛏 *Hôtel Jugdem :* Bolivar 344. Chambres spacieuses dans les tons clairs pastel. Très propre. Un havre de paix. Il règne dans cet hôtel une douceur et un calme religieux. Vraiment pas cher.

🛏 *Hostal Cordova :* jirón Abal Puell 777. Vieil hôtel propre et bien tenu. Chambres simples mais prix serrés. Accueil informel.

🛏 *Hostal Tumbes :* jirón Grau 614. Dans une rue calme. Chambres avec douches et w.-c. Moderne et calme. Pas si cher que ça.

🛏 *Hôtel Toloa :* avenida Vasquez. Dans la rue des terminaux de bus. L'hôtel est un peu sombre à cause des murs foncés mais les chambres sont propres et très aérées. Un peu plus cher que les autres, mais pas mieux. Pour les engourdis du matin qui n'aiment pas marcher et ont un bus à prendre tôt dans la matinée.

Plus chic

🛏 *Hostal Lourdes :* Mayor Modero 150. Petites chambres impeccables avec salle de bains, télévision, mais à prix élevés.

Encore plus chic

🛏 *Hôtel de Turistas :* San Martín 275. Le luxe à prix finalement honnête. Un des meilleurs hôtels de la ville. Petite piscine. Chambres confortables et calmes.

Où manger ?

✗ *Restaurant El Brugo :* calle 7 de Enero 320. Ouvert midi et soir. Le meilleur resto de la ville à notre avis. Il n'a jamais déçu personne. On vous sert de délicieux plats de *mariscos*. Les *ceviches* ne sont pas mal non plus. Pour se caler, les pauvres prendront une assiette d'*arroz con mariscos*. Le soir, *parilladas* uniquement. En guise de dessert, prendre les *panqueques con dulce de leche*. C'est sur la plaza de Armas que vous trouverez le plus grand choix de restaurants :

✗ Le *Curich* est un resto typique. La salle ressemble à un grand garage surmonté d'un toit en bambou mais il y a tout le temps du monde. L'ambiance est animée et la cuisine est de qualité.

✗ Le *Latino,* à côté, propose un décor un peu plus distingué... et des prix plus élevés. Carte variée.

✗ L'*Ego's :* on y sert de bons petits déjeuners dans une salle au cachet exotique ou sur la terrasse à l'ombre. Ne vous fiez pas à son air un peu sombre et délaissé. La cuisine est bonne et soignée.

✗ *Resto Menova :* calle Vasquez 362. Nourriture créole pas chère. Rien de génial, mais suffisant pour se remplir l'estomac avant de prendre un bus. Les serveurs sont plutôt lents, surtout avec les gringos...

– On vous déconseille les gargotes insalubres autour du marché, surtout si vous n'êtes pas vacciné contre l'hépatite.

A voir

Si on a un peu de temps, on peut se balader au bord du fleuve où les enfants batifolent et les mamans lavent le linge.

Les plages des environs

▶ *Puerto Pizarro :* colectivo de l'avenida Vasquez, au coin de Piura. A 15 km au nord de Tumbes, ce petit village respire la nonchalance et la tranquillité. Les maisons sont en paille, en bois et quelques-unes en dur. Quelques pêcheurs. Le bord de plage est un peu crado et un vilain château d'eau de béton a été construit. Si vous levez les yeux, vous verrez tournoyer de jolis oiseaux. Au bord de l'eau, quelques barques qu'on peut louer pour aller dans les *manglares* (marigots), petits îlots de verdure où se réfugient les pélicans. Négociez les prix.

L'île qu'on aperçoit en face, l'*Isla del Amor*, permet de se baigner dans une eau propre. Bon, ne fantasmez pas trop, ce n'est pas Bali.

🛏 Un seul endroit pour dormir, le *motel Puerto Pizarro*, hors de prix et loin d'être propre.

✗ En revanche, à côté, le *restaurant Mi Cholita* est excellent. Il se trouve un peu en retrait à 10 mn de la rive. Demandez, les gens connaissent. Goûtez les poissons, les *conchas* (coquillages du coin) et les *chicharrones* de calmars.

Attention : pour revenir, parfois les colectivos se font rares, surtout le weekend quand il y a affluence. Il faut alors se jeter littéralement sur les voitures qui arrivent pour ne pas être laissé en plan.

Aux alentours de Puerto Pizarro, vous verrez peut-être des jeunes pêcheurs rapporter des filets de crabes qu'il vont ensuite vendre aux restaurants. Ils se font ainsi entre 10 et 20 dollars par jour, ce que d'autres se font en un mois. Mais nombre d'entre eux passent une bonne partie de leur paie en cocaïne.

▸ *Caleta de la Cruz :* petit village de pêcheurs à 10 km au sud de Tumbes. Rien de vraiment intéressant, si ce n'est la plage. Microbus sur la plazuela Alipio Rozales.

▸ *Zorritos :* à quelques kilomètres au sud de Caleta. Très belle plage le long de la panaméricaine. Pour y aller, colectivos sur l'avenida Castilla.

Au sud de Zorritos, la côte n'est plus qu'une longue plage de sable dorée et aux eaux chaudes. Si vous voulez être tranquille pour faire bronzette, c'est là qu'il faut aller.

Quitter Tumbes vers le sud

En avion

Voir « Adresses utiles ».

En bus de Tumbes

Plusieurs compagnies, proches les unes des autres. Bien sûr, tous les bus qui empruntent la panaméricaine passent par Piura, Chiclayo, Trujillo, Chimbote, Huacho et Lima.

– *Empresa Sudamericana :* avenida Vasquez 474. Deux départs pour Trujillo et Lima. Va aussi vers Roja depuis Lima.

– *Empresa Roggero :* avenida Vasquez 321. Va à Lima et Tanga.

– *Empresa Continental :* avenida Vasquez 315. Trois départs. Un en fin de matinée et deux autres en fin d'après-midi. Direct à Lima.

– *Tepsa :* avenida Vasquez, juste avant le pont. Deux départs. La seule compagnie qui part d'Aguas Verdes vers Lima. Mais ils s'arrêtent à Tumbes, bien sûr.

– *Transportes Olano :* Vasquez 389. Va directement à Chiclayo et Trujillo.

– *Colectivos pour Piura :* au coin des avenida Piura et Vasquez ou au coin de Piura et Tacna. Grandes américaines un peu fatiguées.

Passage de la frontière Pérou-Équateur

Prendre un colectivo qui va à *Aguas Verdes*. Ils se trouvent tous dans le même coin. Il y en a tout le temps. Des rabatteurs vous aborderont en bêlant leur destination. Comparez les prix et discutez.

Puis la frontière se passe à pied. De manière générale, arrangez-vous pour passer la frontière le matin si vous voulez être certain d'avoir un bus qui monte vers Cuenca ou Guayaquil.

– *Colectivo n° 1 :* au coin de Vasquez et de Piura.

– *Microbus :* au coin de Piura et de San Martín.

Le village du côté péruvien s'appelle Aguas Verdes et celui de l'autre côté du pont, côté équatorien, s'appelle *Huaquillas*. La frontière est ouverte de 8 h à 18 h sans interruption. Le dimanche, mêmes horaires, mais jusqu'à 16 h. Le bus ou le colectivo s'arrête avant la frontière, qu'on passe à pied. Le poste frontière péruvien se trouve avant le pont, sur la droite, presque caché par des petits vendeurs ambulants. Bien vérifier qu'on vous a mis le tampon de sortie du pays. Sinon, exigez-le. Du côté équatorien, le poste frontière se trouve après le pont sur la gauche. Là aussi, vérifiez qu'on vous a tamponné votre passeport.

S'il ne vous reste que quelques soles, changez-les contre des sucres avant le pont. Si vous avez encore une grosse somme, n'en changez qu'une partie à Aguas Verdes, où les taux sont bas et l'arnaque facile (renseignez-vous sur les taux avant). Attendez d'être dans une plus grande ville comme Cuenca. Changez plutôt vos dollars contre des sucres à Huaquillas. Sur le pont, vous serez assailli par des petits changeurs. Adressez-vous plutôt aux hommes en costume, assis sur une chaise avec leur mallette sur les genoux et un parasol au-dessus de la tête, et qui changent de l'argent toute la journée. Taux très honnêtes. Attention quand même aux pickpockets sur le pont et aux faux billets qui circulent (voir rubrique « Argent » au début du chapitre « Équateur »).

Si vous passez un dimanche matin vers 8 h, vous verrez les nationalistes péruviens et équatoriens en action. 200 soldats au moins de chaque côté, deux fanfares, pour monter les deux drapeaux.

Pour aller à Cuenca, ou pour savoir où dormir à Huaquillas, voir au début de la partie Équateur « Frontière d'Aguas Verdes - Huaquillas (Pérou-Équateur) ».

L'ÉQUATEUR

Ce petit pays grand comme la moitié de la France, coincé entre la Colombie et le Pérou, s'étend de l'océan Pacifique aux profondeurs de l'Amazonie, en enjambant un morceau de la cordillère des Andes. Il a connu le destin agité de tous les États d'Amérique du Sud. Les coups d'État militaires s'y sont succédé avec une régularité métronomique. Soutenus par une Église longtemps nostalgique des beaux temps de l'Inquisition, les descendants d'Espagnols et les métis ont continué d'exploiter sans vergogne les populations indiennes. Comme partout sur ce continent, les riches se sont enrichis, les pauvres se sont appauvris. Toutefois, un voyage en Équateur c'est un peu comme une cure de repos, pour le physique comme pour le moral. « Dormir la tête au printemps et les pieds en été. » Ce slogan un peu facile a pourtant un fond de vrai. Ce pays, injustement délaissé par les hordes de touristes, est pourtant l'un des plus agréables. Après le Pérou, l'Équateur se présente comme un pays facile à visiter.
Une configuration géologique plus docile, un climat moins rude jouent indéniablement sur le caractère de la population. De nature affable et ouverte, l'Équatorien cherche à lier contact, à apprendre à connaître le voyageur. Pas de regards agressifs, mais plutôt des visages souriants.
L'Équateur, c'est un peu la Suisse de l'Amérique du Sud. Bien sûr, les traces culturelles sont moins présentes et l'amateur de vieilles pierres en sera un peu pour ses frais, mais tout cela sera compensé par la gentillesse des habitants et la beauté des paysages.

Adresses utiles, formalités

– **Consulat et ambassade d'Équateur** : 34, avenue de Messine, 75008 Paris. M. : Monceau. ☎ 45-61-10-04 ou 10-01. Ouvert de 10 h à 13 h du lundi au vendredi. Très peu d'informations sur le pays. Les agences consulaires de Marseille et du Havre ont fermé leurs portes.
– **Association France-Équateur** (office du tourisme de l'Équateur) : 66, rue Constituante, 78500 Sartrouville. ☎ 39-57-87-49. Renseignent sur rendez-vous. Téléphonez.

• En Belgique

– **Ambassade et consulat** : chaussée de Charleroi, 70, Bruxelles 1060. ☎ 537-91-93.

• En Suisse

– **Chancellerie** : 19 a, Helvetiastrasse, 3005 Berne. ☎ 43-17-55.
– **Consulat** : 139, rue de Lausanne, 6ᵉ étage, 1202 Genève. ☎ 738-73-37.

• Au Canada

– **Consulat d'Équateur** : 1010 Sainte-Catherine Ouest, Bureau 625, Montréal, QC Canada H3B 1E7. ☎ 874-40-71.
– **Consulat** : 151 Bloor Street West, Toronto, MSS 154, Ontario. ☎ 968-20-77.

Formalités

Passeport en cours de validité. Le visa n'est plus nécessaire pour les ressortissants de la CEE. Mais attention, vous ne pouvez séjourner que 90 jours par an en Équateur. A la sortie du pays, la taxe d'aéroport est assez élevée (payable en dollars).

Argent, banques, change

Il n'y a pas de marché noir ou très peu, étant donné que c'est illégal. De toute façon on vous le déconseille à cause de la fausse monnaie (américaine et équatorienne) qui circule et des arnaques fréquentes. L'argent peut être échangé dans les maisons de change *(casas de cambio)* à un taux généralement meilleur que dans les banques, mais seulement de 9 h à 13 h. On peut changer des francs français dans quelques banques des grandes villes, mais les dollars sont bien sûr plus appréciés. Les chèques de voyage sont acceptés dans les casas de cambio. Il est possible de retirer de l'argent avec la carte VISA à Quito. La monnaie est le *sucre*. A ne pas confondre avec l'*azucar* qu'on met dans le café. Le nom vient du général Sucre, un des libérateurs du pays au XIXe siècle. Pour les transports, ayez toujours de la petite monnaie.

— Les bureaux sont ouverts de 8 h 30 à 12 h 30, et de 14 h 30 à 18 h 30 ; le samedi, de 8 h 30 à 12 h 30 seulement (les administrations sont fermées le samedi matin).

— Les banques sont ouvertes au public de 9 h à 13 h. Elles sont fermées le samedi et le dimanche. A Quito, les casas de cambio sont ouvertes jusqu'à 17 h.

Artisanat

— Le plus connu des *marchés* d'Équateur est celui d'*Otavalo*. On y trouve un bon concentré de tout l'artisanat du pays, et bien sûr, toute la production des Indiens d'Otavalo. Très beaux lainages, ponchos, tapis et tweeds. Pour les lainages, attention aux faux. De plus en plus, on utilise l'acrylique. Si les couleurs sont chimiques (ce qui ne veut pas dire qu'elles ne sont pas belles), il est nécessaire de les refixer. Baigner le tapis une heure dans un bain d'eau salée. Pour vérifier s'il s'agit de laine, prendre un petit brin et le brûler. Si ça brûle, c'est de la laine, si ça fond, c'est du synthétique. Éviter quand même de cramer tout le tapis. Objets en bois sculpté aussi. Petites céramiques superbes également.

— Les *panamas* (voir texte plus loin) : on les trouve essentiellement à Cuenca et dans les villages environnants. Le marché d'Otavalo en propose aussi mais moins de choix.

— Les *tzantzas* (têtes réduites) : on en trouve à Quito. Naturellement, elles sont fausses, mais cela peut faire plaisir à votre petite sœur.

— Les *rondadores* : belles flûtes. On les trouve un peu partout.

— *Sacs :* en fibre d'agave ou en laine. On en trouve à Quito et Otavalo.

— *Orfèvrerie :* le village de Chordeleg, aux environs de Cuenca, est réputé pour ses bijoux en or et argent, et ses panamas.

— *Tapis :* dans le village de Salasaca, à quelques kilomètres au nord de Riobamba, des artisans fabriquent de superbes tapis muraux, peut-être parmi les plus beaux du pays par l'imagination des motifs et le choix des couleurs. Mais ce sont les Indiens d'Otavalo qui sont vraiment les maîtres dans ce domaine, tant pour les faire que pour les vendre.

— *Figurines en masapán* (massepain) : les petits objets réalisés avec du pain coloré et verni qui sont en vente dans les boutiques de Quito sont en fait fabriqués dans le village de Calderón, à 15 km au nord de la capitale. Plus de choix et bien moins cher.

— *Sculptures sur bois :* à San Antonio de Ibarra, près d'Ibarra. Bon travail mais sujets peu inventifs.

— *Céramique :* toutes sortes d'objets sont fabriqués. Cuenca en est la capitale.

Panamas d'Équateur

Surprise : le plus fameux chapeau fabriqué en Équateur est le *chapeau panama !* A l'origine destiné à ceux qui creusèrent le canal de Panama, son succès fut tel que les commerçants européens et américains l'importent encore aujourd'hui. Toute la matière première servant au tissage du panama provient de l'Équateur : la *paja toquilla* ainsi que la *paja mocoraz*.
Véritables merveilles de couvre-chefs, ils ne craignent ni les chocs, ni la pluie, légers comme un filet d'air, ils constituent l'industrie principale des bourgades de Montechristi et Jipijapa (dans la région de Manta). On les trouve dans de nombreuses boutiques de Cuenca ou sur le marché d'Otavalo.
La fabrication d'un chapeau dure d'une semaine à trois mois pour un panama qui ne pèse que quelque 75 g. Après la préparation de la paja toquilla à base de jeunes feuilles d'un palmier nommé *Carludivia palmita*, bouillies, séchées à l'ombre puis blanchies au soleil, on constitue un *cogollo* de vingt-huit brins de 60 cm de long pesant environ 15 g, prêt à tisser.

Le tissage, aussi précis que délicat, comporte de nombreuses phases : *plantilla*, *enjire, carre* ou mise en forme, lavage, séchage au soleil, blanchiment dans la fumée de soufre... terminées par le tissage des ailes au point de remate. Il ne reste plus qu'à marteler le chapeau avec une masse en bois pour aplanir et égaliser les points et à passer à la brosse un mélange de lait à décrusage et de gomme avant de repasser, avec un linge intercalé, pour éviter le lustrage.
Attention ! les trois premiers points du tissage du fond indiquent sans équivoque la provenance du plus *fine* des chapeaux.

Les marchés indiens

Les marchés en Équateur offrent les spectacles les plus pittoresques et les plus colorés d'Amérique du Sud. Ils sont situés dans les villes et villages tout le long de l'avenue des Volcans.
Pêle-mêle, on peut y acheter fruits, légumes, viandes, volaille, bestiaux, fleurs, lainage, ponchos, châles, et de nombreux objets d'artisanat.
Le plus réputé d'entre eux reste bien sûr celui d'Otavalo, qu'il ne faut pas manquer le samedi. Chaque ville ou village de la sierra a son propre jour de marché, qui n'est pas le même évidemment. Certaines villes en ont deux. Dans la mesure du possible, essayez d'accorder votre itinéraire à celui des marchés. Les villes se couvrent de couleurs, s'animent, trépident dans une atmosphère de sympathique bousculade. Attention simplement aux hôtels, dont les moins chers risquent d'être complets. De manière générale, arrivez la veille au soir, le moment le plus intéressant du marché étant tôt le matin. Pour plus d'infos, se reporter à la rubrique « Achats » puis aux textes sur les villes concernées.

Climat, température, végétation

Une bonne manière de vérifier la théorie des climats de Montesquieu ! Ici, la côte est ensoleillée, les collines verdoyantes et les sommets ne s'élèvent jamais aussi haut qu'au Pérou. Quant à la jungle, elle s'avère accueillante.
– *Saison des pluies :* de novembre à avril. Communications difficiles, routes non goudronnées et coupées. Chaleur et pluie sur la côte.
– *Saison sèche :* de juin à septembre. Pour Quito et la sierra : 20 à 30 °C le jour, – 5 à + 5 °C la nuit. Pour Guayaquil et la côte : 25 à 35 °C le jour, + 5 à + 15 °C la nuit.

Cuisine

L'Équateur n'est pas champion en gastronomie. Attention à l'overdose de *pollo con papas fritas* (poulet-frites) ou de *lomo papas fritas* (steak-frites). Évitez les crudités, les fruits qui ne s'épluchent pas ou les fruits déjà épluchés. Attention, le soir, rarement de service après 21 h 30. Sur les marchés, les stands de cuisine ambulants ne sont pas toujours très sains. Bien souvent, les brochettes sont là depuis bien longtemps. La population se nourrit le plus souvent de riz ou de pommes de terre, de beaucoup de poulet, d'un peu d'autres viandes. Les soupes sont très copieuses. Même si la cuisine n'est pas originale, voici quelques spécialités :
– *Humitas :* tamal de maïs.
– *Llapingachos :* omelette de pommes de terre et de fromage.
– *Cuy :* cochon d'Inde rôti. Les vraies demoiselles auront honte de le prononcer. Un peu dur sous la dent.
– *Locro :* soupe à base de pommes de terre, de fromage et de viande.
– *Seco de gallina :* sorte de pot-au-feu de poulet servi avec du riz. On le fait aussi avec du bœuf (*seco de res*).
– Les *chifas :* c'est ainsi qu'on appelle les restos chinois. Ça change et en général, ce n'est pas décevant. Bonnes soupes.
– *Huevos :* les œufs sont toujours baveux et rarement réussis. Quand on les demande *revueltos*, c'est-à-dire brouillés, c'est bien meilleur. Si on les veut à la coque, il faut les demander *pasados*.
– *Pollo à la brasa :* poulet à la braise avec frites. Pas cher du tout et pas toujours mauvais.
– *Tostadas de maiz :* maïs en grain séché au soleil, frit puis salé. Bon.

– *Patacón* : banane grillée en rondelles, qui accompagne souvent les poissons.
– *Churrasco* : steak grillé avec œuf et accompagnement de légumes.
– *Parrilladas* : gros steaks qu'on fait griller soi-même. En général, très copieux et pas si cher. Viande de qualité.
– *Ceviche* : poisson mariné dans du citron. Très bon. On en trouve de toutes sortes. *Ceviche de corvina* ou de *langostinos*.
– *Cocktail de camarones* : cocktail de crevettes. Assez cher. Classique.
– *Sopas* : certains restos servent d'excellentes soupes, très copieuses, qui peuvent faire un repas. Elles ont toujours des morceaux de légumes et parfois des morceaux de viande, quand ce n'est pas la cuisse de poulet entière.
– *Boissons* : bière (Pilsener ou Club ; cette dernière est un peu plus forte), eau capsulée, *chicha* (sorte de bière de maïs, faiblement alcoolisée). Si un bar n'a pas d'eau capsulée, il aura certainement du Coca ou son jeune frère Pepsi. Nombreux jus de fruits excellents. Bien préciser *sin agua* (sans eau).

Fêtes, jours fériés

Février

– *Mardi gras* : c'est la fête la plus importante du pays et elle se déroule dans la plupart des villes. Les carnavals les plus colorés et les plus humides (l'arrosage est de rigueur) ont lieu à Quito, Esmeraldas, Riobamba, Salinas. Dans certaines villes toutefois, les traditions se perdent. A Ambato, le carnaval s'accompagne d'une fête des Fleurs et des Fruits.

Mars

La *semaine sainte* (en mars ou avril) donne lieu à des processions et à des réjouissances. C'est l'une des fêtes les plus importantes dans les Andes.

Mai

– Le 24 : *fête nationale de la bataille de Pichincha*, qui donna l'indépendance au pays en 1822.

Juin

– Le 14 : *anniversaire de saint Vincent* dans la province de Los Rios.
– Le 24 : *fête de la Saint-Jean ;* grandes festivités à Otavalo et à Tabacundo. Voir le texte sur Otavalo. Une des fêtes les plus délirantes et meurtrières d'Amérique du Sud.
– Du 24 juin au 2 juillet : *fête du Maïs* à Sangolqui (près de Quito) : défilés de groupes folkloriques, parades, mascarades. Promotion du tourisme dans la vallée de Los Chillos. Exposition artisanale. La fête dure huit jours (à ne pas manquer).
– Du 28 au 30 juin : *fête de saint Paul et de saint Pierre :* célébration religieuse et danses folkloriques à Otavalo, Cayambe et dans la sierra.
– Du 29 juin au 18 juillet : *fête anniversaire de Santo Domingo de los Colorados.*
A noter que les mois de mai et juin sont l'époque d'importantes fêtes religieuses indiennes dans toute la sierra.

Juillet

– Le 23 : *foire exposition agricole et industrielle* à Machachi. Attention, date variable.
– Le 25 : *anniversaire de la fondation de Guayaquil.* Semaine de festivités dans la ville.

Août

– Le 5 : *jour de l'Indépendance d'Esmeraldas* (foire agricole et danses folkloriques).
– Le 8 : *fête de la Vierge de Guapulo ;* procession religieuse au sanctuaire de Guapulo près de Quito.
– Le 10 : *fête nationale* de l'Équateur (indépendance de Quito).
– Les 14-15 : *fête et corrida* au village de Yacubanda (commune de Jatun Juigya), près de Pijili.

OCÉAN   PACIFIQUE

Equateur

San Lorenzo

Río Mira

Esmeraldas
Atacames
Sua
Muisné

R. Esmeraldas

Rosa
Zárate

R. Guayllabamba

Cotacachi
Otavalo

la Unión

Sto Domingo
de los Colorados
la Palma

QUITO

Bahía

Río Daule

Manta
Montecristi

Portoviejo

Velasco
Ibarra

Quevedo

Latacunga

Ambato
Pelileo
Baños

Puerto
de Cayo

Sucre

Balzar

Guaranda

Babahoyo

Cajabamba

Guano

Riobamba

Manglaralto

R. Babahoyo

Guamote

Salinas
Anconcito

Guayaquil

Alausi

Gún

Cañar

Méndez

Playas

I. Puná

Azogues

Cuenca

Golfe

de   Guayaquil

Girón

Machala

Pasaje

Huaquillas

Túmbes

Gualaquiza

Río Zamora

los
Encuentros

Velacruz

Loja   Zamora

Macará

Vilcabamba

PÉROU

R. Chira

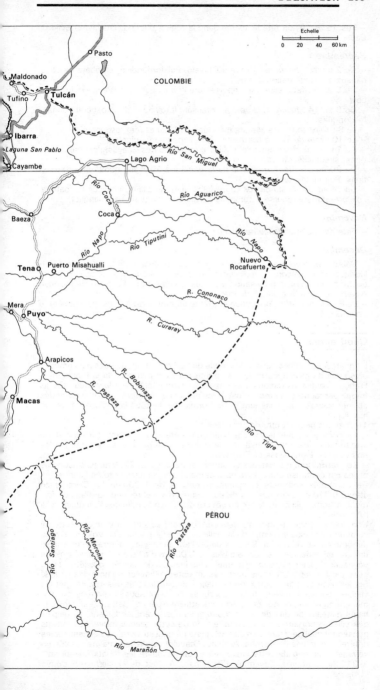

Echelle
0   20   40   60 km

Pasto

COLOMBIE

Maldonado
Tufiño
Tulcán

Ibarra

Laguna San Pablo

Cayambe

Lago Agrio

Río San Miguel

Río Coca

Río Aguarico

Baeza

Coca

Río Napo

Río Tiputini

Río Napo

Nuevo Rocafuerte

Tena

Puerto Misahualli

R. Cononaco

Mera

Puyo

R. Curaray

Arapicos

R. Bobonaza

R. Pastaza

Macas

Río Tigre

PÉROU

Río Santiago

Río Morona

Río Pastaza

Río Marañón

— Les 15 et 16, on fête la *Vierge* dans la région d'Ibarra, Otavalo et celle de Cañar.

Septembre

— Du 2 au 15 : *fiesta del Yamor* à Otavalo. Folklore indien, combats de coqs, danses, musique (recommandé).
— Du 5 au 9 : fête religieuse importante en l'honneur de la *Vierge del Cisne* à Loja.
— Du 6 au 14 : *fiesta de la Jora* à Cotacachi (province de l'Imbabura) : danses folkloriques.
— Le 8 : *foire agricole* à Macara (province de Loja) et *fête folklorique.*
— Le 10 : *fête du Maïs* à Machachi ; foire exposition agricole.
— Du 11 au 16 : foire agricole à Milagro (province des Guayas) ; course de voitures, spectacles divers.
— Du 20 au 26 : *foire mondiale* de la Banane à Machala, nombreuses attractions. Foire importante.
— Du 24 au 28 : *fiesta de Los Lagos* à Ibarra et dans la province de l'Imbabura. Folklore, danses, course automobile à Yahuarcocha (à ne pas manquer).

Novembre

— *Fête de l'Indépendance de Cuenca.*

Décembre

— Début : *anniversaire de la fondation de Quito,* avec défilés de musique folklorique, chars décorés, représentant les provinces du pays. Le soir, pendant quatre à cinq jours, improvisation d'orchestres de samba. Euphorie sur l'avenue Amazonas jusqu'à 2 ou 3 h du matin.
— Le 8 : l'*Immaculée Conception* est fêtée un peu partout, ainsi que *Noël* et le *Jour de l'An.*

Géographie

L'Équateur est un des pays d'Amérique du Sud qui offrent une des plus grandes diversités de paysages, malgré sa petite taille (un peu plus de la moitié de la France). Toutes les régions présentent un grand intérêt pour le visiteur. Ce qui frappe par rapport au Pérou, c'est l'omniprésence de la forêt, des plaines et des collines riantes. On pense tantôt à la Normandie, tantôt à la Californie, plus loin aux Alpes...
Trois zones peuvent être différenciées :
— *La côte,* avec une saison des pluies qui s'étend de décembre à août. Cette étroite bande de terre, constituée de collines et de plaines, est arrosée par les rios Guayas, Esmeraldas et Santiago.
— *La sierra,* dont les plateaux se situent entre 2100 et 2750 m. La saison des pluies est comprise entre novembre et mai. Forte nébulosité toute l'année.
De nombreux sommets culminent au-dessus de 5 000 m. Le Chimborazo atteint 6 310 m. Deux chaînes de montagnes qui s'étirent du nord au sud forment la sierra qui sépare la région côtière de l'Oriente, nom que l'on donne ici à l'Amazonie.
Une double chaîne de montagnes s'étire du nord au sud et forme une sorte de colonne vertébrale au centre de laquelle se situe l'« avenue des Volcans », ainsi dénommée par Humboldt. Sur plus de 600 km de Cuenca à Ibarra, on rencontre une trentaine de volcans dont 8 à plus de 5 000 m d'altitude. On passe ainsi de paysages doucement vallonnés, frais et lumineux, à des landes roussâtres ravagées par les vents, et à des terrasses abruptes, cultivées comme des jardins. Sur les bas-côtés des routes, même dans les coins les plus déserts, des petites vieilles, ou qui semblent telles, courbées en deux sous d'énormes ballots, mènent on ne sait où des cochons noirs attachés par une patte. C'est dans ces hauts plateaux bordés de fières montagnes que vivent les Indiens. La plupart des villes importantes se trouvent le long de cette avenue fertile. Les Indiens possèdent quelques terres en altitude, juste de quoi survivre. Ils viennent sur les différents marchés (Riobamba, Ambato, Otavalo) vendre leur maigre récolte. En voyageant le long de cette vaste vallée, on découvre les monts Chimborazo (6 310 m), Cotopaxi, Cayambe, Pichincha... A l'est de la sierra, on trouve l'Oriente.

– *L'Oriente* qui, par rapport au reste de l'Amazonie, a l'avantage d'être facilement accessible par la route. On y trouve un climat chaud et humide. Pluies fréquentes en saison.

Hébergement

On trouve, en Équateur, toutes les catégories d'hôtels, du plus sommaire au plus chic. On peut dormir à deux pour l'équivalent de 30 FF. Mais, pour ce prix-là, on n'a pas grand-chose. Les prix sont en général affichés à la réception. Demandez à voir une chambre avant de vous décider. Il arrive qu'une chouette entrée cache des piaules désastreuses. Il n'est pas forcément idiot de tirer la chasse d'eau, histoire de voir si ça marche ! Pour un hôtel de toute petite catégorie, ne comptez pas avoir de l'eau chaude, il n'y en a quasiment jamais. Rassurez-vous, les plus riches ne sont pas mieux lotis. Les hôtels de moyenne catégorie ont les mêmes problèmes. Seuls les « très chic » possèdent des ballons d'eau chaude. En tout cas, prenez votre douche le matin. Après 12 h, les chances d'avoir de l'eau sont les mêmes que celles de gagner au tapis vert. Quand un patron d'hôtel vous dit qu'il y en a toute la journée, c'est un mensonge. Les hôtels un peu plus chers ne sont pas toujours plus propres que les autres. Le niveau d'hygiène est assez bas mais un peu meilleur qu'au Pérou, semble-t-il. Le prix des chambres est en général majoré de 10 % de service, plus 10 % de taxe, soit 20 %.

Histoire

Comme pour le reste de l'Amérique du Sud, on pense que les premiers habitants vinrent d'Asie par le détroit de Béring voilà quelque 30 à 40 000 ans. On sait peu de choses sur les tribus anciennes puisque les premières traces d'organisation sociale remontent au XIe siècle. Deux groupes ethniques, les Caras sur la côte et les Quitus dans les hautes terres, semblaient dominer à l'époque. Puis vinrent les Incas, dont le génie de l'organisation sociale le disputait à une soif expansionniste égale à celle des Américains et des Soviétiques réunis. Grands dévoreurs de cultures et de terres, les Incas se devaient d'attaquer les Cañaris, peuplade du sud de l'Équateur. Dans le même temps, l'Inca (le roi) fit un petit à une princesse équatorienne. L'enfant s'appela Atahualpa, celui-là même qui engagera une guerre sanglante avec son demi-frère, Huascar (de Cuzco), pour la succession au trône de leur père. En effet, la publicité pour les préservatifs n'étant pas encore aussi développée qu'aujourd'hui, Huayna Capac (le père) en mourant, en 1526, laissa deux fils derrière lui, Huascar et Atahualpa. C'est ce dernier qui vainquit Huascar à Ambato.
Le déchirement de l'Empire inca ne pouvait que réjouir Pizarro qui, en 1532, vint mettre le point final à l'aventure inca. C'est à Cajamarca que Pizarro, dans un guet-apens pas très fair-play, s'empara d'Atahualpa et disloqua petit à petit toute l'organisation sociale, détruisit et pilla les villes, asservit les populations ou les utilisa pour en combattre d'autres (lire le texte « Un peu d'histoire » au chapitre « Cajamarca », dans la partie « Pérou »). Les Incas copièrent la technique des Russes contre Napoléon, dite de « la terre brûlée », et détruisirent toutes leurs cités avant le passage des Espagnols. Cela explique le peu de sites historiques subsistant aujourd'hui en Équateur.
La période coloniale fut prospère et l'agriculture se développa intensément. Villes, églises, monastères furent édifiés à travers le pays. On les retrouve dans des villes comme Quito ou Cuenca. L'économie coloniale, très florissante, reposait essentiellement sur l'utilisation d'une main-d'œuvre surexploitée et asservie. Les Indiens et les Mestizos moururent à la tâche par centaines de milliers et l'Église n'y trouva rien à redire. Les XVIIe et XVIIIe siècles furent donc une période de développement colonialiste et de mise à mort des cultures indiennes. Cette situation devait naturellement conduire à des révoltes, d'abord sporadiques, puis généralisées au début du XIXe siècle, qui finalement menèrent à l'indépendance, acquise avec l'aide de Simón Bolívar, qui venait de libérer la Colombie. Si l'indépendance fut déclarée en 1820, c'est en 1822 que le général Sucre (prononcer « Soucré ») infligea une défaite salée aux derniers royalistes à Pichincha.
L'idée initiale de Bolívar était de créer une confédération sous le nom de « Gran Colombia », incluant le Venezuela, l'Équateur et la Colombie. Les intérêts des

nouvelles nations indépendantes étaient pourtant trop divergents pour que cela fût possible. En 1942, une guerre entre l'Équateur et le Pérou contraignit le gouvernement équatorien à accepter un nouveau tracé de la frontière, en faveur du Pérou évidemment. Les Équatoriens portent depuis à leurs voisins une haine farouche, toujours prête à resurgir.

Entre 1925 et 1962, une trentaine de présidents se succédèrent ! Qu'ils aient été de droite ou de gauche, civils ou militaires, ils furent régulièrement renversés ou contraints de se démettre. Le pays accéda à la démocratie en 1945. Le président Velasco régna de 1944 à 1963, date à laquelle il fut renversé par les militaires. C'est en 1964 qu'une timide réforme agraire vit le jour. On distribua vaguement quelques terres incultes aux Indiens, entre 3 500 et 4 500 m d'altitude, où ne poussent que la pomme de terre, un peu de blé et une sorte de riz des Andes, le *quinoa*. Bien maigre consolation pour tant de siècles d'humiliation.

Du milieu des années 60 aux années 80, les militaires et les hommes de pouvoir s'affrontèrent, s'occupant plus de tirer la couverture à eux que de gouverner le pays : coups d'État, purges, abandon de pouvoir... Les tentatives de démocratisation, souvent suivies de réformes économiques mal gérées et d'une flambée de l'inflation, ramenèrent très régulièrement les militaires au pouvoir. Malgré cela, le pays continua à vivre, plutôt pas trop mal d'ailleurs, par rapport au Pérou qui s'enlise dans un marasme économique chronique. Depuis dix ans, une nouvelle constitution, parfaitement démocratique, entre peu à peu dans les mœurs. Les communautés indiennes commencent à revendiquer haut et fort leurs particularismes culturels et le respect de leurs intérêts matériels.

Langue

L'espagnol, bien sûr. Assez peu l'anglais. Les Indiens, eux, parlent pour la plupart le quechua, mais comprennent l'espagnol. Des dialectes sont parlés par de nombreuses autres tribus. N'oubliez pas d'apporter un petit dictionnaire. Dans le sud de l'Équateur, dans la région de Cuenca notamment, vous remarquerez le superbe accent des habitants. Une manière douce et sifflante de glisser sur les « r » sans les faire rouler. Il y a un peu de portugais du Brésil dans cet accent. Sans doute aussi une manière de moduler le son qui vient d'Afrique.

Offices du tourisme

Ils portent le nom de *Cetur* et toutes les grandes villes en ont un. Accueillants mais pas toujours bien informés. L'Équateur n'est pas encore un pays très touristique. Horaires très variables selon les régions. Ils possèdent parfois des plans de ville mais il faut les demander.

Population

Sans revenir sur les siècles d'humiliation pendant lesquels les Blancs ont asservi les Indiens et leur ont volé leurs terres, les Quechuas d'Équateur sont pourtant les Indiens d'Amérique du Sud qui conservent peut-être le mieux leur culture et sont pour l'instant restés les plus à l'abri d'une émigration massive vers les villes. L'enclavement de la sierra et la fertilité de certaines terres, liés à une farouche indépendance, leur ont permis de conserver jusqu'à présent une certaine identité qui tend pourtant à se diluer depuis peu.

Du sud au nord, on trouve les *Saraguros* dans la région de Loja ; les *Puruhuas* aux alentours de Riobamba, les *Salasacas* au nord d'Ambato et les *Otavalos* dans la région du même nom. Vous ne les rencontrerez pas dans leurs villages perchés dans les hautes terres, mais sur les marchés, tout le long de l'avenue des Volcans. Ils travaillent le plus souvent dans de grandes haciendas mais cultivent aussi leur propre lopin de terre, qui suffit à peine à nourrir la famille.

Bien souvent, les Indiens accumulent de telles dettes qu'ils sont ainsi pieds et poings liés face aux grands propriétaires. Les dettes passent de génération en génération et asservissent des familles entières. L'alcool, que l'on trouve facilement à bas prix, joue également un rôle très négatif sur les Indiens. Cette marginalisation fait bien entendu l'affaire des grands propriétaires blancs qui conservent ainsi une main-d'œuvre servile, payée misérablement : « Pourquoi acheter des machines coûteuses alors que l'Indien revient moins cher ? », reconnaît un propriétaire d'hacienda. Mais peut-être ce propriétaire va-t-il devoir, d'ici peu, réviser son jugement, la prise de conscience des Indiens confrontant chacun avec l'évolution des mœurs : le temps de l'asservissement passif est révolu, l'Histoire avance !

Poste, télécommunications

Chaque ville possède un centre téléphonique *letel* très bien fait et qui permet de passer des appels nationaux et internationaux. Ouvert généralement de 8 h à 22 h. Pour une moindre attente, on vous conseille entre 12 h et 14 h, les lignes sont, paraît-il, moins saturées. Sachez enfin que tous les letel exigent 3 mn minimum de communication.
– *Indicatif du pays* : 593.

Santé

Risque d'amibiase. Évitez les petites gargotes de rues et les marchés. Demandez votre viande bien cuite. De toute manière, ils servent souvent de la semelle. L'État n'exige aujourd'hui aucune vaccination obligatoire. Cependant, une vaccination contre l'hépatite n'est pas inutile. Pour les séjours en jungle, faites-vous vacciner contre la fièvre jaune et la typhoïde et utilisez un antipaludéen.
De manière générale, évitez les fruits qui ne s'épluchent pas, et épluchez ceux qui s'épluchent (ça paraît évident… et pourtant…). L'eau servie dans les restos et celle des lavabos des hôtels a toutes les chances de vous donner la courante, tout comme les crudités. Demandez de l'eau en bouteille capsulée. Il y en a partout. Si vous voyagez sur l'Amazone en bateau, sachez que la nourriture est cuisinée dans l'eau du fleuve et nos petits estomacs ne sont pas toujours d'accord. Emportez de l'Intétrix et de l'Imodium. Ça peut vous sauver un voyage.

Sports, jeux

Les combats de coqs

Au cours de votre voyage, vous aurez l'occasion d'en voir souvent. Renseignez-vous, ils ont en général lieu les samedi ou dimanche.
Plusieurs combats ont lieu à la suite dans les uns des autres dans une petite arène. Les propriétaires des coqs apportent leurs protégés emmitouflés dans une couverture, pour les tenir au chaud, un peu comme le peignoir du boxeur. Les coqs se saluent d'un coup de bec. Puis un juge ficelle à l'ergot de l'une des pattes des bestiaux une lame de rasoir en forme de faux. Si le coq combat avec son bec, c'est en fait avec sa patte qu'il donne le coup fatal, bien souvent par hasard puisqu'il ne sait pas, le bougre, qu'il dispose de cette arme si tranchante. Les coqs tournent sur la piste en s'ignorant royalement avant de se dresser, furieux, l'un contre l'autre. Le combat est rapide, les coups mortels. Le premier qui plante son bec dans la poussière a perdu, il est mort. Pendant le combat, les spectateurs parient entre eux à grands cris. Parfois, les esprits s'échauffent dans la foule, le tout dans une atmosphère survoltée. Comme les combats de boxe, certains combats de coqs sont médiocres et le public tiède. C'est variable.
Cruel et drôle à la fois. Nos esprits européens ne manqueront pas de se poser la question : « Est-ce atroce ? Est-ce condamnable ? ». Qu'on soit pour ou contre, le combat de coqs fait partie de la culture de l'Amérique du Sud. Les membres de la Ligue de Sauvegarde des Animaux à Plumes (L.S.A.P.) trouveront le phénomène intolérable. Les sociologues y verront une manière pour les hommes d'occuper leur temps et de libérer une bonne dose de violence. Ceux qui ont visité des abattoirs ou tout simplement assisté au gavage des oies ont cessé depuis longtemps de donner des leçons.

Distances entre les villes	Ambato	Baños	Cuenca	Esmeraldas	Guayaquil	Huaquillas	Ibarra	Latacunga	Loja	Machala	Manta	Otavalo	Playas	Portoviejo	Quevedo	Quito	Riobamba	Salinas	Santo Domingo	Tulcán
Tulcán	390	434	732	548	676	994	124	350	943	930	679	149	781	642	495	260	455	821	393	–
Santo Domingo	209	253	552	187	283	553	269	170	763	494	286	244	396	249	102	133	275	428	–	393
Salinas	539	583	384	611	141	421	697	500	595	348	333	660	122	346	324	549	373	–	428	821
Riobamba	65	109	277	462	232	532	332	105	488	469	320	306	333	433	236	201	–	373	275	455
Quito	136	180	472	320	416	734	136	96	689	670	419	111	529	382	235	–	201	549	133	260
Quevedo	227	271	424	290	181	451	371	177	770	390	184	346	294	147	–	235	236	324	102	495
Portoviejo	374	418	460	437	205	485	518	324	660	412	37	493	318	–	147	382	433	346	249	642
Playas	521	565	356	583	113	393	669	371	567	320	315	632	–	318	294	529	333	122	396	781
Otavalo	241	285	583	431	519	845	25	201	800	781	530	–	632	493	346	111	306	660	244	149
Manta	411	455	435	474	196	466	555	376	650	400	–	530	315	37	184	419	320	333	286	679
Machala	354	578	192	679	207	83	806	574	252	–	400	781	320	412	390	670	469	348	494	930
Loja	553	597	211	950	454	275	819	593	–	252	650	800	567	660	770	689	488	595	763	943
Latacunga	40	84	382	357	358	637	232	–	593	574	376	201	371	324	177	96	105	500	170	350
Ibarra	272	316	608	456	552	870	–	232	819	806	555	25	669	518	371	136	331	697	269	124
Huaquillas	597	641	255	740	270	–	870	637	275	83	466	845	393	485	451	734	532	421	553	994
Guayaquil	398	442	243	470	–	270	544	358	454	207	196	519	113	205	181	416	232	141	283	668
Esmeraldas	404	448	739	–	470	740	456	357	950	679	474	431	583	437	290	320	462	611	187	548
Cuenca	342	386	–	739	243	255	608	382	211	192	435	583	356	460	424	472	277	384	552	732
Baños	44	–	386	448	442	641	316	84	597	578	455	285	565	418	271	180	109	583	253	434
Ambato	–	44	342	404	398	597	272	40	553	534	411	241	521	374	227	136	65	539	209	390

Transports

Les routes reliant les grandes villes sont assez bonnes. Les distances en Équateur étant assez courtes, vous voyagerez néanmoins beaucoup mieux qu'au Pérou. Le coût des transports est très peu élevé.

L'auto-stop

Pour ceux qui aiment le sport ! Bon, vu le prix des bus, seuls les vrais aventuriers tendront le pouce. Le parc automobile se compose principalement de petites camionnettes avec une benne découverte. Chose étonnante, elles transportent assez rarement des marchandises. Les Équatoriens, très sympa, n'hésiteront pas à prendre les étrangers qui voyagent *al dedo*. Pour les curieux, voici la raison de l'utilisation presque « abusive » de ces camionnettes : elles sont classées dans la catégorie « véhicules de travail » et bénéficient de taxes d'importation beaucoup moins élevées que les automobiles normales. C'est donc bien moins cher.

Les camions

Ils prennent des passagers moyennant participation aux frais ; se renseigner sur le tarif du bus et accepter de payer entre 50 et 70 % de ce tarif à un camion. Cela dépendra de la rapidité présumée de celui-ci.

Les taxis collectifs

Ils relient les grandes villes. Ce sont généralement des minibus Toyota (9 à 12 places), des camionnettes ou de grosses voitures américaines plus confortables et plus rapides que les bus.

Les bus

Pas chers et ils vont partout. Ils sont nombreux et partent bien souvent à l'heure. Aucun problème de transport, donc. Désormais, toutes les villes possèdent un « terminal terrestre » unique. Très pratique car on a toutes les compagnies sous la main, ainsi que tous les horaires. Les bus de type Pullman avec sièges inclinables, w.-c., air conditionné et musique d'ambiance ne roulent que sur la panaméricaine et sont assez rares. Pour des petites distances, vous prendrez assez souvent des microbus qui sont souvent des bus Mercedes d'une trentaine de places. Pour les longs trajets, on vous conseille de prendre les meilleures compagnies. Les prix se jouent à un ou deux francs.

Si vous devez passer plusieurs heures dans un bus, voici quelques conseils : évitez les places du fond. Ça remue plus et les sièges ne s'inclinent pas. Évitez également d'être près de la porte si vous voyagez de nuit. Les joints laissent passer une chouette petite brise la première heure mais après on gèle littéralement. Munissez-vous de boules Quiès. Bien souvent, même la nuit, le chauffeur met la radio ou une cassette de musique traditionnelle. On en connaît qui ont subi les commentaires en espagnol d'un match de foot avec prolongations, juste sous le haut-parleur. Réservez vos places la veille ou le matin pour le soir, cela permet de choisir son siège. Attention, les veilles de marché, les bus sont souvent pleins. Pour les petites distances (banlieues des grandes villes par exemple), vous trouverez souvent le bus bringuebalant et à l'horaire fantaisiste. Enfin, plusieurs compagnies desservent fréquemment une même destination. Donc, s'il n'y a plus de place chez l'une, allez chez l'autre. Méfiez-vous cependant des moyennes horaires des bus : souvent elles ne dépassent pas 30 km/h.

Le train

Deux lignes actuellement maintenues. ***Quito-Riobamba*** (en piteux état). Le train part théoriquement de Quito à 15 h (arrivée à 19 h). En sens inverse, départ à 6 h (arrivée à 10 h). Quatre fois moins cher que le bus. La ligne ***Alausi-Guayaquil***, coupée par un éboulement, a été remise en service. Ne pas manquer l'Autoferro entre Ibarra et San Lorenzo. Une expérience incroyable : un bus monté sur des rails de chemin de fer. Un départ par jour, tôt le matin. Parfois, quand le « train » est mal équilibré, il déraille. On descend et on le remet en place. Étonnant !

Les trains sont incroyablement lents. Les bus sont bien plus rapides.

L'Équateur n'a aucune liaison ferroviaire avec les pays voisins.

L'avion

Bien qu'*Ecuatoriana* soit sérieux, pas cher et les carlingues magnifiquement décorées par Calder, l'avion est assez peu intéressant étant donné la taille relativement modeste du pays. Évidemment, comparé aux tarifs européens, le transport aérien est ridiculement bon marché.

Quatre compagnies intérieures : *Tame, Saeta, San* et *Lansa.* Si vous avez des sous, faites en avion le trajet Quito-Cuenca. On survole la prodigieuse avenue des Volcans. Ce n'est vraiment pas très cher.

Attention, la taxe d'aéroport sur les vols internationaux est de 25 $, et est sujette à d'éventuelles augmentations. Se renseigner lors de la confirmation de son vol.

– *Cartes* : la librairie *L'Astrolabe* a sorti une carte très bien faite Colombie-Équateur à l'échelle 1/2 500 000. *L'Astrolabe* : 46, rue de Provence, 75009 Paris. ☎ 42-85-42-95.

Distances internationales

	Quito	Guayaquil
Bogota	1 300	1 710
Lima	1 890	1 610

Transports maritimes

L'activité maritime est très grande. Les principaux ports sont Guayaquil, Manta, Bahia, Esmeraldas, Salinas, Puerto Bolívar et Puerto San Lorenzo. Des caboteurs ou des petits bateaux à vapeur longent ces différents ports. On peut s'embarquer à bord de l'un d'eux. De même, si vous voulez vous rendre en Colombie, au Pérou ou au Chili, prenez un des cargos mixtes réguliers qui desservent les villes côtières de la côte Pacifique.

FRONTIÈRE D'AGUAS VERDES - HUAQUILLAS (Pérou-Équateur)

La manière de se rendre à Aguas Verdes depuis Tumbes, puis le passage de la frontière sont décrits dans la rubrique « Passage de la frontière Pérou-Équateur » au chapitre consacré à « Tumbes » dans la partie « Pérou ». Bien vérifier qu'on vous tamponne le passeport des deux côtés de la frontière. Pour le change, comparez les taux avant de choisir. Les hommes avec leur mallette, sur le pont, pratiquent des taux honnêtes pour le change dollars-sucres.

Où dormir à Huaquillas ?

Arrangez-vous pour ne pas avoir à y dormir. Pour cela, passez la frontière Aguas Verdes - Huaquillas dès son ouverture. Vous serez alors certain d'avoir un bus pour Cuenca ou Guayaquil dans la journée.

🛏 *Pension Gaboeli* : pas loin des transports *Azuay.* Assez bon marché et propreté acceptable. Très bien si on veut prendre les premiers bus du matin.

Comment aller vers Cuenca, Guayaquil ou Quito ?

Il n'y a pas vraiment de nom de rue à Huaquillas, et chaque compagnie a son terminal. Passé le pont, demander. Elles ne sont pas loin les unes des autres.

Vers Guayaquil

– *Ecuatoriano Pullman* : 5 départs par jour environ. La meilleure compagnie.
– *Empresa Cifa* : 3 fois par jour normalement.

Vers Cuenca (durée : 5 h)

La route qui y mène est assez superbe. Pendant 5 heures, on se faufile à travers les belles collines et les vallons aux doux contours, avant d'attaquer un relief plus rude et aride, empreint d'une certaine majesté. Chaussée en excellent état.
– *Cooperativa Azuay :* avenida Cordovez. 4 liaisons quotidiennes.
– *Empresa Sucre :* 2 départs.

Vers Quito

– *Panamericana Internacional :* 5 connexions directes tous les jours. La plus confortable.
– *Transportes Occidentales :* 2 départs le soir.
Spécial vieillesse heureuse : si vous n'avez toujours pas trouvé l'endroit rêvé pour une retraite agréable, allez dans la vallée de Vilcabamba. Là-bas, vous trouverez de nombreux centenaires en pleine forme... c'est un lieu magique !

CUENCA

Ville coloniale, capitale artisanale de l'Équateur. Très agréable. Troisième ville du pays, Cuenca est située au fond d'une riche vallée, arrosée par les rios Tomebamba, Tarqui, Yanurcay et Machargara. Ancienne résidence de l'empereur inca Huayna Capac, on y trouve quelques vestiges d'enceinte. Mais le charme de la ville réside dans son architecture, qui date de sa fondation. La ville est étonnamment propre et vivante, les habitants souriants, les maisons coloniales prédominent encore, avec leurs balcons de bois et leurs façades ornées de stuc. Les rues aux pavés mal ajustés ajoutent au charme de son cadre magnifique, composé de riantes vallées et de douces collines. On aime bien cette ville.
On trouve ici d'agréables petits musées, un artisanat florissant (le fameux chapeau panama), une atmosphère agréable. On peut y séjourner quelques jours sans déplaisir. Les villages alentour produisent un artisanat intéressant. Essayez d'y venir le jeudi, jour de marché.
Depuis quelques années, la ville a été rendue célèbre pour ses apparitions de la Vierge Marie à une jeune fille de 16 ans entre août 88 et mars 90. Autant vous dire que l'Église a vite saisi l'affaire à son avantage en contrôlant scrupuleusement les livres publiés sur ces manifestations célestes. De ce fait on n'en sait pas grand-chose. Enfin on a l'habitude : ça fait belle lurette que les ecclésiastiques ont troqué leur foi contre le pouvoir et la puissance – illusoires, du reste – sur les âmes de ce bas monde.

Un peu d'histoire

Initialement habitée par les Indiens Cañaris, la région fut envahie par les Incas (qui furent, à bien des égards, pires que les Espagnols). La ville de *Tomebamba* (l'ancienne Cuenca) connut à une certaine période le même faste que Cuzco avec son chapelet de temples. Pourtant, lorsque les Espagnols arrivèrent, ils trouvèrent un vaste champ de ruines. Personne ne connaît aujourd'hui le chaînon manquant de l'histoire de Cuenca. Qu'est-il advenu de toutes ces richesses ? Tremblement de terre ? Guerre ? Le mystère reste entier. L'Espagnol Ramirez Davalos n'eut donc aucun mal à fonder, en 1557, une cité coloniale, belle et prospère.

Topographie de la ville

La ville s'étend des deux côtés du fleuve. Le centre colonial se trouve du côté nord. Cuenca se visite facilement. Tout est proche du centre : hôtels, restaurants, musées. Un terminal unique regroupe toutes les compagnies de transports, à 2 km du centre. Très pratique.

Adresses utiles

– *Office du tourisme (Cetur)* : calle Hermano Miguel 6-86, au coin de la rue Cordova. ☎ 82-20-58. Ouvert de 8 h à 16 h. Infos sur Cuenca et les environs. Plan de la ville. On y parle l'anglais.
– *Téléphone Ietel* : Benigno Malo 7-36. Ouvert de 8 h à 22 h.
– *Poste* : Cordero, au coin de Gran Colombia. Ouvert de 8 h à 12 h et de 14 h à 18 h.
– *Change (Cambistral)* : calle Sucre 664. Meilleur taux que la banque. Accepte les chèques de voyage, même en francs français. Dans la calle Antonio Borrero Cortazar, derrière la place principale, plusieurs *casas de cambio*, notamment aux nᵒˢ 8-20 et 8-38.
– *Citybank* : Gran Colombia 7-45. Entre Borrero et Luis Cordero.
– *Farmacia* : au coin de Mariscal Sucre et de A.B. Cortazar.
– *Alliance française* : Tadeo Torres 1-92, au coin de l'avenida Solano. ☎ 82-52-98.
Pas de consulat de France.
– *Hôpital régional* : avenida Paraiso. ☎ 81-12-99.
– *Lavanderia Martineizing* : avenida Gonzalez Suarez. Un carrefour avant le cimetière. Si vous voulez laver vous-même vos vêtements : lavoir au coin de Machuca et Vasquez.

Où dormir ?

Tous les hôtels sont situés à proximité de la place centrale. Si vous arrivez début novembre, pensez à réserver. La fête religieuse attire beaucoup de monde.

Bon marché

🛏 *Gran Hotel* : General Torres 9-70. Entre Bolívar et Gran Colombia. Sympa et chambres nickel. Grand patio recouvert qui lui donne des airs de hangar aménagé, mais bien aménagé. Bonne tenue générale et prix finalement assez serrés. Chambres de 3 et 4 aussi. Un des meilleurs rapports qualité-prix de la ville.
🛏 *Paris Résidencial* : General Torres 10-52. Hôtel tout neuf aux accents modernes. Chambres très bien tenues avec bains et téléphone. Étonnant pour un prix aussi bas. Attention à ne pas confondre avec l'hôtel international du même nom.
🛏 *Hôtel Milan* : Presidente Cordova 9-89. Central et sympa. Beaucoup de routards. Chambres très convenables, certaines avec balcon. Autrefois, le patron, qui n'a peur de rien, avait dénommé son hôtel « Hilton ». Il a dû se faire gronder.
🛏 *Hôtel Pichincha* : calle General Torres 6-84. Si la façade semble bien délabrée, en revanche les chambres s'avèrent spacieuses, impeccables et avec lavabo. Douche à l'extérieur. Vu le prix, une bonne adresse finalement.
🛏 *Residencial Niza* : Mariscal Lamar 4-51. Dans une vieille demeure tout en bois. Les chambres ne sont pas aussi bien tenues que l'ensemble mais elles sont propres. L'accueil est plutôt sympathique. Ne laissez aucun objet de valeur dans les chambres.
🛏 *Hôtel Residencial Norte* : plaza Nueve de Octubre. L'hôtel est un peu bancal mais les chambres sont assez bien tenues.

Plus chic

🛏 *Hôtel Atahualpa* : Sucre 350. Près de Tomás Ordoñez. Un excellent hôtel, chic et impeccable. Un superbe escalier se dresse au centre de l'édifice et le parterre en céramique rappelle la vieille Espagne. Personnel avenant. Le luxe à petits prix.
🛏 *Las Americas* : Mariano Cueva 13-59. ☎ 83-11-60. Le luxe à prix honnêtes. Eau chaude, TV, baignoire, w.-c. Le patron offre l'apéro d'accueil à tous les touristes français. Resto de bonne qualité (spécialités de poisson) et service diligent. Les 20 % ne sont pas comptés dans le prix initial.
🛏 *Hôtel El Inca Real* : calle General Torres 8-40. Totalement rénové dans le style colonial. Deux grands patios éclairent l'intérieur. Les murs et les rembardes bleu ciel lui donnent un air aérien. Les chambres sont luxueuses et l'accueil très courtois. Plus cher que les précédents.

Où manger ?

✗ **Restaurante vegetariano El Paraiso :** Tomás Ordoñez 10-19 et calle Gran Colombia. Ouvert de 8 h à 20 h. Resto végétarien, très populaire. Les jus de fruits sont excellents. Chaque jour un menu différent. Un bon endroit à prix moyens.

✗ **Los Pibes Pizzeria :** Gran Colombia 7-78. Grande salle chaleureuse aux murs recouverts de bois, genre cabane. Ambiance agréable et bonnes pizzas. Un peu huppé cependant.

✗ **El Tequila :** Gran Colombia 20-59. Resto typiquement cuencaño. Un peu excentré (à 12 blocs de la cathédrale) mais vaut le détour. Un seul menu : *loco de papas* (soupe), fèves, *note* (maïs bouilli), fromage frais, viande grillée. Excellent, dans un cadre plaisant. Tous les Cuencaños connaissent.

✗ **Restaurant Balcon Quiteno :** calle Sangurima 6-43. Un endroit populaire où se retrouvent les gens du coin. Éclairage au néon, cuisine internationale. A 3 portes de là, ils ont ouvert une annexe, c'est dire si ça marche.

✗ **Chifa Pack-How :** calle Cordova 7-34, entre Cordero et Borrero. Il fallait bien que l'on vous indique le meilleur chinois du coin. Vaste salle éclairée au néon, la clientèle est plutôt aisée et les parts copieuses. Un seul inconvénient : la télévision qui vous martèle de séries américaines. Enfin toute la réalité de la société contemporaine est là, assise face au petit écran. Beau spectacle sociologique.

✗ **El Pedregal Azteca :** parque Juan Bautista Vasquez 8-33. Fermé le dimanche et le lundi. Un super resto mexicain. L'accueil est chaleureux et la cuisine excellente.

✗ **Café El Carmen :** tenu par un Français, ce café se situe sous les arcades de la place principale de la ville, près du marché aux fleurs. Boissons à base de fruits. Petit déjeuner.

✗ **Mi Pan :** Presidente Cordova 8-42. Pain de manioc, de yucca, de maïs et au miel. Un régal. Petits déjeuners également.

✗ **Heladeria Holanda :** Benigno Malo 9-51. Des Hollandais qui font de super glaces (hmm ! celle à la noix de coco...). Bons gâteaux et cafés aussi. Cadre agréable.

Plus chic

✗ **El Jardín :** Cordova 7-23. En face du précédent. Là, c'est le grand chic. Ça ressemble à un resto d'affaires du faubourg Saint-Honoré. Excellente cuisine internationale de renommée. Seulement pour ceux qui en ont assez du *pollo a la brasa* et qui ont de gros moyens.

A voir

▸ **La cathédrale « neuve » :** parque Abdon Calderón. On a mis plus de 100 ans à construire cette église en marbre rose dans le style néogothique. Pas très réussie mais assez attachante tout de même. On dit qu'elle ne fut jamais achevée car les fondations n'auraient pas pu soutenir l'ensemble ! En prenant un peu de recul, on aperçoit le dôme et les jolies coupoles bleues. Certains soirs, l'illumination de la cathédrale parvient à faire illusion. L'intérieur n'a aucun intérêt. En face, de l'autre côté de la place, on devine à peine l'ancienne cathédrale, fermée, qui ne cherche plus depuis longtemps à rivaliser avec sa grande sœur bien plus clinquante.

▸ Les **églises Santo Domingo** et **San Blas** sont bien modestes et n'ont guère d'intérêt malgré ce qu'en disent les dépliants touristiques.

▸ Sur la calle Larga, plusieurs **maisons coloniales** aux façades travaillées.

▸ Le long de la rivière, on voit les femmes laver le linge sur les rives verdoyantes. De-ci, de-là, quelques ruines incas. Mais il faut vraiment avoir l'œil, car tout a été détruit.

▸ **Homero Ortega :** calle Vega Muños 933. C'est un vendeur de panamas. Un peu cher.

LES MUSÉES

▶ **Museo de Arte Religioso :** Hno. Miguel 6-33. Entre Juan Aramillo et Pres. Cordova. Ouvert de 9 h à 16 h. Musée très bien restauré, situé dans un joli couvent. Les toiles présentées ne sont pas toutes de grande valeur mais on vous le conseille vivement.

À l'étage, quelques tableaux religieux et sculptures des XVIIIe et XIXe siècles. Belle série de Christ en croix. Sur certaines pièces, l'artiste semble avoir pris un malin plaisir à dépecer sauvagement le Sauveur. Ça frise le kitsch. Une autre salle présente des angelots aux ailes couvertes de petits miroirs ! La pièce la plus intéressante est peut-être cette grande crèche polychrome du XVIIIe siècle, très fouillis et pleine d'humour.

▶ **Museo del Banco Central :** calle Larga et avenida Huaynac Capac. Musée archéologique ouvert de 9 h à 16 h (12 h le samedi). Fermé les dimanche et lundi. Assez excentré et pas folichon. Une salle unique présente quelques poteries et figurines miniatures en or. Nombre de pièces proviennent de ruines alentour.

▶ **Museo de Arte Moderno :** Sucre et Coronel Talbot. Ouvert de 9 h à 13 h et de 15 h à 18 h. Beau musée dans l'enceinte d'un couvent. Céramiques, peintures et sculptures d'artistes locaux et internationaux. Expos temporaires de temps en temps.

▶ **Museo de Artes Populares :** Hno. Miguel 3-23. Petit centre qui présente de l'artisanat d'Amérique latine. Pas beaucoup d'intérêt.

LES MARCHÉS

Marché quotidien, mais le jeudi est le grand jour, réparti dans plusieurs endroits de la ville. A part le mercado San Francisco, les autres sont plus pour les Équatoriens que pour les touristes.

– **Mercado San Francisco :** intersection des calles General Torres et Presidente Cordova. On y trouve quelques vêtements et couvertures des Indiens Otavalos qu'on reconnaît à leurs pantalons blancs et à leurs ponchos bleus. Cher. Attendez plutôt d'être à Otavalo pour acheter. Un peu de vannerie aussi et des panamas. Tout autour, quelques bâtisses coloniales.

– **Mercado Sangurima :** en bas de la calle Sangurima, près de Vargas Machuca. Le plus intéressant. Poteries, paniers en osier. Des femmes vendent de la laine brute.

– **Mercado Nueve de Octubre :** au milieu de la calle Sangurima, près de Hno. Miguel. Nourriture et vêtements pour les locaux. Très vivant et pittoresque. On peut y manger le *cuy* (prononcez couillé), plat cérémoniel des jeunes mariés. Il paraît que c'est aphrodisiaque. Avec un nom pareil, pas étonnant !

– **Mercado Doce de Abril :** un des plus grands marchés de Cuenca. Fruits, légumes, viandes. Très vivant mais pas du tout pour les touristes. Au coin de Guapondelig et Eloy Alfaro.

– **Mercados de las Flores :** au coin de Sucre et Padre Aguirre. Sur une jolie petite place. Tous les jours, mais le jeudi est le meilleur. Les fleurs viennent du village de San Joaquím où l'on trouve également de beaux paniers.

– Cuenca est une capitale artisanale, célèbre notamment pour les *céramiques*. Les *végas* sont connues dans tout le pays. Bon, deux adresses : *Magasins Artesa*, Gran Colombia y Luis Cordero (au centre), et *Yapacunchi*, Gran Colombia.

Dans les environs

▶ **Gualaceo :** à 36 km au sud-est de Cuenca, petit village assez ordinaire, aux rues non goudronnées et aux maisons pas terminées mais où se tient un marché très animé le dimanche. Prendre un bus marqué « Gualaceo » depuis le terminal terrestre. Départ toutes les 30 mn environ. Durée : 45 mn. Le village possède un climat très agréable et la vallée qui y mène est jolie. Quelques maisons coloniales autour de la place. Artisanat touristique (ébénisterie). Vous y verrez des femmes tresser les chapeaux en marchant et d'autres faire cuire les *cuy* à la braise en les ficelant autour d'un mandrin de bois. Marché à la viande peu ragoûtant.

🛏 Pour ceux qui voudront arriver dès le samedi soir, *Gran Hotel Gualaceo :* calle 9 de Octubre 6-13. Moderne et propre. Très bon marché.

🛏 *Residencial Gualaceo :* Gran Colombia, au coin d'Antonio Piedra. Très propre et simple. Pas cher.

✗ Sur la place 10 de Agosto, un *café allemand* où l'on mange bien.

– *Fête de Santiago* le 25 août. Procession.

▸ *Chordeleg :* un autre petit village, à 4 km de Gualaceo en grimpant par une route en lacet. Minuscule endroit croquignolet et tranquille, habité par les Indiens Cañaris et qui connaît une grande effervescence le dimanche, jour de marché. Ce dernier est très plaisant, les gens gentils et souriants, pas encore hostiles aux touristes. Les artisans sont spécialisés dans l'orfèvrerie en or et en argent. On les trouve sur la place et dans la rue qui descend de cette même place. Attention aux faux.

▸ *Baños :* à 8 km au sud-est de la ville. Prendre un bus « cooperativa turismo Baños », sur la calle Larga au coin de Mariano Cueva. Passe toutes les 15 ou 30 mn tous les jours sauf le dimanche. Ouverts tous les jours de 6 h à 18 h. Bains thermaux *privados* ou *para familias.* Populaires et sympa. Y aller tôt, car l'eau est plus propre.

▸ *Parc de recreación El Cajas :* à 2 h de route de Cuenca vers l'ouest. Situé à 3 500 m d'altitude. Bus de la plaza San Sebastián à 6 h 30 le matin. Beaucoup de monde le week-end. Retour à partir de 14 h avec le même bus. On passe donc environ 6 h dans ce parc, calle Bolívar 6-22. Ouvert de 8 h à 12 h et 15 h à 18 h. Assez cher pour les étrangers. Là-bas, il y a un petit refuge où il est possible de dormir. On peut aussi planter sa tente. Pour le refuge, descendre du bus avant le terminus. Demander au chauffeur. Là, on peut obtenir des infos sur les différentes balades à réaliser. Cuisine équipée.

▸ *Ingapirca :* à 2 h 30 de la ville. Le site inca le plus important de l'Équateur, situé à 3 100 m. Pour y aller, bus au terminal terrestre avec la *cooperativa Canãr* ou un autre bus qui va vers Quito ou Guayaquil jusqu'à El Tambo. Puis prendre une camionnette, un bus ou un taxi (30 mn) depuis le centre. S'il n'y a pas grand monde, il peut être préférable de faire attendre le taxi pour le retour. A juger sur place. D'El Tambo, reprendre un bus vers Cuenca. On peut aussi faire la visite avec un tour organisé. Pour être honnête, il n'y a pas énormément à voir. Si vous n'avez pas beaucoup de temps, ne regrettez rien en n'y allant pas.

On y voit *Ingachungona*, siège de l'Inca, qui l'utilisait comme baignoire (!), et une représentation du soleil sur une falaise. Un mystère entoure ces ruines car, en fait, on ne sait pas à quoi elles correspondent : une forteresse ou un temple dédié au soleil ? Il y aussi un petit musée.

Marché à Ingapirca le vendredi, et le samedi à El Tambo. Très coloré, pittoresque et sans visées touristiques puisqu'on y vend des animaux, des graines, des cordes, de la nourriture, etc.

Quitter Cuenca

Tous les bus de toutes les compagnies et vers toutes les directions partent depuis le terminal terrestre, situé à environ 2 km du centre. Très bien organisé. Une vingtaine de compagnies desservent toute la journée de multiples directions (Guayaquil, Machala, Quito via Riobamba et Ambato...). Elles pratiquent toutes des prix très voisins et possèdent des véhicules aussi vieux les uns que les autres. Il vous suffit d'y aller, il y aura bien un bus en partance pour votre destination. Deux types de bus : les plus petits, appelés « super taxis », sont un peu plus rapides que les grands. Enfin, ceux de la compagnie *Flota Imbabura* sont les plus confortables (important pour un voyage de nuit).

▸ *Alausi*

C'est de cette ville (à 2 h de bus de Riobamba) que vous pourrez prendre le train pour *Guayaquil.* Ce train (autoferro du même type que celui d'Ibarra) vous mènera à plus de 2 800 m du niveau de la mer. Avec un peu de chance, vous aurez droit à l'une des machines à vapeur encore en service sur cette ligne. Tout au long du parcours, le paysage est magnifique, surtout vu du toit. Après les montagnes, vous rejoindrez la vallée de Guayaquil où vous traverserez d'innombrables plantations de canne à sucre, de riz et de fruits. Le train quotidien pour Guayaquil part très tôt. Se renseigner à la gare des horaires de départ.

Pour ceux qui ne souhaitent pas se rendre à Guayaquil, il est possible de s'arrêter à *Bucay*. De cette ville, située au pied de la montagne, vous pourrez rejoindre par bus El Triunfo d'où vous trouverez des connections pour Cuenca et Riobamba.

🛏 A Alausi, deux ou trois *hôtels* peu chers vous permettront de vous loger.

RIOBAMBA

A 200 km de Quito (4 h), 277 km de Cuenca (6 h), 230 km de Guayaquil (5 h), 65 km d'Ambato (1 h) et situé à 2 750 m d'altitude. L'ancienne ville indienne se trouvait en fait là où est actuellement le village de Cajabamba mais, à la fin du XVIIIe siècle, un grand tremblement de terre ravagea la ville, et les habitants se réinstallèrent dans l'actuelle Riobamba, mieux protégée des séismes. Des familles d'Indiens, misérables, descendent de la montagne pour chercher un travail hypothétique en ville.

L'intérêt principal de Riobamba réside dans son environnement extraordinaire. De superbes montagnes enneigées semblent protéger la ville, dont le célèbre Chimborazo, le plus haut mont d'Équateur (6 310 m). Pour profiter au mieux de votre passage, essayez de venir le samedi, jour de marché. C'est le plus important de la région. Il a lieu à différents endroits de la ville. Les paysans descendent en camion de la montagne et viennent vendre leurs produits artisanaux et agricoles. Toutes les places et les rues de la ville sont envahies. Riobamba devient une vaste fourmilière où des camelots proposent des morceaux de fer miraculeux pour protéger du mal, des casseroles..., où les artisans offrent fils, cordes, maïs, cochons, dégustent quelques glaces et repartent le soir vers les villages alentour. Attention, le dimanche, tout est fermé.

Et puis, si vous avez un peu de temps (et d'argent), n'hésitez pas à entreprendre une randonnée en montagne. Souvenir inoubliable.

Adresses utiles

– *Office du tourisme (Cetur) :* calle Tarqui, au coin de Primera Constituyente. ☎ 96-02-17. Dans l'Edificio de Syndicato de Choferes. Au niveau 1. Ouvert de 8 h 30 à 12 h 30 et de 14 h 30 à 18 h 30. Compétent.
– *Poste :* à l'angle de 10 de Agosto et Espejo.
– *Téléphone (Ietel) :* avenida Tarqui, entre Primera Constituyente et Veloz.
– *Alliance française :* 10 de Agosto 20-40. Ouverte de 17 h à 20 h. Fait aussi salon de thé.
– *Change :* Banco Internacional, au coin de 10 de Agosto et Garcia Moreno. Ouverte de 9 h à 13 h 30. Accepte dollars et chèques de voyage. Banco Popular, au coin de Primera Constituyente et Larrea. Ouverte de 9 h 15 à 13 h 30. Change dollars et chèques de voyage.
– *Casa de Cambio Chimborazo :* 10 de Agosto et Garcia Moreno. A un demibloc de la Banco Internacional. Ouverte du lundi au samedi de 9 h à 19 h.
– *Lavanderia Donini :* avenida León Borja et Brazil.

Où dormir ?

Nombreux hôtels pas chers près de la gare.

🛏 *Hôtel Imperial :* Rocafuerte 22-15, au coin de 10 de Agosto. Ne pas se fier à l'entrée un peu miséreuse. Chambres spacieuses, aérées et très bien tenues, tout comme les prix. Chambres pour 3 ou 4 aussi. Il y en a avec douche et w.-c., au même tarif. Demandez-les. Une bonne adresse.

🛏 *Residencial Colonial :* Carabobo 21-62. Vaste bâtisse face à la gare. Chambres vraiment sommaires, mais les prix non plus ne volent pas haut. L'hôtel n'a rien de colonial ! Eau froide. L'*hôtel Bolívar*, juste à côté, propose à peu près la même chose, encore un peu moins cher.

🛏 *Residencial Ñuca Huasi :* avenida 10 de Agosto 41. Hôtel au confort rudimentaire. Un des moins chers de la ville. Les chambres sont spacieuses, plutôt propres et l'accueil sympa. Apportez votre cadenas.

Prix moyens et plus chic

☞ *Hostal Los Shiris :* Vincente Rocafuerte, à côté du n° 21-60 et presque au coin de 10 de Agosto. Au 2ᵉ étage. Un peu plus cher que les précédents. Éviter les chambres qui donnent sur la minuscule cour. Bon rapport qualité-prix.
☞ *Hôtel Segovia :* Primera Constituyente 22-28. Grande propreté. Un peu cher mais vraiment bien. Chambres avec ou sans douche au même prix. Celles du dernier étage possèdent une vue sur la ville et son site. Celles sur la rue sont bruyantes. Sanitaires impeccables. Attention, de nombreux vols ont été à déplorer cependant. Par ailleurs, le fils du patron propose d'emmener les touristes en randonnée. Très cher et pas génial.

Beaucoup plus chic

☞ *Hôtel Whymper :* avenida Miguel Angel León 23-10. Au coin de Primera Constituyente. Propreté moyenne. Eau chaude, bon accueil. Le luxe sympa. Prix élevés pour ce que c'est, mais il paraît qu'on peut marchander.

Dans les environs

☞ *Andalousa :* à 15 km à l'extérieur de la ville. Le meilleur hôtel de la région, situé dans un cadre exceptionnel. Propose des chambres luxueuses et à son propre restaurant. Son côté campagnard est très reposant. Cher évidemment.
☞ *Station Urbina :* un peu plus haut que l'*Andalousa*, au pied du Chimborazo, perdu en pleine campagne équatorienne à 3 800 m. Calme assuré. Cette ancienne station de gare a été totalement rénovée par Rodrigo, un guide de montagne qui connaît son affaire et en a fait un refuge tout équipé. On peut y faire sa cuisine mais prévoir de la nourriture car aucune possibilité de ravitaillement. Le site est superbe. En plus du Chimborazo, les passionnés de montagne pourront apercevoir par temps clair le Carihuairazo, le Cotopaxi, le Tungurahua et le Sanguay. Possibilité de balade aux alentours. Pour tous renseignements, contacter *Metropolitan Tours*, parque Guayaquil, à Riobamba, ou bien *Rodrigo Donoso*, Junin 3844. ☎ 96-96-00. On s'occupera de vous pour y aller. Au retour, on peut prendre le train qui passe 3 fois par semaine en direction de Riobamba ou de Quito. Une expérience unique à ne pas louper si vous avez du temps. Plus cher que les hôtels en ville mais moins cher que l'*Andalousa*. Si vous vous baladez dans les environs, munissez-vous d'un bâton : les chiens n'aiment guère les promeneurs et se montrent parfois agressifs.

Où manger ?

✗ *La Cabaña Montecarlo :* G. Moreño 21-40. Fermé le dimanche. Chouette resto à l'allure très chic mais aux prix dociles. Très bien pour les petits budgets qui veulent jouer les bourgeois. Le midi, les notables viennent y déjeuner. Service distingué, cuisine internationale. Soupes délicieuses et copieuses qui peuvent suffire à un petit appétit. Aux dernières nouvelles, il se pourrait que les patrons aient changé et que cela se dégrade un peu.
✗ *La Biblia :* Primera Constituyente et Miguel Angel León. Pas cher et bien servi. Cuisine traditionnelle sans originalité. Un des rendez-vous des touristes.
✗ *Restaurant Candilejas :* 10 de Agosto 27-33 ; près de Pichincha. Déco genre salle mortuaire mais cuisine très honnête. Bon marché.
✗ *Gran Pan :* G. Moreño, à côté du 22-46. Pâtisserie et petits pains.

Plus chic

✗ *El Delirio :* Primera Constituyente y Rocafuerte. Un super petit resto au cadre intime et chaleureux. Quelques tables sont disposées autour d'un joli patio fleuri. Le samedi soir, piano-bar. Cuisine nationale très bien préparée et service diligent. Une très bonne adresse. Bolívar y séjourna en son temps, c'est vous dire...

A voir

▸ *Museo del Monasterio de la Concepción :* Argentinos, en face de Juan Larrea. Ouvert de 9 h à 12 h et de 15 h à 18 h ; le dimanche, de 9 h à 12 h seulement. Fermé le lundi. Superbe couvent encore en activité dont une petite partie, très bien restaurée, a été transformée en musée. Quatorze salles où l'on peut voir essentiellement des tableaux et sculptures de l'époque coloniale. Si certains tableaux ne sont pas très bons, en revanche, ils sont souvent plein d'humour, parfois bien involontairement. Salle 6, crucifix où le sculpteur a à moitié dépecé le Christ. Salle 7, un autre Christ martyrisé dont le cœur apparaît. Dans chaque salle, quelques infos en espagnol. Salle 10 : vêtements religieux. Enfin, l'ensemble n'est pas fantastique. Le musée de Cuenca est bien plus intéressant.

▸ *Colegio Nacional Maldonado :* dans le parque Sucre. C'est dans ce grand édifice que fut rédigée la première Constitution du pays en 1830. Sur le côté droit de l'escalier, une vitrine permet de voir ladite Constitution.

▸ *El Loma de Quito :* petit parc sur une colline dont le nom officiel est parque 21 de Abril. Au sommet, la vue embrasse toute la ville ainsi que le Chimborazo... si les nuages n'en couvrent pas le sommet.

▸ *Concert :* le dimanche soir vers 20 h, dans le parque Sucre, la fanfare municipale de la police ou de l'armée donne un concert gratuit. Mais attention, bonne musique.

▸ *Combats de coqs :* à l'angle de Tarqui et Guayaquil, le samedi soir vers 20 h. Peu de touristes. Typique mais cruel.

▸ *Casa del Arte :* juste en face de l'*hôtel Imperial*. Galerie d'art moderne, aquarelles à prix comiques, culture de toutes sortes. Ouvert surtout le soir et fréquenté par les cravatés de Riobamba. Si vous ne savez pas quoi faire...

Aux environs

▸ *Guano :* à 10 km au nord de Riobamba. Évitez d'y aller par mauvais temps et le dimanche. Prendre un bus sur la plaza Davalo. Un village bien paisible, grand centre de fabrication des tapis de laine, des couvertures. Chaque maison est un atelier (et vice versa). Mais on doit avouer que les tapis ne sont pas fantastiques. Question de goût sans doute. Allez plus loin, avec le même bus, jusqu'au faubourg de Santa Teresita, terminus de la ligne. Sur la droite, un chemin de terre parcourt une vallée verdoyante où l'on travaille traditionnellement et en famille une variété de *sisal* (ficelle). Quelques métiers à tisser peuvent être visités sur les collines environnantes.
Belle vue sur le Tungurahua et El Altar. On y trouve aussi quelques bains thermaux à 15 mn de marche, mais l'eau n'est que tiède. Sympa quand même.

▸ *Cajabamba :* à une vingtaine de kilomètres au sud-ouest de Riobamba. Bus à prendre au bout de l'avenida Nacional. Là était située la ville autrefois, avant le tremblement de terre. Les habitants émigrèrent pour fonder Riobamba après le cataclysme. Le seul intérêt du village est le **marché** du dimanche. Un des plus beaux d'Équateur. Les étalages de marchandises débordent de tous côtés, le long de la panaméricaine. Beaucoup d'Indiens, pas trop de touristes. Très authentique.
Pas d'hôtel. Sur une colline près de Cajabamba, on peut voir la première chapelle fondée par les Espagnols dans le pays, la Balbanera. En octobre, fête folklorique.

Excursions en montagne

Riobamba est le point de départ de nombreuses randonnées et excursions dont le fameux mont Chimborazo. On vous met en garde contre les guides à la sauvette qui vous proposent leurs services dans les hôtels ou restaurants. Il sont chers et généralement pas compétents. En revanche, nous vous indiquons quelques adresses fiables. Sachez quand même qu'un guide est très onéreux. Aussi pouvez-vous vous aventurer seul dans les environs. Les balades ne manquent pas. Attention au brusque changement de temps, surtout autour d'octobre-novembre.
– *Expediciones Andinas :* casa Argentinos y Carlos Sambrano. Compétents mais chers.

– *Alta Montana :* Junin 3844 y Carlos Zombrano. ☎ 96-96-00. Tenu par Rodrigo Donoso, un Équatorien qui maîtrise parfaitement l'anglais. Ses guides sont très compétents et proposent plusieurs treks.

▶ *Le mont Chimborazo* (6 310 m) : ceux qui veulent seulement faire une balade au pied du Chimborazo n'ont pas besoin de passer par un guide. Bus depuis le terminal terrestre jusqu'au village de San Juan. Puis, arrangez-vous pour prendre une camionnette qui vous emmènera au 1er refuge. Superbe paysage. Ensuite on monte à pied en 40 mn jusqu'au 2e refuge. Balade bien agréable. Puis retour vers Riobamba. Le fils du patron de l'*hôtel Segovia* propose la balade en tour organisé mais c'est très cher et on peut le faire tout seul.
– Ceux qui veulent s'attaquer à l'*ascension du Chimborazo* loueront les services d'un guide (voir plus haut les adresses). Cela étant, un Européen ayant une solide expérience des Alpes et du matériel peut l'envisager sans guide. Mais n'oubliez pas qu'en montagne on ne s'aventure jamais seul !
2 jours pour l'ascension du Chimborazo. Réservée à ceux qui connaissent déjà la haute montagne. Difficile. Excellente condition physique nécessaire. Une adaptation préalable à l'altitude est souhaitable. Une des ascensions les plus intéressantes de la région. Départ en voiture jusqu'au 1er refuge (Carrel) à 4 800 m. Marche jusqu'au 2e refuge (Whymper) à 5 000 m. Les deux refuges sont équipés en gaz et matelas. Prévoir un sac de couchage cependant. On y passe l'après-midi, on se repose, on s'habitue à l'altitude. Vers minuit-1 h commence l'ascension vers le sommet, qu'on atteint à 9 h-10 h. On est à 6 310 m et ça fait tout drôle ! Casse-croûte sur place avant de redescendre vers le refuge qu'on rejoint vers 13 h. Repos... et retour vers Riobamba. La randonnée est assez chère dans l'absolu mais fantastique.

A faire encore

▶ *Le Tungurahua :* point de départ à Baños. 2 jours. Altitude : 5 016 m.

▶ *Cotopaxi :* le point de départ normal est Lasso, à 20 km au nord de Latacunga. 2 jours. 5 897 m. A un poil des 6 000 m !

▶ *Sanguay :* très longue randonnée de 7 jours, dont 3 jours pour atteindre le camp de base. Le mont Sanguay est un volcan encore en activité. Grande fête le 2e dimanche de décembre.

Quitter Riobamba

En bus

– Le terminal terrestre, situé à 1,5 km du centre ville vers l'est, regroupe toutes les compagnies desservant sans arrêt toutes les grandes destinations (Quito, Cuenca, Guayaquil...). Pour ne pas perdre de temps, on vous conseille de vous rendre au terminal le matin du jour de votre départ. Renseignez-vous sur les horaires des différents transporteurs (en général, plusieurs départs toute la journée), achetez votre billet pour le bus désiré et revenez 30 mn avant l'heure dite. Ça évite l'attente et vous êtes certain d'avoir une place.
– Pour l'Oriente : départs non pas du terminal terrestre mais du terminal Oriente : calle Eugenio Espero, au coin de Luz Elisa Borja. Nombreux départs pour Baños, Puyo et Tena avec la *Cooperativa Riobamba*.

En train

– Un seul train pour *Quito,* à 5 h 30 3 fois par semaine. Se renseigner car très irrégulier. Paysage très beau. On passe par Ambato. La gare se trouve dans le centre ville. Ne vous étonnez pas si un employé nonchalant vous dit qu'il n'y a plus de train. Il arrive que la ligne soit interrompue pendant quelques mois. L'unique loco tombe de temps en temps en panne et, le temps de la réparer...

AMBATO

Grande ville très animée, bien plus propre et vivante que Riobamba. L'activité économique semble dynamique, les gens moins pauvres. Le parque Juan

Montalvo constitue le centre ville. Moderne et agréable, il fut reconstruit après le tremblement de terre de 1949. La ville s'étale un peu sur les collines environnantes. Pas grand-chose à voir, mis à part l'excellent musée qui regroupe un tas de collections très différentes. A ne pas louper. Venez à Ambato le lundi, jour de marché, puis filez sur Baños. Les Indiens descendent par centaines de la montagne pour vendre leurs produits. Atmosphère colorée. Ambato est à 1 h de Riobamba, autant de Baños et à 2 h de Quito.

Adresses utiles

– *Office du tourisme (Cetur) :* au coin des calles Guyaquil et Rocafuerte, à gauche de l'entrée de l'*hôtel Ambato*. ☎ 82-18-00. Ouvert de 8 h à 12 h et de 14 h à 18 h. Fermé le week-end. Vraiment incompétent.
– *Poste :* sur le parque Juan Montalvo, au coin de Bolívar et Castillo. Ouvert de 8 h à 12 h 30 et de 14 h 30 à 18 h.
– *Téléphone (Ietel) :* sur Castillo, en face du n° 9-63. A 2 pas du parque Juan Montalvo. Ouvert tous les jours de 8 h à 22 h.
– *Clinica Tungurahua :* Rocafuerte 916. ☎ 82-95-82.
– *Change : Citybank,* au coin de Mera et Sucre. Ouverte de 9 h à 17 h du lundi au vendredi. Change les dollars et les chèques de voyage.
– *Casa de Cambio :* Cambiato y Bolívar.
– *Lavanderia La Quimica :* Guayaquil y Bolívar.

Où dormir ?

Nombreux hôtels pas chers et vraiment limite. Voici une sélection des « moins pires », tous très centraux. Attention aux vols.
🛏 *Hostal Laurita :* La Mera 9-31. En face du parc 12 de Noviembre. Sûrement le plus propre des hôtels modestes. Simple. Chambres petites et un peu sombres.
🛏 *Hostal Guayaquil :* La Mera 9-13. A côté du précédent. Mêmes prix dérisoires. Correct également. L'*hostal Nueve de Octubre* à côté est moins bien.
🛏 Si ceux-là sont pleins, tout autour du « parque », autres hôtels dans le même genre. Évitez toutefois le *Residencial Europa* et le *Residencial America.*

Plus chic

🛏 *Hôtel Vivero :* Mera 504 et Castilla. Un hôtel très bien tenu. Chambres avec ou sans douche. Assez cher mais vous pouvez aussi demander les chambres tout en haut, trois fois moins chères. Ça ressemble à de grands placards, d'accord, mais c'est propre. Une bonne adresse.
🛏 *Hôtel Ejecutivo :* avenida 12 de Noviembre, au coin d'Espejo. L'hôtel n'a du 3 étoiles que la pancarte. Chambres avec bains assez chères. Les autres sont correctes sans plus. En dernier recours.
🛏 *Hôtel Villa Hilda :* un peu excentré, à 1,5 km. Dans le quartier chic de Miraflorés. Grand hôtel moderne, au milieu d'un grand jardin. Certaines chambres sans douche sont bon marché et celles avec ne sont pas si chères. Une bonne adresse.

Où manger ?

✕ *Restaurant El Alamo :* calle Sucre, à côté du 6-44, près de la calle Mera. Ouvert du matin au soir. Dans le genre coffee-shop. Grande salle avec banquettes rouges et toiles aux murs. Plats copieux et variés mais chers. Bons petits déjeuners.
✕ *El Coyote :* Bolívar 4-32, près de la calle Quito. Cuisine variée : brochettes, *ceviche* avec riz et *papas fritas...*
✕ *Chifa Hong Kong :* Bolívar y Martinez. Un bon chinois pas cher et populaire pour changer des *papas fritas y pollo a la brasa.*
✕ *Café Alemán :* Bolívar y Quito. Cuisine variée et cadre agréable. Tenu par un Allemand qui vit à Baños où il a déjà un très bon restaurant.
✕ *Pâtisserie* (sans nom) : au coin de Cevellos et Montalvo. Délicieux gâteaux, tartes aux myrtilles, aux fraises. Pain fort honnête.

✕ *Sweet Kiss :* calle Sucre 760. Très bonnes glaces aux parfums étonnants (cerise, orange, mûre, chiclé, coco, etc.).

Très chic

✕ *Restaurant à l'hôtel Ambato :* bonne cuisine. Très cher. Les autres grands hôtels ont tous un très bon restaurant. Prix en conséquence.
✕ *El Gran Alamo :* calle Montalvo. Version encore plus chic du premier. Bonne cuisine. Petits budgets, s'abstenir.

A voir

▶ *Museo :* calle Sucre, au niveau du parque Cevellos. Musée de taille respectable, dans un édifice néoclassique. Ouvert de 9 h à 12 h et de 14 h à 18 h. Fermé samedi et dimanche. Excellent musée qui aurait besoin d'un bon coup de chiffon mais qui regroupe des sections zoologique, botanique, archéologique, photographique... Visite indispensable. A première vue, ce musée n'a rien d'extraordinaire, et pourtant ! On attaque tout de go, sur la gauche, par une section de sciences naturelles avec deux fœtus humains âgés de 4 mois dans 2 bocaux. Lors de notre dernier passage, quelques squelettes (récemment décharnés) étaient également exposés. La section archéologique propose des poteries des cultures incasica, puruha, quelques bijoux...
La section zoologique comporte quelques vitrines pleines d'insectes, d'animaux empaillés, d'énormes chauves-souris, etc. Au bout de ce large couloir, ne loupez pas les vitrines où sont exposées les monstruosités que même Spielberg, conseillé par George Lucas, n'aurait pas pu imaginer. Les monstres, ici, sont bien réels ! Toutes les horreurs de la nature y sont présentées, pêle-mêle : cochon à 8 pattes, cochon siamois, veau à un corps et deux têtes, mouton à une tête mais deux corps (sic), un bœuf cyclope, et plein d'autres charmants animaux de compagnie ! Tous ces bestiaux ont été apportés, parfois de loin, par des éleveurs venus à la ville les monnayer. Le musée les a rachetés.
Plus loin, beaux spécimens de rapaces empaillés, dont trois condors. Iguanes, tortues, singes sont également présentés. Petite section de sauriens, conservés dans des bocaux à confitures. Pas très ragoûtant tout ça. Et puis, avant de sortir, jeter un œil à la série de photos accrochées dans une sorte de renfoncement. Une centaine de belles images réalisées par Luis Martinez, au début du siècle. On y voit surtout des vues superbes de montagnes dont l'éruption du Cotopaxi en 1911...

▶ *Marché aux fleurs :* sur la calle Cevellos, le lundi. Des centaines d'Indiens avec des milliers de fleurs.

▶ *Marché aux fruits et légumes :* près du parque 12 de Noviembre, le lundi. Une féerie de couleurs que tous ces fruits disposés avec soin !

– La maison de Juan Montalvo ne présente pas d'intérêt.

▶ Face au parque 12 de Noviembre, sur la façade qui surplombe le centre commercial, une *fresque* en deux parties, longue de plus de 10 m, composée de larges aplats bleus, blancs et mauves. D'accord, thème ouvertement propagandiste, mais une belle réussite sur le plan de la couleur : pas un ton chaud ne vient moduler l'ensemble qui pourtant est remarquable pour son équilibre des plans et la modernité du trait.

Quitter Ambato

En bus

Terminal terrestre à 2 km du centre. Tous les départs vers toutes les destinations interprovinciales s'effectuent là (Quito, Guayaquil, Riobamba, Cuenca, Esmeraldas, Manta, Baños). Allez-y, vous trouverez toujours un bus au départ imminent pour votre destination. La route vers Quito est large et belle. On traverse une partie du parc Cotopaxi.
Pour se rendre au terminal terrestre, bus à prendre au parque Cevellos.

En train

Gare des trains près du terminal terrestre. Les horaires qui suivent sont fluctuants.

– **Vers Quito :** trains 3 fois par semaine. Irrégulier.
– **Vers Riobamba :** tous les jours à 18 h.

SALASACA

Petit village sur la route de Baños, à 14 km d'Ambato. On ne trouverait rien de bien particulier à ces quelques maisons plantées de chaque côté de la chaussée si elles n'étaient habitées par les Salasacas, Indiens très connus pour la qualité de leur tissage. Cette communauté est en fait originaire de Bolivie où elle fut soumise par les Incas. Ces derniers les déplacèrent en masse jusqu'ici. Ils surent rester relativement à l'écart de la culture espagnole. Ils tissent la laine depuis des siècles et le font très bien. L'originalité des motifs et l'étendue de la gamme de couleurs utilisées rendent leur production très intéressante. Arrêtez-vous et allez visiter les maisons qui sont autant d'ateliers. Comparez les prix et marchandez. Allez-y de préférence le dimanche car il y a un marché artisanal.

– Pour poursuivre vers Baños, arrêtez n'importe quel bus qui passe, même ceux qui ne vont que jusqu'à Pelileo. De là, nombreux bus pour Baños. La route descend en serpentant entre les collines cultivées. Paysage doux et reposant.

BAÑOS

A 1 h d'Ambato et 4 h de Quito. Baños est aussi une importante voie d'accès pour l'Oriente (l'Amazonie). Un must pour les routards. Une halte idéale au milieu d'un long voyage en Amérique du Sud. Ce petit village de villégiature, plaisant et calme, est situé au creux d'un décor naturel merveilleux. Hautes montagnes verdoyantes, falaises d'où coulent des cascades d'eau chaude, climat doux et très sain. Difficile de trouver meilleur endroit pour quelques jours de repos total. Les gens ici sont très gentils, l'endroit est touristique mais pas trop (sauf l'été) et c'est bien ainsi. Les amoureux de randonnées bucoliques seront ravis, les fans de trekking en montagne enchantés et les amateurs de farniente aux anges. Bienvenue à Baños. Attention, il pleut souvent ici, la forêt amazonienne est toute proche.

Adresses utiles

– Pas d'office du tourisme mais de nombreuses **agences de voyages** autour du terminal terrestre, où l'on peut glaner des informations et acheter une carte de la ville et des balades des environs. Très pratique.
– **Poste et téléphone :** sur la place centrale.
– **Banco del Pacifico :** sur la place de l'Église. Change les dollars et les chèques de voyage.

Où dormir ?

Bon marché

🛏 **Residencial Timara :** calle Pedro V. Maldonado. Une petite pension bien charmante dont les chambres donnent sur une cour intérieure. Très propre et bon marché. Il règne, dans cet hôtel, une ambiance familiale. Très calme. Possibilité d'y faire sa lessive. Réfrigérateur et cuisine. Propose également des tours dans la jungle. Là, on ne peut rien vous dire, sinon que ce n'est pas donné.
🛏 **Residencial Baños :** situé à deux pas de l'église en remontant l'avenue commerçante. Pension aux murs jaunes qui lui donnent un air de thermes. Petites chambres très propres et bains avec eau chaude. L'accueil est très sympathique. Évitez les chambres donnant sur la rue. Beaucoup de bruit le soir.
🛏 **Residencial Villa Santa Clara :** calle 12 de Noviembre, tout au bout. Proche des bains. Maison blanche, tout en bois, plantée au beau milieu d'un vaste jardin. Chambres simples, patrons plutôt sympa et possibilité de laver

son linge et faire sa cuisine. Jadis notre meilleure adresse. Malheureusement délaissée depuis quelque temps. Les sanitaires sont en piteux état et les chambres pas toujours propres. Cela reste une très bonne adresse pour y faire des rencontres. Beaucoup de routards y descendent. Attention, il y a deux hôtels *Santa Clara*. Celui placé derrière le terminal profite de la pub faite par le *G.D.R.* au vrai (il affiche même la page du guide), et il n'y a pas d'eau chaude.

♨ *Residencial Patty :* Eloy Alfaro 5-54. Près d'Oriente. Même topo que pour le précédent. Le succès de la maison l'a un peu usée. Prix à la tête du client et propreté parfois douteuse. Les chambres sont disposées autour d'un petit patio. Possibilité de cuisiner (petite salle à manger) et de faire sa lessive. Un réfrigérateur est à la disposition des clients avec bière fraîche et sodas. Chambres bon marché. Le fils du patron est un guide de montagne qui vous donnera plein de tuyaux et pourra vous accompagner en randonnée (voir « Balades dans les environs »).

♨ *Residencial Aborado :* calle 16 de Diciembre. Sur la place de la basilique. Hôtel charmant tout comme ses tenanciers. Ça sent bon le propre et à ce propos il est possible d'y laver et faire sécher son linge sur une terrasse offrant un magnifique panorama. Demander les chambres donnant sur la place ; vue superbe de la cascade.

♨ *Residencial El Rey :* Oscar E. Reyes 9-32. Au coin d'Oriente. Calme et simple.

♨ *Hostal Teresita :* calle Martinez, sur la place de l'Église. Bon marché mais chambres vraiment petites. Douche avec eau chaude en supplément.

Prix moyens

Pour un peu plus cher, vous pouvez vous payer une chambrette toute proprette avec salle de bains... nickelette !

♨ *Hostal Residencial Anita :* calle Rocafuerte et 16 de Diciembre. On aborde en entrant un patio ombragé avant de se voir proposer, avec diligence, une chambre moderne et soignée. Une bonne adresse non dénuée de cachet.

♨ *Hôtel Flor de Oriente :* sur la place centrale. Hôtel un peu impersonnel mais tout confort, avec eau chaude, téléphone, télévision. Fait aussi restaurant. Un peu plus cher que le précédent mais c'est justifié.

♨ *Hostal Plants and White :* casilla 1980, au-dessus de la seule banque de Baños. ☎ 74-00-44. Profitez des promotions de ce nouvel hôtel qui fait dans l'originalité avec un « Bed and Brunch » sympathique.

Plus chic

♨ *Hôtel Palace :* à 30 m des bains, presque au pied des chutes. Chambres claires. La résidence possède une petite piscine. Le calme pour un prix un peu luxe.

Où manger ?

Beaucoup de restos, des plus touristiques aux plus typiques dans ce petit village-vacances.

Les spécial-touristes

✗ *Le Petit Restaurant :* calle Eloy Alfaro 2-46 et Montalvo. Tenu par Marthe-Hélène, une Française mariée avec un Argentin. Bien situé. Cuisine française très bonne : salades, viande aux champignons, steak au poivre, spaghetti à la crème, crêpes, etc. Nappes rouges sur les tables. Sympa et très propre. Quelques groupes de musique andine viennent jouer le samedi soir. Possibilité de louer une chambre avec douche pour pas cher. Extra.

✗ *Regine's Café Alemán :* avenida Montalvo Frente. Un peu excentré. Genre salon de thé-resto, tenu par un Allemand. La décoration est raffinée et l'atmosphère chaleureuse. Petite carte soignée proposant sandwiches, omelettes, pâtes, soupes... Rendez-vous des routards de Baños qui retrouvent ici un certain goût de l'Europe. Un petit côté chalet alpin. Une annexe vient d'ouvrir calle 16 de Diciembre.

✗ *Donde Marcello :* tout près de la place de l'Église. Un resto mi-saloon mi-refuge qui propose des spécialités nationales et internationales. Mobilier en bois, éclairage à la bougie. A l'étage, un bar-discothèque où se retrouvent tous les routards de Baños et les quelques locaux fortunés en quête d'aventures. Musique top-50 et addition salée.

✗ *Mi Abuela :* un peu plus haut que le *Donde Marcello* dans la même rue. Petit restaurant genre salon de thé mignonnet où l'on vous prépare des petits plats bien soignés. Bref, vous l'avez deviné, vous êtes chez Grand-Mère. Très bons petits déjeuners aussi. Les fatigués de la Club ou de la Pilsener pourront lécher du regard une Bud, ou une Heineken. Si, si ! Mamy a aligné une série de « trophées » internationaux sur ses étagères. Service assez lent, et un peu cher pour ce qu'il y a dans l'assiette.

✗ *Bar-pizzeria Rincón de Suecia :* dans la rue principale, face à l'hôtel *Anita*, au n° 2-32. Petit resto sympa, sans prétention mais bien arrangé. Pizzas variées. Cher mais ça change du *pollo con papas fritas.*

✗ *El Paisano :* au bout de la calle Martinez, vers les bains thermaux. Resto végétarien. Beaucoup de touristes. Le succès a fait baisser le niveau de la nourriture et augmenter les prix. Cadre écolo-moderno-chicos.

Les restos plus typiques

✗ *Restaurante Central Chifa :* en face du marché couvert. Cuisine excellente. Jus naturels de *mora* (mûre) à goûter absolument.

✗ *Monica Restaurant :* calle Eloy Alfaro, un peu après le *Residencial Patty*. Petit resto familial et sympa. Spécialité : la « casserole de légumes » (légumes avec du riz, le tout enveloppé dans de la pâte), bonne et copieuse.

✗ *Helechos :* calle Montalvo. On vous conseille les yaourts aux fruits et les salades de fruits. Délicieux et très authentique.

✗ *Restaurant Acapulco :* sur la place de l'Église. Très bons petits déjeuners. Grande salle avec tables en bois et comptoir.

A voir

▶ *L'église :* toute blanche et encadrée par deux flèches effilées, elle dégage un charme bucolique certain. A l'intérieur, ne manquez pas de faire le tour et d'observer un à un les tableaux décrivant les miracles de « la Virgen de Santa Agua » : ici, un quatrième chute dans un ravin et s'en tire indemne ; là, c'est une maison qui est épargnée alors que le village est en feu ; plus loin, c'est cet individu qui manque de se rompre les os en glissant dans la chute d'eau et est sauvé *in extremis ;* et puis, ce volcan en éruption qui épargne par miracle les habitants... Chaque scène est empreinte d'un réalisme béat d'une grande intensité. A côté, dans le cloître, les miracles continuent. Série de béquilles devenues inutiles après le passage de la Vierge. Petit musée ouvert de 8 h à 16 h. Le dimanche est assez folklo : entre 2 messes, le curé bénit les voitures à l'aide d'une fleur en plastique.

▶ Dans la *rue principale,* chouette animation avec boutiques, restos, etc., sympa. Vous verrez les petits artisans faire la *melcocha,* sorte de pâte collante à base de canne à sucre qu'on bat et qu'on étire. C'est une spécialité de Baños et c'est une friandise. Petit marché aussi, où les femmes passent leur temps à chasser les mouches.

▶ *Parc zoologique :* à 10 mn à pied. Ouvert toute la journée. Petit. Quelques lamas, alpagas et une brochette de perroquets. Attention, des vols ont été signalés sur le chemin qui y mène. De toute façon, on n'aime pas les zoos.

Les bains

Il y a trois groupes de piscines à Baños. Les plus connues et les plus sympa sont les Piscinas de la Virgen, juste sous la chute d'eau.

– *Piscinas de la Virgen :* suivre les chutes d'eau du regard, la piscine est en dessous. Ouvertes tous les jours de 4 h 30 à 17 h 30. Imaginez une petite piscine en plein air, entourée d'un paysage de rêve, l'eau à la température d'un bain... hmm ! quel pied ! Douche obligatoire avant d'entrer dans la piscine. Il y a même un vestiaire surveillé. Apportez une serviette et un maillot de bain. La chute d'eau alimente directement le bain. A côté, une piscine d'eau froide. En contrebas des bains, un petit lavoir où les femmes lavent le linge. Qu'il fait bon

être ici ! Les bains de la *Piscina Moderna*, à gauche de ceux de la Virgen, ne sont ouverts que le week-end. Pas super du tout.
– *Piscina El Salado* : à 3 km de la ville, à l'ouest. Ouverte jusqu'à 18 h. Ça peut être le but d'une agréable balade. Piscine au pied d'un à-pic. Bains d'eau chaude, tiède et froide. Pas bon pour les cardiaques. Moins fréquentée que les précédentes mais sympa aussi. Location de maillots de bain.

Balades dans les environs

Pour des renseignements, on pourra s'adresser aux **agences de voyages** autour du terminal terrestre. Ils vendent un fascicule sur la ville et ses environs. Très pratique. L'*hôtel Residencial Patty* est aussi bien renseigné et loue ses services. Voici cependant quelques tuyaux.

▸ Une belle balade consiste à emprunter le petit pont San Francisco derrière la gare routière et à remonter le sentier. On fait demi-tour quand on en a assez. Beaux paysages et passages près des villages indiens.

▸ **Mirador de Bella Vista :** promenade de 2 h aller et retour. Prendre, tout au bout de Pedro V. Maldonado, du côté de Juan Montalvo. Là débute un chemin assez pentu. Superbe vue sur la ville et ses environs.

▸ Une petite variante du précédent permet d'aboutir à une petite étendue d'eau. Départ de l'extrémité de Juan León Mera. Montée en 2 h environ. On rejoint le chemin précédent pour redescendre.
On peut aussi prendre le chemin sur la droite, avant la Piscina El Salado, qui longe une carrière et vous amènera à traverser une rivière pour reprendre en sens inverse une petite route en terre battue. La vallée est magnifique et on peut voir les paysans travailler dans les champs.

▸ **Promenade équestre :** une nouvelle forme de balade à Baños. *Caballos con Christian,* 131 Halfants, au croisement de la Montalvo. ☎ 74-06-09. Christian et Gaby vous proposent des balades à cheval de quelques heures à quelques jours avec pique-nique, camping. Avis aux amateurs !
– Éviter la balade vers le barrage d'Agoyan.

▸ **Promenade à vélo :** il est possible de louer des V.T.T. pour rejoindre Puyo. Bien que la distance entre les deux villes puisse paraître longue (80 km), le parcours (magnifique) est facile car toujours en descente (on passe d'une altitude de 1 800 m à celle de 950 m). Dès votre arrivée à Puyo, un bus ou un camion pourra vous remonter vers Banco. Afin d'effectuer le parcours aller-retour en une seule journée, il est nécessaire de partir tôt. En cas de fatigue, vous pourrez stopper en cours de route et prendre un bus remontant en sens inverse. Cette balade sera sûrement l'un des souvenirs les plus merveilleux de votre voyage. Vous pouvez, de la même façon, rejoindre Ambato à vélo et revenir en bus dans la même journée.

Randonnées en montagne

Pour toutes infos (guide, location de matériel...), voir à l'*hôtel Residencial Patty* ou aux agences près du Terminal. Renseignez-vous, comparez les prix et... suivez votre feeling. Il est important d'être en bonne condition physique.

▸ **Volcan Tungurahua** (5 023 m) : 2 jours aller et retour. 1 h de voiture pour monter au refuge, puis 3 à 4 h de marche pour arriver à un autre refuge à 3 800 m, où l'on passe la nuit. Sinon, un camion de ramassage part tous les jours de Baños, passe à l'*hôtel Residencial Patty* le matin tôt et emmène les randonneurs à la maison du parc national du Sanguay. Ensuite continuer à pied jusqu'au refuge pour y passer la nuit. Pas de lit. Départ le lendemain vers 4 h. 8 h de marche pour atteindre le sommet, avoir de bonnes chaussures car la balade se termine dans la neige. On passe même près du cratère principal. Puis redescente vers le refuge en fin de matinée. Le camion de ramassage repart à midi de la maison du parc vers Baños. Arrivée à Baños dans l'après-midi. Guide obligatoire. Superbe randonnée. A éviter en juillet et août.

▸ **El Altar** (5 300 m) : 4 jours aller et retour. 2 h pour rejoindre le camp de base. Puis ascension de 7 h. On campe sur place. Le lendemain, nouvelle grimpette vers le sommet. Panorama très prenant.

– A partir de Baños, un guide indien chuara, *Sebastián Moya,* organise aussi des treks en Amazonie.

Quitter Baños

– Nombreux bus toute la journée vers *Quito, Ambato* et *Riobamba,* qui partent du terminal terrestre.
– *Vers Puyo et Tena :* les bus passent par Baños mais ils partent d'Ambato ou de Quito. Il arrive qu'ils soient pleins. Pour les horaires, se renseigner au terminal. Pour Puyo : 2 h de trajet. C'est la route des Orchidées. Se placer à droite du bus, côté ravin. Vertiges et sensations assurés. Route magnifique : d'un côté la forêt amazonienne et de l'autre les volcans.

AMAZONIE ÉQUATORIENNE

Voici plusieurs circuits, pas trop difficiles, qui permettent de voir l'Amazonie équatorienne qui, si elle n'a pas le caractère sauvage du Centre, est pourtant plus belle dans les couleurs et les espèces.
Attention : l'Amazonie équatorienne n'est pas desservie par des vols réguliers mais on peut se faufiler dans les avions d'*Ecuavia, Atesa* ou *Tao,* appartenant aux forces aériennes, et qui sont parfois affrétés par les compagnies pétrolières et les services de santé. Misahualli est le seul point d'entrée facile de la jungle. On l'atteint depuis Quito, par Baeza ou Baños, la route Quito-Lago Aguo ayant été coupée par un tremblement de terre. Les deux routes sont spectaculaires : aller par Baeza, retour par Baños recommandé.

Matériel

– Emporter absolument des pastilles purifiant l'eau car elles sont rares sur place.
– Sacs de couchage, bottes et toiles plastique se trouvent sur place.
– Ne pas refuser une toile plastifiée sous prétexte que l'on a un imperméable. Les toiles sont la seule protection efficace lorsqu'il pleut.
– Vêtements légers mais manches longues et pantalon, car les moustiques sont voraces.
– Crème antimoustiques efficace que l'on peut aussi trouver sur place.

PUYO

La ville la plus importante de l'Oriente, située à 950 m d'altitude. Cette bourgade en plein développement, dans une région de collines et de forêt, fut peuplée au début de la colonisation en raison de l'existence d'or. Mais son essor fut stoppé par une nouvelle ruée vers le métal précieux, plus au sud, et par la révolte des Jivaros en 1599. Avec ses maisons de bois, Puyo rappelle ces villages de pionniers du Far West ; elle est envahie par des jardins d'orchidées.

– *Parcours Puyo-Tena :* belle végétation tropicale. Les pressés peuvent éviter Tena qui présente relativement peu d'intérêt. Correspondance à Rio Napo pour Misahualli. De Baños à Misahualli, compter 5 à 6 h de transport.
De Puyo, on peut aussi descendre sur Macas (un bus par jour). Compter 6 h de trajet. Fatigant mais superbe (s'asseoir à gauche). Toute l'Amazonie s'étend sous vos yeux. Le pont sur le rio Pastaza n'étant toujours pas terminé, on traverse en pirogue et un autre bus nous attend sur l'autre rive. Macas est une petite ville très agréable. Possibilité d'y dormir. Ensuite on peut rejoindre directement Cuenca. Trois bus par jour (10-12 h de trajet). Également superbe.

TENA

Gros bourg fondé en 1560, formé de maisons de bois sur pilotis, où le massif andin vient mourir en des coulées d'arbres et d'orchidées. Situé à la jonction de deux rivières. Pas grand-chose à voir.

De Quito, bus direct qui passe par Baeza. En cours de route, on peut s'arrêter au *lac Papallacta :* région superbe.

De Baños à Tena, la route domine les gorges du río Pastaza. S'asseoir à droite, dans le bus. Émotifs, s'abstenir. Route exténuante. Depuis peu, il est possible de rallier directement Coca par bus en 6 h (3 à 4 trajets par jour).

– **Terminal terrestre :** à 10 mn du centre ville.

🛏 Éviter les deux petits hôtels situés près du terminal des bus. Assez chers. Il y a de meilleurs hôtels plus loin. Trois hôtels de qualité équivalente près du pont : **Hilton, Alamena** et **Napoli**. Resto à côté. L'*Alamena* n'est pas mal du tout.

– Combats de coqs près du pont où passent les voitures, le dimanche soir.

– Dans les environs, la *grotte d'Archidona* n'est pas terrible. Elle est utilisée pour l'alimentation en eau de la ville.

– Attention, à partir de Puyo, on est en zone militaire jusqu'à Coca. Obligation de faire tamponner son passeport à la brigade de la selva.

MISAHUALLI

De Tena, compter 1 h de bus.

Misahualli, sur le rio Napo, est agréable pour se reposer.

Il faut pénétrer dans la forêt, dormir chez les Indiens, pêcher et chasser avec eux. Pas question de s'y aventurer seul. Le meilleur endroit pour commencer une excursion dans la jungle.

Où dormir ? Où manger ?

Hôtels vite complets le vendredi soir à cause du marché du samedi. Recommandé de réserver votre chambre pour le retour de l'excursion. Les prix de tous les hôtels sont à peu près identiques.

🛏 *Hôtel La Posada :* correct. Le patron et ses enfants sont très accueillants. On y mange bien et on y boit un excellent cocktail « orange ». Pas de moustiquaires. Sanitaires rudimentaires et pas très propres.

🛏 *Hôtel-restaurant Dayuna :* correct. Très bon poisson.

🛏 *Hôtel El Paisano :* très recommandable. Moustiquaires. Sanitaires propres. Goûter aux excellents yaourts avec des céréales mélangées à des fruits. Excellents *pancakes*.

🛏 *Hôtel Albergo Español :* à l'entrée du village. Tout neuf. Un peu mieux que les autres. Possède un restaurant. Terrasse avec quelques chambres disposées autour. Évitez le *Residencial Sacha*.

🛏 *Fifty-Fifty :* bien aussi. Au-dessus du *Tour de Wilson*.

Balades dans les environs

– **Le choix du guide** est très important : il y en a une trentaine homologués, qu'il est difficile de juger. Ceux qui vous promettent une faune abondante sont de gros menteurs. Les prix semblent s'être normalisés, vers le haut naturellement. Compter au minimum 20 $ par jour. Les amateurs d'orchidées viendront en avril-mai. En plein été, c'est fini.

▶ Voir les **chercheurs d'or** plus haut, sur la rivière. Marché de l'or le samedi.

▶ A Misahualli, on peut louer des pirogues avec un guide : si l'on veut « en voir », dans les environs, c'est autour du rio que vivent les **Indiens Huaronis**. On peut descendre le rio en grosse pirogue. Le voyage dure environ 6 h. Se renseigner à l'embarcadère sur les dates de départ. Il faut être un minimum de

8 personnes. Mieux vaut s'inscrire la veille au poste militaire sur le pont, à côté de la marine. On rejoint ainsi Puerto Francisco de Orellana, appelé aussi Coca. N'oubliez pas vos vêtements de pluie et de quoi vous changer.

Possibilité d'effectuer des tours de 2 à 8 jours. La qualité varie suivant les agences et, bien entendu, les guides. Billie, chez *Dayuma*, possède une bonne réputation. *Wilson* fait des programmes attirants pour un tout petit peu moins cher. *Crucero Fluvial*, agence sérieuse, avec Socrates Navarez comme guide. L'agence *Fluviatours*, sur la place du hameau, est assez bonne également, mais il y a quelquefois des problèmes de ravitaillement en cours d'expédition. *Carlos H. Lastra Lasso* organise des treks de plusieurs jours dans la selva, mais ce n'est pas donné. Un autre guide bien meilleur marché : *Elias Arteaga*. On le trouve sur le grand-place. Il fait du très bon travail. Expérimenté, il effectue lui-même l'expédition, cuisine parfaitement et connaît des tas et des tas de choses sur la jungle et ses habitants végétaux, humains et animaux.

Se grouper à cinq pour que les excursions organisées ne soient pas trop chères. Le village est si petit qu'on trouve assez vite d'autres touristes pour partir le lendemain. Passer au moins trois jours dans la jungle.

▶ Une autre possibilité consiste à faire un tour du côté du *parc Cayabeno,* situé au nord de Coca. C'est le plus beau parc naturel de la selva. On y voit fréquemment des singes, des caïmans et des oiseaux. 2 jours sont nécessaires pour l'atteindre, ce qui porte votre excursion à 6 jours au moins. Si vous vous décidez, sachez que c'est la seule chance que vous aurez de voir des animaux en pleine jungle. Ensuite, choisissez bien votre guide — évitez Robin Torres, il ment et les porteurs connaissent mieux la jungle que lui — et ne payez que la moitié au départ, et l'autre à la fin. Enfin assurez-vous que votre guide possède une grande tente, il arrive que les touristes doivent dormir dans des huttes délabrées, sans murs, avec un toit à moitié défoncé.

A emporter : sac de couchage, crème antimoustiques, pastilles purifiant l'eau, bottes en plastique et toiles plastifiées.

COCA

Ville pétrolière sale et bruyante. Bref, n'offre guère d'intérêt.

🛏 Dormir à l'*hôtel Anca,* au *Floriana* ou encore au *Turguramua,* qui est le moins cher.

— De Coca, on peut prendre les avions des compagnies pétrolières pour plusieurs destinations. Mais il faut être patient !

Comment aller à Coca ?

— De Quito, bus de la compagnie *Sentinela del Norte* (calle J. Lopez) la nuit. Cette route a été coupée par un tremblement de terre quelque temps, mais la circulation est rétablie depuis fin 1987. Donc, pas de problèmes.

— Prendre plutôt la compagnie *Occidentales,* en bas de la calle Garcia Moreno, à Quito, où est situé l'hôtel *Gran Casino,* qui vous emmène à Lago Agrio, en 9 ou 10 h, dont les 2/3 de jour. De Lago Agrio à Coca, 3 h de bus hyper vétuste. A Lago Agrio, les hôtels sont plus chers que dans le reste de l'Équateur, mais très neufs, et très propres. Par cette route, on traverse des paysages magnifiques. Attention, pour rejoindre Iquitos il semble que la frontière entre l'Équateur et le Pérou soit fermée sur le rio Napo. Il est donc exclu de tenter de rejoindre Iquitos par bateau. Bien vérifier, car les compagnies de navigation sont prêtes à raconter n'importe quoi pour vendre un billet (et une journée de bateau pour rien, c'est rageant !).

LIMON CÓCHA

Pour y aller, se renseigner au port de Coca : environ 2 h de bateau, mais ce n'est pas toujours facile de trouver une embarcation. Autrefois le village était calme : un hôtel, un petit restaurant et un seul magasin, le tout appartenant à la même personne. Les choses ont maintenant changé, il y a des voyages organisés pour le 3ᵉ âge.

Tout près du village, lac superbe ; il est possible de louer une petite pirogue (demander aux gens du village). On peut y voir beaucoup d'oiseaux (400 espèces ont été dénombrées) et des caïmans la nuit.

VERS LE CENTRE DE L'ÉQUATEUR

LATACUNGA

A 1 h 30 de bus de Quito et 2 h de Riobamba. Important marché le samedi. La route de Latacunga à Riobamba est magnifique, elle traverse une plaine verdoyante, dominée par six ou sept volcans dont le Cotopaxi. A Latacunga, voir les églises. Belle vue de la ville depuis le monument de la Vierge.

Où dormir ?

🛏 *Hôtel Estambul :* calle Belisadio Quevedo 73-40 (y Padre Salcedo). Très propre, calme et sympa. Jolie cour intérieure. Mais les prix grimpent sacrément.

🛏 *Residencial Restaurant El Salto :* sur la place du marché, sur F. Valencia. Neuf, propre. Chambres claires. Télévision dans le mini patio au 1ᵉʳ étage. Le resto, lui, est très simple. Évitez le *Residencial Jackeline,* à 100 m de là. Vraiment très sale !

Où manger ?

✗ *Chifa Tokio :* calle Guayaquil 45-58. Bon et très abordable.

✗ *Pinguin :* calle Quito 73-102. Excellentes glaces et café frappé.

✗ *Paradilla :* près du parc Vicente León. Un peu cher, mais *lomo soltado y papas fritas* excellent.

Dans les environs

▶ *Zumbahua :* sûrement l'un des plus beaux marchés d'Équateur, surtout celui des animaux le samedi. Se tient dans ce petit village au milieu des cultures. Prendre le bus à côté du pont en bas du marché de Latacunga (3 par jour, le matin). Si vous en prenez un tôt, vous verrez le lever du soleil sur le Chimborazo, le Cotopaxi et le Lliniza. Vue superbe. Puis on traverse un patchwork de cultures sur les montagnes. Très beau. 2 h de trajet. C'est la route Latacunga-Portoviejo. Pour le retour, prendre un minibus sur la route principale.

▶ De Zumbahua, négocier une camionnette pour aller à la *lagune du Quilotoa* (grand cratère de volcan rempli d'eau saumâtre). A pied, c'est une balade de 4 h sans un arbre. Le paysage est superbe. La lagune est à 3 800 m. On peut y planter sa tente, mais il faut faire ses provisions d'eau avant de partir. Sinon, certains paysans du village de Quilotoa louent des cahutes aux touristes.

Fête

– Début novembre se déroule la *fête de la Mama Negra,* sorte de carnaval avec défilés et beaucoup d'animation. Un bon moyen de pénétrer la vie du pays. Attention cependant : l'alcool coule à flots et ça peut dégénérer le soir.

SAQUISSILI

De Latacunga (20 km), bus toutes les 15 mn dès 6 h. De Quito, bus direct partant de l'avenida 24 de Mayo. Attention aux vols.
Le jeudi s'y tient un autre des plus beaux marchés d'Équateur. Aussi haut en couleur que celui d'Otavalo et bien moins touristique. Marché au sucre et aux légumes sur le terrain de sports. Marché à la viande où l'on voit abattre les bœufs. Marché aux chapeaux près de l'église. Marché aux animaux légèrement excentré par rapport aux précédents. On y trouve également un peu d'artisanat.

QUITO

Une des capitales les plus belles d'Amérique du Sud, une des plus agréables aussi. En raison de l'altitude élevée (2 850 m, la deuxième capitale la plus élevée du monde), la température moyenne est de 13 °C. Ce qui donne des journées très agréables et des nuits plutôt frisquettes. La ville, située à la base du volcan Pichincha, s'étire dans le sens nord-sud en étendant ses quartiers populaires sur les collines verdoyantes. Au centre, sur une colline plus élevée, le Panecillo, se dresse une Vierge.
Il se dégage de la ville une atmosphère décontractée, une sensation de nonchalance. Les gens sont doux comme le climat, accueillants et souriants. On y passe quelques jours avec grand plaisir. Aujourd'hui, Quito est une ville de 1 600 000 habitants, répartis entre deux grands quartiers bien distincts.

– *Le Quito colonial :* situé au sud, avec la plaza de Independencia comme centre. C'est le quartier historique, habité par les Indiens. On y trouve des églises aux façades ouvragées, des marchés, des petites places aux pavés mal ajustés, d'étroites ruelles encadrées par de blanches maisons coloniales... C'est, bien entendu, dans ce quartier qu'on trouve les hôtels bon marché et la vie sociale la plus intéressante. Le soir, en revanche, la ville s'endort.

– *Le Quito moderne :* plus au nord. Les deux quartiers ont comme frontière commune un vaste parc bien agréable. Le Quito moderne est composé de larges avenues bien droites, de beaux buildings modernes, de boutiques de luxe, d'hôtels internationaux, d'ambassades, de restaurants chic, et de beaucoup de mendiants. Ceux qui vivent ici ne mettent que très rarement les pieds dans la partie coloniale de la ville. Ils l'ignorent ou la considèrent comme dangereuse.
Chacune des cités se suffit à elle-même. Leur niveau de richesse, leur mode de vie sont très différents, opposés à de nombreux égards.

Un peu d'histoire

L'existence de Quito, cité précolombienne, remonte à des temps immémoriaux. Habitée par les Quitus puis par les Shyris, la ville s'étendit rapidement par le biais de mariages et d'accords entre différentes ethnies indiennes, toutes en guerre contre les Incas qui, il faut bien le dire, furent à bien des égards pires que les Espagnols. Bien sûr, les Incas prirent la ville et répandirent leur culture. Pourtant, à l'arrivée des Espagnols, les Incas, conscients de leur infériorité, préférèrent détruire la cité plutôt que de la donner aux conquistadores. Cela explique qu'il ne reste rien de la période inca à Quito. Les seules traces historiques datent donc de l'époque coloniale : églises, monastères, demeures bourgeoises avec patio, rues étroites...

Arrivée à l'aéroport

– On peut prendre un bus directement de l'aéroport pour se rendre au vieux Quito sur l'avenida 10 de Agosto, située face à l'aéroport, jusqu'à la plaza de Santo Domingo. Prendre le bus n° 1, 2 ou 10 par exemple.
– Ne pas hésiter à prendre un taxi (même si l'on n'est que deux). Vraiment pas cher et de plus les taxis de Quito sont bien équipés en compteurs.

– **Office du tourisme** et **change** (Casa Paz) à l'aéroport.

Transports en ville et aux environs

– Pour se rendre du Quito colonial au Quito moderne, les bus passent tous par la plaza Santo Domingo. Très facile. Depuis la ville moderne, vous pouvez arrêter un bus sur n'importe quel axe principal en direction du Quito colonial, comme l'avenida 10 de Agosto ou l'avenida 6 de Diciembre. Voici les principales lignes de bus : le bus n° 1 fait le trajet nord-sud sur 10 de Agosto. Le bus n° 2 longe l'avenida Colon et le n° 10, l'avenida Patria. Ces deux derniers sont pour Quito Moderne.
– Le Quito colonial se visite à pied. C'est tout petit et il y a de gros embouteillages. Le Quito moderne est bien plus étendu mais on peut aussi s'y balader à pied. Pour rejoindre certains musées, il est nécessaire de prendre un bus.
– Pour les villages des environs, les bus partent de la plaza Marin, au bout de la calle Chile, dans le Quito colonial. C'est de là qu'on prend le bus pour Calderón.
– Les taxis pratiquent des tarifs à la tête du client. Ça varie parfois de 1 à 10 ! Mais cette solution reste cependant très bon marché et très pratique surtout le soir.

▶ **LE QUITO COLONIAL**

Adresses utiles

– **Office du tourisme (Cetur)** : plaza de Independencia, Chile y Garcia Moreno, pasaje Arzobispal. ☎ 514-044. Ouvert de 8 h à 16 h 30. Demander la carte de l'Équateur (payante).
– **Téléphone (letel)** : calle Chile, au coin de Benalcazar. Voir aussi au n° 2170 avenida del 6 de Deciembre. Moins de monde, mais il faut téléphoner 3 mn minimum.
– **Poste et poste restante** : angle Benalcazar et Chile. Ouverte de 8 h à 12 h et de 14 h 30 à 18 h 30.
– **Gare et vente des billets** : avenida Amazonas, au sud du Quito colonial, après le terminal terrestre. ☎ 266-421. Pour y aller, prendre le bus n° 1. Acheter son billet un jour à l'avance.
– Pour acheter du bon café : **Aguila de Oro,** Benalcazar 623 et Espejo. Ouvert de 8 h 30 à 16 h 15 du lundi au vendredi. Évitez d'y aller en fin de journée, le choix est moindre. Pour le déguster, **Café de Niza**, angle calle Venezuela et Sucre.
– On vous signale une fréquence FM qui diffuse des infos sur toutes les manifestations culturelles, artistiques ou autres du pays : 97 FM.

Où dormir ?

Vous n'aurez pas de mal à trouver des hôtels pas chers. Situés tous dans le même coin, il est plus difficile d'en trouver des propres. Voici notre sélection et aussi ceux à éviter. Quelques conseils : les rues du centre étant bruyantes, évitez systématiquement les chambres sur rue, sauf si les autres n'ont pas de fenêtre. Vérifiez s'il y a de l'eau au robinet avant de vous décider. Quand il y a de l'eau chaude, ce n'est que le matin.

☙ **Hôtel Indoamerica** : Maldonado 30-22. Grandes chambres dont certaines très claires. Ne pas prendre celles donnant sur la rue. Propre et prix modiques.
☙ **Hôtel Huasi Continental** : calle Flores 332. Chambres très propres et très bien tenues. Certaines ont des douches, avec eau chaude le matin et le soir seulement. L'hôtel est un peu sombre et impersonnel mais les prix et l'accueil sont doux.
☙ **Hôtel Casa Patty** : Tola Alta. Iquique 2-33 y Manosalvas. ☎ 510-407. Une adresse pas chère, pas très loin du centre. Possibilité de laver son linge, de cuisiner, de laisser ses affaires. Douches chaudes et proprios sympa.
☙ **Residencia Marsella** : calle Los Rios 20-35, non loin de Spinoza, près du parque Alameda. A la limite du Quito colonial et du Quito moderne. Pas beau-

coup de caractère mais propre, très sûr et bon marché. Douche chaude assurée le matin. Une excellente adresse. Le rendez-vous de tous les routards.

☛ *Hôtel Cumenda :* calle Morales 449 y Curanda. ☎ 516-984. Tout neuf, cet hôtel est très confortable, salle de bains carrelée avec douche, eau chaude. Calme et à proximité du terminal de bus.

☛ *Hôtel Gran Casino :* calle Garcia Moreno 330. Il faut bien qu'on en parle de cet endroit phare qui a vu défiler plusieurs générations de routards. Malheureusement, pas forcément pour en dire du bien. L'endroit est devenu tellement populaire que les patrons s'abstiennent d'être polis avec les touristes et surtout « oublient » un peu trop souvent de changer les draps après chaque client. Quelques visites dans les chambres. En revanche, on peut manger au resto. Pas cher et copieux, surtout les soupes. A côté, un sauna turc vous permet de prendre bains et douches chaudes à volonté. Et puis on y fait des rencontres.
– Dans la rue Maldonaldo, vous trouverez toute une série de petits hôtels qui proposent des chambres à prix dérisoires. Si certains sont propres, en revanche aucun n'est sûr. Les hôtels *Zulia, Caribe, El Ingatur* et *El Meson* sont à éviter tout particulièrement. Si vous tenez absolument à dormir dans un de ces petits trous dont l'Amérique latine a le secret, voici deux adresses abordables :

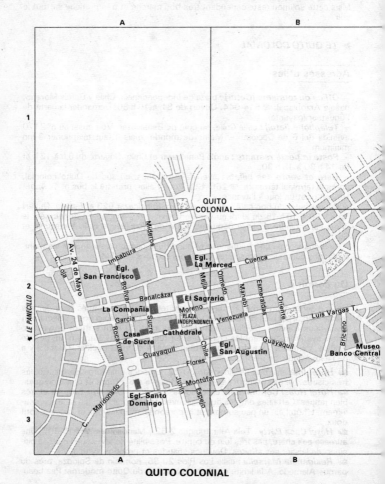

QUITO COLONIAL

🛏 **Hôtel Caspicara :** Rocafuerte 14-13. Près de Guyaquil. A deux pas de la place Santo Domingo. Pas cher du tout et très propre. Plusieurs chambres n'ont pas de fenêtre, évitez-les. A l'étage, une sorte de grand salon désuet avec fauteuils et plantes. Un des plus propres dans cette gamme de prix.

🛏 **Hôtel Capitalino :** Maldonado 32-35, près de Morales. Quelques belles chambres sur le toit. Très bon marché et propre.

Plus chic

🛏 **Hôtel Interamericano :** Maldonado 32-63. Les chambres avec douche sont bon marché. Si on vous en propose une toute petite, demandez à en voir une plus grande.

🛏 **Hôtel Juana de Arco** (Jeanne d'Arc, quoi !) : Rocafuerte 13-11, sur la plaza Santo Domingo. Un vieil hôtel dont les poutres et les escaliers en bois craquent de tout côté et respirent la cire à plein nez. Chambres qui courent autour d'un balcon, correctes avec douche et w.-c.

🛏 **Hôtel Gran Casino :** succursale et version plus chic du premier, calle Loja. Cher mais très bien tenu. Visiblement, les patrons font plus de cas des routards chic que des fauchés de la route. C'est ici que résident ceux qui descendaient

QUITO MODERNE

dans l'autre *Gran Casino*, il y a 10 ans. Chambres spacieuses, douches chaudes. Bon resto également.

Très chic

🛏 *Hôtel Viena International :* au coin de Flores et Chile. ☎ 519-611 et 211-329. Hôtel tout confort. Patio kitsch avec une petite fontaine dédiée à la Vierge au fond. Très propre. Calme assuré. Pour avoir une douche chaude, il faudra vous lever de bonne heure. Ne pas confondre avec le bouge du même nom, plus loin dans la rue.

🛏 *Hôtel Catedral Internacional :* Mejia 638 (entre Cuenca et Benalcázar). ☎ 515-438. Hôtel de classe dans le pur style colonial. Ambiance sympa, le patron cherche toujours à rendre service. Beau patio à l'entrée. Douche et w.-c. dans chaque chambre. Et de plus, le resto est fameux et les prix vraiment serrés. Dis, Germaine, on y va ?

Où prendre le petit déjeuner ?

Beaucoup de cafétérias, mais pas toujours de qualité.

– *Café Su :* calle Flores 540 et Chile. Un tout petit endroit très agréable. Très bons petits déjeuners. Pas cher du tout. Attention, très fréquenté par les *quiteños* cravatés du coin.

Où manger ?

Tous les restos du Quito colonial sont très populaires. Ne vous attendez pas à trouver une cuisine originale. En revanche, ils sont bon marché.

✗ *King Chicken Colonial :* calle Bolivar 2-36, entre Venezuela et Guayaquil. Resto proposant des plats copieux et bons. Toute la cuisine équatorienne. Belle déco intérieure (la plaza Santo Domingo en miniature). A l'étage, un pianiste joue des rengaines. Un poil plus cher que les autres.

✗ *El Criollo :* Flores 823 y Olmedo. Grande salle éclairée au néon où règne une nonchalance tout équatorienne. On y sert des spécialités du pays et les soupes y sont particulièrement bonnes. Le service est lent, le serveur un rien endormi mais cela ajoute au charme tranquille de ce petit resto créole.

✗ *Restaurante vegetariano Govinda :* Esmeralda 853 et Venezuela. Ferme vers 18 h. Bon resto végétarien à l'atmosphère un peu krishna sur les bords. Petite musique d'ambiance. Excellents yaourts aux fruits.

✗ *El Frailejon :* calle Espero. A côté du cinéma. Un des restaurants les plus populaires de la ville coloniale. Cette vaste salle ressemble à un grand hangar reconverti certes, mais on y mange typique, simple et pour pas cher.

✗ Le petit *resto de l'hôtel Gran Casino* (voir « Où dormir ? ») sert des petits plats et de bonnes soupes qu'engloutissent les routards de passage.

✗ *Royal Panaderia :* Olmedo 7-33. Boulangerie qui vend de bons petits pains ainsi que des croissants. Les gâteaux en revanche...

Plus chic

✗ *Las cuevas de Luis Candelas :* Benalcazar 7-13, au coin de Chile. Dernier service à 21 h. Le resto est en sous-sol et la pancarte pas très visible. Resto espagnol, décoré comme tel. Au menu, cassolette de fruits de mer, gambas, *mejillones à la marinera*. Bonne cuisine mais assez chère. Accueil glacial.

✗ *Taberna Quito Colonial :* calle Manabi, à côté du 5-35 et en face de Luis Vargas. Taverne-resto très sympa à la décoration bien choisie. Venez-y plutôt les soirs de week-end quand se produisent des groupes locaux. Vérifiez s'il y a de l'animation avant de vous asseoir, car certains soirs c'est le désert. Semblent avoir un peu la grosse tête, l'addition est de plus en plus salée. C'est devenu « une cave pour touristes ».

✗ *Pizza Hut :* calle Espero 847. Une des rares pizzerias de qualité du Quito colonial... et un des nombreux signes de la propagation de l'« American way of life » en Équateur. Cher mais abordable. Et puis on y mange bien.

Les églises

Vous serez submergé par cette explosion d'art baroque sublimé dans la pierre. L'architecture coloniale de Quito a valu à la ville d'être déclarée « Patrimoine de l'Humanité » par l'Unesco. Voici un petit circuit à pied à travers le Quito colonial, qui vous permettra de visiter les principales églises tout en vous baladant dans les rues animées et étroites, bordées de bâtisses coloniales aux balcons de fer forgé. Attention, elles ont subi certains dommages lors du tremblement de terre de 1987 et certaines sont parfois fermées, puis rouvertes. Il est possible que même pendant la journée vous trouviez porte close (en général, entre 12 h et 15 h). Allez savoir pourquoi ? Les petits musées attenant aux églises sont pour la plupart en restauration. A vérifier.

▶ *Monasterio de San Francisco :* sur la plaza de San Francisco. Sur cette charmante place (sans voiture), entre les pavés de laquelle poussent quelques raies de verdure, se tient tous les dimanches un petit marché. A ce propos, attention aux vols et aux agressions. Tout autour, de charmantes maisons coloniales à balcons donnent une ambiance provinciale. Le monastère occupe tout un côté de la place, situé sur un balcon surplombant un peu celle-ci. Des tours élégantes dominent l'église. Intérieur entièrement baroque d'une grande beauté. Voûtes des nefs latérales ornées de petits anges roses sur fond rouge. Noter le superbe plafond plat de la nef, très ouvragé. Belle coupole en nids d'abeilles rappelant curieusement les plafonds des palais de style mudéjar de Séville en Andalousie. Chapelle principale très belle avec coupole polychrome. Quelques tableaux religieux intéressants côtoient les pires croûtes. A côté de l'église, sur le côté droit, musée religieux assez riche. Sculptures, mobilier, peintures... Aux alentours de la place, notamment dans la calle Cuenca, petits vendeurs ambulants.

▶ *La Merced :* en longeant la calle Cuenca. Une des églises les plus charmantes de la ville. Nef et colonnes sont couvertes de stucs blancs aux allures de gâteaux et les plafonds décorés d'arabesques alambiquées sur fond saumon. De chaque côté de la nef, balcons finement travaillés. Mais le plus étonnant de cette église réside dans une série de curieuses toiles aux cadres dorés. Prenez le temps d'observer les tableaux : scènes de volcans en éruption, Christ dans un décor d'Enfer, scènes de fin du monde avec toujours le Christ en sauveur. On voit même des images de conquistadores... Notez encore deux autels de chaque côté du transept, assez jolis.

▶ *La Compañía :* calle Garcia Moreno, au coin de Sucre. Date du début du XVIIe, mais il fallut un siècle et demi pour la terminer. Façade chargée mais pas trop, d'où il se dégage une certaine élégance baroque. L'intérieur est époustouflant. On prétend que c'est l'église la plus couverte d'or du pays, nous voulons bien le croire. Les colonnes, autels, retables, portes, tout a été passé à la feuille d'or, ce qui accentue l'aspect baroque. L'or de l'Amérique, l'or des conquistadores ! Au premier abord, cet étalage de folle richesse peut sembler provocateur sur un continent où la plupart des habitants vivent au seuil de la pauvreté. L'Église, avec ses pompes et ses œuvres, joue toujours son rôle de consolatrice, d'ultime refuge. Notez les motifs décoratifs de la nef qui rappellent l'art mudéjar.

▶ *La cathédrale :* plaza de Independencia. Cette place est un peu le cœur politique de la ville puisqu'elle abrite le palais du président (notez les gardes en costume sous les arcades). Aujourd'hui en complète restauration, la cathédrale occupe un pan entier d'un côté de la place. De chaque côté de l'entrée, des plaques avec la liste des fondateurs de la ville. La cathédrale n'a rien de bien extraordinaire, hormis les peintures qui la décorent et qui appartiennent à l'école Quiteña. En particulier, au-dessus de l'autel, la fameuse toile de Caspicara, *La Descente de la croix*. La partie haute des arcades raconte l'histoire du Christ. Pour info, c'est ici qu'est enterré le général Sucre.

▶ *El Sagrario :* sur le côté de la cathédrale. C'est une ancienne chapelle de la cathédrale de laquelle elle fut séparée. En pleine restauration. Proportions agréables, belle porte intérieure baroque, encadrée par de jolies colonnades dorées.

▶ *Plaza et église Santo Domingo :* cette place constitue le cœur du vieux Quito. Assez bruyante et moins intéressante que la plaza de Independencia. Au centre de la place, la statue du maréchal Sucre. Derrière lui, l'église Santo

Domingo. De cet édifice colonial, on notera surtout le plafond de la nef aux belles formes géométriques sur fond rouge. Petites chapelles baroques. Au fond du bras droit du transept, jolie chapelle de la Virgen del Rosario, richement décorée. Le rouge domine et met en valeur les moulures dorées qui lui donnent de la noblesse et du tragique. Cette chapelle fut édifiée pour accueillir une Vierge (au fond de l'autel), don de Charles Quint. A l'extrémité du bras gauche de la nef, tableau apocalyptique et surréaliste du monde terrestre, un peu effrayant.

▶ *Convento et museo San Diego :* tout en haut d'Imbabura, à côté du cimetière. Église et musée ouverts du mardi au dimanche de 9 h 30 à 12 h 30 et de 14 h 30 à 17 h 30. Couvent bien agréable avec sa petite cour mangée par l'herbe entre les pavés. Petite église bien mignonne dont le plafond du chœur, tout de bois sculpté, ne peut nier ses influences mauresques. Belle chaire si chargée qu'elle en devient drôle. A côté, superbe petite chapelle avec le Christ en croix, composée de panneaux polychromes et de minuscules miroirs. De l'église, on passe au cloître où quelques toiles religieuses sont exposées dans différentes salles autour du patio. On remarque la patte de l'école Quiteña. Dommage que les tableaux soient dans un sale état. Demandez à faire allumer les lumières.

▶ *Église San Agustín :* calle Chile, au coin de Guayaquil. Encore une église du XVIIᵉ siècle possédant une petite tour latérale carrée. La visite ne présente pas un grand intérêt. Ici sont enterrés nombre de héros de l'indépendance. C'est d'ailleurs là que celle-ci fut signée. Intérieur assez sombre.
A droite de l'église, entrée d'un petit musée.

▶ Au bout de la calle Venezuela, sur une colline, on aperçoit la nouvelle *basilique,* d'un affreux style néogothique.

— Vous passerez devant plusieurs autres *églises* lors de vos pérégrinations. N'hésitez pas à pousser la porte. Sans être des chefs-d'œuvre, certaines d'entre elles ne sont pas dénuées de charme.

Quelques sites

De l'ancienne Quito, antérieure aux Espagnols, il ne reste pratiquement rien. Rumiñahui, général d'Atahualpa, préféra cacher tous les objets précieux et détruire la cité plutôt que de la laisser aux mains des conquérants.

▶ *La calle de la Ronda :* située sous la calle 24 de Mayo, près de Venezuela. La plus ancienne ruelle coloniale de Quito. Très belle le jour, superbe la nuit. On ne l'a pas touchée depuis le XVIIᵉ siècle. Encadrée de hautes bâtisses coloniales coquettes où les balcons de fer forgé sont chargés de pots de fleurs rouges. Juste après l'arche, on trouve même des toilettes publiques. Elles ne sont pas d'époque, mais on le dirait bien.

▶ *La Virgen du Panecillo :* on ne peut pas la louper. Statue de la Vierge perchée au sommet d'une jolie colline dominant tout le vieux Quito. Pour y accéder, on conseille franchement de prendre un taxi et d'y aller à plusieurs, et de jour. De nombreux vols et agressions ont été signalés, y compris dans la journée. Cet endroit chéri des touristes est en effet un des hauts lieux de la criminalité sans cesse croissante dans le Quito colonial. On insiste ! C'est bien entendu pour la vue, pas pour la Vierge, que l'on y monte. Vue étonnante sur la ville et tous les environs. La Vierge, quant à elle, n'est pas une réussite. On se demande comment elle peut protéger la ville alors qu'elle ne se tient pas droite elle-même. Ses ailes flanchent et sa mine est bien grise. Le sculpteur devait avoir des relations. Le Panecillo est un ancien lieu de culte inca. Sur la gauche, le « Pichincha » qui a conduit l'Équateur à l'indépendance.

▶ *Le marché d'Ipiales :* il faut bien l'avouer, Quito n'est pas une ville de marché. Otavalo n'étant pas loin, ce n'est pas ici que l'on va trouver de l'artisanat de qualité. D'ailleurs, tous les gens de Quito vont à Otavalo le samedi pour acheter les objets qu'ils revendront trois fois plus cher dans les boutiques chic du Quito moderne.

▶ *La calle Espejo* est piétonne et très animée.

Les musées

▶ *Museo de Arte Colonial :* casa de la Cultura. Ouvert du mardi au vendredi de 8 h 30 à 17 h ; le samedi, de 10 h à 13 h. Fermé le dimanche et le lundi. Payant. Excellent musée qui dépend de la Casa de la Cultura. Situé au 1er étage d'une ancienne demeure coloniale superbement rénovée et dotée d'un joli patio central. On vous passe une charmante musique classique pendant que vous visitez les 4 salles où sont exposées des pièces de choix, surtout de la peinture et de la sculpture des XVIIe et XVIIIe siècles. *Salle 1*, noter surtout, dans la vitrine centrale, trois Christ dont l'un a le flanc déchiré. Si vous exercez une pression avec votre pied sur le plancher, vous verrez même le petit cœur du petit Christ se mettre à battre pour vous, au travers de la plaie béante... C'est d'un kitsch ! Dans la *salle 2*, votre regard se portera surtout sur la série d'apôtres miniatures et polychromes ainsi que sur les jolies petites toiles du XVIIIe appartenant à l'école Quiteña. *Salle 3 :* sculptures polychromes bien travaillées et deux superbes coffres à tiroirs du XVIIIe siècle avec motifs d'animaux en incrustation. Chouettes petites miniatures. On remarquera enfin la bergère en triptyque. Dans la *salle 4*, on notera surtout la belle urne de fer et verre dans laquelle repose une Vierge.

▶ *Museo municipal Arte y Historia :* Espejo 11-47, au coin de Benalcazar, près de la plaza de Independencia. Ouvert du mardi au vendredi de 8 h à 16 h et le samedi de 9 h à 13 h. Fermé le dimanche et le lundi. A la suite du tremblement de terre de 1987, la partie haute du couvent, où se trouvent les salles d'exposition, a été fermée pour restauration. On ne sait pas quand exactement elle rouvrira. La seule salle ouverte est au sous-sol. On y voit une scène composée de personnages de cire représentant le massacre des indépendantistes du 2 août 1810. Le musée lui-même (à l'étage tout autour du patio) présente des toiles des XVIIe, XVIIIe et XIXe siècles de l'école Quiteña. Quelques sculptures également, une petite section archéologique, ainsi que des armes de l'époque coloniale.

▶ *Museo Camilo Egas :* calle Venezuela 13-02 ; au coin de Esmeraldas. Ouvert du mardi au vendredi de 10 h à 13 h et de 15 h à 17 h 30 ; le week-end, de 10 h à 14 h. Fermé le lundi. Musée d'art contemporain, situé dans une charmante petite maison coloniale. Expos d'artistes locaux, d'intérêt très variable.

▶ *Casa de Sucre :* sur Venezuela, au coin de... Sucre. Ouvert du mardi au vendredi de 8 h 30 à 16 h et le samedi matin jusqu'à 13 h 30. Non, ce n'est pas une maison de sucre, mais l'ancienne demeure, de style colonial, du général Sucre, un des héros de l'indépendance. Visite guidée en espagnol par de charmantes demoiselles. On visite le salon d'armes, la cuisine, quelques salons avec mobilier et tableaux... Intéressant surtout pour les spécialistes de l'histoire de l'Équateur.

▶ *Casa de Benalcazar :* Olmedo 9-68 ; presque au coin de... Benalcazar. Ouvert du lundi au vendredi de 10 h à 13 h et de 16 h à 19 h. Encore une jolie bâtisse coloniale qui accueille des expos temporaires de jeunes peintres nationaux. Seulement si vous avez du temps à perdre ou s'il pleut très fort.

▶ LE QUITO MODERNE

C'est ici que les bourgeois résident. Luxe et volupté s'y côtoient, ignorant totalement le Quito colonial qui semble bien loin pour cette population de nantis. Pourtant, sur les trottoirs, quelques mendiants estropiés leur rappellent que la misère n'est pas si loin.
L'artère principale, socialement parlant, est l'avenida Amazonas, où se trouvent agences de voyages et banques importantes. Les deux axes qui mènent au Quito colonial sont situés de chaque côté du parc El Ejido : il s'agit de l'avenida 10 de Agosto et de l'avenida 6 de Diciembre. Plus à l'ouest, l'avenida America.

Adresses utiles

– *Office du tourisme (Cetur) :* angle Reina Victoria et Roca, tout près d'Amazonas. ☎ 527-002 ou 565-703. Ouvert de 8 h à 16 h 30. Fermé le week-end.

C'est l'office le plus important et le plus compétent. Bonnes infos sur la ville. Ils sont souvent en rupture de stock quand vous demandez un plan.
— N'oubliez pas que tous les bureaux, agences, banques... sont fermés le week-end.
— *Change (Casa de Cambio) :* Casa Paz, avenida Amazonas, au coin de Robles. De 9 h à 13 h et de 15 h à 18 h. Fermé le week-end. Change toutes les monnaies européennes, les dollars et les chèques de voyage. Si vous avez besoin d'argent quand tout est fermé, allez au bureau de change de l'*hôtel Colón Internacional.*
— *American Express :* dans l'agence *Ecuatorian Tours,* Amazonas 329. ☎ 560-488. Ouvert de 8 h 30 à 12 h 30 et de 14 h 30 à 18 h 30. En cas de perte ou de vol de votre carte. On peut aussi y retirer de l'argent. Change les chèques de voyage.
— *Citybank :* Reina Victoria et Patria. Ouvert du lundi au vendredi de 9 h à 13 h 30. Change chèques de voyage et dollars.
— *Téléphone (Ietel) :* avenida 10 de Agosto, au coin de Colón. L'*hôtel Colón Internacional* possède aussi un bureau Ietel. Moins de monde. Mais un petit conseil : lorsque vous demandez une communication avec la France, ne donnez que le numéro, pas le nom d'une personne en particulier ; on vous prend 20 % de plus pour citer ce dernier. Sinon, d'une cabine, faire provision de jetons dans les kiosques.
— *Alliance française :* avenida Eloy Alfaro 1900. Lecture gratuite de journaux et revues français. Peuvent prendre contact avec un dispensaire médical. Surplus de médicaments bienvenus.
— *Libri-Mundi :* Juan León Mera 851. Ouvert de 8 h 30 à 19 h ; le samedi, de 9 h à 13 h 30 et de 15 h 30 à 18 h 30. Librairie ayant des ouvrages en français (surtout des livres de poche). Possède aussi de très beaux livres sur l'Équateur.
— *Instituto Geografico Militar :* Paz et Mino. ☎ 522-066. Ouvert de 8 h à 16 h 30. On y vend d'excellentes cartes d'Équateur. Prendre son passeport.

Ambassades et consulats

— *Ambassade de France :* General Plaza 107, à l'intersection avec l'avenida Patria. ☎ 560-789. Ouverte de 8 h 30 à 13 h.
— *Consulat de France :* Diego de Almagro 1550, coin La Pradera. ☎ 569-883. Ouvert de 9 h à 12 h 30.
— *Ambassade de Belgique :* Austria 219 et Irlanda. ☎ 344-361.
— *Ambassade de Suisse :* avenida Catalina Herrera 12 et Amazonas. ☎ 434-112.
— *Ambassade de Colombie :* avenida Colón 11-33. 7ᵉ étage. ☎ 524-622.
— *Consulat de Bolivie :* Edificio Vizcaya II, calle Cesar Borja, coin Juan Pablo Sanz. ☎ 458-868. Ouvert de 8 h à 12 h 30 et de 14 h 30 à 16 h. Ce sont eux qui délivrent le visa, pas l'ambassade.
— *Ambassade du Brésil :* avenida Amazonas 14-29 ; au coin de Colón. 9ᵉ et 10ᵉ étages. ☎ 563-083.
— *Ambassade du Pérou :* même adresse que ci-dessus. ☎ 554-161.
— *Consulat du Chili :* Edificio Xerox, avenida Amazonas et Sahez.

Lignes aériennes

Plusieurs lignes aériennes.
— *Tame :* avenida 6 de Diciembre et Colón. ☎ 524-023. Dessert Guyaquil, Cuenca, Loja, Manta, Tulcan, etc.
— *San :* même adresse et même numéro de téléphone que la précédente. Dessert les mêmes villes.
— *Saeta :* Santa Maria et avenida Amazonas. ☎ 564-969. Surtout vers Guayaquil et Cuenca.
— *Ecuatoriana :* avenida Colón et Reina Victoria. Edificio Almagro. ☎ 563-003. La seule ligne internationale d'Équateur.
— *Avianca :* avenida Amazonas 360, près de la calle Robles. ☎ 545-200. Ligne colombienne.
— *Air France :* 18 de Septiembre et Amazonas. ☎ 523-596.

Où dormir ?

La plupart des hôtels du Quito moderne sont chic, et si d'aventure ils ne le sont pas, ils sont tout de même chers. Voici quelques exceptions :

☙ *Residencial Italia :* 9 de Octubre 237. Près de 18 de Septiembre. ☎ 231-332. Assez bas de gamme mais un des meilleur marché du Quito moderne. Demandez une chambre avec fenêtre. Pas de douche dans les chambres. Assez cher pour ce que c'est.

☙ *Residencial Santa Clara :* Darquea Teran 1578, près du marché et de l'église Santa Clara. Petite maison genre pension de famille, patrons jeunes et souriants, et cadre reposant. Sert aussi le petit déjeuner, si on prévient la veille au soir. Un peu cher mais on est dans le Quito moderne !

☙ *Hôtel Los Angeles :* Cordero et 6 de Diciembre. Un petit hôtel simple à l'accueil chaleureux et intime. Un des moins chers du Quito moderne et finalement bien tenu. Beaucoup de gringos y descendent avant de se rendre à l'aéroport pour le départ. L'occasion d'échanger des dernières impressions sur ce petit pays haut en couleur.

Plus chic

☙ *Hôtel Nueve de Octubre :* 9 de Octubre 10-47. Près de l'avenida Colón. ☎ 552-424. Hôtel familial au confort très honorable. Moquette un peu vieillotte, chambres bien aérées, patronne affable. Avec douche chaude, w.-c. et téléphone. Un peu cher mais pas trop pour le quartier. Une bonne adresse.

☙ *Hôtel Embassy :* Presidente Wilson 441 et 6 de Diciembre. ☎ 561-990. Un petit luxe à des prix finalement corrects pour le service et la propreté. Un peu genre motel. Pas beaucoup de caractère mais chambres très confortables et impeccables.

☙ *Hôtel Posada del Maple :* Juan Rodriguez 148 et 6 de Diciembre. ☎ 544-507. Ce nouvel hôtel reste très abordable et comporte de nombreux avantages vraiment routards : petit déjeuner maison copieux et fameux, ambiance familiale, possibilité de recevoir des appels (penser à laisser le numéro) et téléphone gratuit pour la ville. Ce n'est pas tout ! Télévision, possibilité de laver du linge et de confier des affaires pour plusieurs jours. Et bien sûr, pour profiter de cette halte, mieux vaut réserver. Manuela parle très bien l'anglais et un peu le français.

☙ *Hôtel Ambassador :* 9 de Octubre 1052 et avenida Colón. ☎ 561-777. Cet hôtel entièrement rénové est tenu par un Français. Excellent rapport qualité-prix selon nos lecteurs.

Encore plus chic

☙ *Hôtel Colón :* avenida Amazonas, au coin de Patria. ☎ 560-660. Le plus grand et le plus chic hôtel de Quito. C'est là que descend toute la gente internationale de l'Équateur. Inutile de vous dire que c'est du luxe tout ce qu'il y a de plus doré. La bâtisse est moderne et quand on connaît le vieux Quito, on est surpris de voir dans cette avenue autant de bâtiments dont la conception n'a rien à envier à nos gratte-ciel et autres monstres de verre, d'acier et de béton. Enfin, tous ceux-ci sont remarquables par l'espace interne. Si vous avez le temps et la curiosité, allez « visiter » les banques. On nage dans le grand espace... de l'Amérique ! Enfin, pour revenir à l'*hôtel Colón*, il dispose également de trois restaurants, deux bars, piscine, sauna, casino, boutiques, discothèque, etc. Amateurs de luxe, à vos portefeuilles !

Où prendre le petit déjeuner ?

Les restos dans ce quartier sont souvent inabordables pour les routards. Voici quelques exceptions :

– *Churreria Manolo :* avenida Amazonas 436. Terrasse agréable où se retrouve la jeunesse dorée de Quito. Excellents jus de fruits et goûter aux *churros* (petits beignets), spécialités de la maison. Un choix étonnant de sandwiches. Le matin, c'est un endroit très agréable pour le petit déjeuner qui est très complet. Malheureusement le service et la qualité ont tendance à se faire désirer.

– *Café Colón :* cafétéria de l'*hôtel Colón Internacional*. Sur Amazonas, au coin de 18 de Septiembre. Petit déjeuner continental ou américain. Assez cher mais très copieux. Et puis, le service est excellent. Croissants, petits pains.

– *Tip Top Caféteria :* C. Almagro (Local 17-18) au coin de Cordero, au rez-de-chaussée de l'édifice Almagro Four. Ouvert de 7 h à 18 h 30 tous les jours sauf le dimanche. Super pains et pâtisseries. Très bon et pas cher du tout.

Où manger ?

Tout autour de la calle Carion, de nombreux fast food et autres petits commerçants servent des mini-repas pour pas cher. Voici quelques restaurants tout de même réputés pour leur qualité.

✗ **La Guarida del Coyote** : calle Carion 619 ; entre Juan León Mera et Amazonas. Ouvert tous les jours jusqu'à 23 h, et le dimanche midi. Le meilleur resto mexicain de la ville. Resto en sous-sol. Déco simple et sympa, musique typique, serveuses charmantes. Essayez la spécialité *El Coyote*, une assiette composée d'éléments traditionnels de la cuisine mexicaine. Classique et bon. Vraiment rien à redire. Prix honnêtes.

✗ **Pizzeria CH Farina** : au 1er étage, à la même adresse que le précédent. Pizzas délicieuses que viennent dévorer les jeunes nantis du quartier. Très bonne adresse.

✗ **Shorton Grill** : Lizardo García. Viande excellente et en grande quantité pour pas cher du tout. Cadre très agréable et hygiène impeccable.

✗ **Columbus Steak House** : sur l'avenida Colón, non loin d'Amazonas. Là aussi, belles portions de viande que l'on choisit directement en vitrine. Cadre un peu ringard. T-bone, lomo, etc. Toujours bon et copieux.

✗ **Restaurant Naranatha** : Gil Ramirez Davalos y Amazonas. Resto végétarien très apprécié par les gringos de passage. On peut y prendre un bon déjeuner complet pour une somme modique. L'occasion de faire des rencontres.

✗ **Fruteria Montserrat** : sur l'avenida Colón, à deux blocs de l'avenida Amazonas. On y mange de super salades de fruits de toutes sortes. Enfin un peu de fraîcheur dans cette marée de féculents ! Bons petits déjeuners aussi.

✗ **Le Petit Restaurant** : Reina Victoria 228. Près de l'*hôtel Posada del Maple*. C'est le même proprio que *Le Petit Restaurant* de Baños. On y mange bien mais c'est un peu plus cher.

Très chic

✗ **La Choza** : avenida 12 de Octubre 18-21. ☎ 230-839. Ouvert jusqu'à 21 h 30. Fermé le week-end. Un des meilleurs restos de la ville. Très chic mais pas hors de prix. Cuisine délicieuse. Le menu est menu mais tout est bon : *cebiche*, excellente soupe, *picante de cuero, corvina al vapor*... Goûtez aussi leurs jus de fruits. Un régal.

✗ **La Casa de Mi Abuela** : Juan León Mera 16-49. ☎ 230-945. Dans une charmante petite maison privée. Spécialités de viandes uniquement (3 sortes), servies dans de petits salons coquets. Chic et intime. Prix finalement pas si élevés, vu la qualité de la viande. En dessert, tarte au citron ou glace. Une bonne adresse qui sort de l'ordinaire. Ouvert midi et soir sauf le dimanche (midi seulement).

— Ceux qui veulent jouer les bourgeois ou épater les copains iront dîner dans les restaurants sur la calle Luis León Mera et les rues adjacentes. Foisonnement de restos chic et chers.

A voir

▶ **Museo del Banco Central de Ecuador** : transféré à la Casa de la Cultura Ecuatoriana, avenida Patria. Ouvert du mardi au vendredi de 9 h à 17 h ; le samedi et le dimanche, de 10 h à 15 h. Au 5e étage de la banque, un musée archéologique fort intéressant et admirablement présenté : poteries, bijoux en or. Comme quoi on peut être banquier et avoir du goût. Le musée retrace la fabuleuse odyssée de ces groupes d'Asiatiques qui franchirent le détroit de Béring voici 40 000 ans, et essaimèrent ensuite dans les trois Amériques. La présence humaine est attestée dans la région depuis 10 000 ans. Les objets couvrent les périodes de l'âge de pierre jusqu'aux civilisations préincas les plus récentes. Pour chaque civilisation, une explication concise et suffisante est fournie. Très belles collections de poteries et de bijoux (culture narrio), céramiques chorrera, momie d'une Cañari. Ne loupez pas la salle centrale, à la fin de la visite, où sont présentés de superbes bijoux en or. Le masque d'or est aujourd'hui utilisé comme identité visuelle pour la banque.

Au 6e étage, petit *musée religieux* : Dieu sait que c'est souvent ennuyeux comme un sermon. Eh bien, là, ce n'est pas le cas. Visite intéressante, même

pour les païens. Sculptures du XVIIᵉ siècle, quelques tableaux religieux, retables...
Vidéothèque très intéressante, où l'on peut regarder des cassettes vidéo sur les différentes cultures d'Équateur.

▸ *Museo de Ciencias Naturales :* avenida Parque de la Carolina (vers l'aéroport). Ouvert du lundi au vendredi de 9 h à 13 h et de 15 h à 16 h 30 et le samedi de 10 h à 13 h. Fermé le dimanche. Quelques salles très bien aménagées présentent des cartes du sous-sol équatorien, des diagrammes... Et puis aussi de très beaux squelettes de mammifères marins, de tortues, de poissons, de serpents, etc. Très éducatif. Petite section géologique aussi.

▸ *Musée d'Art moderne, musée des Instruments de musique* et *Musée ethnographique :* avenida 12 de Octubre 555 et Patria. C'est la Casa de la Cultura Ecuatoriana. Ouverts de 10 h à 18 h du mardi au vendredi, jusqu'à 17 h le samedi. Fermé le dimanche et le lundi. Les trois collections sont au même endroit. Le *musée d'Art moderne* est situé au rez-de-chaussée, dans de vastes salles. Présentation un peu terne. On y trouve des tableaux anciens (XVIIᵉ et XVIIIᵉ siècles) et quelques beaux dessins de Juan Manasalvas (XIXᵉ siècle). Plus loin, en vrac, sont accrochées des œuvres de différents artistes contemporains. Le tout est un peu fouillis mais cela donne une idée de la peinture sud-américaine d'aujourd'hui et des thèmes les plus chers aux peintres modernes. Si la forme n'est pas toujours très puissante, le message, lui, s'inspire souvent de la misère, du désespoir ou de la rage de vivre. Certaines œuvres sont poignantes. On verra également quelques sculptures intéressantes.
À l'étage, tout autour d'une balustrade, le *musée des Instruments de musique :* exposés dans des vitrines tristounettes. Très belle collection composée d'instruments très divers venus de tous les continents mais de période assez récente en général. Quelques pièces exceptionnelles. Dommage qu'elles ne soient pas bien mises en valeur.
Musée ethnographique : au même étage. Sur la droite de la rampe, quelques vitrines exposent de très beaux costumes des différentes cultures équatoriennes, tous plus beaux les uns que les autres : costumes zuleta, salasaca, chimborazo, etc. Dommage que l'on ne puisse plus voir aucune de ces superbes panoplies aux couleurs riantes, à la fine harmonie, où les textiles délicats sont protégés par de rudes lainages, où le bijou est plus qu'une parure mais un mode de vie, où l'agencement des couleurs est un véritable hymne à la joie. Depuis longtemps, le système d'acculturation et de paupérisation permanent a poussé la population à remplacer le costume traditionnel par le short et le tee-shirt ! Peu de chances donc, excepté chez les Indiens Otavalos, de voir de si beaux costumes portés dans les rues.

▸ *Museo Guayasamin :* calle José Boldemediano 543. Ouvert du lundi au vendredi de 9 h à 12 h 30 et de 15 h à 18 h 30 ; le samedi, de 9 h à 12 h 30. Fermé samedi après-midi et dimanche. L'entrée est libre. Sur les hauteurs du Quito moderne, assez loin du centre. Prendre le bus n° 3 depuis la plaza de Independencia si vous êtes dans le Quito colonial, ou sur l'avenida 6 de Diciembre si vous êtes dans le Quito moderne. Attention, le bus doit porter la pancarte « Bella-Vista ». Les autres bus n° 3 ne vont pas jusque-là. Très belle villa dominant la ville. C'était là que vivait le peintre contemporain Guayasamin (aujourd'hui, il habite non loin de là). Il a transformé son ancienne demeure en musée archéologique et en salle d'exposition pour ses œuvres. Superbe sélection de céramiques préincas. Sur le mur, une série de poteries cérémoniales de toute beauté. La culture tolita (de 500 av. à 500 apr. J.-C.) est très bien représentée.
Petite section d'art religieux également, avec une étonnante collection de Christ en croix, dont certains sont mêmes articulés, un peu comme Pinocchio, si l'Office catholique nous permet la comparaison. Au fond du jardinet, une vaste salle abrite les œuvres anciennes et récentes du célèbre peintre. Très intéressant. Expos temporaires de temps à autre.

▸ *Museo Jijón y Caamaño :* sur l'avenida 12 de Octubre, juste en face de la calle Roca, à l'intérieur de l'université catholique. Pas de numéro. Ouvert de 9 h à 16 h, du lundi au vendredi seulement. Le musée se trouve dans l'enceinte d'une université. Passer le portail et se diriger vers le bâtiment du fond. Le contourner par la gauche. L'entrée se trouve là. Aucune indication. Musée au 2ᵉ étage. Deux petites sections, l'une archéologique et l'autre de peinture religieuse : la première présente des éléments de diverses cultures préincas. Belle statuette manteña, ainsi qu'une momie un peu terrifiante. Dans la seconde, toiles coloniales des XVIIᵉ et XVIIIᵉ siècles, un peu de mobilier. Intéressant.

▶ *Le Vivarium :* avenida Shyris 1130. ☎ 432-915. Un des vivariums les plus intéressants d'Amérique latine : grenouilles, caïmans, serpents de toute espèce, iguanes... Tenu par un Français, Jean-Marc Touzet, qui vit en Équateur depuis 15 ans et qui va lui-même chercher ces bêtes rampantes en Amazonie. Ce centre est aussi un centre de recherche et de lutte pour la préservation de ces espèces menacées d'extinction. A ne pas louper.

▶ *Museo Etnico-Abya-yala (musée Schuar) :* avenida 12 de Octubre 1430, en face de Wilson et du musée Guayasamin. Ouvert du lundi au vendredi de 9 h à 12 h et de 14 h à 18 h 30 ; le samedi, de 9 h à 12 h. Musée tout neuf. Spécialisé dans la culture shua : costumes, objets divers, têtes réduites. C'est aussi un important centre de documentation ethnographique.

▶ *La calle Roca :* en passant sur l'avenida Amazonas, votre attention sera certainement attirée par cette curieuse rue aux maisons complètement folles : copie de mosquée, château miniature genre Walt Disney, demeure coloniale... On se croirait presque à L.A. Étonnant.

A voir dans les environs

VERS LE NORD

▶ *Calderón :* village assez quelconque, situé à 14 km au nord de Quito. Pourtant, il faut y aller, car c'est là que sont fabriquées les si jolies petites figurines en *masapán* qui font de merveilleux petits cadeaux. Le masapán, c'est en fait de la pâte à pain colorée puis vernie avec laquelle les petits artisans locaux confectionnent toutes sortes d'objets au gré de leur imagination. Bien souvent, ce sont les enfants qui les façonnent après l'école. La tradition veut qu'on les place sur les tombes pour honorer les morts pendant la Toussaint. Aujourd'hui, elles servent aussi à décorer le sapin de Noël. Nombreux artisans tout le long de la rue principale. Une bonne adresse : *Cecilia Trujillo,* au nº 7-28 de la calle Carapungo (rue principale). Charmante dame, prix très bas, figurines originales et bien finies.

▶ *El Quinche :* un autre petit village, en poussant toujours un peu plus au nord, surtout intéressant pour son église comportant de belles peintures et de jolies tours bleues. Dans le petit musée, centaines de capes offertes à la Vierge. Bon, seulement si vous avez tout votre temps.

▶ *La Mitad del Mundo :* vous aviez traduit, c'est le Milieu du Monde. Bus jaune « Mitad del Mundo » à prendre soit de la plaza Ipiales dans le Quito colonial, soit sur l'avenida America dans le Quito moderne. Assez fréquent et souvent bondé. Une bonne heure de trajet pour parcourir les 22 km qui séparent Quito de la ligne de l'Équateur. En 1949, l'Institut géographique détermina l'exacte situation de la ligne équatoriale. Bien avant, au XVIIIᵉ siècle, une expédition de la mission française de géophysique, dirigée par Charles de La Condamine, avait déjà trouvé la ligne de l'équateur avec l'intention d'y définir une unité de longueur naturelle, celle-là même qui devait devenir le mètre et qui figure sur une dalle restée à Quito. La mission avait sans doute abusé de *chicha* car ils avaient fait une erreur de quelques kilomètres.
On ne leur en veut pas. La vraie ligne est un peu plus au sud. Le monument actuel renferme un petit *musée ethnographique* ouvert du mardi au vendredi de 9 h à 15 h et le week-end de 10 h à 16 h. Présentation sympathique d'artisanat et de costumes de diverses ethnies du pays. Vraiment intéressant. Les touristes se font photographier un pied dans l'hémisphère Nord, un pied dans l'hémisphère Sud. Très drôle. Est-ce que tout cela mérite 2 h de bus aller et retour ? La question vaut d'être posée. Après tout, les pèlerinages intellectuels ont aussi un charme et il peut être aussi émouvant d'enjamber l'Équateur que de franchir le cercle polaire !

VERS LE SUD

▶ *La vallée des Chillos :* au pied de Quito, vers le sud-est, cette vallée bénéficie d'une température plus clémente. On y rencontre de nombreuses sources thermales, un climat chaud et agréable. C'est le lieu de détente favori des Quité-niens ; les plus riches y ont des résidences luxueuses, dans les villages de San Rafael, Sangolqui et Alangasi.

▶ *Santa Rosa :* un petit village, près de Pintag, où se déroule au mois d'août la *fiesta del Toro* (sans mise à mort, rassurez-vous). Une fête indienne authentique et traditionnelle, encore ignorée des touristes... Attention à la *chicha* et à l'*aguardiente* qui sont redoutables, paraît-il.

Quitter Quito

En stop

Le prix des bus étant tellement dérisoire, le stop n'est vraiment pas une solution à retenir, sauf pour les amateurs de rencontres dues au hasard et les professionnels des relations humaines.
— *Vers le nord* (Otavalo, Ibarra) : bus n° 33 « Santo Domingo-Kennedy » de la plaza Santo Domingo, jusqu'au rond-point au bout de l'avenida 10 de Agosto.
— *Vers le sud* (Ambato, Riobamba) : bus « Guamani-San Roque » de la calle Maldonado jusqu'au rond-point de la Panamerica Sur.
— *Vers l'est* (Santo Domingo, Esmeraldas) : même bus que pour le sud, puis à Aloag (20 km de Quito), tourner à droite.

En bus

— Les innombrables compagnies de transports provinciales et interprovinciales ont toutes été regroupées dans un unique terminal situé un peu au sud du Quito colonial. Sur la calle Maldonado, à côté de la place Santo Domingo. La plate-forme de départ est très grande et abrite plus de 30 compagnies qui partent vraiment dans tous les sens : Otavalo, Ibarra, Tulcán ; Ambato, Riobamba, Guayaquil, Cuenca ; Esmeraldas ; Guarandaz ; Huaquillas... Il y a tellement de départs toute la journée que vous n'aurez aucun problème pour trouver un bus rapidement. Dans le grand hall, des rabatteurs crient le nom des destinations pour remplir les derniers sièges avant le départ. Si vous allez vers une ville importante la veille d'un jour de marché, comptez une marge de temps supplémentaire. Certains bus peuvent être pleins.
— Pour se rendre au terminal terrestre, depuis le Quito moderne, bus n⁰ˢ 2 ou 10 sur l'avenida 10 de Agosto. Ils passent ensuite par la plaza Santo Domingo dans le Quito colonial.
— Pour les distances, voir le « Tableau des distances ».

En avion

Voir la liste des compagnies aériennes dans les « Adresses utiles ».
— Pour l'*aéroport*, bus depuis la plaza Santo Domingo vers le Quito moderne. Descendre au coin de l'avenida Patria, devant la Casa de la Cultura. De là, prendre le bus à impériale « Amazonas » qui va à l'aéroport. Vu la périodicité très irrégulière et le poids de vos bagages, un taxi à plusieurs peut largement simplifier les choses.

Vers Lima en bus

— On vous déconseille les compagnies comme *Tepsa*, qui vendent des billets « directs » de Quito à Lima. En effet, une fois arrivé à la frontière Équateur-Pérou, vous devrez de toute façon changer de bus. Les compagnies qui acceptent votre ticket sont peu nombreuses et vous devrez attendre. Pendant ce temps-là, vous verrez défiler d'autres bus vers Lima, que vous ne pourrez pas prendre.
— Achetez plutôt un billet Quito-Huaquillas (frontière de l'Équateur). Comptez 12 h de trajet. Passez le pont et la frontière à pied. N'oubliez pas de faire tamponner votre passeport des deux côtés de la frontière. Vous êtes alors à Aguas Verdes. De là, de nombreux bus ou colectivos se dirigent vers Tumbes, à 25 km, où plusieurs compagnies *(Tepsa, Roggero, Continental...)* assurent la liaison directe vers Lima deux fois par jour. Tumbes-Lima : 1 313 km ; 24 h de trajet ! « Pon foiyache », comme disent nos amis belges.
— Pour le *change*, adressez-vous aux hommes assis sur le pont, qui ont une malette sur les genoux. Taux acceptables. Ne changez que le minimum de

dollars contre des soles. Quant à vos sucres, essayez de vous en débarrasser avant.
– Ouverture de la frontière de 8 h à 12 h et de 14 h à 17 h 30 (16 h le dimanche).

Vers Tulcán et la frontière colombienne

– Nombreux *bus* de Quito, Otavalo ou Ibarra. De Quito à Tulcán : 260 km ; 5 h de trajet. Tulcán est la ville frontière avec la Colombie.
– Pour ceux qui souhaitent se rendre en Colombie ou au Venezuela le plus directement possible de Quito, prendre la compagnie *Rutas de America*, Selva Alegre 146 ; près de 10 de Agosto. ☎ 548-142. Ligne Quito-Caracas directe.

Vers Otavalo

– Nombreux bus, compter 2 h de trajet.

OTAVALO

Otavalo ! Un nom qui caresse doucement l'oreille des routards. Et pour cause. Cette charmante bourgade, bien paisible, entourée de jolies montagnes, est le rendez-vous, tous les samedis, de toute la communauté otavalo qui vient au marché vendre son artisanat. Otavalo, c'est le marché le plus fameux d'Équateur, un des plus réputés d'Amérique du Sud. Les touristes s'y pressent, toujours plus nombreux. Vous aussi, vous y viendrez pour le marché, mais attention, on vous conseille de venir un ou deux jours avant le samedi.

Les Indiens Otavalos

Le village d'Otavalo possède une très ancienne vocation commerciale. Avant les Incas, on y échangeait déjà vivres et animaux. Puis vint l'époque coloniale pendant laquelle les Espagnols utilisèrent la main-d'œuvre otavalo pour tisser des vêtements. Ainsi, toute la communauté, sous la contrainte, développa une grande maîtrise du tissage. Les compagnons de Pizarro ouvrirent un nombre impressionnant d'ateliers où travaillait une main-d'œuvre servile, 14 h par jour.
Après la période d'exploitation des Otavalos par les Espagnols vint la période d'exploitation des Indiens par les Meztisos. Difficile pour eux de se dégager de l'emprise des propriétaires terriens, même après l'indépendance. Pourtant, au début du siècle, les Otavalos réussirent à briser le carcan. Un tisserand eut la riche idée de reprendre à son compte les motifs en tweed écossais, très en vogue à l'époque. Ces nouveaux tissus obtinrent un tel succès que les Indiens Otavalos acquirent une grande renommée au-delà des frontières. De nombreuses familles s'enrichirent, d'autres pas. Cette modification du tissu social de la communauté entraîna une cruelle désolidarisation du groupe qui vit les plus riches exploiter les plus pauvres. Rien de plus humain, pourrait-on dire ! Peut-être. Mais à Otavalo, les touristes ont trop souvent tendance à croire que toute la communauté profite des bienfaits naturels du commerce.
En fait, on assiste à une exploitation pure et simple des Otavalos artisans par les Otavalos marchands. Cet enrichissement d'une partie de la communauté possède, bien entendu, des côtés positifs. D'abord, ce sont peut-être les seuls Indiens à avoir trouvé, grâce à leur sens du commerce, une issue honorable à la période coloniale et à avoir su en tirer parti. De plus, chose intéressante, ces Indiens ont conservé leur culture, leurs traditions et refusent d'imiter les Blancs. Pour eux, les Blancs n'ont aucune valeur d'exemple, et ils ne cherchent nullement à les singer. C'est l'une des rares communautés indiennes devenues prospères tout en gardant leur identité.

Le marché

Qu'on ne s'y trompe pas, les Otavalos qu'on voit sur le marché représentent la bourgeoisie de la communauté. Il faut savoir que l'ensemble du « marché des

Ponchos » appartiennent à une quinzaine de familles. Chaque stand est, en fait, tenu par un fils, un cousin, un neveu, un frère... Il existe une sorte de mainmise des commerçants bourgeois sur tout le marché. Bref, quand un Indien rechigne à marchander en vous disant : « Ce tapis m'a demandé beaucoup de travail », on est prêt à s'apitoyer ! Sachez quand même que ce tapis a été acheté trois à cinq fois moins cher à un artisan otavalo dans un petit village alentour. Celui qui le vend n'est pas un artisan mais un commerçant, un intermédiaire qui fait une énorme plus-value. Seuls 5 % des marchands du marché sont fabricants – ce qui n'est pas, en soi, scandaleux.

En revanche, l'exploitation des artisans des villages est réelle. Ceux-ci n'ont pas le loisir de venir vendre leur travail eux-mêmes, sur le marché. En effet, les riches marchands occupent toutes les parcelles, placent les membres de leur famille et s'entendent sur les prix. Une véritable entrave à la concurrence. Du côté des artisans des villages, il ne reste plus qu'une solution : vendre, à prix très bas, leur production aux marchands de leur propre communauté. Attention aux vols (même pour les ceintures). Bref, si vous passez par le Pérou ou la Bolivie, faites vos achats (ponchos, mantas, statuettes...) là-bas !

Le costume otavalo

Les Indiens Otavalos possèdent une des cultures les plus vivantes du pays. Ils sont parmi les plus étudiés du monde. Il existe même, à la sortie de la ville, un Institut d'anthropologie où des étudiants du monde entier viennent travailler. Les Otavalos sont fiers et indépendants, et portent de superbes costumes, d'une grande élégance. Les femmes sont vêtues d'une longue jupe bleu marine, fendue sur un seul côté, laissant apparaître une étoffe blanche. Un corsage de dentelle couvre le buste tandis que le cou est enserré dans une série de colliers à boules dorées de toute beauté. Parfois, les colliers sont rouges. Les hommes, pour leur part, portent un pantalon blanc, large et court, un poncho bleu marine et les cheveux longs, qu'ils rassemblent en une jolie natte. Les hommes se couvrent le chef d'un panama en feutre tandis que les femmes portent une étoffe bleu marine repliée sur elle-même. Tous portent des sandales de fibre tressée. L'ensemble est tout bonnement superbe. Un judicieux mélange qui affirme l'identité, sans ostentation.

Adresses utiles

– Pas d'office du tourisme. On pourra toujours glaner des infos (et un plan de la ville) à **Zulay Tours,** au carrefour de Sucre et Colón, à l'**Intipungo Turismo** (même adresse) ou à **Lassotur Turismo,** calle Sucre et avenida Abdou Calderón, très sympa. Ce sont des agences de voyages privées.
– **Téléphone (Ietel) :** Abdon Calderón. ☎ 920-104.
– **Poste :** calle Piedrahita. ☎ 920-342.
– **Hôpital San Luis de Otavalo :** au bout de l'avenida Sucre. ☎ 920-444.
– **Banque del Pichincha :** sur la place centrale. Ouvert du mardi au samedi de 9 h à 13 h 30. Ils changent les dollars, mais changez plutôt à Quito.
– **Toilettes publiques :** au coin de Sucre et Salinas.
– **Terminal terrestre :** sur l'avenida A. Calderón, près de la place.

Où dormir ?

Il peut être judicieux d'arriver à Otavalo un jour ou deux avant le marché. Ça permet de visiter les environs et de trouver une chambre sans problème. Très nombreux hôtels.

🏨 **Residencial Inti-Nan :** calle Juan Montalvo et Sucre 6-02. Près de la place centrale. Tenu par une Belge et son mari. 12 chambres toutes neuves avec douches chaudes. Les sanitaires – communs – sont impeccables et très modernes. Sur le sol des chambres, des parterres en natte tressée leur confèrent une chaleur rustique. A la réception, deux canapés dans lesquels on s'assoit pour échanger les dernières nouvelles. Vraiment très sympa et pas cher. On peut aussi y laver son linge.

☛ **Hôtel Isabelita :** Roca 11-07 et Quiroga. Petit hôtel familial, tout neuf à deux pas de la plaza des Ponchos. Patrons adorables et pleins d'attention. Très bien tenu, douche chaude. Petit déjeuner. Une bonne adresse. On peut y faire sa lessive.

☛ **Residencial El Rocio :** calle Morales. Très propre, tout neuf et bien tenu. Famille gentille, tout comme les prix (à la tête du client cependant). Pour les routards pas très riches mais qui apprécient le confort. Très bien. A 5 mn du marché aux Ponchos.

☛ **Residencial El Indio :** avenida Colón. Quelques petites chambres sans douche, disposées autour d'un patio. L'accueil est diligent et la propreté impeccable. Les prix sont très doux. A ne pas confondre avec l'*hôtel El Indio* dans la calle Sucre, plus cher et moins sympathique.

☛ **Hôtel Riviera y Sucre :** angle de Moreno et Roca. Propre et jardin sympa. Douches chaudes. Un peu bruyant. On peut y laver son linge. Un peu plus cher que les précédents. Évitez l'hôtel *Los Andes*, au coin de Montalvo.

☛ **Hôtel Samai Huasi :** calle Jaramillo 6-11. Près du marché aux Ponchos. Rustique. Chambres petites, impeccables. Sur un mur, plan détaillé de la ville. Pas cher mais vraiment rudimentaire.

Plus chic

☛ **Hôtel Otavalo :** calle Montalvo. A un bloc de la place centrale. Un des rares hôtels chic du centre ville, les autres étant tous à l'extérieur. Une vieille demeure coloniale un peu sombre mais au charme discret. Les murs semblent se souvenir d'un passé glorieux maintenant éteint, et laissent parfois échapper un murmure triste et mélancolique. Bons petits déjeuners quoique un peu chers. L'hôtel fait aussi restaurant.

☛ **Hôtel El Indio :** calle Sucre 42-14 ; entre Morales et Salinas. Bien que très réputé auprès des routards, cet hôtel n'en est pas moins cher pour ce qu'il est. Chambres modernes, très bien tenues mais l'accueil est plutôt froid. La patronne compte ses sous derrière son comptoir tandis que son mari s'affaire entre le bar, le resto, les chambres... et la rue. Enfin un des rares hôtels qui proposent des chambres avec douche... mais pas souvent de l'eau chaude ! Le resto est bon marché et plutôt bon.

Où prendre le petit déjeuner ?

– **Restaurant Oraïbi :** calle Sucre. Ouvert aussi le midi. Endroit propre et accueillant. Deux salles : l'une où l'on mange sur des coussins par terre, l'autre plus traditionnelle avec tables et chaises. Aux beaux jours on sort les tables sur la terrasse. Les petits déjeuners y sont très bons, copieux et pas chers. Propose des balades à VTT.

– **Cafetería Shanandoa :** sur la place des Ponchos. Une toute petite salle souvent bondée. Sur le mur, un tableau où tous les routards de passage laissent leurs messages surtout sur les Galapagos et l'Oriente. Très sympa. Très bons petits déjeuners. Bonnes *pies*.

Où manger ?

La grande spécialité d'Otavalo est l'*arrope de mora,* concentré de jus de mûre. Il y a aussi les glaces aux mûres, excellentes.

✗ **Ali Micuy :** au coin de Jaramillo et de Quiroga sur la place des Ponchos. Un resto où l'on mange sur de grandes tables communes. Idéal pour faire des rencontres. Cuisine locale très simple. Plats cuisinés avec des légumes (eh oui !). Le service est parfois un peu lent. Ne pas hésiter à interpeller la patronne qui, du reste, a toujours le sourire aux lèvres.

✗ **Mama Rosita Restaurant :** calle Sucre. Les routards viennent déguster depuis bientôt deux décennies la cuisine de Mama Rosita : *al muezos, meriendas,* cuisine végétarienne ou *pancakes* aux bananes et au miel.

✗ **El Tabasco's :** avenida Salinas, entre Sucre et Bolívar, à un jet de pierre de la plaza des Ponchos. Petit resto mexicain. La carte est très simple mais les plats sont copieux et le service très attentionné. On peut y lire des journaux internationaux en anglais, genre *Times Magazine*. La déco très écolo chante la nature et la douceur de vivre. La salle du bas est plus intime, idéale pour un dîner en tête-à-tête...

✗ **Encuentro :** calle Bolívar 815. Ambiance très sympa, cadre rustique, musique andine, plats typiques. Le soir, fait aussi taverne. Le serveur, un sourd-muet, est très attachant mais ne vous dira pas grand-chose sur la région et ses merveilles.

✗ **Restaurant Parenthèse :** calle Morales. Viande, pizzas et spaghetti à la carte. Très bonnes d'ailleurs... mais aussi très chères. Salle assez vaste avec larges tables rectangulaires, déco plutôt impersonnelle.

✗ **Le Copacabana :** sur la place centrale. Un resto populaire où l'on sert des *ceviches* et *mariscos*... pas toujours frais. Réputé cependant comme étant le meilleur dans sa spécialité (et pour cause, c'est le seul de la ville). Bonnes soupes.

✗ Pour ceux qui voudraient manger chinois, sachez qu'il y a deux *chifas* dans la ville. Le *Tien-An-Men* sur la place centrale est immonde, sale, bruyant et pas accueillant du tout. Le *Casa de Korea* dans la calle Roca est plus calme et meilleur. La jeunesse s'y retrouve autour d'un verre de soda. Musique rock dans les haut-parleurs.

Plus chic

✗ **Restaurant de l'hôtel Otavalo :** calle Roca 504. Restaurant de marque avec service en argent, verres en cristal, nappes en soie pure, serveur avec boutons de manchettes plaqués or... On continue ? Non, d'ailleurs il n'y a rien de tout ça mais le cadre est quand même vraiment très chic... et l'addition très salée. Spécialités nationales et internationales. Très bons petits déjeuners.

Où écouter de la musique ?

– **Peña Amauta :** calle Modesto Jaramillo, près de Salinas. Groupes les vendredi et samedi. Feu de cheminée et musique sympa. Petit droit d'entrée.
– **El Tucuna :** calle Morales. A côté du resto *Parenthèse*. Un bar moins chaleureux que le précédent mais très animé cependant. Même tarif pour écouter les groupes le week-end.

Distractions

– **Joueurs de pelote :** sur la place des Ponchos, après le marché.
– **Combats de coqs (pelea de gallos) :** le samedi vers 16 h, près de la place 24 de Mayo. Cruel et fascinant.

Fêtes

– **La fiesta de San Juan et celle de San Pedro :** jadis la fête la plus folle du pays. Aujourd'hui elle a toujours lieu du 24 au 27 juin à Otavalo puis du 28 au 30 à Cotacachi mais elle a perdu de son intensité et de son caractère purificateur. On vous la raconte comme si elle existait encore pour la rendre plus vivante. Sachez tout de même que des combats ont toujours lieu. On se retrouve sur le pont, on se lance des pierres. Quelques blessés. Et on repart.
La fête de San Juan débute par une grande feria le 23 où tous les Indiens se réunissent à Otavalo. La nuit, les Indiens vont se baigner dans les lagunes et rios afin de se purifier l'esprit et le corps. A minuit, les danses commencent et vont durer trois jours et trois nuits. L'alcool coule à flots. Les Indiens, en costume, passent dans toutes les maisons pour danser et pour boire. Délire indescriptible et débauche collective. Beaucoup d'Indiens travaillent toute l'année pour préparer cette fête. Seuls les hommes dansent, les femmes se contentent de ramasser et soutenir les hommes qui atteignent des états d'ébriété fort avancés. Le dernier jour, on se retrouve sur la plaza de Ponchos. Là, la communauté de la partie basse du village va combattre celle de la partie haute. Tout le monde est superbement costumé et masqué. Si les touristes ont le droit de participer aux danses et aux beuveries collectives des trois premiers jours, en revanche, ils sont exclus de la phase finale de la fête. Et ce n'est pas plus mal !

Chacun d'un côté de la place, les groupes vont mener une bagarre qui s'apparente à une véritable guerre. Au rythme de la musique, les combattants vont se lancer des pierres et se battre avec une violence inouïe, décuplée par l'alcool et augmentée du pouvoir de l'ivresse collective et de l'énergie qu'on peut y puiser. Un véritable carnage. La fête s'achève par une messe, toujours en costume.

– **La fiesta del Yamor :** début septembre. Sorte de fête foraine avec bal musette et guitares électriques. Assez connu.

– **Fête des Morts :** le 2 novembre, toute la journée, au cimetière. On va visiter les morts, on apporte son casse-croûte et on mange sur les tombes. Bonne ambiance.

Les marchés

Ont lieu le samedi principalement. Il y a 2 grands marchés ; il faut les visiter. C'est immense, mais très vivant et très beau. Ça commence dès 6 h et se termine vers 15 h.

▶ **La plaza de Ponchos :** c'est le marché pour touristes. Y aller avant 10 h ; ça ferme vers 17 h. On y trouve réuni tout l'artisanat équatorien, d'une grande qualité. Panamas pas chers, étoffes, tapis colorés, sacs, pulls, miniatures en masapán, instruments de musique, petits bus de terre cuite... C'est ici que vous trouverez la qualité et le choix. En ce qui concerne les prix, lire le paragraphe consacré aux Otavalos.

▶ **Le marché aux fruits et aux légumes :** sur la place 24 de Mayo. Tous les jours, mais plus important le samedi. On y trouve toutes sortes de victuailles. Dans la calle Quiroga, vente de poules et cochons d'Inde *(cuy)* ; calle Modesto Jaramillo, on trouve des bijoux, des tissus de tweed au mètre aux chatoyantes couleurs et des articles divers. Toujours dans cette rue, en remontant sur la gauche à 10 m de la calle Calderón, petit vendeur de panamas et chapeaux divers. La boutique est à peine visible.

Balades aux environs

▶ **Balade dans les villages alentour** pour tenter de comprendre les techniques artisanales des tisserands otavalos, depuis le lavage de la laine jusqu'au produit fini. Mais rien de tel qu'une bonne agence pour mieux y voir. A cet égard, on vous indique la plus sérieuse : **Zulay Tours,** dirigée par Rodrigo Mora. Attention, seuls lui et son fils sont compétents. N'acceptez personne d'autre. Évitez également le samedi. Les artisans ne sont pas rentrés du marché ou cuvent. On passe dans plusieurs maisons où l'on se rend compte du labeur réalisé par des familles entières. La laine est achetée brute et lavée dans le cours d'eau qui passe dans le village. Les femmes lavent 50 kg de laine en 6 h. On vous explique que ce rio est la seule source d'approvisionnement en eau du village et que d'autres villages, en amont, lavent également leur laine dedans. Le problème de l'eau qui est pleine de bactéries portées par la laine de mouton est crucial. L'eau est responsable de la mort de 30 % des enfants.
Après le lavage, la laine est cardée. Des 50 kg initiaux, il n'en reste que 40. Pour les familles qui s'occupent de toute la chaîne de production depuis le lavage jusqu'au tissage, c'est-à-dire 8 personnes, la somme totale gagnée tourne autour de 25 dollars... par mois. On vous expliquera encore comment on teint la laine, les différents procédés, les colorants naturels et les chimiques, les métiers à tisser. Vous verrez alors réellement la vie des Indiens, les difficultés actuelles des communautés. Vous noterez encore que seuls les hommes tricotent les pulls. A partir de 5 ans, un gamin se met à l'ouvrage et tricote à une vitesse à faire pâlir de jalousie toutes les grands-mères ! Le soir projection de diapos à thème sociologique.
Durant une journée entière, on est baigné dans un milieu rural beau et intéressant, culturellement et sociologiquement.

▶ **Peguche :** charmant petit village indien à 45 mn de marche. Évitez d'y aller en fin de soirée ou même le samedi. Les Indiens parfois soûls peuvent devenir agressifs. Jolie cascade dans la forêt d'eucalyptus. Mais, on vous en supplie, jetez vos ordures ailleurs. C'est devenu une vraie poubelle. Suivre la voie de chemin de fer jusqu'à la forêt où se trouve la cascade. Attention, l'artisanat du village de Peguche est souvent faux. On vous présente un métier à tisser mécanique dans une salle, alors que derrière on entend tourner les machines électriques ! De plus, la laine n'a jamais vu de moutons, elle est le plus souvent acrylique. Pour y aller, prendre la calle Calderón jusqu'à la ligne d'autoferro, prendre à gauche, passer le pont et prendre à droite tout de suite après. On atteint ainsi la cascade. On peut y faire trempette. De la cascade, le village est à 1 km. Pour le gagner, reprendre le cours de la ligne de chemin de fer toute proche.

▸ *Balade vers d'autres villages :* 3-4 h aller et retour. Rejoindre le village de Peguche en bus (départ de la plaza Copacabana) ou à pied pour les plus courageux.

▸ *La lagune de San Pablo :* située au pied d'un volcan, à 4 km d'Otavalo. On peut y aller en bus (sur Montalvo et Atahualpa) ou à pied. Pour cela prendre la rue qui continue vers l'est, au bout de la calle Piedrahita. Passer la ligne de chemin de fer puis prendre à gauche. On passe près du stade puis tout droit. Poursuivre vers le sommet de la colline en traversant le petit bois d'eucalyptus. Pas vraiment de chemin mais on ne peut pas se tromper. Du sommet, on domine toute la région d'Otavalo et la lagune de San Pablo. De là-haut, piquer tout droit vers le lac. Près du cours d'eau, vous verrez les jolies lavandières qui lavent le linge avec le suc des feuilles d'agave en guise de savon. Depuis le bord de la lagune, sur le chemin qui la longe, bus qui retourne sur Otavalo.

▸ *Lac Cuicocha :* situé à environ 18 km ; prendre le bus pour Quiroga sur la calle 31 de Octubre, au coin de Calderón. De là, prendre une camionnette sur la place, mais marchander le prix. Resto sur la place. On peut redescendre à pied jusqu'à Quiroga (3 h de marche). Prendre l'ancienne route dans le grand virage qui est à 2 km du lac sur la route qui va en direction de Quiroga. On traverse de jolis villages indiens. Le lac est situé dans un ancien cratère. Magnifique. Possibilité de balades sur le lac en barque.

▸ *Cotacachi :* petit village à environ 25 km au nord d'Otavalo. Plusieurs bus par jour. Spécialisé dans le cuir. Les magasins se trouvent principalement dans la rue 10 de Agosto. On peut y faire un saut depuis Otavalo ou Ibarra. De là, on peut aussi se rendre au lac Cuicocha.

▸ *Lagunas de Mojanda :* 17 km. Ça grimpe, mais la balade est fantastique. A pied, compter 6 h de montée et 4 h de descente. Le camion qui y montait tous les matins vers 6 h ne semble plus en service. Peut-être parce que, aux dires de « routards avertis », le refuge serait à présent délabré. Mieux vaut donc se renseigner mais une chose reste acquise, la balade à elle seule vaut la peine.

▸ *Fuentes de Nangulbi :* 70 km d'Otavalo : eaux thermales froides, tièdes ou chaudes.

VERS LE NORD

IBARRA

Fondée en 1606, la capitale de l'Imbabura est une ville tranquille qui a conservé son architecture et une ambiance coloniale. Elle est surnommée la « Cité blanche » en raison, bien sûr, de la couleur de ses maisons et de ses monuments. D'autres attribuent ce nom à l'influence des Noirs de Chota et de Salinas qui l'appelèrent ainsi pour désigner le lieu où vivaient les autorités. Ibarra était la « ville des Blancs ». Le village de San Antonio de Ibarra est le rendez-vous des artistes et des créateurs d'Équateur (bus fréquents). Changer plutôt les chèques de voyage à Otavalo ou Quito.
Pas grand-chose à voir ici mais il faut y aller pour le fantastique voyage par l'autoferro qui permet de gagner la côte.

L'autoferro

C'était d'Ibarra qu'on empruntait le « train » le plus génial du monde ! Enfin, un train, c'est beaucoup dire. On l'appelle l'autoferro et il relie Ibarra à San Lorenzo. Théoriquement, il y en a un tous les deux jours aux alentours de 6 h 30. Tout cela est variable, bien entendu (voir dernier paragraphe ci-dessous). En fait, il arrive et repart quand il veut. Il peut aussi bien être là à 6 h 30 (comme prévu) comme à midi ! Il s'agit d'une sorte de bus monté sur rail. Du bus, on a pris le volant du chauffeur ainsi que les banquettes. Du train, on reconnaîtra les rails et les roues ! Un bien curieux attelage. Les billets ne sont en vente qu'à 5 h du matin. Parfois, on peut les acheter la veille, mais c'est rare. Vérifier que l'employé a bien inscrit un numéro de siège sur le billet. Attention, énormément de concurrence au moment de l'achat des billets avec les locaux. Il y a peu de places, et les indigènes voient d'un très mauvais œil le fait de se faire piquer les sièges par des gringos. On les comprend. Les mamies indiennes n'hésiteront pas à vous bousculer un peu. Garder son calme, son respect... et sa place, n'est pas chose aisée.
Le trajet, lui aussi, est épique. L'autoferro traverse des paysages fantastiques : rios, gorges, végétation exubérante... Comme dans le bus, les gens montent et descendent n'importe quand sur le trajet. En cours de route, il arrive que le « train » déraille. Mais tout cela est sans gravité. Il se contente de sauter de ses rails, les gens ont l'habitude et c'est sans danger. Un jour, ça nous est arrivé trois fois dans le même voyage. Cela est dû au mauvais équilibre des masses dans le « wagon ». Bref, tout le monde descend et on remet le train en place, dans la bonne humeur. Il peut aussi arriver que de fortes pluies provoquent une petite coulée de boue sur la voie. Il faut alors patienter le temps que la voie soit dégagée. Bon an mal an, ce voyage tranquille de 6 h peut se transformer en une aventure de 10 à 12 h, certainement l'une des plus épiques de votre voyage.
Attention : il paraîtrait que l'autoferro ne part plus d'Ibarra. Il faudrait prendre un bus à 6 h près de la gare ferroviaire, qui va jusqu'à Lika (100 km environ en 4 ou 5 h de trajet). Le parcours est aussi fabuleux (se placer à droite) mais la piste est étroite, vertigineuse par endroits et complètement défoncée (on est vraiment très secoué). Ponts vermoulus, torrents de boue, à-pics inquiétants... Les émotions sont garanties ! A Lika, village perdu dans un paysage de collines « amazoniennes », on attend le train (extraordinaire petite gare près d'une rivière grondante). Aucun problème pour l'achat du billet (places numérotées). On peut s'alimenter près de la gare car l'attente peut être longue... De Lika à San Lorenzo, l'autoferro met aussi 4 ou 5 h pour le même nombre de kilomètres... Le voyage en train est splendide, très émouvant et repose du voyage en bus, mais l'un ne va pas sans l'autre !

Adresses utiles

– **Office du tourisme (Cetur) :** avenida Colón 743 entre Sucre et Bolívar. Très bien informé et pas seulement sur la ville. Compétents et sympathiques.
– **Téléphone (Ietel) :** Sucre y Garcia Moreno.
– **Poste :** Flores y Bolívar.
– **Change :** *Imbacambio,* Oviedo y Bolívar, Edificio Way. Change dollars et chèques de voyage. Les meilleurs taux de la ville.
– **Banco Central del Ecuador :** Bolívar y Oviedo. Ouvert de 9 h à 13 h 30 en semaine.
– **Bains chauds :** calle Sucre y Madera.
– **Hospital San Vincente de Paul :** J. Montalvo. ☎ 950-333.

Où dormir ?

Beaucoup d'hôtels près de la gare.

Bon marché

🛏 *El Imperio :* Olmedo 862 y Oviedo. ☎ 952-929. Grandes chambres aérées avec mobilier rudimentaire. Certaines ont des douches et, cher routard, de l'eau chaude. Voilà une bonne nouvelle ! Consommez avec modération...

☛ *Hôtel Astoria :* calle Padre Juan de Velasco 8-09. Près de la gare, très simple, voire même trop, bon marché, mais éviter les chambres près des toilettes (pour l'odeur). Beaucoup d'étrangers, surtout des Allemands. Propreté douteuse.

☛ *Hôtel Berlin :* place de la Merced. Hôtel un peu délaissé mais chambres avec ou sans douche très bon marché. Pour les pingres.

Prix moyens

Pour un rien plus cher, les hôtels suivants sont bien plus propres et plus sympathiques.

☛ *Hôtel Colón :* calle Manuel de la Chica Narvaez 8-62. Tout près de la gare. Si la porte est fermée, sonnez à droite. Chambres claires et aérées, disposées autour d'une cour intérieure fleurie. Très calme et très agréable. Les sanitaires sont propres et les propriétaires très charmants. Sûr.

☛ *Hôtel Imperial :* Bolívar 622. ☎ 952-430. Ne vous fiez pas au couloir sombre qui mène jusqu'à l'accueil. Les chambres sont spacieuses quoique très simples et ont douches avec eau chaude toute la journée. Les matelas sont aussi fins que les prix, mais qui s'en soucie ?

☛ *Hôtel Majestic :* Olmedo 763. ☎ 950-052. Vieil hôtel genre demeure espagnole avec patio intérieur qui propose de vastes chambres rustiques mais propres. Les chambres ont des salles de bains et parfois – mais parfois seulement – de l'eau chaude. Ambiance typiquement sud-américaine. Le soir, à la nuit tombée, les tenants de l'hôtel se retrouvent autour d'une table à taper le carton et à boire un coup dans la faible lumière de la pièce. Un tableau unique.

☛ *Hôtel Residencial Vaca :* calle Bolívar 753. Demandez les chambres sur la cour. L'hôtel tombe un peu en ruine et les chambres ne sont franchement pas désirables. Celles avec douche et w.-c. sont un peu plus correctes. On aimerait bien que l'éponge et l'aspirateur soient passés plus souvent. Enfin, central – c'est déjà ça – et eau chaude le matin. Dommage que l'hôtel ne soit pas aussi engageant que le sourire du patron.

Plus chic

Un certain nombre d'hôtels grand standing dans cette ancienne ville coloniale.

☛ *El Ejecutivo :* Bolívar 909. ☎ 952-575. A mi-chemin entre l'hôtel de luxe et le tout confort. Propose toutes sortes de services. Très élégant. Bains privés et eau chaude bien sûr. Bon rapport qualité-prix.

☛ *El Ajervi :* avenida Mariano Acosta 1638. ☎ 955-555. Entre le bus terminal et la ville. On touche le grand luxe de la région. Inutile de vous décrire ces grandes chambres tout confort avec téléphone, radio, télévision. Propose sauna, bains turcs, gymnase, piscine, parking, restaurant, bar, cafétéria. Bref un véritable complexe 4 étoiles. Vous voulez vraiment connaître les prix ?

Où prendre le petit déjeuner ?

– *Café Pushkin :* calle Olmedo y Oviedo. Ouvert à partir de 8 h. Les meilleurs petits déjeuners d'Ibarra et peut-être le meilleur pain de toute l'Amérique ! Ne manquez pas de passer dans cette petite salle au décor en bois non verni d'une grande simplicité, où règne une atmosphère chaleureuse et déconcertante, et pour cause. A quelle époque sommes-nous ? Et où ? En Europe ou en Amérique ? Au début des années 1900 où grondait la fureur révolutionnaire ou à la fin d'un XXᵉ siècle fatigué par les guerres et les discours d'idées ? En tout cas, une chose est sûre : ce petit café a plus d'un horizon où poser votre regard.

Où manger ?

Vous trouverez toutes sortes de petits restaurants dans la rue Olmedo et aux alentours. C'est aussi le « quartier chinois » de la ville.

✕ *Chifa Kam :* Olmedo 761. En face de l'*hôtel Majestic* et du *Café Pushkin*. Un *chifa* tout ce qu'il y a de plus ordinaire. Salle éclairée au néon, bien tenue, télévision dans un coin avec quelques locaux, les yeux pointés sur le petit écran. La nourriture est vraiment bonne, tout particulièrement les soupes.

✕ *Pizza Luchino :* calle Sucre, sur la place Moncayo, à côté de l'église. Ouvert dès midi. La déco évoque un pub anglais tandis que les murs affichent de vieilles reproductions du XVIIIe siècle ou d'un autre siècle maintenant éteint. La jeunesse vient siroter là quelques bières autour d'une énorme pizza que l'on dévore à 6 ou 7. L'endroit idéal pour fumer sa pipe dans un coin après une longue journée aventureuse et faire des rencontres – prémices d'une nouvelle aventure... Surtout animé à partir de 15 h-16 h.

✕ *Pizzeria El Horno :* calle Dr. Pedro Moncayo 6-32. Une autre pizzeria, moins réputée, moins animée mais tout aussi sympa. Tenue par un Équatorien ayant vécu à Toulon et en Italie. Appelez-le Patito, ça lui fera plaisir. Il est très sympa et cuisine bien (pizzas, lasagnes, viandes délicieuses). Il parle le français et l'italien.

✕ *Hôtel Imperial* (voir « Où dormir ? ») : le restaurant est vraiment très simple mais bon. On y sert des plats nationaux à des prix défiant toute concurrence.

✕ *La Golosina :* parque Moncayo. D'accord, c'est pas tout à fait la région mais pour certains ça devient comme une envie pressante. Vous trouverez dans ce sympathique petit resto les meilleurs fruits de mer de la ville ainsi que tout un choix de *ceviches.*

Où prendre un verre ?

– *Helados Rosalia Suarez :* Oviedo 782 y Olmedo. Ouvert jusqu'à 18 h. Ne manquez pas de venir vous asseoir à une de leurs tables. On y déguste les meilleures glaces de toute la province et à tous les parfums. Chocolat, vanille, noix de coco, papaye, ananas, mangue...

– *Pub El Encuentro :* calle José-Joaquim Olmedo 9-59. L'entrée est petite mais l'enseigne est énorme ! Superbe décor rétro ; il y a un peu de tout accroché aux murs et au plafond. Lumières tamisées, patron sympa et bons cocktails. Pas plus cher qu'ailleurs. Vraiment bien pour finir la soirée.

– *Peña Centro Cultural :* avenida Mariano Acesta 12-24. Ouverte les vendredi et samedi de 21 h au petit matin. A 200 m de la gare, en allant vers le terminal de bus. Une peña tenue par un chanteur assez connu, Enrique Malés. Programmes culturels et groupes folkloriques qui permettent, dans une ambiance décontractée, de faire des connaissances et de passer un bon moment.

A voir

Ibarra la Blanche n'a guère à offrir au touriste avide de visites que sa douce architecture coloniale et ses trois parcs qui jalonnent la ville.

▶ *Le parque La Merced* est le plus intéressant grâce au petit musée et à l'église où l'on peut admirer une célèbre représentation de la Vierge de la Merced qui fit de nombreux miracles dans cette région.

▶ *Le parque Moncayo* est dominé par la cathédrale à laquelle répondent de très vieux arbres au tronc large et noueux.

▶ Un peu plus à l'est de la ville au bout de Bolívar, la *plazoleta Boyaca* abrite un monument à « Simón » qui remporta une de ses victoires à Ibarra le 17 juillet 1823. Derrière la place, la *cathédrale Santo Domingo* est en restauration. Elle abrite un petit *musée d'Art religieux :* pas grand-chose à voir.

▶ Dans les alentours, on peut faire quelques balades qui mènent sur les hauteurs de la ville. Un des lieux les plus fréquentés est le *mirador Yuracruz.* A sa droite, la laguna de Yahoarcocha se dessine très nettement tandis que la gauche offre une vision panoramique de la ville. Pour y aller, prendre un bus au coin de Guerrero et Sanchez y Sifuentes qui va jusqu'à l'université catholique. De là, un petit chemin vous conduira au mirador par les eucalyptus. Très odorant.

A voir dans la région

▶ *San Antonio de Ibarra :* village tout près d'Ibarra, spécialisé dans la sculpture sur bois. Nombreuses boutiques. Qualité inégale. On peut trouver de belles pièces en cherchant bien. Allez voir plusieurs ateliers, comparez les objets et les prix, puis marchandez. La galerie de Luis Potosi sur la place centrale est la plus réputée. Certains disent que les marchands des rues avoisinantes sont plus originaux. En fait il n'y a pas de grandes différences. Ce sont toujours les mêmes thèmes qui hantent les sculpteurs : le Christ, Bolívar, Cervantes... et la Femme, ah ! la Femme... (soupir).

Pour s'y rendre, prendre un bus sur la place de l'Obélisque d'Ibarra. Au retour, on les trouve sur la place centrale.

▸ *La Esperanza* : à quelques kilomètres d'Ibarra d'où l'on prend un camion ou un bus (à l'angle de la calle Rafael Larreo Andrado, calle Sanchez y Cifuentes, parque German Grijalva) jusqu'à ce petit village plein de charme où il y a deux auberges. Le coin est très réputé pour les San Pedro Cactus. On n'ose pas vous en dire plus.

Possibilité de faire des balades très agréables en montagne et d'acheter du fromage de chèvre dans les villages aux alentours.

Dormir à la *pension Aida* très accueillante. Cuisine végétarienne.

▸ *Cotacachi (travail du cuir)* : un magnifique lac dans le cratère du Cuicocha. Centre de villégiature. Cuirs vraiment bon marché. On vous conseille tout de même d'y aller à partir d'Otavalo.

▸ *Lac Yahuarcocha* (lac de Sang) : il se situe à environ 15 mn d'Ibarra, accessible par la panaméricaine. Selon la légende, il s'y serait déroulé une importante bataille entre Espagnols et indigènes. Aujourd'hui, on peut y manger du poisson sorti droit de ses eaux et cuit devant vous.

TULCÁN

Petite ville sans charme perchée à 3 000 m entre deux chaînes de montagnes. Le passage obligé des routards qui vont en Colombie – ou qui en viennent. Toute l'activité se déroule le long de l'avenue principale depuis l'entrée de la ville jusqu'à la place centrale. Le samedi, de nombreux commerçants viennent vendre des babioles aux touristes colombiens. Aussi vous éviterez d'y venir le week-end. Inutile d'y dormir, il n'y a rien à voir si ce n'est le cimetière. Vraiment étonnant.

Adresses utiles

– *Office du tourisme (Cetur)* : à la frontière dans un box juste avant de passer le pont. ☎ 989-868. Distribue une brochure sur l'Équateur et un plan de la ville. Ne leur en demandez pas plus.

– *Téléphone (letel)* : un point téléphone au terminal et un autre à la frontière. Le principal se trouve Olmedo y Junin.

– *Correos* : calle Bolívar entre Boyaca et Junin.

– *Hospital Luis G. Davila* : 10 de Agosto 917. ☎ 980-316.

– *Consulat de Colombie* : parque principal. Au 2e étage de l'immeuble le plus récent. Depuis janvier 91, les ressortissants de la CEE n'ont plus besoin de visa pour la Colombie. On vous l'indique quand même, au cas où...

– *Change* : faites votre change à Tulcán plutôt qu'à la frontière, nombreux changeurs dans la rue. Changez vos sucres contre des dollars (gardez-en un peu pour le taxi), puis, une fois en Colombie, changez vos dollars contre des pesos. Attention toutefois aux faux billets et à l'arnaque fréquente !

– *Casa de Cambio Rodrigo Paz* : Ayacucho 373 y Bolívar.

– *Banco Central del Ecuador* : 10 de Agosto.

Où dormir ?

Une petite brochette d'hôtels pas géniaux pour la plupart. Voici tout de même les moins craignos.

🛏 *Hôtel Avenida* : on l'indique en premier non pas parce que c'est le meilleur mais parce que c'est le plus pratique. Situé en face du terminal terrestre à 1 km à l'extérieur de la ville, il sera surtout utile à ceux qui arrivent tard dans la nuit, ou bien à ceux qui prennent un bus tôt le lendemain pour Ibarra ou Otavalo. L'hôtel est vraiment rudimentaire, les sanitaires pas très nets, mais les prix sont bas et on peut y faire un brin de lessive. Un conseil, si vous partez tôt le lendemain, prévenez le soir la proprio pour qu'elle vous ouvre la porte le matin. Ah oui ! pas d'eau chaude, évidemment.

🛏 *Hôtel Carchi* : calle Sucre, à côté de la plazetta. Chambres autour d'un patio qui regorge de mauvaises herbes et autres plantes tenaces. Si l'ensemble n'est pas très bien tenu, sachez que ce n'est pas le plus crade, et puis les chambres ont un lit. Par ailleurs, un des moins chers de la ville et au calme.

🛏 *Hôtel Granada* : Bolívar 5-60. On se demande comment cette sombre demeure tient encore debout, toute branlante qu'elle est. Enfin, comme dans toutes ces anciennes bâtisses coloniales, les chambres sont spacieuses, ont un lavabo et, accrochez-vous, une baignoire siège triomphalement au beau milieu de la salle de bains. Remarquez qu'il faut bien ça pour compenser l'état des matelas. Vraiment pas cher. Évitez l'*hôtel Minerva* à côté, vraiment lugubre.

🛏 *Hôtel Quito* : avenida Ayacucho 450. Plus propre que le *Carchi*, mais moins agréable. Hôtel sombre à l'accueil un peu terne. Chambres simples très bon marché.

🛏 *Hôtel Oasis* : avenida 10 de Agosto y Sucre. En voilà un qui porte bien son nom. Un havre de confort dans un désert d'hôtels rudimentaires – enfin, tout est relatif, n'est-ce pas ? Chambres de 3 à 4 personnes avec ou sans salle de bains. Eau chaude parfois. Bon rapport qualité-prix. Accueil et service diligents.

Plus chic

🛏 *Hôtel Azteca* : Bolívar, près du parc central et des banques. Un hôtel international tout confort qui a son propre restaurant, ses boutiques, sa piscine, bref, un petit coin friqué pour les routards fatigués. Si ça ne vous suffit pas, voyez dans la rubrique suivante.

Encore plus chic

🛏 *Hôtel Ruminchaca* : juste à la frontière colombienne, un peu en retrait dans les vallons aux alentours. Ceux qui voudront claquer tous les sucres qui leur restent avant d'aller en Colombie trouveront ici de quoi dépenser. L'hôtel est un petit joyau qui propose tous les services possibles et imaginables. Le restaurant est réputé comme étant le meilleur de la ville.

Où manger ?

Pas grand-chose ici, hormis les restos des grands hôtels. Mais rassurez-vous, le *Routard* vous a – encore – déniché des petites adresses sympa.

✗ *El Paraiso* : Ayacucho y Bolívar. Petit resto typique où l'on vous sert des plats nationaux. Pas de carte mais un menu à prendre ou à laisser. Servent les viandes avec des légumes. Une bonne adresse.

✗ *Chifa Pack Choy* : calle Sucre y Pichincha. Un resto chinois tout ce qu'il y a de plus classique. La nourriture est de qualité et l'ambiance très animée. Évitez le *Chifa China* un peu plus loin : service lamentable et goût infâme.

✗ *El Danubio* : calle Pichincha 5-20. Même genre que le *Paraiso*. On peut y prendre son petit déjeuner... pour ceux qu'une platée de riz enchanterait dès 9 h. Ambiance très populaire.

✗ *La Brasa* : Ayacucho y Sucre. Une adresse inoubliable. Dans une grande salle genre hangar, le petit peuple se retrouve pour manger, avec les doigts, un *pollo a la brasa* servi dans une écuelle en plastique tout en sirotant bruyamment un Coca avec une paille. Dans un coin de la salle, les poulets tournent et rôtissent sous vos yeux. Une atmosphère pesante et huileuse envahit bientôt la pièce tandis qu'un rire gras retentit à l'autre bout de la salle. Un grand Noir à moitié débraillé s'est levé, repu et content de lui-même, et se dirige maintenant vers les toilettes. Un môme s'est retourné et vous pose mille et une questions. Qu'est-ce qu'un *gringo* peut bien faire dans un endroit pareil ?

A voir

► *Le cimetière* : à ne pas louper. Franco eut envie, à l'âge de 40 ans, de se mettre à tailler des arbustes. Il a donné vie à tous les cyprès : visages humains, formes architecturales superbes, colonnades, portiques, arcades. Il fit si bien que le cimetière de Tulcán est désormais réputé à travers tout le pays. Aujourd'hui, le sculpteur est mort mais on continue à tailler les arbustes comme avant. L'ensemble forme un joli labyrinthe dans lequel on aime à se perdre. Ou bien on préférera les allées extérieures pour se retrouver sur le columbarium et appréhender de haut ce foisonnement de formes.

Transports

– *Le terminal terrestre* est situé à un petit kilomètre à l'extérieur de la ville en direction d'Ibarra. Un bus fait la navette entre les deux, quoique prendre un taxi soit aussi une solution, surtout si on désire se rendre à la frontière directement. Du terminal, des bus partent régulièrement en direction de Quito, de 4 h à 22 h.
– *L'aéroport* est à mi-chemin entre la ville et la frontière. Vol pour Quito du lundi au vendredi tous les jours à 13 h. Renseignements à l'*agence Tame* à l'hôtel *Azteca*.

Passage de la frontière Équateur-Colombie

– La frontière est normalement ouverte de 6 h à 21 h.
– Pour se rendre de Tulcán (Équateur) à Rumicacha (Colombie) depuis la nouvelle gare routière, prendre un taxi ou un colectivo sur la place centrale. Traverser la frontière à pied. De l'autre côté, nombreux taxis collectifs pour se rendre à Ipiales.
– On n'a plus besoin de visa pour aller en Colombie mais renseignez-vous au cas où.
– Le passage de la frontière s'opère normalement sans problème. Pourtant, quelques « bavures » ont été signalées : certains douaniers colombiens se livrent parfois, sous prétexte de recherche de drogue, à des pratiques scandaleuses : les filles doivent se déshabiller entièrement dans une cabine sans lumière, devant un policier armé. Paradoxalement, les douaniers en « oublient » de fouiller les sacs à dos. Mesdemoiselles, si par malheur un douanier vous demandait de vous dévêtir, refusez tout net. Vous pouvez aussi dire que l'ambassadeur de France est un de vos proches. Ça peut effrayer un douanier à la libido survoltée.
– A Ipiales (en Colombie), des bus vers *Pastos* (2 h de voyage) ; vers *Popayán* (10 h de voyage), *Cali* (12 h de voyage) et *Bogotá* (1 300 km ; 34 h de voyage). ▄ Si vous devez dormir à Ipiales : *hôtel Residencia Belmonte,* carrera 4A. N° 12-III. Propre, pas cher et près de l'arrêt des taxis.

VERS L'OUEST

SANTO DOMINGO DE LOS COLORADOS

A 125 km de Quito. *Marché* le dimanche où l'on rencontre parfois quelques Indiens Colorados, vous savez, ces grandes perches coiffées de rouge et réputées pour leur pouvoir guérisseur. Malheureusement le costume se perd. Avec quelques dollars et beaucoup de patience vous pourrez peut-être convaincre quelques-uns d'entre eux de se déguiser. C'est le jeu préféré des Américains qui arpentent la région en tours organisés. Comique (sinon tragique).
Il y a surtout beaucoup de touristes.
Le village des Indiens est situé en pleine jungle. On peut y aller par le colectivo sur lequel est marqué « Via Quevedo ». Guère d'intérêt.

▄ *Hôtel La Siesta :* avenida Quito 666. ☎ 750-013. Un peu à l'extérieur du centre ville, mais accessible à pied en quelques minutes.
▄ *Hôtel San Fernando :* à côté du terminal terrestre. Correct et très pratique.

ESMERALDAS

La ville émeraude. On comprend le nom donné à cette ville en arpentant du regard ses alentours. Située sur la côte, sous l'influence du climat tropical (attention au paludisme !), cette ville n'a rien de particulier hormis de gigantesques plages et une végétation dense à faire craquer la terre. Les verts s'expriment du plus clair au plus profond mais toujours avec la même intensité. Du jaune au noir, pourrait-on dire. Les arbres s'élancent dans le ciel avec une rapidité foudroyante, ne laissant apparaître de la voûte céleste que des bribes bleutées et des rayons découpés. Ce spectacle, la jungle vous l'offrira si vous arrivez de l'est par beau temps. La ville, quant à elle, vit au rythme des sonorités africaines. La population est en majorité noire. Il y règne une chaleur et une insécurité qui vous prend à la gorge. Contrairement au reste de l'Équateur, la ville est animée le soir et, après la tombée de la nuit, beaucoup de gens se retrouvent sur la place centrale. Mais l'ambiance n'y est pas géniale. Les routards préfèrent descendre plus au sud. Ils ont raison. Les plages d'Atacames et Sua comptent parmi les plus belles d'Équateur. Et l'eau est chaude (ça change du Pérou).

Grande *fête de l'Indépendance* le 5 août. Défilés des écoles, bals dans les rues toute la nuit, etc. Bien sûr, hôtels bondés.

Adresses utiles

– *Office du tourisme (Cetur)* : avenida Bolívar. Au 2ᵉ étage d'un immeuble en béton situé à deux pas de la place, entre 9 de Octubre et Piedrahita, sur la droite. Avec de la chance, il leur restera un petit plan de la ville.
– *Téléphone (Ietel)* : Montalvo y Maldonaldo.
– *Poste* : Malecón y Montalvo. A côté du centre téléphonique Ietel.
– *Hôpital civil* : avenida Libertad y Parada 8. ☎ 710-012.
– *Change* : Banco del Pichincha, Bolívar et 9 de Octubre. Sur la place centrale. Évitez de changer ici. Taux vraiment défavorables.
– *Tame* : agence aérienne. Bolívar et 9 de Octubre.

Où dormir ?

Ne vous attardez pas à Esmeraldas même, c'est inutile.

🛏 *Hôtel Miraflores* : sur la place centrale, au coin de Bolívar et 9 de Octubre. Un des moins chers mais pas un des pires, bien au contraire. Des chambres un peu placard certes mais bien tenues. Douches communes propres. Sûr.
🛏 *Hôtel Diana* : Canizares y Sucre. Hôtel très bien tenu, non dénué de charme. Chambres avec bains privés, petit patio au calme. Sûreté et tranquillité assurées. Un petit côté européen. Le patron, un homme fort, armé d'une petite moustache, est très affable et semble apprécier les étrangers... plus que ses compatriotes. Un peu plus cher que les autres mais abordable.
🛏 *Residencial Zulema* : Olmedo y Piedrahita. Genre motel avec une cour intérieure qui ressemble plus à un grand parking. Les chambres sont petites mais propres. Ce n'est pas toujours le cas des bains et l'eau se fait parfois désirer. L'ensemble est plutôt bien tenu et sûr. Plus cher que le *Miraflores* mais moins que le *Diana.*
🛏 *Hôtel Americano* : Piedrahita y Sucre. Demeure en bois. Chambres avec douches et w.-c., sales. Évitez celles donnant sur la rue, bruyantes. Accueil sympa.
– Évitez à tout prix l'*hôtel Turismo* : chambres sales, à peine entretenues, et prix élevés. Ils ne changent même pas les draps. L'*hôtel Royal,* un bloc derrière, près de Rocafuerte, n'est guère mieux. Même topo.

Plus chic

🛏 Ils sont tous à Las Palmas, le long de l'avenida Kennedy ou de l'avenida Libertad. L'*hôtel Del Mar* est le plus proche de la plage.

Où manger ?

Dans la ville même, il n'y a pas grand-chose. On trouvera plus de choix de bons petits restos le long de la mer à Las Palmas, à 3 km du centre.

DANS LA VILLE

✘ **Chifa Oriental :** Sucre 621. Rien de particulier. Un resto chinois populaire tout ce qu'il y a de plus banal. Évitez le *Chifa China* sur la place centrale. L'ambiance est terne. Il n'y a jamais personne.
✘ **La Casa :** Montalvo y Olmedo. Un resto en bambou style case de l'oncle Tom où l'on sert un très bon *pollo a la brasa*. Dans la même rue, un peu plus bas, un *snack* sert des plats typiques.

A LAS PALMAS

✘ Vous pourrez essayer les restos des grands hôtels comme l'*Estuario International*. Le restaurant le plus réputé est l'*Athenas Tifany,* avenida Kennedy 707. Le décor est ce qu'il y a de plus chic dans la région.

Quitter Esmeraldas

En direction de La Tola et San Lorenzo

Prendre un bus pour La Tola. De là, on prend une barque jusqu'à San Lorenzo. Partir le matin. Beau paysage rappelant la Louisiane. Pour l'heure exacte, se renseigner à la *compagnie Costenita* ou aux *bus Pacifico*. Pour y aller depuis la place centrale, prendre l'avenue 10 de Agosto jusqu'à la mer. Les bus partent de là. Vous pouvez aussi prendre un caboteur à Esmeraldas qui vous embarque entre deux cargaisons de bananes pour San Lorenzo directement. On ne vous le recommande pas cependant. Très éprouvant et sale.

En direction de Quito

Nombreux bus quotidiens avec plusieurs compagnies.
– *Transportes Esmeraldas :* 10 de Agosto y Sucre. Fait omnibus. Temps de parcours : 7 h.
– *Transportes Occidentales :* la calle 9 de Octubre, presque au coin de Sucre. Pas très rapide. 7 à 8 h.
– *Aerotaxi :* 10 de Agosto y Sucre. Va directement à Quito. 5 h de voyage.

En direction de Guayaquil

– *Transportes Occidentales, Aerotaxi* et *Transportes Esmeraldas* (adresses ci-dessus) : bus toutes les heures environ.

En direction d'Atacames, Sua et Muis Né

– *Compagnie Costenita* et *Bus Pacifico :* au bout de 10 de Agosto. Bus pratiquement toutes les 30 mn.

ATACAMES

Certains vous la décriront comme une petite ville balnéaire agréable, très bien pour se reposer quelques jours. En effet, les plages sont longues et belles... et l'eau est toujours excellente, même lorsque le temps reste couvert. Attention tout de même, MER DANGEREUSE, à cause des courants très forts. Au début des années 80, un important raz de marée provoqua de nombreux dégâts. A ce sujet, savez-vous que l'on reconnaît une mer particulièrement dangereuse aux « moutons » qui glissent sur la crête des vagues bien au large ?
Mais là n'est pas le but de notre propos. Ceux qui ont autre chose que des yeux et des oreilles pour voir et entendre se rendront compte de l'atmosphère

étrange qui plane sur ces lieux, surtout la nuit tombée. Un air de vaudou pour les uns, un souffle mystique pour d'autres... on ne revient pas inchangé d'Atacames. Il faut une grande force d'âme pour résister au charme de cette ville. Et il en faut une plus grande encore pour s'en délivrer. Non, Atacames n'est pas la petite station balnéaire de vos rêves. C'est un lieu magique, presque envoûtant où l'on ne vient pas de soi-même. *Atacame, Atacame !* « Attaque-moi ! » Vous comprenez maintenant ?

La ville tend à se moderniser depuis quelque temps et l'ambiance change. De nouvelles constructions apparaissent, des hôtels principalement tenus par des Américains, Belges, Canadiens et... quelques Équatoriens ! Cela dit, la hauteur des hôtels ne dépasse presque jamais le rez-de-chaussée. Au moment du carnaval, les prix doublent, triplent et ça devient difficile de se loger. Ne pas arriver un vendredi après-midi ou soir : dur de trouver une chambre. Faites attention aux voleurs et évitez les endroits mal éclairés la nuit. *Prudence :* l'alcool vendu à la sauvette sur la plage est frelaté. Artisanat de corail.

Adresses utiles

– Pas d'office du tourisme.
– *Téléphone :* certains hôtels ont le téléphone mais pas tous. On peut leur demander de passer un coup de fil.
– *Hôpital :* ☎ 73-10-38.
– *Pharmacie :* une pharmacie dans Atacames, dite *La Farmacia.* Tout le monde sait où ça se trouve.
– *Change :* à la *Farmacia.* Les meilleurs taux de la ville quoique très désavantageux. Il est préférable d'avoir changé suffisamment d'argent avant d'arriver à Atacames.

Où dormir ?

Assez chers, les hôtels sont souvent pleins du vendredi soir au lundi matin. On vous conseille de ne rien laisser dans les chambres. Déposez vos valeurs à la réception et exigez un reçu détaillé. On insiste.

AU BORD DE LA MER

Choix entre des bungalows privés et des chambres d'hôtels, à tous les prix. En fait, une fois arrivé à la plage, vous irez à gauche si vous êtes pauvre et à droite si vous êtes un peu plus fortuné. Voici quelques adresses.

Les bungalows

🛏 *Hôtel Tahiti :* bungalows corrects, mais pas très sûrs. Douches. Restaurant donnant sur la mer, assez médiocre. Moustiquaires. Chambres parfois un peu sales. Vérifiez si la serrure fonctionne. Un des plus honorables rapports qualité-prix.

🛏 *Los Bohios :* au coin de la rue qui va à la plage (située à 50 m), une fois franchie la grande passerelle de bois pour piétons. Des bungalows particuliers avec mini-salle de bains, douche, w.-c. Calme et sympa. Assez cher et pas d'eau douce.

🛏 *L'Aldea :* à gauche, tout au bout. Des grands bungalows spacieux de forme octogonale avec douche et w.-c. Pas d'eau douce. Pas cher.

🛏 *Bungalows Cabanas Costas del Sol :* sur la plage. Simple, correct et bon marché.

Les hôtels

Tous situés à droite. Les voici dans l'ordre de « passage » :

🛏 *El Hotel Galéria :* chambres fraîches avec bains privés. La bâtisse en bois n'est pas dénuée de cachet et conserve un certain charme à la Robinson. Le plus cher des trois cependant. Son restaurant n'est pas génial.

🛏 *El Tiburón :* chambres sans fenêtre avec douche. L'hôtel est sûr, propre, avec une terrasse au 1er étage qui donne sur la mer. Eau douce. Bon rapport qualité-prix.

☞ *Hôtel Jennifer :* un peu avant le *Tahiti* et en arrière de la plage, donc calme. Chambres propres et prix raisonnables. Vraiment correct.

Plus chic

☞ *Arco Iris :* sur la plage. A droite face à la mer. Calme et très confortable. Bungalows propres. Sanitaires privés (eau douce). Hamac devant chaque porte. On peut faire sa lessive. Bien plus cher que les précédents, mais c'est justifié. Si vous êtes plusieurs, possibilité de louer un bungalow familial avec cuisine, salle de bains et entrée.

DANS LE VILLAGE

Quelques hôtels moins chers, mais plus éloignés de la plage.

☞ *Hôtel-pension Doña Pichu :* chambres spacieuses. Douches et w.-c. à l'extérieur de la bâtisse. Très bon marché. Lavoir et accueil sympa de la grosse mama. Possibilité d'y prendre ses repas.

Où manger ?

Un tas de petits restos le long de la plage, qui proposent à peu près la même chose : poissons et crevettes principalement.

✗ *Paco Faco :* à l'entrée de la plage. Un autre très bon resto. Sa spécialité : les *ceviches* et les fruits de mer. Goûtez à l'*encocado de mariscos,* des fruits de mer de toutes sortes – langoustes, crevettes, langoustines, conches, coquillages – cuits à la vapeur et relevés avec du jus de coco. Délicieux. Le tout dans une ambiance populaire et vivace.

✗ Parmi les petits restos du bord de plage nous avons aimé le **Volundad de Dios** pour son accueil et la simplicité des lieux. A côté, le **Costenito** n'est pas mal non plus et a un certain charme. Les deux servent de bons plats.

✗ *L'Ami Fritz :* toujours sur la plage. Ici steak-frites et rondelles de saucisson. M. Kartofel a débarqué d'Allemagne avec des bagages bien remplis. Les spécialités du pays ne l'ont même pas effleuré. On vient ici retrouver un certain goût de l'Europe et une certaine intimité. La salle est chaleureuse et surplombe la plage avec vue sur l'Océan. Cher.

✗ *Los Pelicanos :* sur la plage. Spécialités de cocktails et de crêpes aux bananes ou à l'ananas. Au soleil couchant, c'est super. Et puis ça change.

SUA

Petit village au bord de la mer à 3 km d'Atacames. On peut y aller en une demi-heure par la plage, mais à marée basse seulement. Sinon, prendre un bus qui passe par le village.
L'attrait de Sua est d'être coincé entre la mer et la montagne – si on peut appeler les quelques collines qui surplombent la ville des montagnes. Bien plus calme qu'Atacames ; les autochtones sont plus sympa et les couleurs plus ténues. La plage est moins agréable bien qu'elle conserve le charme des petits ports de pêche. Il est vrai qu'il y a des accents méridionaux qui rappellent parfois la Côte d'Azur telle qu'elle était autrefois. On peut y séjourner 1 à 2 jours sans s'y ennuyer. Attention, des lecteurs nous ont signalé des agressions et des vols dans le secteur. Alors, prudence !

Où dormir ?

☞ *El Marisol :* sur la plage. Une vieille pension au confort rudimentaire mais propre. Pas cher.

☞ *El Boucavilla :* sur la plage. Tout neuf. Eau douce, chambres carrelées, sanitaires modernes. Impeccable. Plus cher.

☞ *El Peñon :* dans la ville, plus en retrait. Même genre que le précédent. Le patron, plus affable, connaît bien la région. Il vous indiquera quelques balades à faire.

🛏 *El Hotel Villahermosa :* à 5 mn de la plage, à droite en arrivant à Sua. Petit hôtel très simple mais bien agréable. Le moins cher de tous. Petit déjeuner copieux et très bon marché.

Où manger ?

Plusieurs petits restos sur le bord de mer, à l'hygiène parfois douteuse. A vous de voir. Sachez que la langouste est moins chère qu'ailleurs. Profitez-en. Voici une bonne adresse. :

✗ *Hôtel-restaurant Sua :* tenu par un Français, Robert, et sa femme, Hélène. Une salle tout en bois dans les tons brun foncé, quelques plantes ici et là et de larges tables conviviales confèrent à cet endroit un charme africain proche de l'exotisme. On y déguste langoustes, moules, fruits de mer et poissons bien sûr, mais aussi poulet au whisky, pavé de coco, steak au poivre et bien d'autres spécialités originales dont les fameux spaghetti aux fruits de mer. A ne pas manquer. Malheureusement, Robert semble avoir profité de la publicité de notre guide pour augmenter fortement ses prix. L'accueil s'en ressent également. Pour le moment, l'hôtel est en réfection mais Robert se propose d'ouvrir prochainement quelques chambres tout confort. Se renseigner.

A voir

Bien que petit, Sua offre plusieurs attractions.

▸ *L'île aux oiseaux :* la pointe à gauche sur la plage. On y va à marée basse. Un mont caillouteux où se réfugient toutes sortes d'oiseaux marins : goélands, pélicans, etc. Attention à la marée montante, pensez à revenir avant.

▸ *Le Peñon de Sua :* la pointe à droite sur la plage. Il était une fois une princesse inca du nom de Sua. Son prince bien-aimé et elle firent un séjour prolongé dans ce charmant petit village. En apprenant que son mari la trompait avec une fille du coin, la belle princesse se jeta du haut de ces rochers pour finir dans la mer. Depuis, le site se souvient d'elle.

▸ *Quelques balades* dans les environs dans la campagne vallonnée. Possibilité d'y faire du cheval. Renseignez-vous à l'*hôtel El Peñon.*

MUIS NÉ

Petite presqu'île à 65 km d'Esmeraldas en direction d'Atacames et Sua (un peu plus de 2 h en bus). Difficilement accessible. Un coin encore sauvage mais sans grand intérêt. Il y pleut 300 jours par an et les agressions s'y font toujours plus nombreuses, surtout la nuit tombée. On y ira toutefois pour s'isoler ou méditer sur le sort de cette vieille planète.
Une belle balade à faire : descendre en longeant la plage à pied, en direction du sud pour *Cojimies.* Prendre des bateaux pour traverser les bras de mer (fleuves qui se jettent dans la mer).

SAN LORENZO

On doit dormir à San Lorenzo car il n'y a pas de correspondance le même jour entre le train et le bateau. Mais c'est un plaisir plus qu'un devoir car l'accueil de la population vous restera en mémoire. Le seul moyen de parvenir ici est par train ou bateau. Pas de route. Pas de plage.
Le lieu fait penser à l'Afrique espagnole (avec son palu), les gens sont gentils et accueillants. Possibilité de quitter le village en camion ou en bateau.

– *Pour gagner Esmeraldas,* une barque quitte San Lorenzo plusieurs fois par jour jusqu'à Puerto Limones (2 h de bateau) et La Tola. Puis 4 h de bus pour

Esmeraldas. Si vous allez jusqu'à Esmeraldas, partez tôt le matin pour faire tout le voyage en un jour.

– *Pour se rendre de San Lorenzo à Ibarra,* prendre l'autoferro : un curieux bus monté sur rail. Expérience assez originale ! Ce train est un chef-d'œuvre du genre. Il arrive entre 7 h et 12 h et repart quand il veut. Le billet se prend à 5 h si vous voulez avoir une place. La concurrence avec les autochtones est rude. On vous promet une aventure hors du commun. On peut voyager sur le toit, c'est le même prix et c'est fabuleux. Traversée de paysages étonnants, aux accents d'Amazonie. La région est habitée par des Noirs qui possèdent leur propre folklore. Le coin est très peu fréquenté, ce qui augmente le piquant de l'expédition. Comptez 10 à 13 h de voyage. Voir aussi le texte sur Ibarra concernant l'autoferro.

– *Bateau* pour la Colombie de temps en temps. Se renseigner.

Où dormir ?

☛ *Hôtel Colón :* bon marché, mais assez bruyant. Près du port.
☛ *Hôtel Ibarra :* calle Ernesto Cornel. Près de la place centrale. Très moyen. Moustiquaire dans les chambres. Marchander.
☛ *Hôtel-restaurant Johnny :* un des moins moches de la ville. Patron sympa et serviable. Quelques rats dans les chambres (ne pas y laisser de la nourriture).
☛ *Residencial Carondelet :* sur la place principale en venant du port à gauche. ☎ 780-202. Bon marché. Chambres propres. Douche froide. Si possible, réserver.

GUAYAQUIL

C'est la plus grande ville du pays. A la fois le centre économique et un des grands ports du Pacifique Sud. Elle fut fondée au XVIᵉ siècle par Francisco de Orellana, qui découvrit l'Amazone. La ville est située sur un golfe, sur les rives de la rivière Guayas. Tout au cours de son histoire, Guayaquil connut de nombreuses attaques de pirates, des incendies et moult tremblements de terre. Ce qui lui donne une architecture très décousue. Aujourd'hui, la ville compte environ 1,5 million d'habitants. Elle est assez chère et d'un intérêt limité. Chaleur tropicale, surtout quand on vient des Andes. Contrairement à Quito, la vie ici est plus décontractée, gaie et nonchalante. Certaines rues sont très animées jusqu'à une heure avancée de la nuit.
Attention : les vols sont fréquents.

Adresses utiles

– *Office du tourisme :* Aguirre 104 et Malecón Simón Bolívar. ☎ 328-312. Plan de la ville.
– *Alliance française :* Urtado 436 et José Masote.
– *Livres français :* Busamante, calle Chile 114-116.
– *Poste restante :* Aguire et Pedro Garbo.
– *American Express :* c/o Ecuatorian Tours, 9 de Octubre 1900.9.
– *Siège de la carte bleue VISA :* Malecón (et Elizalde). ☎ (4) 511-240.
– *Consulat de Belgique :* Malecón 2305, apartado 660. ☎ 513-380.
– *Consulat de France :* Pedro Garbo 613. Entre Aguirre et Luce. 5ᵉ étage. ☎ 512-337 ou 328-159.
– *Ambassade et consulat de Colombie :* Malecón 606 et Orellana. ☎ 304-419.
– *Ambassade et consulat du Pérou :* avenida 9 de Octubre 411, Cordova. 6ᵉ étage. ☎ 512-738.
– *Terminal de bus :* à côté de l'aéroport. Départ de tous les bus longue distance.

Où dormir ?

Pratiquement impossible de trouver un lit à un prix abordable. Les hôtels les moins chers se trouvent tous aux alentours de l'avenue principale : avenida 9 de Octubre.

🛏 *Hôtel Delicia :* calle Ballen 1105. Entre Moncayo et Montufar. Près de la place centrale. Bon marché, sûr et propre. Un des meilleurs pour le prix.
🛏 *Hôtel Victoria :* Moncayo 1527 et Colón. Propre, près des bus. Douche dans les chambres. Quartier assez mal famé.
🛏 *Hôtel Sanders :* à l'angle des calles Luque et Moncayo. Très correct.

Où manger ?

✗ *Restaurante Natural :* calle Baïter 829. Un bon resto, l'un des moins chers du pays. Plats cuisinés avec sauce à la viande et des légumes.
✗ *La Cruz de Lorena :* calle Jumin 417. Tenu par un Français. Pas trop cher et bonne cuisine.
✗ *La Herradia :* Pedro Moncayo 719. Spécialité de yaourts aux fruits avec du *pan de yuca*. Délicieux.
✗ *Le Gaos :* calle Colón 326. Récent et propre. Le patron est sympa. Prix très raisonnables.
✗ Nombreux **restos chinois** bons et peu onéreux.

A voir

▶ *Musée municipal :* calle Sucre y Pedro Garbo, derrière la bibliothèque. Fermé le lundi et le mardi. On peut découvrir de vraies têtes réduites, assez surprenantes. Mais à part ça, assez peu de choses à voir. Demandez un plan de la ville.

▶ *Musée de l'Or :* casa de la Cultura Ecuatoriana, 9 de Octubre et calle Machala (VII Piso). Splendides collections.

▶ *Le cimetière :* joli avec ses tombes toutes blanches. Surnommé la « Ville Blanche » (*Ciudad Blanca*), c'est une attraction touristique : une véritable mer d'une blancheur aveuglante sous le soleil, composée de tombeaux et de mausolées et traversée par des chemins tachetés de gerbes de fleurs. Ici, grâce à l'imagination des architectes, on s'est efforcé de garder vivant le souvenir des morts. Ils sont rangés en hauteur, les plus pauvres en haut. Jusqu'où peuvent aller les différences sociales... Les plus riches se font carrément construire des mausolées. Ainsi un banquier a bâti le sien en forme de coffre-fort. Un enterrement à Guayaquil est un spectacle incroyable, surréaliste, où se mêlent cris et pleurs, rires et danses au son de la musique « salsa » des criollos. L'alcool est intimement lié à la cérémonie.

▶ *Museo de Arqueologia :* Banco Central, avenue 9 de Octubre y José de Autopara (à l'angle) 3ᵉʳᵒ Piso. Gratuit. Expositions temporaires de grande qualité.

▶ De l'autre côté du fleuve, **Duran**, autrefois intéressant pour son cimetière de vieilles locomotives. Aujourd'hui, elles sont un peu pourries. Traversée : bateau ou bus. Évitez d'y passer la nuit.

▶ *La ville ancienne,* surtout dans le quartier *Barrio Las Peñas,* un peu décevant, et le marché. Pas mal d'agressions et de vols. Beaucoup de gens déconseillent d'aller à Las Peñas.

▶ *Parque Bolívar :* en face de la cathédrale. Superbes spécimens d'iguanes.

▶ *Monte Cristi :* sur la route de Manta, à 200 km. C'est là, entre autres endroits, que l'on fabrique des chapeaux « panama ». Montez en haut du village. Très beau.

Excursions

▶ De Guayaquil, *excursions dans la jungle :* Vinces, Babahoyo ; oiseaux exotiques, fruits tropicaux, cacao...

▶ On peut également joindre les *plages* de *Salinas, Punto Carnero* ou *Playas,* qui ne sont pas terribles d'ailleurs. Mieux vaut aller à Atacames.

Quitter Guayaquil

– *Bus :* grand choix dans toutes les directions. La compagnie *Viatur* est l'une des plus confortables. Les bus partent du nouveau terminal terrestre, à l'extérieur de la ville.

Pour aller au Pérou

Prendre un bus Guayaquil-Huaquillas : plusieurs départs par jour. Plusieurs compagnies font ce parcours. 6 h de voyage pour 270 km.
Évitez de vous arrêter à Machala (la capitale mondiale de la banane) qui n'a rien d'intéressant.

Pour Esmeraldas (côte Pacifique) :

– *Compagnie Occidentales.*
– *Compagnie Trans-Esmeraldas :* durée 9 h.
– *Camions :* moins chers mais plus lents, bien sûr. Renseignements au 1104 Sucre.
– *Bateau et autobus :* de Guayaquil à Puerto Bolívar (à 6 km de Machala), prendre le bateau quotidien (sauf dimanche) au port de Guayaquil. La traversée de Guayaquil à Puerto Bolívar dure une huitaine d'heures. Le bateau arrive le lendemain matin vers 5/6 h. On peut louer une couchette ou un hamac (moins cher).
De Puerto Bolívar à Machala : autobus tous les quarts d'heure. A Machala, autobus toutes les demi-heures pour Huaquillas.

A L'OUEST ET AU NORD DE GUAYAQUIL

PLAYAS

Rendre visite à ce petit port le matin, pour le retour des bateaux de pêche en balsa et le marché aux poissons.

🖾 Hôtels chers ou sales, c'est selon. Sur le Malecón : *Miraglia*, un peu crade. *Marianella*, mêmes prix, un peu mieux (avec bains et moustiquaire). *El Galeón*, près de l'église, encore mieux et un peu plus cher. Essayez aussi l'*hôtel Acapulco,* très correct. Le resto est très cher.

– Pour se rendre à Playas, bus de Guayaquil de 7 h à 20 h, toutes les 30 mn.

SALINAS

Station balnéaire pour routards friqués où l'on pratique la pêche au gros. Rien d'autre à faire, sinon *farniente.* Super carnaval en février. Pas mal de bus de Guayaquil. 2 h 30 de trajet. Liaison depuis Playas avec correspondance à El Progreso. Terminal des bus à La Libertad (à 5 km de Salinas). Quelques moustiques. Eau parfois manquante dans les hôtels (pas potable).

🖾 Pour dormir : *El Caracol,* le dernier de la digue. Pas trop mal (avec bains privés). Marchandez en semaine. *Brisa,* bien aussi, un peu plus cher. *Hôtel Salinas* (General Enriquez y la 27) et l'*hôtel Yulee,* plus chers, plus confortables.

✖ On mange bien et à prix modérés à l'*hôtel Salinas.*

▶ Aux environs, ne pas rater ***Anconcito***, petit port de pêche très animé. A environ 30 mn de Salinas. A visiter tôt le matin.

PUERTO LOPEZ

Sur la route de Salinas à Jipijapa. Conditions de voyage assez éprouvantes car route en mauvais état. Entre Salinas et Puerto Lopez, très longue plage de Manglaralto, mais le site en soi présente peu d'intérêt. En prenant le premier bus depuis Salinas ou Jipijapa, possibilité de s'arrêter à Puerto Lopez au moins deux heures, en attendant le bus suivant. Belle anse, maisons colorées. Deux hôtels. Jipijapa est à 4 h 30 de La Libertad. Trois bus par jour : 8 h, 10 h et 12 h. N'a pas grand-chose à proposer, à part son café.

MONTE-CRISTI

Situé à une demi-heure de Manta. Vannerie et chapeaux de Panama. En fonction de leur qualité, les prix peuvent s'envoler. Échoppes le long de la route et dans le village. Possibilité de voir un petit atelier de fabrication (les gamins vous abordent à la sortie du bus). A noter que les chapeaux ne sont pas moins chers qu'ailleurs.

MANTA

Grosse animation dans les guinguettes de la digue. Beaucoup d'hôtels sur le Malecón, mais celui-ci est loin du terminal (traverser le rio). Hôtels chers, à part le *Niza*, correct et prix très modérés. Juste en face, le *Boulevard*, bon resto de poisson.

AU SUD DE GUAYAQUIL

MACHALA

A 3 h de Guayaquil. Pour les fanas des bananeraies.

➡ Pour dormir, *hôtel Cueva de Los Tavos*. Très correct et pas cher.
➡ Resto *Don Angelo,* près de la place centrale. Bonne nourriture.

▶ A 5 km, *Puerto Bolívar :* port assez sale. Chargement des bananes dans les cargos (demander l'autorisation à la capitainerie pour assister aux manœuvres de chargement).

LES ILES GALAPAGOS

On les appelle Galapagos. Elles portent en réalité le nom d'« archipel de Colón ». Elles sont situées à 1 000 km à l'ouest des côtes équatoriennes et sont composées de treize îles, ainsi que de quelques dizaines d'îlots qui s'étendent sur 8 000 km². On pense que les insectes arrivèrent ici poussés par les vents ou sur des morceaux de bois à la dérive. Ce qu'il y a d'exceptionnel, c'est que personne ne vint sur ces îles avant le XVIᵉ siècle. Tout est donc demeuré intact depuis la nuit des temps, l'homme n'ayant pas eu l'occasion de forger la nature à son gré. Découvertes en 1535, elles servirent surtout de refuge aux marins naufragés et aux pirates.

En 1835, Charles Darwin y séjourne cinq semaines. Vingt-quatre ans plus tard, il publie *Théorie de l'évolution des espèces*. En 1959, le gouvernement équatorien, en raison du caractère unique de l'archipel, crée un parc national. En même temps naît la Fondation Charles Darwin, dont la mission est de préserver un écosystème exceptionnel. En 1978, l'Unesco inscrit les Galapagos sur la liste du patrimoine mondial.

Près de 10 000 personnes vivent sur ces îles, dans des conditions très difficiles : pas d'électricité de minuit à 6 h 30, pas d'infrastructures médicales. Le nombre de touristes autorisés à visiter l'archipel ne doit pas dépasser un certain quota, mais le gouvernement équatorien semble de plus en plus désireux d'« exploiter » le côté touristique de ces îles. Parmi les différents projets déjà réalisés, citons la fermeture de certaines îles au tourisme, qui sont devenues totalement préservées, réservées à la science, en contrepartie de quoi les espèces animales seraient présentées au public dans une ou deux îles faciles d'accès. Actuellement, il y a en tout et pour tout 45 points d'accès autorisés et cela suffit amplement pour voir tous les animaux existants.

Comment y aller ?

En général, les touristes viennent de Quito ou de Guayaquil en avion. On atterrit près de l'île de Santa Cruz, à Baltra. Le tour des différentes îles se fait en bateau, en participant à une excursion de 3 à 7 jours, voire plus. Il faut savoir que le billet est très cher. L'entrée du parc est également très élevée. Un voyage aux Galapagos coûte la peau des fesses mais ça vaut le coup si on s'intéresse réellement aux animaux. Sinon, excellente occasion de faire des économies en s'abstenant.

Agences de voyages

– *Uniclam* : à Paris. Cette agence possède son propre bateau. Adresse dans « Comment aller en Amérique du Sud ? ».
– *Yanasacha* : avenida Republíca 189 y Amalgro. ☎ 52-89-64. Une des agences de voyages les moins chères pour les excursions aux Galapagos.
– *Economic Galapagos Tours* : calle Pinto 523 (et avenida Amazonas), Quito. ☎ 55-00-94 ou 55-12-33. Forfait pour 7 jours (sans le vol en avion) sur un bateau de pêcheurs avec guide, capitaine et cuisinier. On y vend des billets d'avion pour les Galapagos sans bénéfice. Utile à connaître quand on sait que les agences achètent toutes les places d'avion pour les revendre (obligatoirement) avec un tour en été en tout cas. Confirmez sur place le vol retour.
– *Agence Kleintours* : avenida los Shiris à Quito. En face du vivarium. Ils proposent un tour aux Galapagos de 5 jours à bord d'un petit yacht prévu pour 20 personnes, tout neuf, vraiment confortable et agréable. Tout compris, des prix finalement honnêtes.

Avion

– Avec la *Tame*, tous les jours sauf le dimanche. Prix très élevé pour les étrangers (7 fois le prix que paient les gens du pays). Réduction étudiants, si on a un justificatif, allant jusqu'à 20 %.
– *Vuelo logistico* (armée) : même prix que les gens du pays. Possibilité d'obtenir un billet pour les étudiants en biologie : allez à l'ambassade afin de faire faire une attestation. Pour les non-étudiants, essayez tout de même d'avoir un papier. Puis allez à la FAE, à Quito. Toutefois, l'emploi de l'espagnol est nécessaire, tout comme beaucoup de temps et d'énergie. Un ou deux vols par semaine, mais fréquemment annulés. Bref, un peu la galère.

Louer un bateau

Les avions atterrissent généralement à Baltra, situé à deux pas de l'île de Santa Cruz. Un bus vous emmènera au Puerto Ayora (sur l'île de Santa Cruz). C'est de là que s'organisent les excursions en bateau pour visiter les îles. C'est pratiquement la seule possibilité de les voir. Pas très facile de trouver un bateau en juillet et août car beaucoup de touristes... comme vous. Ceux qui disposent de deux mois peuvent s'embarquer sur le bateau de la poste, ce qui est très bon marché (mais une seule rotation toutes les six semaines). La plupart des voyageurs sont donc obligés de louer un petit bateau. Il y en a à tous les prix. Cela va du bateau au confort rudimentaire au yacht de croisière. On dort dessus et la nourriture est en plus (petite cuisine dans chaque « yacht »). Pêchez un peu, ça améliore l'ordinaire (la richesse en poissons est énorme). Tout bateau est accompagné par un capitaine, un mousse et un guide. Grand bateau : 6-12 personnes.

Les prestations à bord sont très variables. Se renseigner auprès de ceux qui descendent des bateaux. N'hésitez pas à établir un programme dense, les capitaines voulant toujours économiser leur essence ! Ce programme doit être défini en totalité avant le départ, en accord avec les différents partenaires. On conseille les îles du Sud, mais toutes sont superbes.

Le bateau *Daphné* pour faire le tour des îles est un peu cher, mais très propre. La nourriture y est excellente. La plupart des bateaux n'abordent pas les îles. On accoste en général à bord de *pangas*, sortes de petits canots.

Comme parcours en 6-7 jours, nous vous proposons les îles suivantes (s'arranger pour terminer à Baltra d'où l'on reprend l'avion). Bien sûr, on peut s'organiser comme on veut :

1) Santa Fé ;
2) Española ;
3) Plaza, Tortuga Bay ;
4) Rabida, Porto Garcia ;
5) Santiago ;
6) San Bartolomé ;
7) Seymour.

A propos des guides...

Certains d'entre vous loueront les services d'un guide, ne serait-ce que pour disposer d'une embarcation. Nous avons reçu un grand nombre de plaintes – mais aussi des courriers de routards satisfaits – à ce propos, et l'on ne saurait vous conseiller Untel ou Untel. Aussi renseignez-vous bien et n'hésitez pas à « tester » le bonhomme en vous faisant décrire scrupuleusement le parcours. Sachez que tous s'entendent plus ou moins sur les prix et que les grands discours mirobolants masquent le plus souvent une grande médiocrité. Ceux qui seront passés par Otavalo auront eu le loisir de s'informer à la *cafétéria Shanandoah* où des routards ont affiché maints conseils... et avis sur les guides. Et puis il y a les autres routards...

L'ILE DE SANTA CRUZ

La plupart des touristes, avant de s'embarquer pour une excursion, séjournent dans le village de **Puerto Ayora,** le plus grand port et le plus grand village de l'île de Santa Cruz. C'est de là que partent les bateaux. Plusieurs petits hôtels pas chers. Les 2 premiers sont situés au nord du village, en direction de la station Darwin.

– **Change :** essayer de changer son argent avant d'atterrir aux Galapagos, où les taux sont très défavorables. Les commerçants changent parfois, mais, là encore, vous êtes perdant.

Où dormir ? Où manger ?

🛏 **La famille Angermeyer** (des Allemands qui vivent depuis les années 30 dans les îles) loue des « bungalows », cheminée comprise. Possibilité de cuisine au feu de bois, douche et lavoir. Cadre paradisiaque (bungalows au milieu des cocotiers). Assez bon marché. Joli jardin où l'on peut faire griller des poissons. Malheureusement, propreté parfois douteuse ; et accueil pas toujours très agréable. Là aussi, une population animale aussi nombreuse qu'active.

🛏 **Hôtel Darwin :** rue principale. Très propre, possibilité d'y prendre le petit déjeuner.

🛏 **Pension Gloria :** assez sale mais bon marché. En bord de mer. Le patron, Bolívar, est un petit bonhomme malicieux et débrouillard.

🛏 **Hôtel Palmeras :** très propret. Plus cher. On peut aussi essayer le *Colón.* Pas donné non plus.

✗ **Resto La Foca :** bien et pas trop cher. Près de l'hôtel *Palmeras.*

✕ **Resto Bibus :** excellents pains de bananes et petits déjeuners. Il y a aussi de bonnes pizzas et crêpes. Musique sympa.

✕ **Abarrotes Veronica :** almuerzos et *merriendas* bons et abordables.

✕ **El Pescador :** on peut manger dehors sur la terrasse, menus bien cuisinés.

✕ **Restaurant Gemelitos :** pas directement au bord de la mer. Un petit peu plus cher, mais des portions abondantes. Très propre.

A voir

Faune intacte depuis des millénaires, puisque la population humaine des îles ne date que du siècle dernier ; les espèces les plus intéressantes sont, bien sûr, les fameuses tortues géantes, les iguanes géants, les albatros, mais aussi de superbes reptiles dont les ancêtres traversèrent l'océan. On dénombre 56 espèces d'oiseaux dont 27 n'existent que sur l'archipel. Il n'est pas rare de rencontrer des dauphins. Le sol volcanique confère à l'endroit un aspect lunaire. Origine des études de Darwin sur l'évolution de la vie. « Un laboratoire vivant », disait-il. En fait, la théorie de Darwin peut se résumer à ceci : l'évolution de la vie s'est faite sur la terre à partir d'éléments simples par le moyen de sélections naturelles, c'est-à-dire par l'élimination dans la nature de toute reproduction de ce qui est le moins apte à survivre dans un milieu donné.

Les espèces se sont adaptées au milieu naturel ou ont disparu. Ainsi vous verrez des oiseaux de même espèce qui, d'une île à l'autre, ont des ailes ou le bec différents, car le sol et la végétation ne sont pas les mêmes.

▶ **Station internationale Darwin :** à 15 mn à pied du centre de Puerto Ayora. Des tortues géantes (de plus en plus rares à l'état sauvage) — et des scientifiques partout. Musée très intéressant sur l'évolution des îles.

▶ **Plage de Tortuga Bay :** sur l'île de Santa Cruz. Prenez de bonnes chaussures car lave coupante. Emportez boisson et repas : rien sur place. Seule plage où le camping « sauvage » est permis (prévenir au préalable la police pour que l'on sache où vous chercher...). Un petit paradis sans beaucoup de tortues, mais avec moustiques !

▶ Ne manquez pas *la reserva,* réserve de tortues géantes à l'état sauvage. Rejoindre Santa Rosa (22 km). Pour ce faire, on peut prendre le bus du matin qui dessert l'aéroport de Baltra. On peut y louer des chevaux. Le chemin part plein sud sur 2 km, puis soit à droite, soit à gauche, c'est pareil. Un guide n'est pas nécessaire, quoi qu'on vous dise !

LES AUTRES ILES

▶ **Isla Española :** la plus intéressante d'après tous les « connaisseurs » et experts. 10 h de bateau. Pas du tout peuplée. Soyez prudent, la mer est souvent sauvage : si les gens du village disent que c'est « un peu difficile aujourd'hui », ça veut dire que c'est l'enfer. Un des seuls endroits au monde où se reproduisent les albatros. Très beaux fous à pattes bleues et fous masqués.

▶ **San Bartolomé :** sol volcanique, un paysage surprenant. Escalader le cône volcanique. Une des plus belles vues sur l'archipel. Il y a également des lions de mer et des pingouins.

▶ **Plaza :** idéal pour une balade d'une journée, et on y trouve pratiquement de tout. Assez proche. Lions de mer, iguanes et jolies mouettes.

▶ **Isabela :** l'île la plus pure, la moins touchée par le tourisme. Quatre grands volcans et un lac salé dans le cratère Darwin.

▶ **Tower (Genovesa) :** un des rares endroits de nidification du fou à pattes rouges et de milliers d'autres espèces.

▶ **James (Santiago) :** intéressantes promenades sur les champs de lave durcie aux formes tourmentées.

▶ **Seymour Nord :** abrite de grandes colonies de lions de mer, de frégates et de fous à pattes bleues.

▶ **Narborough (Fernandina) :** intéressantes colonies d'iguanes marins sur la côte, de cormorans non volants, de pélicans et de pingouins.

▶ *Floreana (Santa Maria) :* flamants et fous à pattes bleues. Une tradition de l'île, qui remonte à l'époque des baleiniers, veut qu'on poste son courrier dans un tonneau.

Plongée

Avec un masque et un tuba, vous aurez la possibilité de visiter l'autre partie des Galapagos : le monde sous-marin. Visiter les îles est une chose fabuleuse. Nager au milieu des phoques et de milliers de poissons en est une autre.
Le monde sous-marin des Galapagos offre aux amateurs de plongée la possibilité de rencontres inattendues avec les grandes créatures marines des profondeurs. En surface, les lions de mer et les phoques viendront vous saluer.
Un conseil : achetez un masque et un tuba à Quito ou dans une autre grande ville, vous ne le regretterez pas. Sur place, vous risquez de les payer très cher.

LA BOLIVIE

Ici, les coups d'État et les révolutions sont monnaie courante. Quel est le pays qui peut se vanter d'avoir connu six présidents en trois jours ?
Peut-être pourrez-vous voir, sur la plaza Murillo de La Paz, la BMW série 7 noire, blindée et aux vitres fumées, du président de la République. De chaque côté, des orifices pour les mitraillettes. Quand une élection est organisée, les militaires ont la migraine. La Bolivie, c'est vraiment l'Amérique du Sud tel qu'on se l'imagine.
Population accueillante et (ça, c'est une bonne nouvelle) pratiquement pas de problèmes de vol et de sécurité. C'est vrai que le tourisme de masse n'y a pas encore pénétré. Pour nous, c'est un pays d'une très grande richesse sur le plan humain et culturel. Ne vous contentez pas de La Paz. La Bolivie mérite vraiment au moins une semaine...

Adresses utiles, formalités, vaccinations

– **Ambassade et consulat de Bolivie :** 12, av. du Président-Kennedy, 75016 Paris. ☎ 45-25-47-14. M. : Passy. Ouvert de 10 h à 13 h 30 du lundi au vendredi.
• *à Marseille :* 66, bd Notre-Dame, 13006. ☎ 91-33-85-85.
• *à Lyon :* 18, rue d'Algérie, 69001. ☎ 78-28-22-41.
• *à Bordeaux :* 17, rue Jean-Jacques-Rousseau, 33000. ☎ 56-52-68-17.
– **Promotour Bolivie :** 8, rue Mabillon, 75006 Paris. ☎ 48-86-95-59. Ouvert du lundi au vendredi de 10 h à 18 h et le samedi de 11 h à 16 h. Nouveau représentant officiel de l'Office du Tourisme bolivien.
– **Lloyd Aero Boliviano (LAB),** représenté par *Nouveau Monde :* 8, rue Mabillon, 75006 Paris. ☎ 43-29-43-95. Si vous êtes pressé pour visiter la Bolivie, nous conseillons d'acheter un billet circulaire en France.

• *En Belgique*

– **Ambassade de Bolivie :** av. Louise, 176, boîte 6, Bruxelles 1050. ☎ 647-27-18 et 647-30-61. Même adresse pour le consulat.

• *En Suisse*

– **Ambassade de Bolivie :** 7 *bis*, rue du Valet, 1202 Genève. ☎ 731-27-25.
– **Consulat honoraire :** 2, rue du Lion-d'Or, Lausanne. ☎ 123-14-81. Habilité à délivrer le visa.

• *Au Canada*

– **Ambassade de Bolivie :** 130 Albert Street, Suite 504, Ottawa, Ontario KIP 5G4. ☎ 613-235-82-37. On y obtient le visa.

Formalités

– *Passeport* en cours de validité. *Visa* obligatoire (valable 30 jours). Il revient deux fois moins cher si on le prend à la frontière, mais il faut alors payer en dollars. Si vous le prenez en France, prévoyez environ 150 F, une photo d'identité et la photocopie de votre billet d'avion aller-retour (ou une attestation de l'agence qui organise votre voyage, si c'est le cas).
– *Certificat international de vaccination antiamarile (fièvre jaune) :* demandé uniquement en cas d'épidémie. Rappel : cette vaccination est quasi obligatoire, surtout si vous allez dans les zones tropicales. Il est conseillé aussi d'être vacciné contre l'hépatite.
– *Permis de conduire international :* indispensable pour ceux qui souhaitent louer une voiture. Il doit être validé sur place par l'*Automobile Club bolivien* et la police de la circulation *(Transito),* sans frais. Un permis temporaire peut également être obtenu sur présentation d'un permis étranger (2 jours de démarches et environ 50 $ US de frais).

Argent, banques, change

Il est possible de changer dans les maisons spécialisées *(casas de cambio)*. Elles sont plus avantageuses que les banques, comme toujours. En général, il vaut mieux changer dans les magasins plutôt que dans la rue. Cependant, cette forme de change peut être utile pour dépanner et éviter l'attente dans les banques et casas de cambio (différences de taux minimes avec celles-ci). A la frontière et à l'aéroport, ne changer qu'une petite somme, taux bien plus intéressant à La Paz.
N'emportez pas que des chèques de voyage. Ils sont parfois difficiles à changer. La carte bleue est acceptée dans les banques principales seulement et très peu dans les boutiques et restaurants.
La monnaie nationale est le *boliviano*.
Les monnaies européennes étant souvent inconnues, il vaut mieux conserver ses dollars. Le dollar est accepté au taux du jour dans un grand nombre d'hôtels, restaurants, marchés artisanaux et magasins. En revanche, il n'est pas accepté dans les stations-service et les marchés officiels. Évitez de changer des soles en pesos : vous êtes perdant de moitié.

Achats

— *Textiles* : les fameux *ponchos* en laine de lama ou d'alpaga sont plutôt bon marché mais de moins bonne qualité qu'au Pérou. Les *chullos,* bonnets phrygiens multicolores, ou les fameux *chapeaux melon* en feutre portés par les femmes. Les tapis ou les couvertures.
— *Bijoux* en argent.
— *Antiquités.*
— *Peaux,* sacs à main.
— *Instruments de musique* : nous vous avons concocté une rubrique pour la plupart des villes, avec les meilleures adresses et rapports qualité-prix.
— N'achetez pas de *charangos* fabriqués à partir de carcasses de tatous qui sont en voie de disparition.
— *Fourrure d'alpaga* : généralement moins chère qu'au Pérou.
Toujours savoir marchander, mais vous vous apercevrez que les limites sont très vite atteintes.

Divers

— *Heures d'ouverture des magasins* : 9 h à 12 h et 14 h à 18 h. Le samedi après-midi, c'est fermé.
— *Routards photographes* : pellicules papier meilleur marché qu'en France. A part La Paz, pellicules diapo quasiment introuvables (ainsi que le noir et blanc) dans le reste du pays. Et encore, à La Paz, chez le dépositaire Kodak, vous ne retrouverez que de l'Ekta. Pas de Kodachrome 25 ou 64 !

Boissons

— Au petit déjeuner, dégustez l'*api,* boisson chaude et épaisse, de couleur violet sombre, faite avec du maïs et de la cannelle : délicieux goût de mûres.
— *Pisco* ou *singani* : petit alcool local, le plus souvent en cocktail.
— La *chicha* bolivienne est à notre avis meilleure que celle du Pérou.
— Bière locale (Pilsener) bonne et pas très chère. Le *yungens* est un mélange d'eau-de-vie, de raisin et de jus d'orange.

Climat, température, végétation

La situation tropicale de la Bolivie fait que les saisons sont directement liées au régime des précipitations. La canicule dans les plaines (Trinidad, Santa Cruz) et la forêt, le blizzard en altitude (Oruro, Potosí). Tout prévoir, même sa petite laine. La meilleure période pour visiter la Bolivie est pendant la saison sèche, c'est-à-dire entre mai et novembre. Sur l'Altiplano, il peut faire très froid la nuit en juillet-août (c'est l'hiver austral), mais assez chaud la journée (15 à 20°C) si le blizzard ne souffle pas. Ces climats contrastés seront, à coup sûr, l'un des exotismes du voyage !

Il est difficile de prévoir le type d'habillement. Il fait souvent très froid en altitude, surtout le soir, tandis que dans les vallées et en forêt le climat est chaud et très humide. En général, les routards s'équipent léger et achètent sur place le complément, les vêtements de laine étant courants et bon marché.

Cuisine

C'est une cuisine très relevée. Les piments sont toujours dans la recette. Les restaurants sont bon marché. Les repas les moins chers se trouvent au *comedor popular,* près du marché. On trouve un comedor popular dans presque toutes les villes.

Il faut goûter particulièrement aux :
- *sajta de pollo :* poulet + piments.
- *aji de lengua :* langue de bœuf + piments.
- *anticuchos :* brochettes de cœur de bœuf + piments.
- *fricassé :* plat avec du porc et du maïs.
- *empanada saltena :* sorte de chausson à la viande et aux oignons, excellent quand c'est chaud.
- *chicharón :* morceaux de porc (le plus souvent) grillés. On en trouve partout sur les marchés.
- *parillada :* morceaux de viande différents (tripes, steaks, cœur, rognons, etc.) grillés au feu de bois. On apporte la parillada sur des petits barbecues portatifs et ça finit de cuire à table.
- Toutes les soupes (*sopas,* bien sûr) sont excellentes et pas chères. Très appréciées en altitude.

Le midi, dans les restos, il faut prendre des « déjeuners familiaux », affichés à l'entrée. Pas cher, bon, très complet, service rapide. Sinon, les plats variés sont plus chers qu'au Pérou, et le service est très lent.

Coca

La consommation de coca est libre et particulièrement courante. On prend une boule de feuilles que l'on mâchonne comme un chewing-gum. C'est un excellent tranquillisant et certes pas un euphorisant quelconque, mais on peut ne pas aimer (c'est même assez fréquent). Très bon pour le mal d'altitude. La meilleure solution consiste à la prendre en infusion (*maté de coca*).

Fêtes, jours fériés

- *1er janvier :* Jour de l'An.
- *24 au 31 janvier :* feria Alacitas à La Paz.
- *2 au 9 février :* fête de la Vierge à Copacabana.
- *Du vendredi au mardi gras :* carnaval dans tout le pays, notamment à Oruro, Santa Cruz et La Paz.
- *10 février :* fête des Mineurs à Oruro et Potosí.
- *19 mars :* fête de saint Joseph.
- *23 mars :* fête de la mer.
- *15 avril :* fête de Tarija.
- *1er mai :* fête du Travail
- *3 mai :* fête de la Sainte-Croix.
- *13 mai :* fête de saint Antoine de Padoue.
- *25 mai :* fête du Sucre (défilé militaire et discours).
- *13 juin :* fête du Gran Poder à La Paz. Authentique et fascinant.
- *23 et 24 juin :* fête de la Saint-Jean.
- *29 juin :* fête de saint Pierre.
- *16 juillet :* fête de La Paz (défilé militaire !).

- *25 juillet :* fête de saint Jacques.
- *5 août :* fête de la Vierge à Copacabana.
- *6 août :* fête nationale de la Bolivie.
- *16 août :* pour la Saint-Roch, fête des Chiens (notamment à Sucre et Potosí). Les chiens sont décorés de rubans et de papiers métallisés.
- *17 août :* jour du Drapeau national.
- *5 au 13 septembre :* fête de la Nativité à La Paz (cathédrale San Francisco).
- *8 septembre :* fête de Rosasani à Copacabana.
- *14 septembre :* fête de Cochabamba.
- *24 septembre :* fête de Santa Cruz.
- *1er octobre :* fête du Rosaire à La Paz.
- *20 octobre :* fête de La Paz.
- *2 novembre :* fête des Morts.
- *10 novembre :* fête à Potosí.
- *18 novembre :* fête du département du Beni.
- *8 décembre :* fête de l'Immaculée Conception.
- *25 décembre :* Noël.

Le détail de toutes ces fêtes peut être obtenu à l'Institut bolivien du tourisme. Essayez d'en voir quelques-unes, les Indiens font vraiment la « fête » à la Bacchus. L'alcool coule à flots, ils dansent, etc. Un grand moment !

Hébergement

On trouve beaucoup d'hôtels bon marché, si l'on accepte un strict minimum de confort. Bien souvent, il est préférable de dormir dans son duvet sur le lit (propreté et chaleur). Les pensions (ou *residencial*) sont intéressantes, car elles offrent des prix réduits quand on séjourne plusieurs jours. Il y a des taxes (généralement comprises dans les petits hôtels). Les hôtels les moins chers sont appelés *alojamiento*.

Histoire

- *900 à 1200 :* civilisation de Tiahuanaco.
- *1544 :* découverte du « Cerro Rico » (la colline riche) à Potosí. Conquête du haut Pérou.
- *1546 :* Potosí, décrétée ville impériale par Charles Quint.
- *XVIe-XVIIIe siècle :* mise en place de la *mita*, le travail obligatoire dans les mines. Au moins 6 millions d'Indiens moururent pour enrichir l'Espagne.
- *Mi-XVIIIe siècle :* déclin de l'exploitation des mines d'argent.
- *1781 :* immense révolte indienne. Siège de La Paz par Túpac Amaru.
- *1809 :* appel à la révolte de Pedro Domingo Murillo, un métis se revendiquant des idéaux de la Révolution française. Rébellion écrasée, Murillo exécuté, mais premier pas vers l'indépendance.
- *1810-1820 :* guérilla rurale contre les troupes espagnoles. Dizaines de « républiques » (zones libérées) dans le haut Pérou.
- *1824 :* victoire décisive du maréchal Sucre à Ayacucho.
- *1825 :* création de la république de Bolívar (ex-haut Pérou).
- *1879-1883 :* guerre du Pacifique. Pour continuer à exploiter tranquillement le salpêtre et le guano du littoral bolivien, l'Angleterre encourage les visées expansionnistes du Chili. La coalition Pérou-Bolivie est battue par le Chili. La Bolivie perd définitivement son accès à la mer.
- *1901 :* guerre de l'Acre avec le Brésil. La Bolivie y perd encore une grande partie de son territoire. A l'origine, une société anglo-américaine voulant contrôler l'exploitation du caoutchouc.
- *Début du XXe siècle :* l'exploitation de l'étain remplace celle de l'argent. Les Indiens retournent mourir dans les mines. Simon Patiño est le nouveau « roi » de Bolivie en s'enrichissant avec l'étain.
- *1932-1935 :* guerre du Chaco avec le Paraguay. Pour un pétrole qui n'existait pas, la Bolivie perd à nouveau 200 000 km². Là encore, c'est le résultat des manœuvres de la Shell et de la Standard Oil.
- *1946 :* renversement de Gualberto Villarroel, un militaire progressiste qui voulait s'attaquer au pouvoir des propriétaires de mines. Il est pendu à un réverbère de la place du parlement à La Paz.

– *1952 :* révolution ouvrière et paysanne, dirigée par le Mouvement Nationaliste Révolutionnaire (MNR) de Paz Estensoro. Nationalisation des mines, création de la COB (Centrale ouvrière bolivienne), début d'une réforme agraire.
– *1964 :* coup d'État militaire du général Barrientos.
– *1967 :* mort d'Ernesto « Che » Guevarra qui tenta l'implantation d'un *foco* (foyer de guérilla) dans le sud du pays.
– *1971 :* création d'une « Assemblée du Peuple », courte période de pouvoir de la gauche. Coup d'État du général Banzer.
– *1979 :* première élection d'une femme à la présidence de la République, Lydia G. Tejada. L'année suivante, nouveau coup d'État sanglant mené par le général Meza.
– *1982 :* retour à la démocratie. Gouvernement de gauche d'Hernán Siles Zuazo pendant trois ans et qui finit par éclater à cause de ses divisions internes.
– *1985 :* Paz Estensoro, dirigeant du MNR et leader historique de la révolution de 1952, revient au pouvoir.
– *1986 :* marche des mineurs sur La Paz stoppée par l'armée.
– *1989 :* élection du nouveau président Jaime Paz Zamora et mise en place d'un gouvernement de coalition.

Langue

L'espagnol est la langue officielle. Le quechua et l'aymara sont courants, mais assez peu de routards doivent le parler.

Musique, danse

Pour les amoureux de la musique andine, la vraie, la Bolivie demeure le berceau de la *kena*, de la *zampoña* et du *charango*.
A La Paz, dans les grandes villes, dans les villages, la musique est partout ou presque. Sur les marchés, dans la rue, à la radio, dans les peñas, et l'on découvrira souvent que la meilleure, la plus authentique, n'est pas celle qu'on nous a naguère servie.
Pour entendre de la musique, on peut aller dans les peñas, bien sûr. Dans ces cabarets, les artistes qui s'y succèdent interprètent de la musique traditionnelle ou des compositions personnelles.
Attention toutefois ! Les groupes qui s'y produisent sont souvent de pâles copies des groupes à la mode qui entrecoupent leurs prestations d'interminables discours sans intérêt.
Cependant, nous en avons entendu d'intéressants venant de la région de Tarija ou du Norte Potosí dans les endroits fort touristiques.
D'autre part, vous trouverez des disques de vraie musique bolivienne un peu partout en ville, et même sur les marchés.
Au début, bien sûr, on vous proposera le dernier tube du groupe à la mode, surtout si vous arborez un beau pull d'alpaga tout neuf acheté dès votre arrivée (vous avez le choix entre le beige et brun avec des lamas, ou le rose, bleu et mauve avec des dessins géométriques !).
En cherchant (n'hésitez pas à fouiller dans les soldes et les petits disques 18 cm), vous trouverez sûrement des merveilles.
Si vous avez suffisamment de place dans vos bagages, préférez les disques aux cassettes, souvent enregistrées de façon très artisanale, mal enroulées et dont la jaquette ne correspond pas forcément au contenu.
Enfin, pour jouer de la musique soi-même, on trouve dans les villes à peu près tous les instruments à vent, à percussion et à cordes, et à tous les prix.
Le *charango* se présente comme une petite mandoline à cinq cordes doubles. C'est, avec la kena, l'instrument le plus populaire en Bolivie.
On peut trouver d'excellents charangos dans les boutiques ou sur le marché. Sinon, adressez-vous aux ateliers de lutherie. Certains facteurs connaissent la faveur des musiciens locaux, d'autres ont connu leur heure de gloire. Préférez les charangos en bois, les caisses de résonance en carapace de tatou sont moins sonores, plus fragiles, et, en plus, laissez vivre en paix ces petites bêtes.
Les instruments à vent (la *kena* est la flûte droite à encoche, la *zampoña* la flûte de Pan andine, la *tarka* un gros flageolet de bois aux sonorités rauques) se trouvent un peu partout. Toutefois, évitez à La Paz les galeries artisanales qui

vous proposeront des zampoñas « de concierto » et des kenas « profesionales »
à des prix prohibitifs, c'est-à-dire dix fois plus chères que chez les artisans du
marché.

Avant de vous donner quelques bonnes adresses, nous aimerions guider les
nostalgiques qui veulent retrouver cette musique à leur retour en Europe.

Les groupes essentiellement composés d'Argentins et de Chiliens, qui sont
venus s'installer en Europe dans les années 60 et 70 (Achalay, Los Incas, Los
Calchakis, Quilapayun, Inti-Illiman, Illapu...), laissent à présent la place à des
groupes plus authentiques et moins commerciaux.

– **En France :** Boliviamanta. On trouve facilement leurs enregistrements (30
cm, cassettes et compact-discs) distribués par la maison *Auvidis.* C'est du pur
(et parfois dur). *Peru Inka, Puka Wara, Myriam Mita* et *Ayllu Sancayo* (cassette
Auvidis), *Los Awatiñas* et *Los Sajras* (installés à Lille), *Aru Amunya* (à Grenoble), *Mallku de los Andes* (ont enregistré à Annecy et en Grande-Bretagne),
Perú Andino (interprète de la musique péruvienne et bolivienne), *Luzmila Carpio*
(chants quechuas de la région de Potosí), *Florindo Alvis,* charanguiste.

– **En Suisse :** Los Jairas. C'est grâce à ce groupe que la vraie musique bolivienne a été diffusée en Europe il y a près de vingt ans. A l'époque, le charanguiste s'appelait *Ernesto Cavour* et le flûtiste *Gilbert Favre, « el Gringo ».*

– **En Belgique :** Kollasuyu Nan, de la trempe de *Boliviamanta.*

Dans le texte, presque chaque ville possède son petit chapitre musique. Vous
constaterez vite que « la » musique bolivienne n'existe pas. Elle est si riche, si
diverse, si surprenante qu'un voyage ne suffira pas pour en faire le tour. Mais
peut-être serez-vous plus circonspect à votre retour en Europe vis-à-vis de la
« musique des Andes »....

Religions

Les Indiens ne se sont jamais faits à ce christianisme ingurgité à coups de
trique. Comment croire à cette religion enseignée par des Espagnols qui les
volaient et accumulaient les richesses tout en prêchant la charité ?

Le christianisme est par essence contraire aux religions indiennes. Il prêche l'hé-
gémonie de l'homme sur les éléments naturels. Seul Dieu est au-dessus. En
revanche, les Indiens adorent le Soleil, la Lune, la Terre... En effet, dans ces
régions, l'homme subit des sécheresses, des tremblements de terre, des inondations, sans pouvoir rien y faire. Il est difficile de croire à ce Dieu tout-puissant
des Espagnols, incapable de dominer la nature.

Voilà pourquoi les religions anciennes et ce que l'on appelle la magie ont gardé
un impact considérable, en particulier chez les populations les plus soumises
aux éléments naturels (les paysans, par exemple). Il faut voir le marché aux sorciers de La Paz pour s'en rendre compte. La magie en Bolivie est le quasi-
monopole d'une tribu du nord du lac Titicaca, les *Callahuaya.* Les guérisseurs
(curanderos) sillonnent les campagnes pour vendre (cher) un peu d'espoir. Mais
de tout temps, les esclaves ont tenu à avoir les mêmes idées que les maîtres. Et
la religion catholique est devenue celle des Indiens.

En fait, dans la religion pratiquée par les Indiens, il existe une cohabitation
bizarre entre le paganisme et le catholicisme. L'Indien a tendance à considérer
comme religieux tout ce qui est incompréhensible. Il ira à la messe car les costumes du prêtre et ses gestes sont mystérieux. Il priera pour soigner son
enfant, mais cela ne l'empêchera pas de consulter le *curandero.* Après une
prière dans une église, il en profitera pour acheter un billet de loterie. On ne sait
jamais !

Pour les Indiens, le fœtus de lama est sacré. On l'enterre comme porte-bonheur
dans toutes les fondations, jusque sous les ponts. Même avec un diplôme d'ingénieur des Ponts et Chaussées au fond de la poche.

Santé

Les précautions sont toujours à peu près les mêmes : se méfier de l'eau et, par
voie de conséquence, des salades et des fruits (surtout en Amazonie).

– *Le mal d'altitude,* le *soroche.* Prendre de la Coramine glucose ou manger
beaucoup de sucre chaque fois que l'occasion se présente. On peut acheter
dans n'importe quelle pharmacie des comprimés contre le *soroche.*

– *Attention aux dents :* le petit bobo aux dents devient très vite douloureux en altitude, on a donc intérêt à « n'avoir rien aux dents » au départ.
– Dans les basses terres, surtout dans la région de Cochabamba, protégez-vous contre les insectes. Il existe une sorte de petite punaise de couleur sombre, la *vinchuca*, porteuse d'une maladie terrible, ou « maladie de Chagas ». Ce petit animal ne survit pas au-dessus de 2 900 m d'altitude et existe surtout dans les endroits très sales (genre hôtels mal tenus ou domiciles négligés). Si vous étiez malheureusement piqué, essayez de conserver la *vinchuca* vivante et rendez-vous à l'ORSTOM de Cochabamba. Elles ne sont pas toutes porteuses de la maladie de Chagas. Si c'était le cas, le seul traitement possible se ferait alors immédiatement.

Sports

Pour les alpinistes chevronnés désireux de se rendre au camp de base des sommets de la cordillère royale (Illawpu, Illimani) ou de la frontière chilienne (Sajama).
– *Club andin bolivien :* à La Paz. ☎ 32-46-82. Cartouches de gaz en vente.
– *Bernardo Guarachi :* Edificio Santa Anita, plaza Alonzo de Mendoza, La Paz. Bon guide qui peut vous louer du matériel.
– *Myriam et José Arturo Cordova Guzman :* à La Paz. ☎ 36-02-78. C'est une Belge mariée à un Bolivien. Très sympa.

Transports intérieurs

Les camions

Le système du stop avec participation aux frais est courant. Vérifiez les circuits et les altitudes que vous aurez à emprunter (que de bronchites en souvenir !). C'est sûrement la façon à la fois la moins chère (environ la moitié du prix du bus) et la plus inconfortable de visiter le pays.

La location de voitures

Permis de conduire international exigé (voir chapitre « Formalités »). Le choix d'un véhicule tout-terrain est indispensable étant donné le réseau routier asphalté limité (environ 1 000 km).

Le stop

C'est un peu comme les chasse-neige en Afrique, le stop gratuit en voiture, en Bolivie, on ne connaît pas tellement.

Les autobus

Les *flotas* ont des réseaux assez étendus. État des bus et confort très relatifs et différents suivant les compagnies. Certaines d'entre elles garantissent votre place. Toujours réserver quand on le peut. Surveiller ses bagages aux arrêts. Pour la route de nuit, conserver son duvet et s'en servir comme couverture (en plus du poncho...). Sur certains itinéraires, ce ne sont pratiquement que des bus de nuit.
Les bus entre les grandes villes sont des Pullmans, tout ce qu'il y a de plus confortables et sûrs. L'état des routes, c'est autre chose. Places avec sièges réservés pour quelques bolivianos de plus.

Les avions

Parfois en retard de quelques heures, mais fiables au point de vue sécurité. Bon marché et bien pratiques lorsque l'on a un programme serré (bus très long ! exemple : Sucre-Cochabamba : 10 à 12 h de bus ; en avion : 1 h). Reconfirmer les vols plutôt 2 fois qu'une. Arriver de bonne heure dans les aéroports.
– *Bureaux LAB (Lloyd Aero Boliviano) :*
• *A Cochabamba :* Edificio de Correos, avenida Heroïnas, esquina San Martín.
• *A La Paz :* avenida Camacho 1456-1460.
• *A Santa Cruz :* calle Rene Moreno, esquina S. de Figueroa.
LAB propose un air-pass que l'on ne peut se procurer qu'en France, et à condition de voyager sur LAB pour se rendre en Bolivie. Se renseigner auprès de

l'agence *Nouveau Monde* (voir chapitre « Comment aller en Amérique du
Sud ? »).
— **TAM (Transporte Aero Militar)** propose des vols à l'intérieur à des prix
plus intéressants que LAB, mais ne dessert pas toutes les villes et pas tous les
jours. De plus, récemment la « compagnie » battait de l'aile.

Les trains

Très lents, très encombrés, souvent vétustes et très rares. Régulièrement
remis en état, exportation victorienne (made in G.-B.). Il faut apprécier.
Deux sortes de trains :
— les *omnibus,* avec première et deuxième classe. Les premières ont des
sièges rembourrés et troués, les secondes des sièges en bois.
— les *ferrobus :* trains assez corrects. L'*especial* est moins cher que le Pullman. Prendre les ferrobus, nettement plus rapides. Les autres sont trop éprou-
vants.
Les réservations pour train et bus se font plusieurs jours à l'avance. *Un
conseil :* arriver une à deux heures avant l'ouverture du guichet. Sur les parcours de l'Altiplano, en juillet-août, prévoir le duvet. Pour ceux qui n'en ont
pas, acheter impérativement une couverture (de 0 à −10 °C dans les wagons,
on est à 4 000 m !).

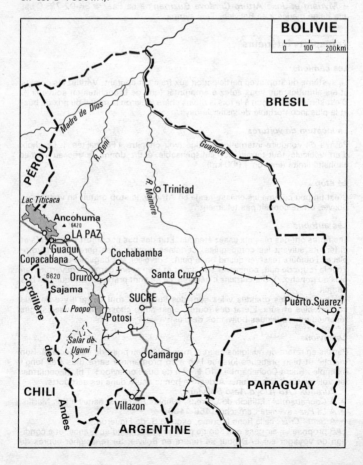

Franchissement de la frontière bolivienne

Ouverture de la frontière vers 8 h. Il est formellement possible d'y obtenir le visa, mais il est toujours mieux de l'avoir en France ou dans une capitale étrangère (les choses peuvent changer !).
Éviter de passer la frontière le vendredi midi (notamment à Desaguadero). Foule énorme, atmosphère de panique, etc. N'oubliez pas de faire tamponner votre passeport en entrant dans le pays.
Il existe un décalage d'une heure entre le Pérou et la Bolivie (attention à la fermeture de la frontière bolivienne).

LIAISONS PUNO - LA PAZ

Deux routes sont possibles ; l'avantage du nombre, c'est la possibilité d'en faire une à l'aller (la première) et l'autre au retour (la seconde, pas mal trouvé).

Via Tiahuanaco, en bus

Une compagnie internationale *Transturin* (bolivienne, chère mais confortable). Mais préférez les transports *Ingavi* qui desservent Tiahuanaco 8 fois par jour. Premier départ à 7 h, dernier à 17 h 30.
Attention, c'est l'hallali général pour les bus. Beaucoup de routards sont restés à Puno plus longtemps que prévu. Arrivez dans les premiers et ne bougez plus de votre place.
La route qui longe le Titicaca est très jolie. Ne pas manquer cette colline entièrement hérissée de crêtes dues à l'érosion.
Faire son possible pour s'arrêter à *Guaqui* (Guaqui Puerto et non Guaqui Pueblo) pour visiter Tiahuanaco le lendemain (voir plus loin).
Il existe aussi des *colectivos* : agences dans Puno.
Plus de train Guaqui-La Paz. Plus de bateau Guaqui-Puno.

Via Copacabana, en colectivo, microbus ou bus

Charmant village au bord du Titicaca (voir plus loin). On peut aussi prendre un bus de la *compagnie Transturin*, jirón Tacna, en face du marché, à Puno. Très confortable. Liaison par *Catamaran bus*, avec un arrêt à l'île du Soleil. Pour nos lecteurs les plus argentés, car 10 fois plus cher que les autres !
Mais la solution la moins chère semble être ces *microbus* qui vont jusqu'à Yunguyo (ville frontière). De là, sur la plaza de Armas, prendre un autre microbus qui vous fait passer la frontière et vous emmène jusqu'à Copacabana. Si les douaniers vous demandent de l'argent pour une taxe... exigez un reçu !
La frontière est ouverte jusqu'à 17 h. Copacabana - La Paz : c'est l'itinéraire le plus beau et certainement le plus facile. Si vous pouvez vous arrêter, l'*église de Pomata* vaut le coup d'œil.

Par l'est

Il est possible de contourner le lac par l'est. Région encore inexplorée par les touristes. A découvrir ! Renseignez-vous à Puno.

COPACABANA

Agréable centre de villégiature au bord du lac Titicaca. Il existe une banque *(Banco del Estado)* dans la rue principale où vous pourrez acheter des pesos boliviens (avenida 6 de Agosto, à côté de l'hôtel *Playa Azul*). N'accepte pas toujours les chèques de voyage. Marché le samedi.

Où dormir ? Où manger ?

🛏 *Hôtel Ambassador :* plaza Sucre, dans le centre même. Propre, bon marché, plutôt agréable. Chambres avec ou sans baño. Cour intérieure au décor un peu kitsch. Resto.
🛏 *Alojamiento San José :* plaza Sucre 146. 30 m après l'*Ambassador*. Bon accueil. Simple, mais bien tenu. Eau chaude jusqu'à 19 h.

ꙮ **Alojamiento El Turista :** avenida Pando 378. Central aussi. Agréable. Terrasses et douches chaudes. Propre et bon marché. Bon accueil aux routards. Essayez d'avoir une chambre sur la terrasse au 3e étage.

ꙮ **Alojamiento Tito Yupanqui :** avenida Gonzalo Jauregui 119. A deux cuadras de la place, vers la plage. Là aussi, simple mais propre. Patio rose et bleu où donnent les chambres.

ꙮ **Alojamiento Emperador :** calle Murillo 235. ☎ 37-26-98. Dans la rue qui monte à gauche de la cathédrale. Calme, coloré, propre et pas cher. Excellent accueil.

ꙮ **Alojamiento Impero :** Conde de Lemo 200. Un peu plus haut que l'*Emperador*. Vue sur le chevet de la cathédrale. Propre. Chambres autour d'une petite cour. Lavanderia.

ꙮ **Residencial Copacabana :** calle Oruro 555. Un peu moins bien que les précédents. Si tous les autres sont pleins. Possède un bon resto à prix raisonnables.

✗ **Restaurante-pension Turistas :** calle Lua. A droite de la cathédrale dans une cave, joli décor. Pas cher du tout.

✗ **El Eden :** à droite du *Playa Azul*. Resto-bar sous des petits toits en roseaux.

Plus chic

ꙮ **Hôtel Playa Azul :** avenida 6 de Agosto. Dans la rue principale montant à la cathédrale. Pas trop cher sûr, mais cher comparé aux autres (sans offrir beaucoup plus !). Seulement en pension complète. Point de chute des groupes (donc pas vraiment pour ceux qui recherchent calme et intimité).

A voir

▸ **La cathédrale :** le plus souvent fermée en dehors des offices. Très jolie, recouverte de faïences comme on en voit en Andalousie *(azulejos),* entièrement restaurée, parvis avec des décorations en galets. Devant, les pittoresques marchands de bondieuseries. Intérieur magnifique. A droite, en entrant, un Christ couvert d'hématomes et de plaies sanglantes. Chaire finement sculptée. Vente d'eau bénite à gauche de l'entrée, dans un bac en ciment. Très célèbre pour sa Vierge dont la couleur change tous les 2 mois, parfois rose, souvent noire ; hier elle était blanche (c'est le Lourdes bolivien). Pèlerinage gigantesque le 5 août. Souvent des processions le samedi.

▸ **Museo Nacional del Arte :** au coin de plaza Murillo. Très bel immeuble. Peintures, sculptures sur bois...

▸ **Le calvaire (rosario) :** en haut de la colline qui domine le lac. Très jolie vue. Ne pas manquer les cérémonies d'inspiration mi-païenne, mi-chrétienne.

▸ Allez voir le **baptême des voitures** tous les jours (jour le plus fort, le samedi) de 9 h à 13 h : surréaliste !

▸ **La fête de saint Pierre et saint Paul,** le 29 juin, qui réunit, aux abords d'une chapelle à 1 km du village, les Indiens dans leurs plus beaux costumes traditionnels. Danses fantastiques rappelant l'invasion des Espagnols. Bien qu'imbibés de chicha et de coca, les Indiens font vraiment la fête jusqu'au coucher du soleil.

▸ **Les îles du Soleil et de la Lune.** Les bateaux à moteur qui vous y conduisent sont très chers. On loue le bateau et non les places. Il est donc conseillé de trouver d'autres touristes. Les bateaux à voile sont moins chers et bien plus agréables. De Copacabana, demandez aux pêcheurs de vous emmener à l'île du Soleil, tôt le matin. Essayez de rentrer pour midi, afin de pouvoir prendre le bus de l'après-midi pour La Paz. En face, sur l'autre rive, s'élève la plus haute montagne du coin : *Illyampu* (6 420 m). A notre avis, si vous avez un programme serré, choisissez plutôt de visiter *Taquile* (et d'y passer une nuit). Ile plus intéressante, à tous points de vue (traditions locales, culture, etc.). Voir la partie « Pérou ».
On peut à la rigueur biaiser en se rendant en taxi ou en camion à Yampupata, et de là traverser en barque jusqu'à l'île du Soleil. Grand escalier inca qui mène à une oasis très agréable. Les fleurs et les arbres contrastent avec l'aridité de l'île. Les voûtes du palais de l'Inca sont particulièrement intéressantes.

— Certaines **balades** sont faisables **à vélo,** c'est même une expérience exaltante que de pédaler à 3 850 m ! Location sur place.

Quitter Copacabana

Pour La Paz

— *Compagnie Manco Kapac :* sur la plaza de Armas, 4 départs par jour entre 7 h
et 14 h ; un supplémentaire le vendredi et le samedi ; 6 départs le dimanche
entre 7 h et 16 h. Avec *2 de Febrero* également (3 départs quotidiens). Réservez 24 h avant. Évitez d'acheter vos billets avec des dollars, le taux de change
pratiqué est délirant.
— *Compagnie de l'hôtel Ambassador :* départ tous les jours le matin, sauf lundi
et samedi, devant l'hôtel, mais on achète ses billets au chauffeur du car qui est
garé sur la plaza de Armas jusqu'à 11 h 30. N'attendez pas la dernière minute.
Plus cher, moins pittoresque mais plus confortable. Durée du trajet : 4 h 30.
Mettez-vous à droite du car pour profiter de la descente sur La Paz.

Pour Puno

Pour se rendre à Puno en minibus, il est préférable d'acheter le billet au *snack
Aransaya*, avenida 6 de Agosto 131, juste en face de l'*hôtel Playa Azul*. Vous
paierez moins cher que dans une agence. Départ tous les jours à 14 h de ce
même endroit.

Pour Yunguyo

Colectivos et camionnettes, plaza Sucre et avenida 16 de Julio. Un départ
toutes les heures jusqu'à 18 h. Une demi-heure de trajet.

RUINES DE TIAHUANACO

De La Paz, évitez de prendre le bus qui part de la gare. Préférez la **compagnie
Ingavi :** calle Eyzaguire, à l'angle de la calle José María Azin. Près du cimetière,
en haut de la ville (prendre le bus pour le Cementario). ☎ 32-89-81. Départ
généralement le matin. Durée du trajet : 2 h 30. Réserver le bus la veille. Trois à
quatre départs quotidiens.
Symbole de la civilisation Tiwanacu, 600-900 apr. J.-C., les ruines sont à
70 km de La Paz. Si vous venez en bus de Puno, vous pourrez déjà les apercevoir sur votre droite. Mais vous devez vous y arrêter.
Il faut voir la fameuse *porte du Soleil*, qu'un brillant énergumène a entourée d'un
grillage (il doit posséder la licence d'exploitation de cartes postales sur ce
monument), l'extraordinaire rectitude des murs du temple de Kalasaya (où sont
incorporées les « cabezas clavas »), le temple semi-souterrain et les statues.
Des ruines pas vraiment spectaculaires à cause des destructions du temps et
des pillages, mais quand même passionnantes. Vaut le détour.
A Tiahuanaco se tient la célèbre statue avec les bras repliés sur le torse, attitude que l'on trouve fréquemment dans l'art polynésien. Ce fut le motif de l'expédition du « Kon Tiki » organisée par le Norvégien Thor Heyerdahl pour démontrer l'origine polynésienne de cette civilisation. On a depuis démenti cette thèse.
Visitez aussi le village avec sa jolie place et surtout l'église (demandez au curé).
Marché le dimanche.

🛏 Deux hôtels à Tiahuanaco. A Guaqui, seulement quelques chambres à louer
(à prix excessifs).
De Guaqui Puerto à Guaqui Pueblo, la balade le long de la voie de chemin de fer
est agréable.
Le 21 juin, grande *fête du Solstice*. Les gens arrivent la veille. Prévoir des couvertures car il y fait vraiment très froid.

LA PAZ

Capitale la plus haute du monde, étagée de 3 000 à 4 100 m, dans un immense
canyon encaissé. Curieusement, c'est la seule ville de la planète où les riches,
au lieu d'être en haut de la ville, résident tout en bas (et les pauvres tout en

haut). Cela étant dû, bien sûr, aux conditions climatiques (1 000 m de dénivelée en haute montagne, sur le plan climatique, ça compte !). Sinon, ce n'est pas à proprement parler une belle ville. Construite plutôt de bric et de broc, avec un centre ancien qui part en lambeaux (sauf quelques rues rénovées au titre de la sauvegarde du patrimoine). Pourtant, ville bien vivante. Bien entendu, bourrée de contradictions criantes (de luxueux quartiers côtoyant une pauvreté sans fard), La Paz accrochera votre intérêt sitôt que vous aurez balayé les premières impressions mitigées. Le simple fait que les problèmes de vol et de sécurité y soient dix fois moins pesants qu'au Pérou aide assurément à apprécier cette cité bien étrange, un peu intrigante et, par certains aspects, finalement sympathique.

Topographie de la ville

Tout en haut, à 4 000 m, une vraie ville d'environ 500 000 habitants, *El Alto*, qu'on traverse en venant de l'aéroport ou du lac Titicaca. Battue par les vents glaciaux. Une grande majorité de la population indienne pauvre y réside.
L'autoroute mène ensuite au centre de La Paz (plaza San Francisco). Sur deux collines dévalant vers la plaza, le très vieux quartier indien et le quartier colonial historique (avec le Parlement).
Puis une zone intermédiaire, à la hauteur du grand hôtel *La Paz* (ex-*Sheraton*). Quartier résidentiel, où alternent rues bordées de luxueuses villas et « gratte-ciel ». Nombreux sièges sociaux et commerces.
Enfin (1 000 m plus bas que l'Alto), *Obrajes* et *Calacoto*, les nouveaux quartiers résidentiels de la bourgeoisie *paceña*. Tours, béton, centres commerciaux, animation, climat plus clément et souffle moins court que sur l'Alto ! Pour s'y rendre, prendre pour quelques bolivianos les « taxis express » ou *trufis* qui effectuent la ligne directe plaza San Francisco - Calacoto.

Mise en garde

Des réseaux importants de gens se faisant passer pour la police des narcotiques arrêtent les touristes dans la rue pour les fouiller dans le but de voir s'ils ont de la drogue sur eux. Pour la vraisemblance, ils arrêtent un autre touriste après vous (en fait, un complice), vous font monter dans un taxi (également complice), pour vous emmener au bureau des narcotiques. Mais en fait, ils effectuent leurs vérifications en route. Regardent les passeports puis le contenu du sac, et enfin celui du porte-monnaie pour y chercher les faux dollars... et y substituer les vrais. D'après le nombre d'individus fichés au commissariat pour cette pratique, il doit être courant d'avoir affaire à ces bandes.
Dans tous les cas de figures, si vous avez un doute, refusez de monter dans le taxi et exigez d'aller au commissariat à pied. Le plus souvent, les escrocs renoncent.

Adresses utiles

- *Instituto Boliviano de Turismo :* avenida Juan de la Riva, Edificio Mariscal Bolivian (18° étage). ☎ 36-74-63. Bon accueil et un peu de matériel.
- *American Express :* avenida 16 de Julio 1480 (5° étage), dans le même bâtiment qu'*Aeroperú.*
- *Change de chèques de voyage :* casa de cambio *Sud Amer,* calle Colón 256 et calle Castilla 1407. ☎ 32-73-41. Et aussi calle Mercado 1328.
- *Immigration :* au début de la rue Londaeta, près de la place Estudiante. Pour les prolongations de visa.
- *Consulat et ambassade de France :* calle 8 (à Obrajes) Hernandosites 5390. ☎ 78-61-38 et 78-61-14.
- *Consulat de Belgique :* avenida Sanchez Lima 2400. ☎ 32-89-42 et 32-23-84.
- *Consulat de Suisse :* avenida 16 de Julio 1616, Edificio Petroleo. ☎ 35-30-91.
- *Consulat du Brésil :* avenida 20 de Octubre 2038. Edificio Foncomin. ☎ 35-07-18 et 35-07-69.

– **Consulat du Chili** : avenida H. Siles 5843 (et calle 13), Obrajes. ☎ 78-52-75 et 78-52-69.
– **Consulat du Paraguay** : avenida Arce, Edificio Venus, piso 7. ☎ 32-20-18.
– **Consulat d'Argentine** : Edificio Banco Nación Argentina, piso 2. ☎ 35-30-89.
– **Consulat d'Équateur** : Edificio Hermann, piso 14, plaza Venezuela. ☎ 32-12-08.
– **Tawa** : calle Sagárnaga 161. ☎ 32-57-96. Une agence possédant huit années d'expérience dans l'organisation de circuits : séjours en forêt amazonienne, trekkings, raids en Jeep, etc. Le patron est français (Roxana, la patronne, bolivienne, très sympa). Dites-leur bonjour de notre part.
– **Correos de Bolivia (la poste)** : avenida Santa Cruz 1092.
– **Agence Entel (téléphones nationaux et internationaux)** : calle Potosí, dans l'Edificio Libertad (au début de la rue située en face de l'église San Francisco).
– **Tam (Transporte Aero Militar)** : avenida Montez 751. Au-dessus de la plaza San Francisco. ☎ 37-82-85.
– **Bureau de Change** : calle Yanacocha, 319. Petit bureau de change situé dans l'arrière-boutique d'une espèce de droguerie. Le taux de commission pour les chèques de voyage est d'environ 1 % alors que dans les banques, c'est le double ou le triple.
– **Los Amigos del Libro** : Mercado 1315, Casilla 4241. ☎ 320-742. Livres français neufs et d'occasion.
– **Petita Rent-a-Car** : Canãda Strongest 1857 (Casila 6930). ☎ 32-72-66. Fax : 37-91-82. Agence tenue par deux Suisses qui proposent des voitures à la carte ou des raids organisés. Location de voitures 4 × 4 avec ou sans chauffeur.

Transports urbains

– **Les bus** : constamment pleins évidemment. Les microbus sont un peu plus chers mais bien plus confortables. Les directions sont affichées sur la vitre avant.
– **Les taxis** : ils sont économiques et fonctionnent selon un système spécial. Le premier passager donne une adresse ; si l'endroit où vous allez se trouve sur le chemin, on vous y dépose à bon marché (en fait, petit prix fixe et pour tout le monde le même). Se renseigner à combien il est lors de votre passage. Les **trufis** effectuent les longues courses d'El Alto à Calacoto.
– La compagnie **Taxi Service** propose des déplacements à la demande. Intéressant à plusieurs. ☎ 35-83-36.

Où dormir ?

Logement deux fois moins cher en Bolivie qu'au Pérou.

Très bon marché

Dans cette rubrique, des établissements uniquement pour budgets vraiment serrés. On en a strictement pour son argent !

🛏 **Torino** : calle Socabaya 457. ☎ 34-14-87. A deux pas de la plaza Murillo. Grandes chambres disposées autour du 1er étage de ce bâtiment qui ressemble à un ancien cloître. C'est un peu plus propre que ne l'indique l'entrée. Sanitaires acceptables. Eau chaude. On peut y laisser des bagages. Le moins cher de la ville.
🛏 **Hôtel Illampú** : calle Illampú 635. Dans le quartier indien. Rue animée donnant entre Manco Capac et la calle Sagarnaga. Extrêmement simple, confort minimum, mais assez bien tenu.
🛏 **Alojamiento Illimani** : avenida Illimani 1817. Assez excentré. Dans le prolongement de la calle Comercio, à 15 mn à pied du centre (en direction de l'Estadio La Paz). Dans une maison particulière. Chambres disposées autour d'un petit jardin fleuri. Bon accueil de type familial. Simple, mais sûr et correct.

Bon marché

🛏 **Residencial Don Guillermo** : Colombia 222. ☎ 32-57-66. A environ quatre blocs au sud de la cathédrale. Dans une rue perpendiculaire à l'avenida Mariscal

LA PAZ
0 200 m

CALACOTO

Santa Cruz. Hôtel-pension plutôt bien tenu, dans un quartier tranquille. Les chambres, avec sanitaires à l'extérieur, sont à peine plus chères que les établissements du chapitre précédent. Déco assez plaisante, de style vaguement colonial. Eau chaude toute la journée le plus souvent. Possibilité de laver son linge et d'y laisser ses affaires.

📫 **Residencial Sucre :** Colombia 340 (plaza San Pedro). ☎ 32-84-14. Pas loin du précédent, même genre, bien tenu aussi, mais quelques bolivianos de plus.

📫 **Hôtel Latino :** calle Junin, 857. ☎ 37-09-47. Dans un vieux quartier populaire, pas loin de la plaza Murillo. Cadre assez agréable. Chambres correctes avec ou sans bains. Sanitaires propres. Télé. Mêmes prix que le *Don Guillermo.* Un peu bruyant et l'accueil laisse à désirer.

📫 **Hôtel Austria :** Yanacocha 531. Central. Pas loin de la plaza Murillo également. Chambres sans fenêtre. Propreté acceptable. Confort assez sommaire. L'*hostal Yanacocha,* en face, est plutôt cher pour ce qu'il propose.

📫 **Hôtel Andres :** avenida Manco Capac 364. ☎ 32-34-61. Grande avenue qui monte du centre, vers le quartier de la gare. Hôtel moderne, sans charme, aux chambres avec bains plutôt bon marché. Cependant, accueil très routinier et ascenseur souvent en panne. Un peu bruyant aussi. Éviter les chambres donnant sur l'enseigne lumineuse. Avantage : possède pas mal de chambres. Adresse donc à mettre sous le coude, en cas de pénurie sur le marché.

Prix moyens

📫 **Hôtel Alem :** Sagárnaga 334. ☎ 36-74-00. Dans l'une des rues les plus intéressantes et animées de la ville, dans le quartier indien. Central et propre. Hôtel moderne très populaire chez les routards du monde entier. Propose des chambres de tous types à tous les prix. A notre avis, tout aussi bien que le *Sagárnaga* à côté et un peu moins cher.

📫 **Hôtel Sagárnaga :** Sagárnaga 328. ☎ 35-87-57. Le rendo de routards le plus célèbre de La Paz. Accueil impersonnel. Chambres correctes sans plus. Vit imperturbablement sur sa réputation, sans faire d'efforts. Une bonne adresse quand même, compte tenu de l'emplacement privilégié, de l'animation constante et des nombreuses possibilités de tuyaux et rencontres.

📫 **Hostal República :** calle Comercio 1455. ☎ 35-79-66 et 35-66-17. Rue parallèle à Potosí et Mercado (au croisement avec Loaysa). Grande demeure coloniale possédant un certain charme. Deux patios autour desquels s'ordonnent les chambres. Second patio plus retiré, plus calme. Chambres de tous types, à tous les prix. Une excellente adresse.

📫 **Hôtel Neuman :** Loaysa 442. ☎ 32-54-45. Plutôt au calme. Tenu par des jeunes. Chambres correctes, entièrement rénovées, disposées autour d'une cour intérieure. Celles du haut bénéficient d'une belle vue sur les toits. Bon rapport qualité-prix.

📫 **Residencial Copacabana :** Illampú 734. ☎ 36-78-96. Donne dans la Sagárnaga. Bien placé, dans une rue animée la journée et calme la nuit. Moderne, agréable, très propre. Bon resto au rez-de-chaussée. Une de nos meilleures adresses dans sa catégorie.

📫 **Hôtel Milton :** Illampú et Calderón. A deux pas du marché de la calle Rodriguez. ☎ 36-80-03. Petit hôtel récent. Construction moderne sans grâce, mais chambres irréprochables et guère plus chères que les précédentes adresses.

Prix moyens à plus chic

📫 **Residencial Rosario :** calle Illampú 704 (rue spécialisée dans les confettis et les cotillons). ☎ 32-53-48. L'hôtel est situé à mi-chemin entre la plaza San Francisco et le marché. Belle demeure coloniale. Le plus célèbre hôtel de la ville. On peut y donner ses affaires à nettoyer. Douches avec eau chaude. Les chambres les plus correctes sont au dernier étage. Très bon rapport qualité-prix. Consigne gratuite.

📫 **Hôtel Continental :** calle Illampú 626 (plaza V. Juariste Eguino). ☎ 37-82-26. Récent. Mêmes prix que le *Rosario.*

📫 **Viena Hôtel :** calle Loaysa 420. ☎ 32-35-72. Hôtel pas trop style routard (jeans pas appréciés, plutôt genre conformiste). Décoration vieillot-kitsch pour ceux qui aiment. Chambres bien tenues. Essayez d'avoir celle du dernier étage, sous la verrière : plus lumineuse, plus agréable. Dites bonjour de notre part aux perroquets, en passant.

📫 **Hôtel Eldorado :** avenida Villazon, casilla 77. ☎ 363-355 ou 403-408. 80 chambres à 3 400 m d'altitude. Dans le centre. Du « skyroom », belle vue panoramique sur la ville. On peut y changer ses chèques de voyage.

Plus chic

🛏 Certains hôtels, tels que le *La Paz* (ex-*Sheraton*), avenida Arce, bradent parfois les chambres en raison du manque de touristes. Vous pouvez toujours aller voir (surtout en basse saison). Réduction qui peut être intéressante compte tenu du standing de l'établissement. ☎ 35-69-50.

Où manger ?

La Paz ne prétend pas, il s'en faut, au titre de capitale gastronomique. Le centre ville manque cruellement de bons restaurants. On les trouve plutôt dans les quartiers un peu excentrés.

Bon marché

✗ *El Mercado Lanza* : à 200 m de la plaza San Francisco, juste à côté de la caserne des bomberos. Des dizaines de petites cuisines. Poisson et poulets grillés. Propre et très populaire. Des allées entières de toutes les couleurs proposent des jus de fruits pressés merveilleux.

✗ *Caravelito :* Colombia 230. ☎ 37-78-10. Ouvert midi et soir jusqu'à 21 h 30. Fermé le dimanche. De la plaza San Francisco, redescendre l'avenida Mariscal Santa Cruz. 5e rue à droite (celle qui monte vers la plaza Sucre). Petit resto populaire sans histoire, juste à côté des pensions *Guillermo* et *Sucre*. Bon accueil. Atmosphère familiale. Le midi, clientèle d'employés du coin venus pour le bon petit *almuerzo* pas cher du tout.

✗ *La Casa de los Paceños :* calle Sucre 856 (au coin de Pichincha). ☎ 32-80-18. Ouvert midi et soir jusqu'à 21 h 30. Fermé dimanche et lundi. Intéressera ceux (celles) qui viennent de visiter les quatre musées, tout à côté. Salle au 1er étage, agréable. Nous allons nous étendre un peu sur le menu qui vaut la description et le déplacement. D'abord, goûter à la copieuse *sopa de papalisa* (pommes de terre râpées), au cerdo à la *aji colorado* (porc piquant), au *fritanga* (porc), au *saice especial* (viande hachée, sauce légèrement pimentée). Tous les samedis, menu spécial : le *chairo paceño*, soupe épaisse succulente avec plusieurs viandes (porc, mouton, *challona*), *tunta* (patates déshydratées) et maïs. C'est un plat typique bolivien qu'on trouve rarement dans les restos. Également l'occasion de tester le *fricase*, soupe très piquante au porc. Les La-Paziens (dit-on comme ça ?) la mangent traditionnellement le matin vers 9 h, accompagnée d'une cerveza. Radical, paraît-il, pour effacer toutes traces d'une « cuite » prise la veille ! Enfin, spécialité du dimanche, le *nudo de cervido* (pied de cochon à la mode de la maison). Bon, vous nous avez compris, une bien bonne adresse !

✗ *Coroico In :* calle Graneros 121 (coin de Figueroa), au 1er étage. ☎ 35-81-77. Ouvert tous les jours midi et soir jusqu'à 22 h. Dans l'immeuble des pompes funèbres Valdivia. Bonne cuisine typique familiale. Il n'y a que trois plats dont du *ranga ranga*, tripes avec des bananes cuites, et du *charquecan*, viande séchée au soleil, en sauce. A essayer.

✗ *Los Pinocchos :* calle Sangines 553. Ouvert midi et soir jusqu'à 21 h 30. Murs vert cuisine, chaises de moleskine rouge, clientèle locale et atmosphère tranquille pour une petite nourriture simple (bons *salteñas de pollo*).

✗ *Manjani :* calle Potosí 1315. Bon menu végétarien pas cher et très copieux.

Bon marché à prix moyens dans le quartier de Miraflorés

Au bout de la calle Illimani, prolongement de la calle Comercio, s'étend le quartier de Miraflorés, zone résidentielle mixte (petit peuple et *middle class*). Quartier typique du paysage la-pazien qui a peu changé. Pas touristique du tout. A 20-25 mn à pied du centre. Si vous y allez en taxi, demandez le *templete arqueologico subterraneo.*

✗ *Shoperia George's :* avenida Argentina (au coin de Saavedra). Près de la plaza San Martín. ☎ 32-52-36. Ouvert midi et soir jusqu'à minuit. Fermé le lundi. A l'intérieur, décor quelconque. Essayez plutôt d'avoir l'une des rares tables dehors, sur l'étroite terrasse. Les amateurs de *ceviches* n'hésiteront pas à faire le (court) déplacement à Miraflorés pour déguster le superbe *ceviche de pejerrey* de George's. Un plat à lui tout seul ! Les autres y trouveront de bons petits plats locaux.

✘ *Le Lido :* avenida Mariscal Santa Cruz 815. ☎ 34-39-73. Quasiment sur la plaza San Francisco. Ouvert tous les jours midi et soir jusqu'à 23 h. Éclairage assez meurtrier, musique omniprésente. Bruyant, animé, quelques tensions en fin de soirée. Très populaire donc. Va-et-vient continuel. Carte très limitée : *pollo, lomo* ou *churrasco* (ce dernier vraiment très copieux).

Prix moyens dans le centre

✘ *Confiteria Eli's :* avenida 16 de Julio 1497, sur la grande avenue descendant de San Francisco. A côté du ciné Monje Campero. A moins de 10 mn à pied de la plaza San Francisco. ☎ 35-54-68. Ouvert tous les jours jusqu'à 22 h. L'un des rares restos-snacks du centre à garantir une qualité constante et des prix raisonnables depuis 1942. Toujours plein, c'est un signe. Clientèle mélangée : jeunes, étudiants et familles nombreuses. Cuisine simple, mais plats copieux. Carte assez fournie (hamburgers, omelettes, pâtes, etc.). Toujours un plat du jour. Bons gâteaux. Goûter au *pancake Eli's* de 28 cm de diamètre !
✘ *Cafétéria-crêperie Naira :* calle Sagárnaga 161. ☎ 32-98-14. Au 1er étage. A côté de l'agence *Tawa.* Ouvert de 8 h à 20 h. Fermé le dimanche. Dans un cadre frais et coloré (artisanat en vente), l'occasion de se relaxer dans le calme, en mangeant de bonnes salades, des snacks divers et des gâteaux.
✘ *El Verona :* avenida Mariscal de Santa Cruz (et Colón). ☎ 37-91-70. Ouvert tous les jours de 9 h à 22 h (appréciable, car La Paz est ville morte le dimanche). Légèrement en sous-sol. Décor banal de cafétéria. Très populaire et pourtant pas trop bon marché. Beaucoup de choix à la carte. Nombreux desserts. Nourriture correcte. Pratique pour le petit déjeuner et pour prendre le thé.

Prix moyens dans le quartier de Calacoto

Prendre les *trufis*, taxis express, qui dévalent l'avenida 16 de Abril et vont jusqu'à Calacoto.

Plus chic

✘ *Restaurant Naira :* calle Sagárnaga 161. ☎ 35-05-30. A deux pas de la plaza San Francisco. Ouvert le soir jusqu'à 22 h 30. Fermé le dimanche. Cadre plaisant pour une excellente nourriture franco-bolivienne. Accueil très sympa. Pour vous refaire une santé, commandez donc la copieuse et très tendre fondue bourguignonne (avec sauce maison). Le tout arrosé d'un gouleyant petit vin chilien. Et, à la fin, une addition pas trop lourde !
✘ *El Horno :* calle Murillo 1040. ☎ 36-36-33. Central. Rue perpendiculaire à la Sagárnaga. Dans une très jolie demeure coloniale. Ouvert midi et soir jusqu'à 22 h. Fermé le dimanche. Très touristique, mais cadre agréable et bonne cuisine à la fois européenne et bolivienne. Bonnes spécialités de la maison : truite saumonnée de l'Amazone, *pejerrey al vino, chairo* à la *Paceña, El Saice Especial de la casa, silpancha a la Cochabambina* (viande de bœuf panée), etc. Souvent complet. Évidemment, assez cher pour là-bas (mais comparé à notre pouvoir d'achat, ça fait toujours moins de 100 FF). Vendredi et samedi soir, vers 21 h, musique folklorique de bonne qualité.
– Éviter le resto de l'*hôtel Gloria.* Très cher et nourriture assez médiocre. Quant au *Refugio,* soi-disant le meilleur resto de viande de La Paz, il nous semble complètement surestimé (et cher !).

Très chic

✘ *Restaurant du Plaza Hotel :* avenida 16 de Julio. ☎ 37-83-10. Au dernier étage. Vue panoramique exceptionnelle sur la ville (surtout La Paz « by night »). Cadre moderne, mais pas déplaisant et garantissant une atmosphère intime et paisible. Clientèle assez chic, ça va de soi. Service impeccable. Très belle carte et cuisine réputée. On peut conseiller la brochette à la moëlle, les « délices Terre Mer », la truite persillée au citron ou le *surubi* grillé aux aromates, etc. Quelques spécialités boliviennes comme le *fricase de cerdo,* le *silpancha,* etc. Cher pour le coin, inévitablement.

A voir

Attention, les musées sont souvent fermés le samedi après-midi.

▶ *Église San Francisco :* plaza San Francisco. En bordure du vieux quartier indien, le plus bel édifice colonial de La Paz. Construite en 1745. Remarquable façade baroque révélant largement les influences indigènes (ce qu'on appelle le style « végétal »). A l'intérieur, par beau temps, superbe lumière vers 13 h. Nombreux retables baroques et chaire en bois sculpté doré. Cérémonies toujours colorées et pittoresques (mariages, baptêmes, etc.). En général, le samedi matin. Avec un peu de chance, vous tomberez sur un beau mariage indien. Les malchanceux auront droit à un enterrement.

▶ *Le vieux quartier colonial :* en rendant visite aux quatre petits musées groupés dans le même coin, vous arpenterez quelques rues coloniales très anciennes et superbement restaurées, comme la *calle Jaén.* C'est à peu près le seul coin offrant encore une architecture homogène. Partout ailleurs, nombre d'antiques maisons coloniales isolées menacent ruine, d'autres ont déjà cédé la place à des édifices à l'architecture sans goût ni grâce. Pourtant, derrière l'église San Francisco, en parcourant les calles Murillo, Santa Cruz, Sagárnaga, Rodriguez, pavées de gros pavés ronds, tortueuses à souhait, on retrouve quelques groupes de maisons vénérables avec toits de tuiles patinées, abritant encore de pittoresques boutiques. Le soir, d'ailleurs, le coin prend souvent d'étranges teintes et formes expressionnistes.

▶ *Le musée Costumbrista, le musée des Métaux précieux, le musée du Littoral Bolivien et la Casa Murillo,* très proches les uns des autres, se visitent dans la même foulée. Ticket d'entrée qui s'achète dans l'un des quatre et est valable pour les autres. Ouverts de 9 h 30 à 12 h et de 14 h 30 à 18 h 30 ; samedi et dimanche de 10 h à 12 h 30. Fermés le lundi. Gratuits, en principe, le samedi. Compter entre 2 et 3 h en tout pour la visite. Ces musées constituent un ensemble très intéressant. Ils sont judicieusement complémentaires et donnent une approche vivante, imagée et relativement complète de l'histoire et du folklore de la Bolivie.

• *Museo Costumbrista :* plaza Riosinho (prolongement de la calle Sucre). Dans une noble vieille demeure coloniale, superbement restaurée, avec balcons et vérandas. A travers photos, documents, maquettes, meubles, costumes et petites poupées, un aperçu de l'histoire et de la vie sociale boliviennes. En particulier, les grandes batailles déterminantes, comme celle d'Ingavi (1841), la guerre du Chaco, les modes de transport, les sports, l'architecture. Quelques précieux documents comme l'acte de fondation de La Paz.

• *Museo del Litoral Boliviano :* calle Jaén 789. Ici, on se rend compte avec acuité combien, pour les Boliviens, la perte de l'accès à la mer (suite à la défaite de la guerre du Pacifique contre les Chiliens, en 1883) demeure une blessure béante. Vieilles cartes, costumes, drapeaux, estampes, photos, divers documents retracent de façon détaillée toutes les phases de cette page très sombre de l'histoire de la Bolivie. Curieuse carte de 1899 où figure d'ailleurs toujours le *litoral.*

• *Museo de los Metales Preciosos (musée des Métaux précieux) :* calle Jaén 777. Un fabuleux musée sur les productions artistiques et artisanales boliviennes.

Salle de l'Or : dans un cadre splendide, tout l'or de Bolivie. Trésor de San Sebastián (Tiwanaku V), diadèmes et *pectorales,* statues de pierre incrustrées d'or, plaques décoratives, idoles incas, etc.

Au 1er étage : reconstitution d'une tombe avec momie, beaux petits objets en bronze inca, masques funéraires, couronnes, bijoux, bracelets en argent et armes.

Tout en bas : riche collection de vases chimú (1100 à 1300 apr. J.-C.), céramiques pucara, *huaco retratos,* récipients tiwanaku (en forme de lama, de canard), objets domestiques de la région d'Arica, tissus d'époque chancay, fronde korahua, crânes déformés, etc.

• *La Casa Murillo :* calle Jaén 790. Là encore, dans une élégante demeure coloniale, d'intéressantes sections ethnographiques, ainsi que des salles consacrées à Pedro Domingo Murillo, héros national. Au rez-de-chaussée, belle collection de masques et d'instruments de musique. Curieux ensemble de miniatures, personnages, métiers en mie de pain. Vitrines avec toutes les plantes, herbes et ingrédients de la pharmacopée indigène. Curieux texte, la « Oración del Credo », qu'utilisaient les missionnaires pour évangéliser. Orfèvrerie religieuse, meubles en bois sculpté. Au 1er étage, nombreuses peintures d'intérêt inégal. Quelques « pièces » intéressantes : une belle « Virgen del Carmen », *relicarios* de Monja (miniatures peintes), « Jésus endormi » en ivoire (1671), « San José y el Niño » (XVIIIe siècle). Superbe petit triptyque, « La Virgen y el Niño », de Pedro de Vargas (XVIe siècle). Grande finesse des traits, expression mélancolique.

Salle de la Conspiration : c'est ici que se réunirent, en 1809, Murillo et ses amis, pour ce qui devint la première tentative de secouer le joug espagnol. Documents sur cette prestigieuse page d'histoire, fac-similé de la proclamation de Murillo du 16 juillet 1908, tableaux montrant son exécution, divers souvenirs, objets et documents d'époque. Chambre à coucher de Murillo reconstituée.

▶ *Musée d'Ethnographie* : calle Ingavi (et Sangines). Dans une belle bâtisse du XVIIIᵉ siècle. Seule une petite section consacrée aux Indiens du Chaco est ouverte. Jeter quand même un œil sur la cour pour la façade intérieure magnifiquement sculptée.

Un peu plus loin sur Ingavi (et Yanacocha), remarquable façade de l'église Santo Domingo. Baroque « indien » avec riches motifs floraux, fruits et perroquets (l'intérieur, en revanche, présente très peu d'intérêt).

▶ *Plaza Murillo* : autour de cette place se tiennent le palais présidentiel, le palais législatif et la cathédrale. Le triumvirat du pouvoir est donc bien réuni. En face de la cathédrale, fidèle aux traditions politiques sud-américaines, le lampadaire où fut pendu, en 1946, le président Villaroel. Cathédrale moderne ne présentant pas d'intérêt, à part la belle chaire en marbre sculpté en 1608 et le petit musée d'Art sacré. Au milieu de la place, proclamation de Murillo reproduite en grand et que les enfants des écoles viennent patriotiquement recopier.

▶ *Musée national d'Art* : dans un coin de la plaza Murillo (Socabaya et Comercio). Ouvert du mardi au vendredi de 10 h à 12 h 30 et de 15 h à 19 h. Situé dans un ancien palais du XVIIIᵉ siècle, avec splendide cour à arcades sculptées et élégant escalier d'honneur. Riche section de peinture coloniale. De l'école de Cuzco, intéressante « Virgen de Belén ». De l'école de Potosí (la mieux représentée), œuvres de Melchior Perez Holguin : « Saint Jean évangéliste », « San Pedro de Alcántara », etc. Un beau « San Agustín » anonyme. « Adoration des rois » de Gaspar Miguel de Berrio. Superbe « Couronnement de la Vierge et la Sainte Trinité ». De l'école de Colloa (La Paz-Oruro), un « Saint Michel Archange » et une « Vierge de la Merced », tous deux du XVIIᵉ siècle et anonymes.

Au 2ᵉ étage : peinture contemporaine. Nombreuses œuvres intéressantes, notamment de Cecilio Guzmán de Rojas (1939) qui peint dans le style de George Grosz : réalisme, couleurs sombres, traits durs. Curieux « Obispo en Reposo » de José Luis Cuevas (qui fait penser à du Ronald Searle). Expos temporaires d'excellente qualité.

▶ *Museo Tiahuanaco* : calle Tiahuanaco 93. Rue perpendiculaire à l'avenida 16 de Julio et à la calle Federico Zuazo (peu avant la plaza del Estudiante). Ouvert du mardi au vendredi de 9 h 30 à 12 h et de 15 h à 19 h ; le samedi, de 9 h 30 à 11 h 30 et de 14 h 30 à 18 h 30. Fermé dimanche et lundi. Musée archéologique installé dans un curieux édifice moderne orné de symboles et motifs de la civilisation Tiahuanaco. Tout se tient au rez-de-chaussée, sur une surface assez limitée. Malheureusement, le musée a subi, il y a quelques années, un vol important. Cela dit, il reste néanmoins un certain nombre de pièces significatives. Photos et vestiges des ruines du fameux site de Tiahuanaco. Collections de têtes sculptées zoomorphes et de crânes déformés. Céramiques et kéros. Vitrines de tissus très anciens, momies, objets domestiques, armes rudimentaires, etc. Intéressantes poteries de forme féline et superbes tapisseries aux formes graphiques (brun, rouge, ocre). Collection d'objets découverts en mai 1992 lors d'une expédition sous-marine dans le lac Titicaca. Dans la petite salle, momies d'adultes et d'enfants, poteries du département de Béni, vases aux formes parfois curieuses. Exemple de spectaculaires trépanations. Tous les départements de Bolivie sont ici également représentés. A l'entrée, précieux tableau des différentes civilisations comparées entre elles.

Pour ceux qui disposent de temps

▶ *Templete Arqueológico Semisubterraneo* : plaza Tejada Sorzano. Dans le quartier de Miraflorés. Reconstitution en plein air d'une portion du site de Tiahuanaco (avec ses célèbres monolithes).

▶ *Musée de Minéralogie* : avenida 6 de Agosto 2382. Dans les locaux de la *Banco Minero*. C'est une vieille maison coloniale avec un toit rouge. Au 1ᵉʳ étage. Ouvert du lundi au vendredi de 9 h à 12 h et de 14 h 30 à 18 h 30. Pour les lecteurs étudiants en géologie, nombreuses vitrines présentant toutes les riches variétés de minéraux existant en Amérique latine : *metales nativos, carbonatos, wolframatos, sulfuros, silicatos* et autres *mineros* finissant en

« os »... Entrée gratuite. Pour s'y rendre, prendre un *trufi* allant sur Calacoto et descendre à la hauteur de la calle Belisario Salinas.

Les marchés

La Paz est une ville particulièrement riche en marchés de rue (même le dimanche). C'est là que vous sentirez battre le cœur de la ville. En voici quelques-uns ; restent tous ceux des rues qui nous ont échappé...

▶ *Mercado Lanza :* près de la plaza San Francisco. Le marché aux fruits, aux légumes, à la viande... Toujours très animé et haut en couleur. Le visiter le soir juste avant la fermeture (19 h). Les lumières lui donnent alors un côté féerique.

▶ *Calle Sagárnaga :* connue pour ses boutiques de ponchos et son artisanat. L'une des plus pittoresques de La Paz et, en tout cas, la plus arpentée par les touristes. En plus des boutiques institutionnalisées, vous trouverez quelques vendeurs de rue proposant de beaux ponchos anciens, mantas, etc. Bien entendu, négocier férocement. Dans les boutiques, marchandage assez difficile (et n'allant pas très loin). Au n° 451 Sagárnaga, grand marché aux fruits. Tout devant, les pittoresques étals des marchandes de « volants » pour dames.

▶ *Mercado de los Brujos (Marché des Sorciers) :* calle Linares et alentour. Là, sur quelques étals de rue, toutes les herbes, pierres magiques, potions mystérieuses, fœtus de lamas, sont vendus pour soigner les maux. Avec un peu d'attention, vous pourrez apercevoir quelques *yatiris,* calle Sagárnaga. Ils lisent l'avenir. Ils sont coiffés d'un chapeau mou, genre Al Capone, et portent une besace à deux poches dans laquelle ils entreposent les feuilles de coca. Ce n'est pas la peine de leur demander de lire votre avenir : *No digo la suerte a los gringos* (« Je ne prédis pas l'avenir aux étrangers »).

▶ *Mercado Buenos Aires :* marché de rue s'étendant non seulement calle Buenos Aires, mais en fait sur tout un quartier (avec ses spécialités par rue). Extraordinairement vivant et coloré. On s'y rend sans problème en continuant la Sagárnaga jusqu'à l'avenida Maximiliano Parédes. La remonter à droite jusqu'à la grande place. Des centaines d'Indiennes y vendent mille choses, en plus des boutiques et étals de rue (plus toutes les voies adjacentes). Dans la calle Graneros, ce sont surtout les vêtements et les mantas. Super activité également sur la Tumuzla, dès le matin de bonne heure vers 8 h (embouteillages de voitures, micros, taxis, écoliers en retard qui cavalent, centaines de marchandes sur les trottoirs, etc.). En principe, les mercredi et samedi s'y déroule le *mercado negro* où se vendent les marchandises volées. Mais ce n'est vraiment pas apparent et, probablement, noyé dans la masse. Enfin, voir (pas pour les cœurs trop sensibles) la *calle Nunaypata* (la rue de la viande).

▶ *Mercado d'El Artesanal :* calle Figueroa, près de la plaza San Francisco. Petit marché offrant des ponchos (parfois anciens), des bijoux d'argent, des objets en bois, masques de carnaval...

▶ *Mercado de las Flores :* calle Figueroa, en face du carrefour avec la calle Santa Cruz. Des fleurs, comme son nom l'indique. Un peu décevant.

▶ *Mercado d'El Alto :* sur le plateau dominant la ville, tous les jeudi et dimanche, jusqu'à 15 h, grand marché sur l'avenue principale du quartier et la plaza 16 de Julio. Peu de touristes. Pour s'y rendre, trufi n°s 7 ou 3.

— Pour les achats de bijoux en argent, préférer La Paz à Potosí.

Où écouter de la musique bolivienne ?

Vu la place importante de la musique bolivienne en Amérique latine, nous consacrons donc aux lieux, disques et marchands d'instruments, un chapitre conséquent.
La *peña* était autrefois un lieu de rencontre pour les étudiants et les intellectuels. On y buvait de la chicha et, à tour de rôle, on improvisait une danse ou une chanson folklorique. Depuis, les agences de voyages font croire que les peñas sont encore typiques alors que les Boliviens ne les fréquentent plus guère. Vous paierez souvent très cher une mauvaise interprétation de « El Condor Pasa » !

Une exception toutefois, la *Peña Naira*, calle Sagárnaga. C'est, bien sûr, à La Paz que vous pourrez entendre tous les groupes en vogue, acheter des disques et des instruments, assister à des fêtes (sur l'Alto notamment). La région de La Paz est très riche en folklore et la musique Aymara utilise une grande variété d'instruments.

– **Peña Naira** : calle Sagárnaga 161. ☎ 32-57-56. Ouverte en principe tous les soirs à 22 h (sauf le dimanche). C'est la plus célèbre et la plus fréquentée. On y propose un prix assez élevé, à un public essentiellement composé de gringos (n'y allez donc pas pour le dépaysement), un spectacle de bonne qualité. Public parfois un peu figé. Ernesto Cavour s'y produit assez souvent.

– **Casa del Corregidor** : calle Murillo 1040. ☎ 36-36-33. A voir pour le cadre. En principe, bons musiciens les vendredi et samedi à 21 h.

– **Marka Tambo** : calle Jaén 710. ☎ 34-04-16. Fermé le lundi. Moins connu que les précédents. Téléphoner pour heures et jours de spectacle. Nous n'avons pas pu la tester.

– **Los Escudos** : avenida Mariscal Santa Cruz. Assez touristique également. Tous ces établissements proposent, en général, les même groupes que la *Peña Naira*.

– Guettez également, en consultant la presse et les affiches, les nombreux spectacles qu'organisent la **Casa de la Cultura** (plaza Perez Velasco), le **Théâtre municipal**, et certaines salles comme le **Ciné Tesla** (calle Colón) et le **Ciné 16 de Julio** (sur le Prado).

Quels disques acheter ?

– *Pour les nostalgiques* : plusieurs groupes de qualité (dont certains ont, hélas, disparu de la circulation) qui ont permis au public européen de découvrir que la musique des Andes, ça pouvait être autre chose que « El Condor Pasa » : *Los Jairas* (avec Ernesto Cavour), *Los Chaskas, Los Payas, Los Rupay*, etc.

– *Pour les amateurs de valeurs sûres* : *Grupo Aymara* et *Grupo Khanata*. A signaler également, deux groupes féminins de qualité : *Bolivia* et *Flor Tani-Tani*. Si on n'évoque pas le *Grupo Coca, Wara* (mélange étonnant de guitare électrique et d'instruments traditionnels), *Savia Andina* (sirupeux) et les incontournables *Kjarkas*, on va évidemment nous taxer de sectarisme !

– *Pour les amateurs de « hard »* (musique du campo) : certains groupes ont enregistré en studio de la musique traditionnelle comme on peut en entendre dans le campo (mais assez épurée et travaillée pour que ça puisse passer en disque). Parmi ces groupes, on peut citer : *Kollamarka, Paja Brava, Sol del Ande, Khonsatta, Chuma Q'hantati*. Ils font alterner thèmes autochtones (interprétés aux *phalas, pinkillos, kena-kenas, tarkas* et *mohoceños*) et rythmes métis.

– *Les amateurs de « super-hard »* (musique dure, harmonies et sonorités peu connues, « accords de quinte », airs semblant longs et répétitifs), enfin ces exégètes, ces inconditionnels qu'on considère comme des fous dangereux, trouveront leur bonheur en dénichant chez les petits disquaires (tenter calles Santa Cruz et Evariste Valle), des 33 tours 18 cm enregistrés avec de vrais *conjuntos* autochtones (groupes de musiciens). Ils jouent des *khantus* de la région de Charazani, de Mataru ou Apacheta, des *huaynos* de Cairani, des *sicuris* d'Italaque (musique communautaire aymara de la région d'Italaque, au bord du Titicaca) ou du coin de Moco-Moco. Ainsi que des morceaux de *tarkas*, de *pinkillos* ou de *moceños*. Rappel : les *khantus* sont des marches guerrières. Guetter la tête du caissier au moment de payer !

Où trouver des instruments ?

Il vaut mieux acheter ses instruments à cordes (guitare, *charango*, mandoline) chez un luthier. Si vous avez des goûts précis et un peu de patience, vous pouvez même les commander. Des amis musiciens en ont fait l'expérience plusieurs fois, sans jamais avoir été déçus.

– **Juan Acha Campo** : calle Nicolas Ortiz 2417, zona Alto San Antonio (près du cimetière juif). Prendre le micro 133 ou 150. Il propose des instruments de très bonne qualité, mais assez chers.

– *René Gamboa :* calle Manco Capac 311. Il expose également dans son dépôt de la galerie Chuquiago, calle Sagárnaga (angle Murillo). Ses *charangos* ont connu une grande popularité par le passé. Gamboa semble cependant en perte de vitesse depuis quelque temps. On trouvera toutefois dans sa boutique des instruments à percussion de bonne qualité.

– *Sabino Orosco* travaille à présent sur l'Alto. Il est donc plus facile de s'adresser à son atelier de la calle Sagárnaga 271, 1er étage, porte 7. Près de Gamboa et Acha. Des années d'expérience, une qualité suivie et une équipe sympa qui sait tenir ses promesses.

– *Walata :* calle José Linares 855. Fabrication artisanale d'excellente qualité, notamment *kenas* et flûtes traversières.

– On peut enfin citer les charangos de *Rodriguez*, assez bons en général, et ceux de *Panozo* que l'on trouve un peu partout pour un prix très honnête.

▸ *Pour les amoureux du charango* toujours, ne pas rater le *musée* que Cavour lui a consacré dans sa propre maison, calle Linares 900 (angle Sagárnaga). C'est le délire : des *charangos* partout, de toutes les tailles, de toutes les formes, des inventions du Maître, d'autres instruments bien sûr. Une seule formalité, pouvoir entrer. Sonner fort, sinon s'adresser à la dame qui tient la boutique d'instruments à gauche de la porte d'entrée. Elle est très gentille (la dame, bien sûr), vend de bons instruments et aime beaucoup les musiciens français.

– Il est possible de trouver d'autres instruments un peu partout dans le centre, mais c'est souvent cher. Nous vous conseillons plutôt de monter la calle Sagárnaga ; une fois que vous avez dépassé l'hôtel du même nom, comptez deux cuadras. Prenez à droite, la *calle Isaac Tamayo*. Vous trouverez, assis sur le trottoir, trois facteurs d'instruments à vent qui se spécialisent dans la fabrication de *zampoñas* (flûtes de Pan), *kena-kenas* (grandes flûtes à encoche), *phalas* (traversières), *pinkillos* (flûtes à bec), *mari-machos* (pinkillos doubles). Parmi eux, *Eulojio Mamani* (celui de gauche) qui apprécie beaucoup les gringos mélomanes et manie, avec la même dextérité, la boutade et le canif.

– Aller aussi dans la *calle Juan Granier*, qui part de la plaza Garita de Lima. Assis sur le trottoir de terre battue, le dos collé au mur, plusieurs artisans (dont au moins deux Mamani) fabriquent tarkas, kenas et zamponas et prennent les commandes pour des *mohoceños* (grandes traversières), des *phusipias* (grandes kenas à quatre trous) et des *toyos* (les plus grandes de la famille des zampoñas). Rappel : la *tarka* est ce gros flageolet de bois de section carrée ou octogonale, dont le hurlement déchirant fait les délices des amateurs. Ces artisans sont consciencieux, fiables et ponctuels (mais si !) et assurent à leur façon le service après-vente en fournissant tubes de secours et ligatures. Les toyos sont même livrés à la demande avec les tubes non collés et numérotés afin de faciliter le transport.

Excursions à partir de La Paz

▸ *La vallée de la Lune :* prenez le *microbus n° 253* (indiqué Aranjuez), calle Hurillo ou Mexico, ou le *n° 231*. Attention, assez rare le matin. Au terminus, marchez 2 km pour arriver dans la vallée. On conseille plutôt de louer un colectivo à plusieurs. Vous passerez par le quartier résidentiel de La Paz. Certaines maisons somptueuses ont d'ailleurs été payées par le trésor de guerre nazi. Puis vous longerez une rivière. Vous serez étonné par les quantités de linge que lavent les femmes. Selon la croyance indienne, après un deuil, il est nécessaire de laver tous les linges du mort afin de les nettoyer des maux qui pourraient y être imprégnés par sorcellerie.
La vallée de la Lune, située à 12 km du centre, est un canyon dont les eaux ont érodé la roche très friable en centaines de cheminées de fées et pitons filiformes. Si vous allez en colectivo de location, poussez plus loin pour apprécier le contraste (vers le village de Valencia). Vallée très verte au contraire. On peut également s'y faire conduire en taxi mais c'est la visite éclair et un peu frustrante. En passant par le village indien d'Achocalla (fête du village les 25 et 26 juillet, costumes magnifiques), paysages grandioses.

▸ *Chacaltaya :* à 35 km de La Paz, la piste de ski la plus haute du monde (5 230 m d'altitude). *Attention :* la station n'est ouverte que le week-end. Il y a de grandes chances pour que vous n'ayez pas vos skis, mais ce n'est pas grave, car la vue est absolument étonnante. Attention, s'il ne fait pas beau, on risque d'être déçu. On aperçoit d'un côté le Titicaca, de l'autre le Chili, et au fond une chaîne de montagnes aux neiges éternelles. Sur la route, arrêtez-vous au cimetière indien, qui domine tout le canyon de La Paz. Très beau panorama. Vous serez surpris par le nombre de tombes d'enfants. Elles ont une forme curieuse. *Attention :* l'entrée de la station est payante. Essayez de marchander. Pour se rendre à Chacaltaya, *bus du Club Andino,* calle Mexico 1638, derrière l'ambassade de France les samedi et dimanche (départ à 8 h ; retour à 16 h). Prenez vos billets un ou deux jours avant. C'est à notre avis la meilleure adresse (le meilleur marché et celui qui reste le plus longtemps là-haut). Si vous êtes plusieurs, il est moins cher d'y aller en taxi. Possibilité également d'y aller avec les tours organisés des hôtels (ceux de la calle Sagárnaga, par exemple). Vous pouvez louer le matériel de ski et dormir au refuge du *Club Andino.* Ils parlent le français. Ne partez pas trop tôt (vers 10 h) car il fait froid le matin. Apportez un peu de nourriture, de la coramine et de la crème protectrice. Il y a maintenant une auberge. Si le cœur tient toujours (!), il ne faut pas hésiter à continuer le long de la crête jusqu'au bout du sentier praticable. On n'est pas déçu du voyage. Vous êtes alors à 5 300 m (comme vous n'aurez pas pensé à apporter votre « Quid » en voyage, on vous rappelle que le mont Blanc est à 4 807 m).

▶ *La Muela del Diablo :* excursion d'une demi-journée (ou même d'une journée) au sud de La Paz. On escalade un pic en forme de dent. Vue splendide sur La Paz. A faire pour ceux qui ont vraiment du temps. *Micro R jaune,* à l'angle de Sagárnaga et Murillo.

▶ *Vallée de Sorata :* à 3 ou 4 h de route de La Paz, via Achacachi, on redescend dans la vallée verdoyante de *Sorata,* au pied de l'*Illampú.* Sur place, allez loger au *Residencial Sorata :* la maison est un petit paradis prêt à vous accueillir pour un prix très correct, nourriture comprise (plats et glaces maison). Nombreuses occasions de balades à pied. Visitez le lac souterrain (Gruta de San Pedro) à 2 h 30 de marche de Sorata. Emportez vos lampes torches, de la nourriture et du courage.
– Pour aller à Sorata : *Agencia Sorata,* calle General Angel Babia 1556 (elle donne sur la calle Bustillo, près du cimetière ; c'est difficile à trouver). Départ tous les matins à 7 h. Durée du trajet : 4 à 5 h.

▶ *Rurrenabaque :* à 45 mn d'avion de La Paz. Desservi par *LAB* (lundi, jeudi) et *TAM* (lundi). Une balade aérienne fantastique durant laquelle on survole la *cumbre* et les *nevadas.* On aperçoit peu à peu la forêt grimper sur les flancs des Andes. On arrive à l'endroit exact où les Andes finissent et l'Amazonie commence. D'un côté, les dernières montagnes ; de l'autre, c'est tout plat. Village typique sur le rio Béni. Balades en bateau possibles. Des animaux dès que l'on s'enfonce en forêt.

▶ *Les Yungas :* région chaude et verdoyante située au nord-est de La Paz. On fait une descente impressionnante de 4 000 à 1 500 m. Pour s'y rendre : *compagnie Yungueña,* villa Fatima, avenida Las Americas, micro 135. Départ tous les jours pour les différentes villes : Coroico, Chulumani, Coripata. Pour Coroico, voir plus loin le chapitre qui lui est consacré.

▶ *Le chemin des Incas de Takési :* différent et plus court que celui du Machu Picchu, il présente cependant beaucoup d'intérêt aussi. 2 ou 3 jours de super balade jusqu'à *Chojlla* mais pour laquelle il vaut mieux être accompagné de Boliviens, de nombreux « gringos » ayant été attaqués. L'office du tourisme de La Paz propose un descriptif du parcours (en espagnol et anglais). En voici les principales étapes :
– Colectivo pour *Ventilla* (à 36 km) : départ de la plaza Belzu (Gonzales) vers 10 h. A Ventilla, début du trek. Bien indiqué. A une heure de marche environ, possibilité de louer des ânes à la *Escuelita.* Le proprio vous accompagne jusqu'au sommet (bien pratique !).
– A *Chokekota,* dernière occasion de s'approvisionner. A mi-journée, début du « camino prehispanico » à la mine San Francisco. Peu après, superbe panorama sur la cordillère. A la « mina etchenique », possibilité de se restaurer. Petite diversion pour aller aux lacs de *Loro Khéri* et *Jiskha Wara Warani.*
– Logement à *Takési* ou, s'il fait encore jour, à *Cuévas.* Camping, point d'eau et bois.
– Le lendemain, départ pour *Chima* (2 h de trajet). Point d'eau. Vers *Kakapi,* le chemin se rétrécit et surplombe les ravins. Très peu d'occasions de trouver de l'eau (bien remplir les gourdes avant de partir).

– A mi-journée, on atteint le *rio Sohicachi*. Possibilité d'y trouver à manger. On passe ensuite *Chujilla* avant de parvenir au pont de Takési.
– A *Chojlla*, arrivée en fin d'après-midi. Ville minière. Logement et restos. Quelques micros pour La Paz. Possibilité de continuer aussi sur les Yungas (Coroico, Chulumani).
C'est aussi le moment d'affûter votre aymara :
Kauk'as uka lugaraja ? : Comment se nomme cet endroit ?
Kaukansa umaj utji ? : Où peut-on trouver de l'eau ?
Kauk'as yak'a markaru sarañasqui ? : Combien de temps faut-il pour parvenir à l'autre village ?

Distances kilométriques au départ de La Paz et durées

	km	en bus	en train
Cochabamba	498	9 h	10 h
Oruro	250	3 h	5 h
Potosí	560	12 h	14 h
Santa Cruz	903	25 h	-
Sucre	740	17 h	20 h
Tarija	935	27 h	-

Quitter La Paz

En bus

Au *terminal terrestre,* plaza Antofagasta, les compagnies sont nombreuses (18). Si vous n'avez pas de place chez l'une, allez en voir une autre. Horaires fluctuants. Nous ne les fournissons qu'à titre indicatif pour donner une idée de la périodicité. Renseignements : ☎ 36-72-75 et 76.
– **Pour Copacabana** : *Expreso Manco Capac,* calle José Maria Aliaga, en haut de la ville. Près du cimetière. Deux départs quotidiens : 6 h 30 et en début d'après-midi. ☎ 35-00-33. Attention, le samedi, les bus sont complets, réserver la veille impérativement. La compagnie *Transtur 2 de Febrero,* dans la même rue, offre des bus plus confortables au même prix. Départs à 8 h et 13 h. Réserver la veille. ☎ 37-71-81.
– **Pour Cochabamba** : *flota Copacabana,* du terminal de bus. Départ de nuit exclusivement. Bien moins cher que le train. A 20 h 15, 20 h 30 et 20 h 45 (mardi au vendredi).
D'autres compagnies assurent également Cochabamba du terminal : *El Cisne* à 8 h 30 (quotidien) et 20 h. *Pullman America :* à 19 h 30 pour Cochabamba et Santa Cruz. *Pullman Urus :* à 19 h 30. Avec *6 de Agosto* à 20 h (8 à 9 h de trajet). Avec *Nobleza,* bus confortables et un peu plus chers.
– **Pour Potosí :** *flota Pullman Potosí.* Pour Potosí et Sucre à 18 h. Avec *Pullman Andino* à 18 h 30 (12 h de voyage). Avec *Relampango :* à 18 h 30. ☎ 36-97-58.
– **Pour Oruro :** avec *Aroma,* 7 départs par jour. Renseignements : ☎ 37-54-49. Avec *Pullman Urus :* 8 départs quotidiens. Avec *6 de Agosto :* 7 départs quotidiens, de 7 h 30 à 21 h (3 h de voyage).
– **Pour Sucre :** *flota La Paz* à 18 h (par Potosí).
– **Pour Santa Cruz :** avec *Bolivia,* bus direct (par Cochabamba) à 8 h 45. Tous les jours. 22 h de trajet. Avec la compagnie *Cisne* à 8 h 30 et 20 h. Quotidiens. 24 h de trajet.
– **Pour Puno** (Pérou) : avec *Vicuna Tours.* Départ à 7 h 30. Arrivée à 17 h 30. *Transturin,* avenida Camacho 1321. ☎ 32-85-60. Départ à 6 h les lundi, mercredi et vendredi. Trop cher et la nourriture n'est pas extra. De plus, le patron est un vrai bandit : il faisait payer très cher les touristes qui voulaient sortir de Bolivie lors du coup d'État de 1980.
Un taxi Express, avenida Manco Capac, vous reviendra bien moins cher (en marchandant).

Attention, à Yunguio, à la frontière, pendant que vous remplissez les formulaires au poste douanier, quelqu'un doit nécessairement avoir un œil sur les bagages. De Yunguio, combi pour Puno.

– **Pour Tiahuanaco et la frontière (Desaguadero) :** à la gare, prendre le microbus M jusqu'au cimetière et là, se rendre à la compagnie *Ingavi,* qui est juste à côté. Départs à 7 h, 9 h, 10 h 30. Achat des billets à partir de 6 h 30, calle José Maria Asín (au coin de Eyzaguire). ☎ 32-89-31. Pour le retour, un seul bus à 16 h. Il est préférable de prendre un camion à l'entrée du village (ils s'arrêtent au poste de police), c'est le même prix que le bus, mais c'est plus folklorique et sympa.

– La compagnie *Passamerica* (au terminal des bus) assure la liaison *Potosí-Villazón* (frontière argentine) tous les jours en 24 h. Départ à 18 h 30. *Pour Arica* (Chili), départ les jeudi et dimanche à 8 h. Environ 24 h de trajet. *Pour Iquique* (Chili), direct par Oruro. Les lundi, mercredi et vendredi à 18 h. Environ une journée de voyage également.

– *Pour Arica* (Chili) : avec *Transporte Litoral,* les mardi et vendredi à 6 h 30. Arrivée à 22 h. Renseignements : ☎ 35-86-03. Avec *Puno Panamericana* : le dimanche à 8 h. Arrivée à 22 h. Avec *Turisbus* : les dimanche et lundi à 7 h 30. ☎ 32-53-48. Avec *Condor Tours.* ☎ 35-40-34.

En train *(Estación Central)*

Attention, beaucoup moins de trains que de bus sur la quasi-totalité des destinations. *Pour Potosí,* par exemple, deux trains hebdomadaires seulement en moyenne ! Plus sûr, mais évidemment plus lent. Ouverture des guichets de réservations à 7 h du matin, mais conseillé d'arriver au moins 1 h avant pour faire la queue. Se renseigner précisément sur le guichet correspondant bien à sa destination (pour ne pas effectuer la queue pour rien ; CQFD). Renseignements : ☎ 35-35-10.

– *Pour Oruro, Uyuni et Villazón* (frontière argentine) : lundi et jeudi à 16 h 40. Arrivée à Oruro à 21 h 01. Arrivée à Uyuni à 4 h 04 (le lendemain). Arrivée à Villazón à 12 h 34.

– *Pour Uyuni et Antofagasta* (Chili) : vendredi à 11 h 50.

– *Pour Potosí* (avec le train normal) : le mercredi à 17 h 20. Arrivée à 7 h. Wagon non chauffé et il fait très très froid la nuit sur l'Altiplano. Si vous n'avez ni duvet, ni Thermolactyl, vivement conseillé d'acheter une couverture pour le voyage (sinon, vous réveillerez vos voisins par vos claquements de dents ; aventure vécue !). Wagon-restaurant. Possibilité de manger et donc d'obtenir des boissons chaudes.

– *Pour Potosí* (avec le ferrobus) : le lundi à 8 h 30. Arrivée à 19 h 08.

– *Pour Cochabamba* : lundi et mercredi à 9 h. Arrivée à 17 h 05.

– *Pour Sucre (par Potosí) :* le mercredi à 17 h 20. Arrivée à 12 h 54 le lendemain (section entre Potosí et Sucre très longue, 2 à 3 h de plus qu'en bus).

– *Pour Arica :* 3 fois par semaine, les lundi, jeudi et vendredi. Départ à 7 h. S'y prendre tôt pour les réservations, car vite complet !

– *Pour Charaña* (frontière chilienne) : tous les 15 jours, le mardi à 23 h. Arrivée à 5 h 30.

– *Pour Oruro, Uyuni, Tupiza, Villazón, Buenos Aires (par Expreso del Sur) :* le vendredi à 19 h. Arrivée à Oruro à 23 h, à Uyuni à 5 h 12 (le lendemain), Tupiza à 10 h 02 et à Villazón à 13 h 02. Buenos Aires à 13 h (le lundi).

En avion

– Taxes d'aéroport pour les vols intérieurs et internationaux.

– Pour se rendre à l'aéroport, *minibus Contranstur* depuis la plaza Isabel la Catolica (place 300 m plus bas que l'*hôtel La Paz,* ex-*Sheraton*). Toutes les 15 mn, de 7 h à 19 h 30. Bon marché.

– **Lloyd Aero Boliviano (LAB) :** avenida Camacho 1460. ☎ 36-77-11 et 36-77-01. Assure les liaisons intérieures en Bolivie.

• *Pour Cochabamba :* 3 vols quotidiens.

• *Pour Rurrenabaque* (Amazonie) : un vol *LAB* le lundi et un vol *TAM* le samedi.

• *Pour Santa Cruz :* 3 vols quotidiens.

• *Pour Sucre :* un vol les lundi, mercredi et vendredi. Plus un vol *TAM* les mardi et vendredi.

• *Pour Trinidad :* un vol les lundi, mercredi et vendredi. Plus, en principe, un vol *TAM* les mardi et mercredi.

• *Pour Cuzco :* un vol le mercredi et le samedi.

• *Pour Lima :* 2 vols quotidiens les mardi, jeudi, samedi et dimanche. Plus un vol *Aeroperú* les mardi et vendredi et un vol *Eastern Airlines* les mardi, jeudi et samedi.
• *Pour Arica* (Chili) : un vol par jour toute la semaine (très recherché, réserver à l'avance).
• Vols également *pour Asunción* (le vendredi), *Buenos Aires* (le mardi), *Manaus* (les jeudi et dimanche), *Miami* (un vol quotidien), *Montevideo* (le dimanche), *Rio* (les jeudi et dimanche), *São Paulo* (les lundi, mercredi, vendredi et dimanche), *Santiago* (les mardi et jeudi), plus toutes les grandes capitales.
– *Air France :* Edificio Alameda Mezzanine (Officina 1-2), avenida 16 de Julio. ☎ 35-17-40.
– *Aeroperú :* avenida 16 de Julio 1490, Edificio Avenida, 1er étage. ☎ 37-00-02.
– *Faucett :* Edificio Camara de Comercio. ☎ 35-01-18.
– *Aerolinas Argentinas :* avenida 16 de Julio 1486, Edificio Banco de la Nación Argentina. ☎ 35-16-24.
– *LAP (Paraguay) :* avenida 16 de Julio, Edificio Alameda Mezzanine. ☎ 35-16-87.
– *TAM (Transporte Aero Militar) :* avenida Montes 734. ☎ 37-92-86. Vols pour une vingtaine de villes boliviennes. Moins cher, mais horaires et jours irréguliers.
– *Linea Aerea Imperial (LAI) :* Meal. de Zepita, piso 13, local 1. ☎ 36-93-07.

COROICO

Bourgade de la région des *Yungas* extrêmement agréable. Dépaysement et repos total assurés, à environ 4 h 30 de La Paz. Située à 1 500 m d'altitude, à mi-chemin des Andes et de l'Amazonie, Coroico bénéficie de toutes les qualités d'une région tropicale, sans les inconvénients. Climat chaud, mais air rafraîchissant, moins humide qu'en jungle, superbe relief, etc.
Descente prodigieuse par une route très étroite (parfois camion et bus sont plus larges qu'elle). Une première partie goudronnée, puis rapidement on retrouve la terre battue (beaucoup de poussière en saison sèche). Portions fournissant leur pesant d'émotions (virages en épingle à cheveux, précipices de 1 000 m). Statistiquement, une quarantaine de camions plongent annuellement (ce qui finalement est peu, compte tenu du trafic incroyable). En 4 h de trajet, on gèle d'abord totalement (montée à 4 800 m après La Paz) pour finir par transpirer à grosses gouttes. On peut ainsi assister à la spectaculaire transformation du paysage (des moraines et glaciers aux palmiers et cactus). Balade hautement recommandable. Des routards l'effectuent dans la journée. A notre avis, c'est trop crevant et vraiment très frustrant. Y passer au moins une nuit, pour goûter au pittoresque mode de vie et à la douceur des soirées. Les Yungas possèdent une population noire importante, descendants des esclaves qui travaillaient dans les mines. En janvier, février et mars, pendant la saison des pluies, c'est vraiment très beau. A Coroico, quelques hôtels et restos.

Comment y aller ?

– *En bus :* Flota Yungena, villa Fatima, avenida Las Americas. Micro 135. ☎ 31-23-44. Dans le quartier de la plaza Villaroel (dans le « doigt » s'élevant au-dessus de l'estadio La Paz). Départ tous les jours pour les différentes villes : Coroico, Chulumani, Coripata, Guanay, etc. Très conseillé de réserver et d'acheter sa place un à deux jours à l'avance. Les bus sont vite remplis. En principe, départ à 9 h tous les jours. Ceux (celles) sujets au vertige réserveront plutôt à droite du bus. Également deux autres compagnies à La Paz : *Trans Tour Veloz del Norte,* calle Virgen del Carmen 1329, ☎ 31-17-53 ; et *Compagnie de l'Hôtel Prefectural,* villa Fatima, calle Yanacachi 1442. ☎ 31-23-92.
– *En camion :* dans le même coin que la gare des bus pour Coroico. Pratique s'il n'y a plus de places dans le bus. Ils sont surtout plus nombreux et plus fréquents. Ne pas oublier sa grosse laine pour le passage à 4 800 m.

Où dormir ?

🛏 *Hostal Kory :* en bas de la place principale. Simple, mais plutôt bien tenu et accueil assez sympa. Chambres en étage claires et agréables. Douches à l'extérieur. Superbe vue de la terrasse. Grand restaurant et un bar. Également une piscine.

🛏 *Hostal Lluvia de Oro :* à 50 m de la plaza. Il y a beau y avoir une petite cour mignonne et fleurie, cela ne compense pas l'accueil assez exécrable de la patronne et son goût du lucre (par exemple, faire payer une chambre de trois pour un routard seul !). En outre, entretien des chambres négligé alors que l'endroit est globalement agréable. Seulement si l'autre est complet !

🛏 *Hôtel Prefectural :* tout en bas de la ruelle qui passe devant l'*hostal Kory*. ☎ 37-45-89. Grande bâtisse de style colonial un peu à l'écart. Correct. Plus chic. Chambres avec ou sans baño aux mêmes prix. Possibilité de demi-pension ou pension complète. Grande salle à manger, bar, billard, ping-pong, salle de jeux pour les enfants, etc.

🛏 *Hostal Sol y Luna :* dans la montagne, à environ 20 mn à pied de Coroico. Prendre en direction du cimetière. Suivre le petit chemin tracé entre celui-ci et la caserne. C'est ensuite à droite à 500 m environ. Entrée par deux grandes portes. Voici une superbe adresse pour des séjours plus longs pour nos lecteurs (trices) souhaitant vraiment se reposer, se détendre, finir un roman ou on ne sait quoi. Patronne charmante parlant le français. Possibilité de louer une petite maison ou une chambre dans une bâtisse plus grande, le tout dans un jardin luxuriant en pleine nature et dominant toute la vallée. Clientèle plutôt sympa. Belle cuisine aménagée. Réfrigérateur. On prépare la tambouille ensemble. On peut aussi aider à entretenir le jardin si on veut. Bref, une très sympathique atmosphère conviviale. Cure de repos assurée. Les soirées se révèlent adorables. Une de nos meilleures adresses en Bolivie.

Où manger ?

✗ Quelques gargotes pas chères autour de la plaza et alentour, et au *comedor popular* du marché. Pour les budgets serrés, ne pas prendre de *platos,* mais plutôt l'*almuerzo* (à midi) ou la *cena* (le soir). Soupe (toujours copieuse) plus un plat.

✗ *La Casa :* à gauche, dans la ruelle descendant au *Prefectural*. Resto un peu plus chic qui fait aussi hôtel. Possibilité de déguster sur la terrasse fondue bourguignonne ou savoyarde et raclette (si, si !) tout à fait succulentes. Le tout arrosé d'un petit vin bolivien pas mauvais. Petit menu et plats locaux également. Pour la fondue bourguignonne, très conseillé de réserver. Pas si cher que le cadre et la qualité de la nourriture le font croire. Bon accueil. Une excellente adresse !

A voir. A faire

— Se détendre, se reposer la tête, les yeux, sur la ligne bleue de la vallée.

— Découvrir le village, sa gentillesse, son rythme. Au détour d'une ruelle, tomber sur le boulanger devant ses immenses stères de bois. En début de soirée, tous les jeunes se retrouvent sur la plaza qui connaît une belle animation. Acheter son vin au couvent des clarisses (en face du resto *La Casa*). Vin rouge et blanc de table maison ou blanc doux (au petit goût de muscat de chez nous).

— *Balades à pied* splendides aux environs. Par exemple, monter dans la rue à gauche de l'église. Après 20 mn de marche, on parvient à une petite chapelle. Beau point de vue. Promenade également le long du rio, au creux de la montagne. Possibilité de rejoindre Yolosa (à 1 200 m d'altitude, tout en bas, à 7 km) et de se baigner. Très rafraîchissant.
Belle cascade à 2 h de marche (baignade possible mais eau très froide). En haut de la montagne, joli bois. Se renseigner auprès de la population.
Marché le samedi.

— Dany et Patrice, deux Français, viennent d'ouvrir le *ranch Beni* avec 7 chevaux. Proposent des balades dans les plantations de café et de bananes et depuis peu des randonnées de plusieurs jours à des prix raisonnables comprenant : cheval, bivouac en tente, ravitaillement et, selon le temps, chasse ou pêche. Ils vous montreront les terrasses construites par les Incas, etc. Ils ont une bonne cafétéria. Goûtez leur mousse au chocolat et leur café torréfié maison.

Quitter Coroico

Pour La Paz

– *Bus Flota Yungueña :* les mercredi et vendredi à 7 h, le dimanche à 13 h (et peut-être le jeudi à 13 h).
– *Camions :* beaucoup plus pratiques et fréquents. Camionnette ou stop pour Yolosa. De là, grand choix de camionnettes ou camions pour La Paz. Quelques bus remontant de Guanay et Caravani.

Pour Chulumani

– *Camions* pour l'essentiel. Assez long. Au moins 7 h de trajet de route cahotante et pittoresque. A Chulumani, en revanche, pour dormir, éviter le *Prefectural* (aussi cher qu'à Coroico, mais plus mal tenu). Choisir plutôt le **Panorama** : accueil cordial et jardin ravissant.

ORURO

Ville minière de l'Altiplano de 170 000 habitants, en majorité indiens. Construite pour loger les mineurs d'étain, elle présente architecturalement fort peu d'intérêt. Rues tristes où s'engouffre le vent glacial. Seul son extraordinaire carnaval de février lui donne, chaque année, d'éclatantes couleurs. Jusqu'à présent, il n'est pas possible de visiter les mines (se renseigner à l'office du tourisme de La Paz ou de Oruro). Il faut pour cela aller à Potosí.

Comment y aller ?

– *En bus :* très nombreux du terminal de La Paz. *Cie Aroma :* 7 départs par jour. ☎ 37-54-49. *Pullman Urus* et *6 de Agosto :* 7 à 8 départs par jour. Compter 3 h de trajet.
– *En train :* de la Estación Central de La Paz : le lundi et le jeudi à 16 h 40 ; arrivée 21 h 01. Lundi et mercredi à 8 h ; arrivée 12 h 30. Mercredi à 17 h 20 ; arrivée 21 h 50. Plus les trains qui vont à Uyuni et Villazon.

Adresses utiles

– *Instituto Boliviano de Turismo :* plaza 10 de Febrero, Edificio Prefectura. ☎ 51-764. Près de l'*hôtel Plaza*.
– *Poste :* Présidente Montes 1456.
– *Téléphone (Entel) :* parque Castro de Padilla.
– *Migración :* Présidente Montes (au coin d'Adolfo Mier). ☎ 50-274.
– *Lloyd Aero Boliviano (LAB) :* La Plata (au coin de Junin). ☎ 51-260.

Où dormir ? Où manger ?

– *Alojamiento Bolívar :* près du marché. Confort assez sommaire.
– *Hôtel-Residencial Ideal :* Bolívar 392. Correct sans plus.
– *Hôtel Lipton :* calle 6 de Agosto. Près du terminal des bus. Plus cher, mais propre et l'un des rares à avoir de l'eau chaude.
✗ On mange pour pas cher au *marché*. Goûter à la spécialité locale : *el picante* (poulet aux piments).

A voir

▶ *Le carnaval* et sa fameuse *danse des Diabladas*. Se déroule la semaine pré-cédant le mercredi des Cendres. Surtout le samedi et le dimanche. Très conseillé de réserver votre hôtel ou d'arriver deux jours avant.
Le samedi, les diables, avec à leur tête la *China Supay* (la diablesse), défilent dans leurs magnifiques costumes. Les masques sont superbement élaborés, souvent terrifiants. Songez qu'il s'en promène plusieurs centaines en ville. Le dimanche, victoire de l'archange saint Michel. Toute la ville s'éclate. Pendant plusieurs jours, ce ne sont que défilés de danseurs et chanteurs dans tous les quartiers. Bien entendu, alcool et chicha coulent à flots et permettent de tenir toutes les nuits. L'une des plus grandes fêtes d'Amérique du Sud.

▶ *Musée archéologique et ethnographique :* calle Lizarraga. Près du zoo.

▶ *Monument au mineur révolutionnaire* (pour nos lecteurs syndicalistes).

▶ En dehors de la période du carnaval, peu de chances d'entendre de la musique à Oruro. Parfois, soirées-peñas au grand café de la plaza 10 de Febrero. Quelques boutiques proposent pourtant des instruments de bonne qualité et à prix abordables. *Casa Coca,* calle Cochabamba (entre 6 de Agosto et Buenos Aires), *Casa León,* calle Ayacucho (et Plata), *Casa Requerin,* mercado Campero, calle 6 de Octubre (et Adolfo Mier).

Aux environs

▶ *Le lac Uru-Uru :* à 10 km de la ville, en direction du Chili. Joli lac qui regorge de *pejerrey* (ce bon poisson qu'on retrouve sur notre table). Pour s'y rendre, tout micro affichant « Terminal Sud ». Ensuite, 5 km à pied ou en camion (il en passe pas mal jusqu'à 14 h).

Quitter Oruro

– *Terminal des bus :* Villaroel et Brazil. ☎ 53-535 et 53-554. *Pour La Paz,* nombreux compagnies et départs. Environ 3 h de trajet. *Pour Potosí :* bus en soirée. 9 à 10 h de rude voyage (prévoir couverture chaude).
– *Estación Central :* plaza Abel Ascarrumz. ☎ 60-697. Bien sûr, vérifier les horaires. *Trains pour Cochabamba :* le lundi à 7 h et 12 h 50, le mercredi à 12 h 50, le jeudi à 8 h 15 et le vendredi à 8 h. *Pour Uyuni et Villazón :* le lundi et le jeudi à 21 h 40, le mercredi et le dimanche à 19 h 15. *Pour Potosí et Sucre :* le mercredi à 22 h 15 (wagons pas chauffés, prévoir duvet ou couverture). *Pour La Paz :* le mercredi et le samedi à 6 h 36, le mardi et le jeudi à 13 h 27 et le vendredi à 6 h 10.

POTOSÍ

Cité coloniale de 132 000 habitants à 4 000 m d'altitude, ce qui en fait la ville d'importance la plus haute du monde (plus que Lhassa même). Depuis 1987, déclarée « Patrimoine naturel et culturel de l'humanité ». Il était temps que Potosí soit enfin reconnue, non seulement comme l'une des plus belles villes qui soient, mais aussi comme l'un des plus pathétiques témoignages sur l'histoire humaine. La terre, l'architecture, l'homme et son travail : une confrontation extraordinaire ici. Avec un côté irréel, lorsqu'on visite Potosí en juillet-août, dans les petits matins balayés par les bourrasques glacées de l'hiver austral, alors que le ciel arbore un bleu insolent de Côte d'Azur. Dans la journée, heureusement, l'atmosphère se réchauffe et dans les mines, on frôle les 45 °C. Attendez-vous donc à passer votre journée à enfiler et enlever pulls et chandails.

Un peu d'histoire

Savait-il ce qu'il allait déclencher, Hualpa, un Indien de l'Altiplano, lorsqu'il révéla à Centano (un des nombreux aventuriers espagnols de l'époque de Pizarro), l'existence du *Sumaj Orcko* à Potosí ? Sumaj Orcko (la « montagne d'Argent » en quéchua) se révéla être une mine si fabuleuse que Charles Quint éleva, en 1546, Potosí au rang de ville impériale. Exploitée pendant deux siècles, la mine aurait produit suffisamment pour paver d'argent une route à deux voies jusqu'à Madrid ! Les Espagnols la surnommèrent à juste titre le *Cerro Rico*, la « Colline Riche ». Il y eut jusqu'à 10 000 galeries dans la mine et plusieurs milliers d'entrées. A la fin du XVIe siècle, avec 160 000 habitants, Potosí était plus importante que Paris et Londres. La ville se couvrit de superbes édifices coloniaux et d'églises. Dans *Don Quichotte,* Cervantes fait dire à son héros « Vale un Potosí » (« Vaut un Potosí »), expression signifiant quelque chose d'inestimable. Avec l'institution de la *mita*, les Indiens payèrent très cher l'enrichissement de l'Espagne. La mita, c'était le travail forcé (et gratuit !) par alternance dans les mines, dans des conditions épouvantables. Chaque année, plusieurs dizaines de milliers d'Indiens moururent d'épuisement ou empoisonnés par les vapeurs du mercure qui servait au traitement de l'argent. Sans compter les maladies importées par les Espagnols eux-mêmes. Comme seule nourriture, les Indiens n'avaient que des feuilles de coca à mâcher (vendues par les responsables des mines, de plus !).

Pourtant, dès la moitié du XVIIIe siècle, les filons d'argent s'épuisèrent. On en découvrit aussi ailleurs (Pérou, Mexique). Potosí tomba rapidement en décadence, au point de ne plus compter, dans la première moitié du XIXe siècle, que 10 000 habitants. La découverte et l'exploitation de l'étain relancèrent néanmoins l'économie de la ville, avant qu'elle ne retombe de nouveau ces dernières années, l'exploitation des gisements ne se révélant plus rentable.

Adresses utiles

– *Office du tourisme :* calle Quijarro, Camara de Mineria Building. Au 2e étage. ☎ 25-288. Ouvert de 9 h à 14 h (sauf samedi et dimanche). Bon accueil. Donne quelques dépliants sur la ville. Pour une visite plus en profondeur (genre randonnée de deux ou trois jours dans la région), demander à rencontrer M. Fernandez, le directeur. Particulièrement compétent, très sympathique et parlant bien le français.

– *Kiosque touristique :* en haut de la plaza de 10 de Noviembre également (la place principale).

– *Poste :* calle Lanza.

– *Lavanderia :* calle Quijarro (à côté du resto *Sumac Orcko*).

Où dormir ?

A Potosí, conditions de logement assez rudes. La grande majorité des hôtels n'ont ni chauffage, ni eau chaude. En outre, certains hôtels (pourtant de bon standing), quand ils possèdent un chauffage, ne le font pas fonctionner par souci d'économie. Cela dit, ces vieux bâtiments coloniaux possèdent des murs qui stoppent étonnamment bien le froid, et la température dans les chambres est sans commune mesure avec celle de l'extérieur. D'autre part, les patrons d'hôtels ne sont pas avares en couvertures (et comme disait notre grand-mère : « Les enfants, c'est bien plus sain de dormir sans chauffage, regardez comment finit Zola ! »).

Bon marché

⛵ *Hôtel Central :* calle Bustillos 1230. ☎ 22-207. Proche de la plaza 10 de Noviembre, dans une vieille rue sympa. L'un des hôtels les moins chers de la ville. Chambres disposées autour d'une cour avec véranda en bois tout du long. Il possède un petit côté assez rudimentaire délabré mais « western-vieillot-décadent » plaisant, faut dire. Propreté acceptable. Préférer les chambres au 1er étage sur rue (plus claires, plus agréables). Il y en a une qui est toute rose. Pas de chauffage. Douche asthmatique, eau chaude rare, mais une bonne adresse quand même pour ce « p'tit truc » indéfinissable qu'elle a !

☙ *Residencial Sumaj :* calle Fortunato Gumiel 12. ☎ 23-336. Bien situé. A mi-chemin de la gare et de la plaza 10 de Noviembre et à deux pas de la plaza del Estudiante. Chambres assez petites, disposées autour d'un atrium dans les tons rose et jaune. Là, ça donne dans le genre vieillot-kitsch. Demander plutôt une chambre avec fenêtre. Bon accueil. Dans l'ensemble, bien tenu. En principe, eau chaude le matin.

☙ *Alojamiento Ferrocarril :* calle Villazón. A 100 m de la gare. Dans la rue qui part droit devant. Simple, bien tenu. Famille particulièrement sympa. Douches chaudes à certaines heures. Une bonne adresse. Ferme ses portes à 22 h 30.

☙ *Alojamiento Tumusla :* à 400 m à droite en remontant de la gare des bus, vers le centre ville. Très simple. Assez propre. Vraiment pas cher. L'*alojamiento Potosí,* en revanche, à côté, est moins bien. En dernier recours.

☙ *Residencial Copacabana :* calle Serrudo 319. Prolongement de la calle Villazón. Pratiquement à mi-chemin gare - plaza 10 de Noviembre. Encore accessible à pied (avec un sac pas trop lourd). Assez correct. Resto convenable et pas cher au rez-de-chaussée.

☙ *Hostal Carlos V :* Linares 40. ☎ 25-121. Un hôtel tout neuf avec une belle architecture. Eau chaude, mais pas de salle de bains privée.

Prix moyens à plus chic

☙ *Hostal El Turista :* calle Lanza 19. ☎ 22-492. Central. A deux *cuadras* de la plaza 10 de Noviembre. Très central. La plupart des chambres avec baño. Eau chaude. Chauffage central ne fonctionnant pas souvent, victime du renchérissement du fuel !

☙ *Hostal Santa Maria :* avenida Serrudo 224. ☎ 23-255. Confort sommaire. Chambres avec baño. Souvent complet assez tôt. En principe, eau chaude toute la journée. Ambiance très «pension de famille», la patronne materne ses clients. Son mari, médecin, a un cabinet mitoyen avec l'hôtel. Ça peut servir.

☙ *Hôtel Prefectural (Centenario) :* plaza del Estudiante. ☎ 22-751. Ancien hôtel de standing un peu tombé. Immense lobby. Ne conviendra pas à ceux qui recherchent l'intimité. Grandes chambres avec baño. Propre. Pas de chauffage dans les chambres, mais eau chaude pratiquement toute la journée.

Plus chic

☙ *Hostal Colonial :* calle Hoyos, 8. ☎ 24-265. A deux pas de la plaza 10 de Noviembre. Un vieux charme colonial, comme son nom l'indique. Belles chambres confortables. Peut-être le seul hôtel qui possède un chauffage qui fonctionne.

☙ *Hostal Libertador :* Millares 58. ☎ 27-877. Petit hôtel tout neuf, chauffage et eau chaude. Le patron, Wilson Mendisto Pacheco, est également le directeur de la Casa de la Moneda. Il est de bon conseil. L'hôtel est mitoyen avec une école de musique dont les répétitions commencent à 8 h 30. On vous aura prévenu !

Où manger ?

Attention, restos fermant de bonne heure le soir. Goûter aux spécialités régionales : les *fritanga, fricasé, mondego,* trois plats à base de porc. Enfin, un plat étrange qu'on ne mange qu'en novembre (le mois des Morts) : l'*aji de acsacana.* C'est la racine du cactus préparée d'une façon spéciale. Comme desserts : le *sopay pillas* (sorte de sablé), le *chambergo* (gâteau sec couvert de miel), le *tawa-tawa.* Enfin, ne pas oublier que la *cerveza nacional Potosí* est, pour nous, la meilleure bière de Bolivie.

Bon marché

✕ *Sumac Orcko :* Quijarro 46. Dans la rue courant le long de la Casa de la Moneda. Ouvert midi et soir jusqu'à 21 h. Petit et intime. Plats chers mais copieux. Bon *piqueo macho.*

✕ *Comedor Popular :* Bustillos et Bolívar. Au 1ᵉʳ étage du mercado. Petites cuisines prodiguant dans la journée une nourriture correcte. Cadre propre. Bons gâteaux.

✕ *Doña Louara :* calle Sucre. En face du stade. Après le nº 165, c'est la porte jaune. Ouvert de 14 h à 18 h. Petit resto populaire, en dehors des sentiers battus. Oh, rien d'extraordinaire. C'est sympa, tranquille et on y sert de bons petits plats simples et pas chers (genre *picante de pollo, tripa de la casa*, etc.). Bon accueil. Clientèle locale. Jamais beaucoup de monde, sauf quand une joyeuse bande de travailleurs et d'enseignants de l'université vient jouer au *sapo*. Petites salles dans la cour.

Bon marché à prix moyens

X **Don Lucho** : Bolívar 789. Ouvert tous les jours de 8 h à 23 h. Grande salle où l'on vous servira un bon *churrasco* pour un prix acceptable. Pas plus d'atmosphère que ça. En principe, *peña* le vendredi soir (musique plus commerciale que folklorique, voire, parfois, assez mauvaise !).

Plus chic

X **El Mesón** : plaza 10 de Noviembre. ☎ 22-543. Cadre *clean* et vestes blanches pour une cuisine locale et internationale possédant une bonne réputation.

A voir

▸ **Casa de la Moneda** : entrée à l'angle de Quijarro et plaza 10 de Noviembre. ☎ 22-777. Ouvert de 9 h à 12 h et de 14 h à 17 h. Entrée payante. Visite guidée de 2 h environ. Les groupes se forment environ toutes les demi-heures. La Casa de la Moneda est l'un des bâtiments coloniaux les plus importants d'Amérique du Sud. Édifiée au XVIIIᵉ siècle, c'est ici que l'on frappa la monnaie jusqu'en 1869 sur d'antiques matrices mues par des esclaves d'abord, par des chevaux ensuite. De 1869 à 1909, ce sont des machines à vapeur qui effectuèrent le travail. Tout est encore en place aujourd'hui, ce qui en fait une visite tout à fait unique. Plus de nombreuses collections de meubles et de peintures, ce qui explique la longueur de la visite. A propos, apporter une petite laine en plus. Certaines salles sont plutôt fraîches.
Dans la pinacothèque, peu d'œuvres majeures, quelques toiles intéressantes comme cette « Vierge de la Calendaria » dans son cadre doré et peinte comme une miniature. Salle consacrée à Melchior Perez Holguin, peintre potosino (mais ses plus belles peintures sont au musée national d'Art à La Paz). Au fil des autres salles, relevons une belle « Virgen de Sabaya » du XVIIIᵉ siècle, une « bande dessinée » sur la vie de saint Nicolas, un « Saint François d'Assise » de l'école de Zurbarán. Dans la dernière salle, deux œuvres curieuses : une « Vierge » dont la robe représente le Cerro Rico et un « San Francisco » de Holguin qui laisse apparaître une autre œuvre en dessous.
Dans un entrepôt immense aux charpentes et plancher d'origine, expo numismatique (dont la 1ʳᵉ pièce de la République bolivienne). Impressionnants engrenages en bois et machinerie des presses qui frappaient la monnaie. Des esclaves noirs l'actionnaient du sous-sol. Noter l'étonnant système de verrouillage du coffre-fort. *Sections archéologique et de minéralogie.* Curieux parchemin qu'utilisaient les missionnaires dans l'enseignement religieux des Indiens. Noter, au fond, la longue chronologie, fort peu darwinienne, d'Adam et Ève à nos jours. Petite *section d'histoire contemporaine* avec les souvenirs des guerres désastreuses que mena la Bolivie (le Chaco, l'Acre, etc.).
Riche *section de meubles coloniaux* : notamment un superbe secrétaire incrusté d'ivoire, une table de jeu marquetée assez surprenante.
Petite *section d'art moderne*, estampes et eaux-fortes. Remarquable « Autoportrait » de Cecilio Guzmán de Rojas (1918).

▸ **Plaza 10 de Noviembre** : bordée d'élégants édifices coloniaux : la municipalité *(Cabildo)*, le Trésor royal *(Caja Reales)*, demeures de riches propriétaires de mines, etc.

▸ **La balade dans les ruelles pentues** pleines de charme vous révélera une foule de choses. De remarquables églises, comme *San Lorenzo* qui s'élève en face du Mercado, calle Bustillos. Elle propose l'une des plus fascinantes façades qui soient. Style indigène d'une richesse décorative inouïe et d'une exubérance totale (divinités indiennes sculptées sur les colonnes). Sur Ayacucho, *la Compañía*, édifiée par les jésuites. Sur Nogales et Padilla, *église San Francisco*, avec belle porte, doubles colonnes torsadées et tour carrée massive (petit *Musée religieux*, ouvert de 15 h à 17 h, sauf dimanche). *San Bernardo* propose quant à elle une jolie façade avec campanile et portail sculpté. Plaza del Estudiante, noter l'utilisation étonnante, mais très culturelle, de l'ancienne église locale (*église de Belén,* au beau portail sculpté).

Le soir, la *calle Sucre* s'anime vigoureusement. Rendez-vous traditionnel des jeunes qui l'arpentent sans cesse dans les deux sens, évoquant la « passeggiata » sicilienne. Calle Bolívar, petit *Museo Universitario* (ouvert de 10 h à 12 h et de 15 h à 17 h ; fermé le dimanche). Au coin de Quijarro et Bolívar, le weekend, jusque tard la nuit, furieuses parties de bingo.

Mercado central bruissant et bourdonnant. On y trouve quelques boutiques vendant vieux bibelots, bijoux anciens, etc.

Un conseil : si vous visitez les mines l'après-midi, rentrez à pied (si vous n'êtes pas trop crevé !). Vous traverserez de bien sympathiques quartiers populaires (et puis, ça descend !). A côté des pommes de terre et des paquets de biscuits, les épiciers vendent des petits bâtons de dynamite (ne pas les prendre pour des cigares au détail !).

Se méfier des faux flics qui réclament vos papiers dans le but de vous soutirer de l'argent.

La visite des mines

Il est clair que l'expérience la plus riche de votre passage à Potosí sera la visite d'une des mines. Inoubliable et traumatisant ! *Germinal* vécu en direct à l'aube du XXIe siècle. Bien que complètement tarraudé, mille fois plus troué que le gruyère le plus aéré, le Cerro Rico continue d'être exploité. Cependant, les mines ne sont plus ce qu'elles étaient. Le coût d'extraction de l'étain revenant pratiquement à deux ou trois fois le cours mondial, la *Comibol* (organisme d'État) a massivement licencié. De plus de 2 000 mineurs il y a quelques années, le chiffre est tombé à 500 aujourd'hui. Bon prince, l'État a cependant encouragé les mineurs licenciés à continuer à y travailler en s'organisant en coopératives privées. Finalement, le rendement étant toujours aussi faible, le mineur de coopérative s'exploite lui-même. Aucune protection sociale et, en plus, il doit soustraire de son salaire déjà dérisoire l'achat du salpêtre qui sert à faire fonctionner les lampes de fond et la dynamite utilisée pour faire sauter les veines de minerai. Mais, comme nous l'a dit l'un d'entre eux : « Mon grand-père était mineur, mon père aussi, je le suis devenu et le resterai. En dehors de la mine, nous ne sommes plus rien. C'est une question de fierté ! »

Pour la visite proprement dite, deux solutions :

▶ **La mine de la Comibol :** c'est celle dirigée par l'État. Pour s'y rendre, tous les bus indiqués Comibol y vont. On peut aussi prendre le bus Enta 100 ou un taxi. La visite est organisée par la direction de l'entreprise. En hiver (juillet et août pour nous), visite en principe à 9 h du lundi au samedi (vérifier l'horaire). En été, à 8 h. Durée 2 h environ. Groupe de 5 personnes minimum. On ne vous montre donc que ce que l'on veut bien vous montrer. En général, on ne visite qu'une partie du premier sous-sol. On voit donc très peu d'ouvriers travailler dans la mine, surtout des machines. Évitez tout commentaire politique, ce n'est pas vraiment apprécié.

Les mineurs, vu leurs conditions de travail, souhaitent que le maximum de gens viennent visiter pour qu'ils puissent témoigner. Si vous voulez les rencontrer, faites traîner la visite à l'infirmerie, si possible ; ils y vont, hélas ! souvent. D'ailleurs, il n'y a qu'une seule infirmerie pour toute la montagne et les chiffres officiels sont de cinq accidents par jour... Dans les faits, aucune assurance ni indemnité en cas de maladie. Et quinze jours de vacances par an, à condition de ne pas s'être absenté durant l'année, sinon les jours manqués sont automatiquement déduits du congé.

▶ **Les coopératives privées :** à notre avis, visite beaucoup plus intéressante et éducative. Les coopératives réunissent chacune quelques dizaines de mineurs, pas plus. Le mineur de coopérative descend quand il veut. Chacun est responsable de sa production. Le syndicalisme n'y est quasiment pas développé. Visite déconseillée aux lecteurs (trices) claustrophobes. Longs tunnels étroits où l'on marche courbé en deux. Étais parfois effondrés. Mettre de vieilles fringues. Pas de ventilation. La chaleur devient vite étouffante, l'air de moins en moins respirable (poussières, salpêtre, amiante, particules diverses). Escaliers pour accéder aux 2e et 3e niveaux assez raides. Quand on songe que les mineurs les remontent sans cesse avec 30 à 40 kg de minerai attachés dans le

dos ! Espérance de vie : 36 ans. Ils meurent pratiquement tous de silicose. Bref, on n'en dit pas plus. Vous aurez sûrement l'occasion de les interroger sur leur vie, leurs problèmes. Vous ferez également connaissance avec *El Tío*, statue représentant le diable à qui les mineurs offrent feuilles de coca, alcool et cigarettes. La visite dure de 2 à 3 h et s'effectue avec un guide agréé. Il y en a trois que l'on peut joindre par téléphone ou à travers l'office du tourisme. Parfois, ils sont vers 14 h devant la Casa de la Moneda. De toute façon, ils approchent les touristes eux-mêmes le plus souvent possible. Les visites se font le matin et l'après-midi. Très conseillé d'apporter aux mineurs de petits présents qui seront fort bien accueillis (essentiellement cigarettes et feuilles de coca). Après la mine, la visite s'achève au chantier de séparation des minerais à l'entrée de la ville. Travail extrêmement ardu et ingrat des *relaveros*. Voici quelques nos de téléphone de guides :
• *Eduardo Garnica*, calle Oruro 136 (casilla 33). ☎ 24-708 ou 22-092. Eduardo est le plus connu de tous. C'est un excellent guide qui traduira toutes vos questions posées aux mineurs. Il parle bien l'anglais. A un peu augmenté ses prix depuis qu'il travaille avec une agence. Visite très vivante. Sinon, téléphone des autres guides : *M. Mamani*, 25-610, et *B. Mamani*, 25-304 (calle Millares 147) à l'agence *Potosí Tours*.
Si vous voulez vous rendre compte de la vie misérable dans les mines, véritables camps de concentration où pour quelques bolivianos par jour des hommes crachent leurs poumons, alors lisez absolument *Si on me donne la parole*, de Domitila Barrios de Chungara (éditions Maspero).
– *Attention*, le 24 août est jour férié. Pas de visite des mines (mêmes privées) ni de l'hôtel de la Monnaie. Super fête à 10 km (tous les camions y vont). Danses boliviennes et procession.

A voir aux environs

▶ *Lagune de Tarapaya :* située à environ 25 km. Ne pas faire le « Nomade Tour » organisé et cher. Prendre plutôt un des camions qui partent du mercado Chuquimia (9 de Abril). Sur l'avenue menant au terminal des bus (sur la gauche). Demander à descendre à Tarapaya ; aller jusqu'à Miraflorés : il y a une piscine chaude (pas vraiment terrible). En revanche, si vous prenez la route à gauche (avant le pont), vous trouverez une rivière qui, 500 m plus haut, est aussi chaude ; c'est bien agréable (à la source, elle est carrément en ébullition...).

▶ *Lagunes de Kari-Kari :* une superbe balade à pied de deux jours (en un seul jour, très difficile car il y a entre 10 h et 12 h de marche aller et retour). Pas évident à faire seul. Contacter, à travers l'office du tourisme, *Ulloa*, un excellent club de trekking qui fournit un guide. A plusieurs, extrêmement valable. On passe la nuit dans une cabane de berger à 4 500 m. Possibilité d'observer et de photographier aigles, condors, chinchillas, etc. Sur le plan historique, les lagunes occupent une place importante, puisqu'elles furent, pour la plupart, creusées par des dizaines de milliers d'Indiens, dans le cadre de la *mita*. Beaucoup succombèrent, là aussi, aux effroyables conditions de travail. Il s'agissait pour les Espagnols de concentrer, dans des réservoirs, la force hydraulique qui allait servir à faire fonctionner la machinerie des mines et du traitement du minerai. La plus célèbre demeure la *lagune de San Idelfonso*, parce que, en 1626, son barrage de retenue se rompit et que la moitié de Potosí fut noyée sous les eaux. Vous aurez l'occasion de voir d'anciens engins d'extraction *(enginios de mollienda)*.
– Profitez également de la région pour escalader les montagnes sans risque. Vous êtes déjà à 4 000 m, un sacré avantage. Certains sommets à 5 000 m sont tout à fait accessibles, même pour ceux qui ne possèdent pas une grande expérience. Se renseigner sur ces possibilités auprès de *M. Fernandez*, à l'office du tourisme (calle Quijarro).

La musique potosina

Musique de la région assez spéciale. Les rythmes les plus populaires sont la *tonada* et le *tinku*, interprétés par des voix féminines suraiguës (ou masculines très rauques) et accompagnés par un *charango* à cordes métalliques accordé d'une façon très particulière (dite *del diablo*).

Chanteurs et groupes pullulent. Nous ne pouvons citer que quelques noms : *Luzmila Carpio, Martita León, Betzabe Iturralde, Ruperta Condori, Alberto Arteaga, Mario Anagua, Bonny Alberto Teran, Cesar Valerio, Juan Fernandez, Juan Justo Arano, Segundino Mamani.*
Dans les groupes les plus connus : *Los Taqui-Payas* (très bons et très drôles), *Los Jayanquiris* (copie des Taqui-Payas), *grupo Norte Potosí* (excellents, et la chanteuse Cornelia est vraiment mignonne), *Los de Uncia, Los Ecos del Socavon, Los de Nuqui, Los Huaynas de Ravelo, Los de Ckalcha, Los Sicoya de Chayanta,* etc.
Pour écouter de la musique, guetter les manifestations folkloriques (en août notamment) et les spectacles organisés par le *centre culturel Potoquito*, calle La Paz 1360 (entre la Linares et la Chuquisaca). Quelques adresses de peñas :
– **Don Lucho,** calle Bolívar (en général, le vendredi soir). Musique de qualité très inégale. **Imperial,** calle Bolívar 853. Dans la cour, à l'étage du resto (en principe, le week-end vers 22 h). **Marilyn,** calle Sucre (Edificio Fabriles). **Peña Club 2001** (parfois).

Achats d'instruments de musique

– **Arnaud « Hernando » Gérard :** mercado artesanial, plaza Cornillo Saavedra (esq. Sucre/Omiste). Arnaud a quitté sa Belgique natale pour venir s'installer en Bolivie dont il interprétait déjà la musique. Il est professeur de physique à l'université de Potosí, donne des cours de musique et fabrique des instruments sous la marque *Killay* (« la lune », en quéchua). « Sabiduria antigua con un toque de ciencia », dit sa devise. Il vous fabriquera des instruments introuvables dans le commerce, comme les *julas-julas,* flûtes de Pan qui accompagnent les *tinkus* (combats rituels), en respectant les techniques que lui ont enseignées les musiciens du campo et en apportant tout son savoir de physicien. Si vous ne pouvez le voir, écrivez-lui (casilla 453, Potosí), il est prêt à expédier ses instruments en Europe.
– **Federico Cespedes :** calle Pizarro 2858 (esq. 14 de Infanteria).
– Vous pouvez aussi vous rendre à **Betanzos** (à 45 km de Potosí, sur la route de Sucre). C'est là que travaillent les luthiers les plus réputés.

Fêtes et traditions

– **Fête de San Bartolomé :** le 24 août. Aller à la Cueva del Diablo. A 10 mn en bus ou micro. Service permanent. Grandiose. Toute la région y est. Défilés, costumes, musique, stands, etc. C'est sur la route de Tarapaya.
– **Le Tinku :** tradition des paysans du nord de Potosí, unique en son genre. Chaque année, les membres de deux communautés s'affrontent dans un grand champ, à coups de poings et de pieds. Ils portent la *montéra* (casque de cuir qui ressemble à celui des conquistadores) et se protègent les parties sensibles du corps avec des plaques de cuir. Le rituel se met alors en place : il faut faire chuter l'adversaire, jusqu'à épuisement de tous les participants. Des « pauses chicha » se prennent en commun pour regagner un peu d'énergie. Bien sûr, le sang coule et il y a toujours des blessés, parfois quelques morts. C'est une tradition qui remonte aux Incas. Cette bataille d'un jour, genre d'exorcisme de la violence, devait ainsi éviter des affrontements plus sanglants, voire des guerres.
– **Fête des Mineurs :** les 3 premiers samedis de juin et le 1er samedi d'août. On tue le lama pour offrir son sang à la Pacha Mama. On badigeonne les murs de sang de lama pour implorer la protection des dieux et assurer la rentabilité de la mine. Ames sensibles, s'abstenir !

Quitter Potosí en bus

Vers Sucre

– *Turismo Geminis :* calle Bustillos 1066. ☎ 22-780. Départs quotidiens à 7 h et 17 h.
– *Andes Tours :* à 20 m de la précédente agence.

– Quelques compagnies de bus assurent aussi *Potosí-Sucre* depuis le grand terminal. Notamment *10 de Noviembre* et *Flota Pullman* à 9 h. Quelques bolivianos moins cher.
– Des *camions* partent également le matin du marché (près de la plaza del Estudiante).

Vers La Paz du terminal

Terminal en dehors de la ville. Tout au bout de l'avenida Universitario (prolongement d'Antofagasta et de 9 de Abril).
– *Transpullman Relampago* : quotidien, à 18 h 30. Arrivée vers 7 h.
– *10 de Noviembre et Panamericana* : à 18 h. Quotidien.

Autres destinations

– *10 de Noviembre* : Tarija à 8 h et Villazón à 17 h 30.
– *Panamericana* : Villazón à 17 h 30, Cochabamba, Santa Cruz à 17 h 30, etc.
– *Alianza* : à 18 h 30. Oruro, Cochabamba, Santa Cruz.
– *Universo* : à 18 h 30. Oruro et Cochabamba. Quotidien.
– *Vers Uyuni* : en principe, des *micros* effectuent cette liaison. 8 h de trajet. Route assez rude. Beaux paysages. Jours et horaires pas réguliers.

Quitter Potosí en train, en avion

Voici les horaires les plus réguliers. Pour organiser son voyage vers Uyuni et Villazón, se renseigner dès La Paz, car il y a très peu de possibilités depuis Potosí.
– **Vers Sucre** : moins intéressant qu'en bus. Beaucoup plus long, avec risques de retards. Le jeudi : « tren express » à 7 h 45. Le samedi : « tren mixto » à 7 h 30.
– **Vers Oruro** et **La Paz** : le dimanche, « ferrobus » à 8 h 15. Le jeudi : « tren express » à 21 h 30. Ferrobus un peu plus cher.
– Il est question de rétablir la liaison **La Paz-Potosí** assurée par la *LAI*, une petite compagnie d'avionnettes.

LE SALAR DE UYUNI

A 3 700 m d'altitude, immense désert de sel, le plus grand du monde, l'équivalent de deux départements français. Sur 40 m d'épaisseur alternent couches de sel et de glaise. Horizons à l'infini, d'une netteté parfaite. Une ligne si droite qu'elle en paraît légèrement courbe ! Quelques îlots avec des cactus géants. Région complètement marginale, fort peu connue. Qui sait que dans cet enfer blanc, quelques centaines d'hommes piochent, creusent à longueur d'année pour dégager des briquettes de sel non iodé ? Pour moins de 20 F par jour. La tête couverte d'un passe-montagne, des lunettes noires contre la réverbération intolérable du soleil, pieds et mains brûlés, rongés par le sel. Une usine traitera ce sel et y incorporera de l'iode. En effet, les paysans des montagnes apprécient les pains de sel qui se conservent plus facilement et ne prennent pas l'humidité. Ce qu'ils ignorent le plus souvent, c'est que l'absence d'iode favorise à la longue le goître et le crétinisme, maladies qui frappent certains villages reculés des montagnes. Un jour pourtant, cette région sera bouleversée. D'après les experts, sous la croûte de sel gît plus de la moitié des réserves de lithium du monde, ce métal alcalin d'un blanc argenté (le plus léger des solides). En attendant, peu de gens vont au Salar de Uyuni. Normal, l'accès n'en est pas facile et l'infrastructure touristique quasiment inexistante. De plus, c'est la région la plus froide de Bolivie. En juillet-août, la nuit, règne une température polaire (jusqu'à – 20°) et à Uyuni, les hôtels ne sont pas chauffés ! Le jour, en revanche, le thermomètre peut remonter jusqu'à 20° (vérifiez que vos couronnes en acier supporteront ces variations).
Raison de plus pour le visiter, nous direz-vous ! Prévoir donc au moins une semaine. *Attention :* la meilleure saison s'étend d'avril à novembre. Sinon, risque de pluie et de neige. Prévoir excellent duvet, doudoune, bonnes chaussures, grosses chaussettes, gants, chapeau, protection pour la peau et les lèvres, gourde, lunettes de glacier, Kodakrome 25.

Comment y aller ?

– *De La Paz en train :* les lignes pour Antofagasta, Calama et Villazón passent par Uyuni. Départs les lundi et jeudi à 16 h 40 ; arrivée à 4 h 04. Le vendredi, départ à 11 h 50.

L'*Expreso del Sur* passe également par Uyuni. Départ le vendredi à 19 h ; arrivée à 5 h 12.

Le mieux, c'est de s'arrêter à Colchani (20 km avant Uyuni), mais tous les trains n'y stoppent pas. Le Salar est alors à 5 km. Prendre un camion qui se rend à Llica et traverse tout le désert de sel.

– Quelques *bus* ou *micros* depuis Potosí.

– Route très mauvaise entre Rio Mulato et Uyuni, quasiment impraticable en période de pluie.

▸ *La visite du Salar*

– *Camion* qui traverse le désert dans sa plus grande longueur et couvre les 180 km entre Uyuni et Llica. A Llica, petit alojamiento.

– *Location de Jeep ou 4 x 4 :* très cher. Les quelques loueurs en profitent et proposent des prix astronomiques. Ça peut varier entre 100 et 150 dollars par jour. Négocier férocement. *Point important :* partir avec une voiture en bon état et un guide sérieux. Bien vérifier qu'il y a une roue de secours et du matériel de réparation. Pour cela, s'informer à l'*hôtel Avenida* ou à la mairie. Participation d'un guide obligatoire.

– *Calixto Ignacio Ayavire :* Taller « Metalmar », calle Camacho 692, Uyuni. L'un des meilleurs guides sur la région. Connaît le Salar et toute la zone du Lipez (Laguna Colorada, Verde, etc.) comme sa poche, et en parle avec enthousiasme. Pas forcément disponible puisqu'il possède un petit atelier et qu'il doit bien y rester de temps à autre. Enfin, avec un peu de chance… Avec son 4 x 4, il propose des visites de 2 h (travailleurs du sel, ainsi que des geysers) ou bien des tours de plusieurs jours (Salar, laguna Colorada).

– *Passer par une agence :* Tawa propose différents circuits sur le Salar. Agence très fiable. Guides expérimentés (coordonnées au chapitre « Adresses utiles » à La Paz).

▸ *Uyuni*

Ville d'environ 5 000 habitants. Important nœud ferroviaire. Population majoritairement indienne. Aucun charme. Vie très rude, atmosphère assez déprimante. Seul le grand marché du jeudi et du vendredi présente un intérêt. Travailleurs du sel et paysans de la région viennent rêver devant les marchandises arrivant du Chili ou par contrebande (télés couleur, magnétophones et divers appareils à brancher sur d'imaginaires prises électriques).

🛏 Pour dormir, conditions très sommaires. Le mieux est l'*hôtel Avenida* (mais pas d'eau chaude !), avenida Ferrovaria, à 30 m de la gare. Gros problèmes pour le change, il vaut mieux avoir pris ses dispositions avant.

▸ *La laguna Colorada*

Les téméraires et ceux qui ont beaucoup de temps peuvent tenter de se rendre à la laguna Colorada, à environ 370 km au sud-ouest d'Uyuni. Réalisable de mai à octobre seulement. Ce sont les plus beaux paysages de Bolivie. A la laguna, vous verrez des flamants roses qui réussissent à vivre par grand froid. Aucun touriste, bien entendu, aucun moyen de transport pour s'y rendre. Si vous voulez y aller par vos propres moyens (sans louer de 4 × 4), la seule solution consiste à dénicher l'un des rares camions qui se rendent de temps à autre sur l'un des chantiers de la région ou aux mines de soufre proches de la laguna. Au départ d'Uyuni ou de Chiguana (à la frontière chilienne). C'est la grande aventure. Être sûr qu'on dispose de tout le temps nécessaire pour l'effectuer. Risque d'attendre plusieurs jours (voire une semaine) pour trouver un camion qui retourne à Uyuni ou Chiguana. Ne pas rêvez de faire du stop, trafic inexistant. Être très bien équipé. Emporter de la nourriture. Posséder un bon duvet de montagne.

Si vous y allez en 4 × 4 loué, nécessité d'un chauffeur-guide connaissant parfaitement la région. En profiter pour pousser jusqu'à Laguna Verde, le point le plus au sud de Bolivie. Le bout du monde !

Quitter Uyuni

– Vers **Potosi** : 1 *bus* quotidien (environ 8 h de trajet).
– Pour se rendre en **Argentine,** 3 *trains* par semaine.

SUCRE

Capitale constitutionnelle du pays. Eh oui ! ce n'est pas La Paz... qui n'en est pas moins la capitale de fait ! Bon, que cet imbroglio politico-juridique ne vous empêche cependant pas d'investir cette délicieuse cité coloniale, première « ville repos » du tour de Bolivie. Ici, à 2 700 m, après les rigueurs de l'Altiplano, vous savourerez pendant la journée la douceur du climat. Le soir, du haut du mirador de la Recoleta, tout en admirant l'harmonieuse architecture coloniale de Sucre, vous apprécierez le fond de l'air bien rafraîchissant...
Enfin, dans l'organisation du voyage, se rappeler que le grand marché de Tarabuco, à côté de Sucre, se déroule le dimanche.

Un peu d'histoire

Sucre fut fondée en 1540 et vit naître, en 1624, Saint-François-Xavier, la première université bolivienne, et le berceau de l'indépendance. Ses étudiants furent toujours à la pointe de la contestation et des idées les plus radicales. La ville s'appela d'abord *Charcas,* puis *La Plata,* puis, jusqu'à l'indépendance, *Chuquisaca...* Simón Bolívar se rendit en 1825 à Chuquisaca, dans ce haut Pérou qui n'était pas encore la Bolivie. Il surnommait d'ailleurs le haut Pérou sa « fille préférée » et voulait tout faire pour éviter la dislocation de la nation sud-américaine tout juste libérée. Mais c'était déjà trop tard.
En août 1825, « les docteurs créoles », avocats et grands propriétaires, politiciens qui commençaient déjà à magouiller, proclamèrent la « république Bolívar » en l'honneur du Libertador. Ils lui en offrirent également la présidence à vie et la possibilité de rédiger la Constitution. Bolívar s'inclina, élabora effectivement une Constitution pétrie d'idéaux et de justice (mais qui ne fut jamais appliquée !), mais partit au bout de quelques mois, laissant la présidence au maréchal Sucre. Chuquisaca se transforma en Sucre pour honorer à son tour le vainqueur de la bataille d'Ayacucho.
Plus tard, tandis que La Paz se développait à grande vitesse et profitait du boom économique produit par l'exploitation des riches minerais du pays, Sucre stagnait et ronronnait dans son écrin colonial. Vers la fin du XIXᵉ siècle, le pouvoir politique s'installa à La Paz, sans qu'officiellement Sucre ne perde son titre de capitale. Aujourd'hui, tout se trouve à La Paz, parlement, palais présidentiel, ambassades, etc., Sucre ne conservant plus que la Cour suprême. Capitale délaissée donc, longtemps de très faible importance commerciale et industrielle pour le pays, Sucre ne se modernisa jamais, ce qui lui permet au fond de pouvoir présenter aux visiteurs ravis ce visage si doux, serein et amical...

Adresses utiles

– **Office du tourisme :** calle Potosí 102 (et San Alberto). ☎ 25-983. Ouvert de 8 h à 12 h et de 14 h à 18 h. Fermé samedi et dimanche. Tout petit local et accueil gentil. Vend un plan de ville et quelques brochures. Également calle Ortiz 182.
– **Office universitaire du tourisme :** Nicolás Ortiz 182. ☎ 23-763.
– **Poste :** calle Argentina 50. Premier bloc après la place d'Armes.
– **Téléphone (Entel) :** España 271 (au coin d'Urcullo).
– **Migración :** plaza 25 de Mayo 1. ☎ 32-770.
– **Casa de Cambio :** Ambar, San Alberto 7. L'un des rares endroits à Sucre où l'on peut changer les chèques de voyage.
– **Alliance française :** avenida Aniceto Arce 35. ☎ 23-599. Restaurant *La Taverne* (voir « Où manger ? »). Très bon accueil, revues et journaux récents. Près de la plaza 25 de Mayo.

– *Lavanderia :* calle Bolívar 617, en face du Musée universitaire.

Où dormir ?

Bon marché

📛 *Alojamiento El Turista :* Ravelo 118. ☎ 23-172. Pas loin du mercado. Très simple, mais assez bien tenu. Draps changés. Un des moins chers. Une adresse correcte pour petits budgets.

📛 *Residencial Oriental :* San Alberto 43. ☎ 21-644. A côté de l'église San Francisco. Quartier sympa et central. Deux patios très agréables et fleuris où s'ordonnent les chambres. Un peu plus claires dans celui du fond. Un certain charme et assez bien tenu dans l'ensemble. Deux petits points noirs cependant. Le premier (sans conséquence) : accueil routinier, voire peu aimable. Le deuxième (plus problématique) : attention aux douches électriques, certaines sont dangereuses. Tourner le robinet avec une serviette sèche, mais, au premier « coup de jus », laisser couler et demander à la réception de fermer l'eau chaude elle-même. On tient à nos lecteurs !

📛 *Residencial Bustillo :* Ravelo 158. ☎ 21-560. Quelconque, un peu sombre, mais assez propre. Chambres sans baño, au même prix que l'*Oriental*.

📛 *Alojamiento La Plata :* Ravelo 32. ☎ 22-102. Effectivement un tout petit peu moins cher que les autres, mais pour un confort assez médiocre, une ambiance triste et une patronne aimable comme une porte de prison.

📛 *Alojamiento Austria :* avenida Ostria Guttierez 518. ☎ 24-202. En face de la gare routière. Propreté acceptable. Chambres au 1er étage meilleures. Pas cher du tout et, évidemment, pratique pour ceux qui prennent un bus de bonne heure. Quartier cependant vraiment peu enthousiasmant et loin de tout.

Bon marché à prix moyens

📛 *Residencial Bolivia :* Ravelo. ☎ 24-346 et 23-239. Bien tenu. Deux grands patios colorés. Petit déjeuner compris. Bonne adresse.

📛 *Residencial Londres :* avenida H. Siles 949 (et Tarapaca). ☎ 24-792. Un peu excentré, mais l'hôtel le plus proche de la gare. Correct sans plus. Si tout est plein ailleurs.

Prix moyens à plus chic

📛 *Grand Hôtel :* Aniceto Arce 61. ☎ 22-461. Pas loin de la plaza 25 de Mayo. « Grand Hôtel » pas mal tombé en fait. Vieillot, un certain laisser-aller. En tout cas, cher pour ce qu'il propose !

📛 *Residencial Charcas :* calle Ravelo. ☎ 23-972. Juste en face du mercado. Même prix que le *Grand Hôtel* et bien mieux. Refait de neuf. Avec ou sans baño. Pas de charme particulier, mais fort bien tenu. Chambres avec baño à l'extérieur à prix très abordables. Chambres à l'étage bénéficiant de plus de lumière. Patronne charmante. Une excellente adresse.

Plus chic

📛 *Hostal Cruz de Popayan :* calle Loa 881. ☎ 25-156. A deux blocs de la plaza 25 de Mayo. Dans une très belle demeure coloniale. Les chambres donnent sur un patio délicieux. Quartier calme.

📛 *Hostal Sucre :* Bustillo 113. ☎ 21-411. Juste à côté de la plaza. Là encore, élégante maison coloniale avec patio à arcades tout fleuri. Belles chambres. Plus touristique, plus animé que l'adresse précédente et quelques bolivianos moins cher.

📛 *Hostal Los Piños :* calle Colón 502. ☎ 24-403. A cinq blocs de la plaza. Quartier hyper tranquille, tout en étant toujours central. Splendide villa moderne toute blanche. Chambres très agréables. Atmosphère plus proche du *B & B* que de l'hôtel classique. Une bonne adresse.

📛 *Hostal Colonial :* plaza 25 de Mayo 3. ☎ 24-709. Même maison que le *Colonial* de Potosí. Belles chambres disposées autour d'un atrium. Impeccable. Un des meilleurs hôtels de la ville.

Où manger ?

Goûter aux spécialités de la région : les *chorizos criollos* (genre de saucisses servies dans les *choricerias*), les *empenadas* qui ressemblent aux *salteñas* de

La Paz (genre de chaussons à la viande ou aux légumes), le *sullcka* (plat de viande, tripes et maïs ; n'est servi que certains jours).

Bon marché

✕ **Comedor Estudiantil y Familiar Paim-Saen :** calle Arenares, juste après l'église Santa Monica (qui fait le coin sur le même trottoir). Ouvert le midi seulement. Fermé le dimanche. L'un des restos les moins chers de Bolivie. Grande salle bourdonnante, genre cantine, pour une nourriture très simple mais correcte.

✕ **Petrushka :** calle R. Moreno 53. A quatre cuadras de la plaza 25 de Mayo. C'est la rue à gauche, juste après la plaza Libertad. A peine excentré et pratiquement pas de touristes. Ouvert midi et soir jusqu'à 21 h 30. Le dimanche, de 14 h à 18 h. Resto populaire servant de bons plats traditionnels : *picante de lengua, riñon al vino, picante de pollo*, etc. Grosses portions. Accueil un peu réservé (normal, on bouscule les habitudes).

✕ **Resto sans nom :** Colón 437. Ouvert de 12 h à 13 h 15. Fermé le dimanche. Un peu excentré. Tant mieux ! L'entrée ressemble à une grande porte cochère avec un rideau. Seul un tableau noir annonce « almuerzo ». Peu de clients. Tout à fait le genre de petite gargote de quartier pour dépanner les voisins qui auraient oublié de faire leurs courses. On a un peu l'impression de déranger. Menu unique. Là aussi, une soupe épaisse et un plat d'une simplicité biblique pour pas cher du tout. La providence des fauchés qui savent rester discrets !

✕ **La Taverne :** Aniceto Arce 35. ☎ 23-599. C'est le restaurant de l'Alliance française qui s'emploie avec succès à faire apprécier la gastronomie française dans sa simplicité (ratatouille), sa tradition (coq au vin), et sa finesse avec les pâtisseries.
C'est aussi le siège du consulat et l'on peut visionner des cassettes vidéo sur écran géant, profiter d'expositions de peinture, le tout sur fond de musique,.. française bien entendu. Les recettes servent à financer des cours de français gratuits.

✕ **Snack Paulista :** N. Ortiz 14. A partir de 9 h tous les jours. Bien pour le petit déjeuner. Bon café. Snack à toute heure. Sympa. Super musique brésilienne.

De bon marché à prix moyens

✕ **Las Vegas :** plaza 25 de Mayo 36. ☎ 22-713. Ouvert tous les jours. Pourquoi bouder un resto (sur une place très touristique, certes) capable d'offrir un chateaubriand si bon et juteux (vraiment recommandé) ? D'ailleurs, il y a autant d'autochtones que de touristes dans la grande salle animée. Accueil sympa. Portions copieuses et service diligent.

✕ **Las Bajos :** calle Loa 761. ☎ 22-344. Ouvert midi et soir jusqu'à 21 h 15. C'est une des *choricerias* les plus célèbres de la ville. Deux grandes salles ornées de chromos, maximes et proverbes profonds à méditer. Clientèle d'employés et d'étudiants de l'université à côté. Atmosphère relax. Spécialités de *chorizos* (saucisses « made in Sucre »), *churrasco, riñones, bife de chorizo, steak a la pimienta, picante mixto*, etc. Toujours copieux.

✕ Pas loin, **Doña Naty**, calle Olañeta 238, est également réputée pour ses bons chorizos.

Plus chic

✕ **El Solar :** à l'angle de Bolívar et d'Azurduy. A trois cuadras de la plaza 25 de Mayo. ☎ 24-341. Fermé le dimanche. Cadre classico-rustique campagnard. Clientèle *middle-class* discrète. Atmosphère trop tranquille (mais ça doit dépendre des soirs !). Cuisine assez réputée et bien présentée : *riñones al jerez, bife de chorizo*, filets divers. Service un peu lent (mais ça doit dépendre des serveurs !). Enfin, quand même une adresse recommandable.

Où prendre un verre ou le petit déjeuner ?

Paradoxalement, pour une ville jeune et universitaire, pas tellement de lieux particulièrement marquants, pas de nuits vraiment fébriles. Le **Plaza**, sur la place principale (25 de Mayo, à côté du *Las Vegas*), semble avoir les faveurs de pas mal de jeunes.

– *Bibliocafé :* N. Ortiz 30. A deux pas de la plaza principale. Ouvert le soir de 18 h à 23 h et fermé le lundi (en fait, horaires un peu margeos). Atmosphère tamisée, cadre chaleureux (vieilles photos, fond bois) et excellente musique d'ambiance en sourdine (jazz et même Barbara, Renaud, etc.). Clientèle jeune et étudiante essentiellement. Bonnes occasions de rencontres. Café, thé, cappuccino, etc. Possibilité également de grignoter sandwiches, crêpes, pâtes. Une adresse vraiment sympa !
– *Andy Capp :* calle España 13. Ouvre à 22 h. Fermé le lundi. Bar plutôt rock et clientèle jeune, là aussi.
– *Salteneria « El Patio » :* Alberto 18. En face de la *Residencial Oriental.* N'ouvre que le matin. Cafés et jus de fruits servis dans un agréable patio (dommage que le soleil y donne si tard dans la matinée !).
– *Confiteria Leblon :* Aniceto Arce 99. Presque à l'angle de San Alberto. Jus d'orange, café, confiture, beurre, toasts. Copieux. On peut même changer des dollars.

A voir

▶ *La cathédrale :* plaza 25 de Mayo. Construite de 1559 à 1712. Ce qui explique l'évolution des styles (Renaissance, baroque, puis « baroco-mestizo »). Superbe architecture extérieure. Tour massive ornée de balustrades et statues, un des symboles du tourisme bolivien. Intérieur moins séduisant. Autel en argent surmonté d'un baldaquin hyperchargé.
Sur le côté de la cathédrale, au 31, N. Ortiz, visiter la *chapelle Nuestra Señora de Guadalupe.* Couverte d'or, d'émeraudes et de perles. Pour la chapelle, horaires élastiques. Le plus sûr est de venir le matin vers 7 h-8 h.
Musée de la Cathédrale, calle Ortiz (vérifier réouverture à l'office du tourisme).

▶ *L'église San Francisco :* A. Arce et Ravelo. Édifiée en 1584. Remarquable plafond polychrome curieusement parsemé de pointes (influence maure certaine). Retable en bois sculpté doré. Vieux confessionnal ciselé style *mestizo* (art métis indien). Il y a encore la cloche qui, en 1809, se fêla à force de sonner la révolte contre le joug espagnol.

▶ Dans le même quartier, sur Arenales, voir l'*église San Miguel,* la plus vieille église d'Amérique latine, édifiée en 1538. Murs blancs et patio typique. L'année dernière, elle était encore en restauration. Un peu plus loin, *Santa Monica,* à l'exquise façade baroque d'une blancheur immaculée.

▶ *Le couvent et l'église de la Recoleta :* plaza Pedro Anzúrez. Tout en haut des calles Calvo, Grau et Dalence. Ouverts de 9 h à 11 h et de 15 h à 17 h. Fermés le week-end. Dominent superbement la vallée. Visite guidée du cloître et des jardins. Étonnant cèdre vieux de 1 000 ans et dont 8 personnes se tenant la main font à peine le tour. Dans la *pinacothèque,* peintures religieuses des XVIe et XVIIe siècles, meubles en bois sculpté, « Flagellation du Christ » (1658), objets d'art, armes indiennes, custode ornée de pierres précieuses (noter à côté les curieux étriers de chevaux de bois), insolite collection de crucifix et quelques céramiques précolombiennes. Dans le *coro,* belles stalles sculptées du XVIIe siècle.
Du *mirador,* devant le couvent, découvrez le plus beau panorama sur la ville. Sous les arcades, le rendez-vous des amoureux s'échangeant des bisous... sucrés, bien entendu !

▶ *La Casa de la Libertad :* plaza 25 de Mayo 11 (côté calle Arce-Bustillos). Ouvert du lundi au vendredi de 9 h à 12 h et de 14 h 30 à 18 h. Samedi, de 10 h à 12 h. Dans un splendide palais colonial, ancien monastère de jésuites construit en 1621, puis bâtiments de l'université. Vous y découvrirez les plus belles pages de l'histoire bolivienne. Nombreux documents, souvenirs, objets liés à la lutte pour l'indépendance. Possibilité de visite guidée en espagnol et parfois en français (très conseillé). Demander Maria Aurora. C'est dans la chapelle que se réunit en août 1825 l'assemblée qui proclama l'indépendance. Grand salon principal, ancienne salle des examens de l'université, siège du parlement de 1825 à 1899. En haut, dans la tribune dorée, se tenait le recteur ; dans la 2e chaire, les profs et les étudiants. Parmi les témoignages les plus importants de cette époque : épée du maréchal Sucre à la bataille d'Ayacucho, trophée de guerre de la bataille d'Ingavi (remportée par Ballivian en 1841), drapeau de la guerre du Pacifique (qui flotta sur le littoral avant qu'il ne soit annexé par les Chiliens). Dans une vitrine, le premier drapeau argentin, etc.

Salle consacrée à l'héroïne nationale : doña Juana Azurdouy de Padilla. Dans une salle, à gauche, documents originaux du maréchal Sucre, souvenirs et portraits de différents présidents de la République. Au fond, à droite : vieux ouvrages et armes anciennes.

▸ *Los Museos Universitarios :* Bolívar 700. Ouvert de 8 h 30 à 12 h et de 14 h à 18 h. Fermé samedi, dimanche et jours fériés. L'un des plus importants musées du pays. A ne pas rater. Installé dans le *palacio del Gran Poder* (du XVIIᵉ siècle) et divisé en trois grandes parties. Beau patio et fontaine. Quelques œuvres intéressantes dans la *section de peinture,* comme les « Paisajes » de W. Sanden. Petite *section historique* avec les portraits des grands Boliviens (Bolívar, Sucre, etc.).
Prendre à gauche et *au 1ᵉʳ étage :* splendides *collections d'art colonial* dans de grandes salles lumineuses. Peintures religieuses (dont quelques-unes sur glace), secrétaire en marqueterie, meubles peints et sculptés, orfèvrerie religieuse (belle urne en argent du XVIIᵉ siècle), chapelles portatives en bois polychrome. Intéressante toile de 1758 montrant la « Colline Riche » de Potosí, avec les lagunes autour. Nombreuses sculptures sur bois (coffret incrusté de nacre). Attendez, ce n'est pas fini !
Dans la section ethnographique : belle sélection de tissus et masques. « Idéographique », curieux parchemin qu'utilisaient les missionnaires pour l'enseignement religieux des Indiens. Instruments de musique, objets domestiques, artisanat indien, armes, jouets, coiffures tribales, vêtements en fibres végétales, broderies, etc.
Dans la section d'anthropologie : poteries, silex, pétroglyphes des cultures huruquilla, yura, presto-puno, yampara, mojocaya, etc. Tout au fond, objets et bijoux en bronze, os et pierre (superbe collier en os), vieux tissus, momies, collection de crânes déformés et trépanés incas, etc.

▸ *Caserón de la Capellania :* San Alberto 431. ☎ 32-194. Ouvert du lundi au vendredi de 9 h 30 à 12 h et de 15 h à 18 h, et le samedi matin. Musée ouvert depuis peu, présentant l'histoire du textile dans la région de Sucre (évolution des motifs, variation selon les groupes ethniques, costumes traditionnels). Ce musée, très intéressant, fait partie d'un programme de développement culturel qui a pour but la sauvegarde du savoir-faire des Indiens. Possibilité d'acheter des tissus dont le bénéfice est directement versé aux artisans.

Pour ceux qui ont un peu plus de temps

▸ *L'église et le couvent San Felipe de Néri :* calle N. Ortiz 165 (au coin de Colón). Attention aux heures d'ouverture draconiennes : de 16 h 30 à 18 h, du lundi au vendredi. La visite intéressera surtout les photographes, pour les belles diapos à réaliser depuis la terrasse du couvent (dans le jour déclinant, point de vue exceptionnel sur la forêt des toits et les blanches églises qui émergent). Pour la visite, s'adresser à l'Oficina Universitaria de Turismo, en face (au 182, N. Ortiz). Intérieur de l'église d'un intérêt mineur. En revanche, pittoresque balade sur les terrasses ondulées. Noter les sièges des novices (pour qu'ils soient plus près de Dieu).

▸ *Couvent de Santa Clara :* Calvo 212. Ouvert de 10 h à 11 h 30 et de 13 h à 18 h. Fermé le dimanche. Entrée payante. Pour les amateurs d'art religieux colonial. Couvent construit en 1639. Les sœurs y sont toujours et organisent la visite. *Au 1ᵉʳ étage :* peintures religieuses, coffres peints anciens, toiles de l'école de Cuzco, vieux livres. *Au rez-de-chaussée :* « Vierge de la Trinité » (XVIIIᵉ siècle), peintures (belle « Immaculée Conception du XVIIᵉ siècle), harmonium décoré (1664), etc.

▸ *Cimetière de la ville :* au bout de Loa et Junín. Petite course en taxi. Un des endroits préférés des étudiants pour étudier, réviser ou conter fleurette. Calme, luxuriant, ombragé, avec de beaux arbres et de petites allées tranquilles. Des gamins se proposeront sûrement pour vous guider et vous indiquer les mausolées des différents présidents qui y sont inhumés.

Où écouter de la musique ? Quels disques acheter ?

Sucre, c'est la capitale culturelle de la Bolivie, toutes les formes d'art y sont présentes. La musique n'y est donc jamais oubliée. Depuis quelques années, le centre culturel fondé par *Los Masis* se penche sur la recherche musicale et l'ethnologie. Les jeunes enfants y apprennent à jouer des instruments traditionnels.

– **Los Masis :** Colón 138. ☎ 23-403. Ouvert de 10 h à 12 h et de 15 h 30 à 21 h. Pour s'informer sur la musique locale.

– Il ne faut surtout pas manquer *la Serenata* organisée par la radio Loyola, à la Cancha Universitaria (calle Olañeta). C'est cinq heures de musique non-stop avec les meilleurs groupes régionaux et nationaux. Un seul reproche, ça n'arrive qu'une fois l'an, le 30 juillet.

– Pour les fans souhaitant rapporter quelques disques de chanteurs locaux, voici quelques suggestions : *Mauro Nuñez*, un des maîtres du charango (admirer ses charangos sculptés au musée universitaire), et *Maurito* qui continue à jouer dans l'esprit du maître.

Los Masis, actuellement le meilleur groupe de département de Chuquisaca, a enregistré plusieurs disques sur lesquels les musiciens font alterner morceaux traditionnels et compositions récentes. Il faut absolument les voir sur scène.

Los Runas, en revanche, copient assez servilement la tenue de scène et l'interprétation de Los Masis. Enfin, *Chullpa Ñan* : c'est un groupe de Sucre qui interprète principalement des *huaynos* péruviens avec violons et mandolines. La chanteuse a bien compris le style cuzquénien.

Aux environs

▶ **La Glorieta :** à 7 km du centre. En direction de Potosí. Pour y aller, micro E calle A. Arce (coin de Camargo). Château en brique rose du XIXᵉ siècle mêlant tous les styles, étonnante architecture. Son proprio était un prince qui avait acheté son titre au Vatican et passait ses vacances sur la côte basque !

▶ **Le marché de Tarabuco :** ce village, situé à 60 km de Sucre, est célèbre dans toute la Bolivie pour son marché du dimanche. Pour s'y rendre : bus vers 6 h 30 (horaire assez aléatoire). Il ne part que lorsqu'il est plein et met environ 3 h. Les Indiens arrivent, pour cette occasion, par camions entiers, des environs. On les repère à leurs chapeaux différents suivant les villages. D'ailleurs, certains portent le *montera* qui rappelle étrangement les casques portés par les Espagnols. Très jolies pièces de tissus brodés aux couleurs magnifiques. Le marché est vivant et coloré. Beaucoup de touristes, mais les Indiens sont encore pour quelque temps plus nombreux. En outre, l'animation ne se limite pas au marché proprement dit. Elle s'étend dans toutes les rues adjacentes. Mais méfiez-vous : les prix sont prohibitifs. Pour revenir au *montera*, veillez à ce qu'il n'ait aucune odeur (mauvais tannage) car, revenu en France, celle-ci se révélerait insupportable.

Grande *fête pujllay* de Tarabuco, le 2ᵉ dimanche de mars.

Almuerzo excellent dans tous les cafés autour de la place. S'il vous reste du temps après le marché, baladez-vous dans la campagne autour du village.

▶ **Le marché de Betanzos :** à 122 km de Sucre, sur la route de Potosí. Le jeudi (ou le vendredi) et le dimanche ; pratiquement pas de touristes (se renseigner à La Paz pour les jours exacts).

Quitter Sucre

En bus

Une bonne douzaine de compagnies au terminal des bus (avenida Ostria G. ; ☎ 22-029) :

– **Pour Santa Cruz** (à 608 km) : *Andes*, les lundi, jeudi et samedi à 17 h. ☎ 24-251. *San Francisco :* tous les jours à 17 h 30. ☎ 22-580. *Pullman Oruro :* 18 h 15 tous les jours. *Cruz Azul :* tous les jours à 17 h 45.

– **Pour Cochabamba** (à 366 km) : *Urkupiña* et *Unificado*, à 18 h tous les jours. *San Francisco :* à 17 h 30, quotidien. Superbe route (de nuit malheureusement !).

– **Pour La Paz** (à 740 km, 18 h de trajet) : *Coop micros 10 de Noviembre :* à 14 h tous les jours. ☎ 22-029. *10 de Noviembre :* à 9 h, quotidien. ☎ 31-199. *Sind. micros Villa Imperial :* à 7 h 30 tous les jours.

– **Pour Uyuni** (par Potosí) : *Coop micros 10 de Noviembre :* à 8 h tous les jours. *Sind. micros Villa Imperial :* à 7 h 30, tous les jours. Très belle route, pleine d'émotions.
– **Pour Potosí** (166 km) : *Hidalgo Express,* calle Bustillos 124. ☎ 30-371. Petits bus de 20 places. Rapides et confortables. Départs tous les jours à 7 h et 17 h. Possibilité de réserver. *Soltrans :* Ortiz (et plaza 25 de Mayo). ☎ 30-500. Départs quotidiens à 8 h et 17 h.
– **Pour Villazón :** *Pullman Sucre,* à 10 h. Quotidien.
– Bus également pour **Camiri** (471 km), **Tarija** (512 km), **Oruro,** etc.

En train

Gare ENFE : plaza A. Arce. Renseignements, ☎ 31-115 et 21-205.
– **Pour Potosí, Oruro, La Paz :** mercredi et dimanche à à 18 h 50.
– **Pour Potosí, Uyuni, Tupiza :** samedi à 18 h.
– **Pour Tarabuco** (ferrobus) : vendredi et dimanche à 7 h, lundi à 6 h.

En avion

Lloyd Aero Boliviano (LAB) : calle Bustillos 121 et 128 (et plaza 25 de Mayo). ☎ 25-992 et 21-943.
– **Pour Cochabamba :** les mardi, jeudi et samedi.
– **Pour La Paz :** vols directs les lundi, mercredi et vendredi. Vols avec escale à Cochabamba les mardi, jeudi et samedi.
– **Pour Santa-Cruz :** tous les jours, sauf le dimanche. Essayez aussi le vol *TAM,* calle N. Ortiz 104. ☎ 23-534.
– **Pour Tarija :** les jeudi et samedi.
– **Pour Camiri :** les mardi, jeudi et samedi.

TARIJA

A 1 905 m d'altitude, proche de la frontière argentine, la plus grande ville du Sud. Agréable cité coloniale, tranquille, presque endormie. C'est la région viticole de la Bolivie. Si vous êtes dans le coin et que vous aimez les fêtes, ne ratez pas la **San Roque**, la plus belle, de notre dimanche de septembre.
Fête du Vin en mars, avec chars fleuris et musique (un peu commerciale le premier jour). Le lendemain (dimanche généralement), fête plus populaire cependant. Chouette atmosphère.

– **Office du tourisme :** calle Micael Saracho (au coin de Bolívar). ☎ 59-48.
▶ En ville, intéressant **musée de Paléontologie.**
– C'est à Camargo (à mi-chemin de Sucre et Tarija) qu'est fabriqué le célèbre *singani* (marc de raisin).

La musique à Tarija

– **Le carnaval,** qui se déplace autour de la ville pendant quatre jours, permet de découvrir deux instruments de musique assez particuliers : la *caña,* long bambou creux renforcé par des lanières de cuir de bœuf, puis l'*erke,* trompe taillée dans une corne de vache et terminée par un petit morceau de bambou. Quant au violon *chapaco,* taillé dans le caroubier, il est surtout utilisé à Pâques et jusqu'au 1er septembre, où commence l'époque de la *camacheña* (petite kena). Outre les mélodies rudimentaires du Chaco (airs de caña et erke), on peut entendre une musique traditionnelle fort inspirée par les rythmes argentins (*zamba, cueca, chacarera*).
– Quelques disques de musiciens de la région : *Los de Yacuiba, Los Sapos Cantores de Tarija, Los Canarios del Chaco, Los Trobadores Chapacos, Los Montoneros de Mendez* et *Enriquéta Ulloa.*

COCHABAMBA

A 2 500 m d'altitude, c'est la 3e ville de Bolivie. Bénéficie également d'un climat serein et d'une température très clémente. Une anecdote : quand de Gaulle vint en visite officielle en Bolivie (en 1964), c'est à Cochabamba qu'il débarqua, pour éviter d'avoir à souffrir du *soroche*. Au contraire de Sucre, véritable décor de théâtre immuable, Cochabamba se révèle une cité très animée. En revanche, elle est loin de posséder son charme. Ses maisons coloniales se dégradent doucement et les bulldozers les achèvent. De toute façon, Cochabamba se moque bien de plaire. Elle est vivante, agitée, et propose son immense marché indien, peut-être le plus pittoresque de Bolivie (la région, au climat privilégié, fournit une grande partie des fruits et légumes du pays).

Adresses utiles

– **Office du tourisme :** plaza 14 de Septiembre (Edificio Prefectural). ☎ 23-364 et 24-923. Ouvert de 9 h à 12 h et de 14 h à 18 h. Fermé samedi et dimanche. Fournit un grand plan de ville bien pratique.
– **Poste :** Ayacucho et G. Acha.
– **Téléphone (Entel) :** calle General Acha EO 113 (près de la plaza 14 de Septiembre). Ouvert de 8 h à 22 h 30 tous les jours. Également un bureau dans l'aéroport.
– **Siège de la carte VISA :** Jordán 224 (Edificio Abugoch).
– **Alliance française :** Santivañez 0187. ☎ 27-801.
– **Consulat du Brésil :** Cochabamba 1455. ☎ 45-792.
– **Consulat d'Argentine :** avenida Pando 1329. ☎ 48-268.
– **Consulat du Chili :** avenida America, Edificio Los Alamos. ☎ 46-039.
– Belles cartes postales à la **librairie La Juventud**, plaza 14 de Septiembre. Ça fera plaisir à votre maman...

Où dormir ?

Bon marché

⚓ **Residencial Florida :** calle 25 de Mayo 0583 (entre Cabrera et Calama). ☎ 27-787. Petite cour intérieure colorée et assez agréable où donnent les chambres. Douches communes. Propre dans l'ensemble.
⚓ **Alojamiento Miraflores :** avenida Aroma EO138 (coin de Agustín Lopez). En dessous de l'hôtel *Venecia*. Chambres minuscules. Confort sommaire. Moins bien que le précédent.
⚓ **Alojamiento Cochabamba :** calle Aguire (à deux cuadras de l'avenida Aroma). Très rudimentaire. Bruyant. Sanitaires acceptables. Encore moins bien que les précédents pour le même prix. En dernier recours.
⚓ **Hôtel Pullman :** avenida Aroma 370. Mal tenu. Sanitaires douteux. Patron pas sympa. A éviter si l'on peut.

Bon marché à prix moyens

⚓ **Residencial Elisa :** calle Agustín Lopez 0834. ☎ 27-846. Pas loin de la gare. Dans une rue débouchant sur l'avenida Aroma. A deux rues du nouveau terminal de bus. Petit bâtiment moderne, mais plaisant et donnant sur une courette-jardin. Calme garanti. Superbement tenu et accueil hors pair. Belles chambres avec ou sans baño. Eau chaude quasiment toute la journée. Possibilité de laver et de sécher son linge sur la terrasse, pour tout juste quelques bolivianos de plus. Ne pas hésiter ! Possibilité de prendre son petit déjeuner dehors. En outre, le proprio et sa femme sont une vraie mine d'infos et remplacent allègrement l'office du tourisme. Certainement notre meilleure adresse à Cochabamba !
⚓ **Residencial Familiar :** Sucre 0554. ☎ 27-988. Central. A trois cuadras de la plaza principale. Deux patios entourés de chambres simples mais correctes (surtout avec douches communes). Plein de plantes grasses partout. Sanitaires convenables. Mêmes prix que l'*Elisa* (mais ce dernier est quand même mieux !)
⚓ **Residencial Jerusalem :** avenida Aroma 0345 (entre 25 de Mayo et Estebán Arze). ☎ 24-197. Petit immeuble moderne. Pas de charme particulier. Propre. Chambres avec baño quasiment aux mêmes prix et pas loin de l'*Elisa* (mais plus bruyantes concernant celles sur rue). En dépannage, si l'autre est complet.

🛏 *Grand Hôtel Las Vegas* : calle Estebán Arze 352. ☎ 29-217. Hôtel propre, à 50 m de la plaza 14 de Septiembre. Le petit déjeuner est inclus, mais pas très copieux. L'hôtel est ouvert dès 6 h, ce qui rend bien service quand on arrive tôt.

Plus chic

🛏 *City Hotel* : Jordan 0341. ☎ 22-993. Très central. Près de la plaza 14 de Septiembre. Moderne. Assez impersonnel. Chambres avec baño pas trop grandes, mais très correctes.
🛏 *Hôtel Boston* : calle 25 de Mayo 0167. ☎ 28-530. L'un des meilleurs de la ville.

Où manger ?

✗ *El Negro Anexo* : Estebán Arze 538. ☎ 21-817. Pas loin de la plaza 14 de Septiembre. Ouvert tous les jours midi et soir jusqu'à 22 h 30. Dimanche midi, *almuerzo especial*. Bon menu à un prix imbattable (prendre un ticket à la caisse) : soupe onctueuse, hors-d'œuvre, plat et dessert. Cadre extrêmement reposant (grand jardin loin de la rue, on mange sous des parasols). Possibilité d'aller aussi dans la salle à manger (une maison particulière). Excellent accueil. Notre meilleure adresse pas chère.
✗ *Au mercado* : 25 de Mayo (et Jordán), dans le centre. D'un côté de la rue, on vend ; de l'autre, on mange. Plein de petites cuisines. Populaire et animé à souhait. Jus de fruits naturels à volonté. Propre. Pour les amateurs, on signale qu'on peut acheter du lait au marché (c'est suffisamment rare en Bolivie pour être précisé).
✗ *Doña Patty* : Calama et Junín. Ouvert tous les jours, midi et soir jusqu'à 22 h. Dimanche, menu spécial. Cour intérieure agréable. Nappes blanches pour une nourriture correcte. Carte bien fournie : *pique, picantes, lomos, churrasco, plato de la Tarde* (tête de mouton), etc. Musique qui s'impose comme en beaucoup d'endroits. Surtout des mecs à table (pour boire uniquement !).
✗ *Illampú* : avenida Aroma EO179 (en face d'Agustín Lopez). Gargote renommée aussi pour sa *chicha*. Plein d'autres endroits pas chers sur Aroma.

Prix moyens

✗ *El Caballito* : calle Calama EO870 (et Oquendo). ☎ 23-223. Ouvert midi et soir jusqu'à 22 h. Fermé le lundi. Grande salle, mais c'est bien mieux de manger dans le jardin, sous les parasols. Coin plutôt tranquille, loin de la fureur automobile du centre (et, pourtant, on n'en est pas loin). Clientèle plutôt mélangée. Cadre et style un peu conformistes. Pas beaucoup de monde le midi, c'est apparemment un resto du soir. Bonne et copieuse nourriture : *pique caballito, churrasco, lomo borracho, chank'a de pollo, surubi a la plancha, nudo de cerdo* (pied de porc), etc.
✗ *La Estancia* : avenida Aniceto Padilla (plaza Recolete). Au nord de la ville. Assez loin du centre. Ouvert seulement le soir jusqu'à 22 h. Réputé pour ses grillades au feu de bois. Cadre agréable, mais accueil impersonnel. En commandant vos viandes, bien vous faire préciser le prix et le mode de cuisson (à la « façon argentine », c'est plus cher, mais ils ne le disent pas au client !).
À côté, un autre bon resto, la *Casa de Campo*. Décoré façon hacienda. Clientèle plus jeune et assez *trendy*.

Plus chic

✗ *Los Troncos* : calle Junín NO942 (entre Teniente Arevalo et Circunvalación). ☎ 45-988. Un peu excentré (dix cuadras au nord de la plaza principale), mais tout à fait faisable à pied (il n'y a qu'à suivre Junín jusqu'au bout). Ouvert tous les jours. Très grande salle aux tons frais (symphonie de vert et blanc). Clientèle assez *middle-class*, mais atmosphère relax. Ici, avant toute chose, tous les gourmets et amateurs de bonne chère se donnent rendez-vous pour une des meilleures viandes de la ville. Si vous êtes plusieurs, commandez donc des plats différents pour goûter un peu à tout. Portions énormes. Notre tiercé : le *cordero al asador*, le *pacu a la parilla* et la *parillada Los Troncos*. Superbe service, succulents desserts et prix étonnamment doux, mais doux ! En fait, à peine plus cher que *La Estancia* et bien mieux !

✗ *Restaurant Escorial :* avenida Allivian, au bout de la calle 25 de Mayo. Un délicieux extra, un peu plus cher qu'ailleurs. Plats copieux, service impeccable et cuisine... hmm ! Goûtez le *pato* (canard) *al horno, con vino...*

Où boire un verre ?

Même si les goûts évoluent doucement, une des boissons favorites des habitants de la région reste encore la *chicha*. A la fin du XIXe siècle, il y avait à Cochabamba une *chicheria* pour 60 habitants et dix fois plus de patrons de chicherias que de médecins ! On les repère au petit chiffon blanc qui flotte devant la boutique (au Pérou, c'est un œillet ou un chiffon rouge). Ça a l'apparence du jus d'orange, mais ça n'en est pas. Son goût rappelle plutôt celui du cidre breton et c'est fameux. Dans les campagnes, les femmes mastiquent le maïs avant. La salive accélère le processus de fermentation.

– *Chicheria sans nom :* Cabrera 0012 (au coin de Junín). Pas d'enseigne donc, mais vous apercevrez l'immense jarre en terre cuite d'où deux vieilles mamies vous extrairont le frais nectar jaune. Cadre pittoresque. Dans la cour, une table et quelques chaises. C'est l'une des plus anciennes chicherias de Cochabamba.
– *Chop Commercia :* Jordan 00360 (et Quillacollo). Grande brasserie populaire. Surtout le soir jusqu'à 23 h. Fermé le dimanche. Atmosphère très « mâle », très peu de femmes (ça fait penser aux tavernes mexicaines). Possibilité d'y manger. En fait, rien d'extraordinaire en soi. C'est une ambiance, y aller seulement avec une vieille soif et un œil d'ethnologue !

A voir

▸ *Plaza 14 de Septiembre* (et ses abords immédiats) : la seule place coloniale homogène de la ville avec ses arcades, sa préfecture, la cathédrale et l'église de la Compañía. Palmiers et animation lui donnent des allures de ville espagnole.
Au coin d'Ayacucho et Santivañez, *Santo Domingo* présente quelque intérêt. Plus haut, voir aussi la *plaza Colón*, avec un grand jardin et une jolie église baroque toute bleue.
▸ *Museo Arqueologico :* 25 de Mayo NO145 (et Heroïnas). Ouvert de 9 h à 12 h et de 15 h à 19 h ; le samedi, de 9 h à 13 h. Fermé le dimanche. Musée présentant de riches collections ethnographiques et archéologiques. Bijoux, beaux colliers, outils, objets domestiques, armes, vêtements en fibres végétales, ornements de danses et de fêtes, etc. *Disco de barro*, parchemin utilisé par les missionnaires pour évangéliser les Indiens (traduction à côté). Assez curieux !
Dans la section archéologique, on découvre successivement : le squelette le plus ancien d'Amérique latine (1756 avenida J.-C.) ; une représentation étrange de la déesse de la Terre, la *Pachamana*, avec un sein sur la tête ; jolies poteries polychromes de la culture omérèque (600 après J.-C.). Puis les cultures tupuraya, yura, mojocoya. Plus loin, enfant sacrifié entouré de ses jouets. Intéressante sélection sur la civilisation tiwanaku de Cochabamba. Chapeaux de prêtres. Crânes déformés et trépanés, les premiers pour cause de distinction sociale, les seconds dans un but curatif. Documents sur les ruines d'Incallayta. Momies aymaras, etc. Si vous voulez une visite guidée en français, demandez Lupe Cardoso Veizán.
▸ *Plaza Calatayatud :* à l'intersection d'Aroma et de San Martín. Marché central. Ouvert tous les jours. Organisé par spécialités (marché à la viande, aux légumes, herbes et piments, etc.). *Comedor popular*, avec petites cuisines et grandes tables.
▸ *La Cancha (mercado de Férias) :* plus au sud, près de la gare, en continuant dans le prolongement de San Martín. Vous tomberez sur ce qui est, probablement, le plus grand marché bolivien. Coloré et animé, ça va de soi. Vraiment immense, des centaines de boutiques vendant de tout, foetus de lamas, oiseaux séchés, plus tous les « marginaux » proposant leurs légumes ou babioles diverses et les habituels bateleurs, bonimenteurs, montreurs de singes, animateurs de rue, etc.
Profitez de ce que vous êtes à côté pour grimper sur la *colline de San Sebastián* et bénéficier du beau panorama sur la ville.

▶ *Los Portales :* avenida Huaráz 1450. Prendre le microbus G de la calle San Martín. Attention aux horaires restreints de visite : du lundi au vendredi de 17 h à 18 h, samedi de 10 h à 11 h 30, dimanche de 11 h à 12 h. Entrée gratuite.
Ce château fut construit par Simon Patiño, le roi de l'étain, au début du siècle. Rappelant une grande villa florentine, Los Portales ne fut jamais habité, sinon par de Gaulle lors de sa visite officielle en Bolivie en 1964. Le guide s'empressera de vous dire qu'il fallut rallonger le lit de 50 cm ! Une histoire édifiante que cette fortune de Patiño. Employé de banque à La Paz, il accorda un prêt à un chercheur d'or, au bord de la faillite. Furieux, son patron lui ordonna de récupérer cet argent ou de prendre la porte. Il retrouva le chercheur qui, ruiné, ne put que lui donner les titres de propriété de sa mine. Considérés sans valeur, Patiño dut rembourser la banque de ses propres deniers et garder ces titres. Quelques semaines plus tard, Patiño découvrit non pas de l'or mais le plus gros filon d'étain d'Amérique du Sud. Patiño eut une petite-fille qui fut enlevée par amour, par un certain Jimmy Goldsmith.
Sachez que Patiño réussit à se faire la plus grosse fortune d'Amérique du Sud en faisant mourir des milliers d'Indiens dans ses mines. Ils appelaient d'ailleurs l'étain le « métal du diable ». Jamais un membre de la famille Patiño, qui vit actuellement en Suisse (tiens !), n'a osé revenir au pays. Antenor Patiño, exproprié il y a trente ans et royalement indemnisé, mourut en 1982, à l'âge de 85 ans. Pour la petite histoire, bien que dépossédé, il continuait à contrôler les cours de l'étain sur les places boursières. Le métal brut bolivien était traité dans les fours de la *Williams Harvey and Co* de Liverpool... appartenant à Patiño !

▶ *Le zoo :* au nord-est de la ville. Microbus C et descendre au port. Pas bien terrible, mais gratuit. Et puis vous y verrez peut-être le seul condor de votre séjour en Bolivie. Pour la visite des poules et des pigeons, inutile de vous attarder, vous connaissez certainement. Bien entendu, on déconseille la visite de ce zoo, comme de tous les autres d'ailleurs.

A voir aux environs

Pour ceux qui souhaitent séjourner un peu plus longtemps dans le coin, possibilité de visiter les villages alentour. Y aller en fonction des marchés locaux quand vous le pouvez. Par exemple : *Tarata*, à 33 km (tout petit marché le jeudi et le dernier dimanche du mois), *Puñata*, à 48 km (marché le mardi), *Arani*, à 55 km (belle église), *Cliza*, à 39 km (grand marché du dimanche).

▶ *Quillacollo :* village dans les environs, à 13 km. Célèbre parmi les autochtones pour la *fête de la Vierge* (14-15 août). Super carnaval peu connu des étrangers. *No sé porqué !* Attention, rigoureusement impossible de trouver à se loger si l'on arrive le jour de la fête. Arriver au moins le 13 pour avoir l'une des dernières chambres. En principe, le 31 juillet, danses folkloriques toute la journée, prélude aux fêtes du 15 août. Pour y aller, prendre un colectivo sur la plaza Guzmán Quiton. Bar, piscine et sauna au *Balnéario* en direction d'Oruro.

▶ *Puñata :* marché tous les mardis. Pas de touristes. Assez pittoresque. Nombreux bus le matin partant de l'avenida Barrientos (près de la gare).

▶ *Tarata :* prendre le bus 800 m plus bas que le marché de la Cancha (en ligne droite depuis le marché). Départ à partir de 6 h. Sympa, en cours de route on embarque les écoliers, tout pimpants.
Tarata est un village à l'architecture traditionnelle. Jolie place centrale, avec un petit troquet typique (bon café). Sinon, rien de particulier. C'est avant tout une atmosphère et l'occasion de se tremper dans un environnement vierge de tourisme. Petit marché couvert dans une des rues principales, pas loin de la place. Pour le retour, un bus vers 11 h (plus quelques autres dans la journée).

▶ *Les ruines d'Inkarakay :* bus jusqu'à Quillacollo, puis un autre jusqu'à Sipe-Sipe. Puis stop avec l'un des très rares camions passant près des ruines ou marche de 2 à 3 h. Balade aussi intéressante que les ruines elles-mêmes.

▶ *Le site d'Inkallajta :* à 145 km de Cochabamba (sur la route de Santa Cruz). Voilà une balade pour amoureux de vieilles pierres et d'insolite. Prendre la route principale pour Santa Cruz. A 120 km, tourner à droite. Petite route de terre de 25 km menant à Inkallajta, les plus importantes ruines incas de Bolivie. Bien sûr, bien loin d'être aussi spectaculaires que le Machu Picchu, mais intéressantes quand même. Bel environnement. En particulier, l'un des édifices principaux présente de hauts murs à fenêtres trapézoïdales.

La musique à Cochabamba

La musique y est bien moins présente que dans la capitale, mais beaucoup de groupes (*Los Kjarkas,* par exemple) et de luthiers sont originaires de la région. Il n'y a pas, comme à La Paz, d'établissements spécialisés qui offrent un spectacle tous les soirs. La *peña Alexander's* (avenida Oquendo, entre l'Heroïnas et la Colombia) a disparu. C'est là que se produisaient les Kjarkas. Donc, ne cherchez plus. Vous aurez peut-être la chance d'assister à un spectacle de musique traditionnelle au **restaurant Jazmin**, calle Mayor Rocha 122 (certains vendredis), ou à la **peña Arlequin**, calle Uyuni, le long du rio Rocha. Attention toutefois, certaines soirées peñas sont réservées au disco.

Achats

– **Fotrama :** Heroïnas et 25 de Mayo. Magasin d'État proposant des ponchos, pulls et couvertures de bonne qualité.
– **Adam :** Jordán 0.0148. Fermé samedi après-midi et dimanche. Magasin spécialisé dans les textiles, pulls et lainages haut de gamme. Dessins très originaux, super belles couleurs, mais cher, il faut bien le préciser.
– Pour acheter des **instruments de musique :** sur le marché de la Cancha, près de la gare (y aller de préférence le samedi). On y trouve des *zampoñas* de qualité (moins chers qu'à La Paz), des *kenas* à accrocher au mur, des *charangos* d'une qualité variable, des *vestes de Potosí* (vert fluo, rose indien, violet) et des *ojotas* (sandales en pneu). Rien à voir avec la musique, mais quand on enfile ça, on joue déjà mieux.
On peut aussi jeter un œil chez le luthier de l'avenida Jesús Miranda, ou encore chez *René Gambôa Soria* (atelier, avenida Manco Capac 541, ou dépôt, calle Jordán 135 Est).

Les fêtes dans la région

– *Le 3 mai :* « Santa Vera Cruz », à Valle Hermoso (7 km). Rituels des paysans.
– *Le 7 août :* « Virgen de Copacabana », à Angostura (16 km). Fête religieuse.
– *Du 14 au 16 août :* « Virgen de la Urkupina », à Quillacollo (à 13 km). Le 14, danses folkloriques. Le 15, messe, procession et danses. Le 16, nombreux rituels (calvaire), à 2 km du village.
– *Le 18 octobre :* « Virgen de Los Angeles », à Melga (20 km). Fête religieuse.
– *Le 25 novembre :* « San Severino », à Tarata (33 km). Fête du seigneur de la Pluie.
– *Le 30 novembre :* « San Andrés », à Taquina (8 km). Danses folkloriques.

Quitter Cochabamba

En bus

– La plupart des compagnies sont sur Aroma.
– **Pour Santa Cruz :** avec *Cisne* et *Oriente*, à 17 h. Avec *Unificado* (Aroma EO198) et *Urkupiña*, à 17 h 30. La majorité sont des bus de nuit. Seuls *Bolívar* et *Cisne* offrent des bus de jour. Environ 11 h de trajet.
– **Pour La Paz :** avec *Cisne*, à 10 h. Avec *Oriente*, trois départs dans la soirée. Avec *Urkupiña*, à 19 h.
– **Pour Sucre :** avec *Unificado*, à 18 h 30 et 18 h 45 (environ 12 h de trajet). Route pittoresque qui serpente sur des portions étroites (passages pleins d'émotions également).
– Beaucoup d'autres compagnies, bien sûr. *Copacabana* possède une bonne réputation.
– Le nouveau terminal de bus (20 à 30 compagnies) se trouve sur Ayacucho, entre le marché de la Caucha et la colina San Sebastián.

En train

— *Pour Oruro :* le dimanche à 14 h, le vendredi à 8 h et le mardi à 7 h (à vérifier, bien entendu).

En avion

• *LAB :* Ayacucho (et G. Acha). A côté de la poste. ☎ 25-913 ou 28-227.
• *TAM :* 0122 calle Hemiraya. ☎ 28-101 et 26-636. Vols militaires. Moins cher.
— *Pour La Paz :* recommandé à ceux qui peuvent se le permettre (bus long). Environ trois vols par jour avec *LAB* et *TAM.*
— *Pour Santa Cruz :* en moyenne, deux vols par jour.
— *Pour Sucre :* le mardi à 12 h 40, le jeudi et le samedi à 12 h 45.
— *Pour Tarija :* un vol les mardi, jeudi et samedi. Vol *TAM* le samedi.
— *Pour Trinidad :* le lundi à 10 h 40, le jeudi à 9 h 40 et le samedi à 11 h 30.

SANTA CRUZ

C'est une autre Bolivie. Santa Cruz, ville champignon qui a beaucoup profité de l'exploitation du pétrole et du gaz, de l'agriculture, et du trafic de la coca, correspond mieux que La Paz, Oruro ou Potosí à l'idée que les Européens se font des villes d'Amérique du Sud. C'est neuf, c'est riche, c'est propre. Genre de Texas bolivien. Les parvenus (des *Cambas*), y exploitent des *Collas* venus des hauts plateaux. Les uns dénigrent les autres. A Santa Cruz, beaucoup de gens d'extrême droite, pourtant on y rencontre quand même des gens sympathiques. *Rappel :* les *Cambas* sont les gens qui peuplent l'Oriente, nés du métissage des Espagnols du Paraguay et des Indiens Guaranis.

Adresses utiles

— *LAB :* calle Warnes, esq. Moreno.
— *B.N.B. :* calle Moreno. Accepte la carte VISA.
— *B.L.P. :* Moreno (esq. Ballivian). Accepte la carte VISA.
— *Office du tourisme :* au coin de Noflo de Chavez et Chuquisaca. ☎ 48-644. Pas accueillant du tout, pas de matériel.
— *Poste :* calle Junín 154.
— *Casa de la Cultura :* plaza 24 de Septiembre.
— *Alliance française :* calle Chuquisaca 263.
— *Consulat de France :* Dr Carlos. A Sadud : calle Aloamoa. ☎ 22-406. On y reçoit à partir de 16 h. Très sympathique. Pour ceux qui, partant de Santa Cruz vers le Brésil, n'ont pas fait établir de visa à La Paz, il délivre un billet de sortie.
— *Consulat du Brésil :* Suarez de Figueroa 127. ☎ 44-400.
— *Consulat d'Argentine :* Edificio Banco de la Nación Argentina. ☎ 47-133.
— *Consulat du Paraguay :* avenida Warnes. ☎ 22-552.
— *Consulat du Chili :* Elvira de Mendoza 275. ☎ 31-043.

Où dormir ?

🛏 *Oriente :* Junín 362. Toujours sympa, propre. Patron matinal. Prix modérés. Chambres doubles avec ou sans bains.
🛏 *24 de Mayo :* Santa Barbara (angle Junín). Les prix sont les mêmes qu'à l'*Oriente,* mais le confort monacal des chambres nous pousse à conseiller cet établissement plutôt aux amateurs de méditation transcendantale !
🛏 *Internacional Colón :* entre Salvatierra et Mercado. Plus chic, confortable, propre, mais cher (20 dollars la chambre double avec bains).

Où manger ?

✗ *Cachos Bar :* Moreno 166. Sympa et animé le soir. La carte n'est pas toujours complète. Assez bon.

✗ *Snack el Rey :* Chuquisaca (esq. Ballivian). Ferme à 21 h. Terrasse agréable. Le *pique macho* y est excellent. Prix modiques.
✗ *Chopperia Löwenbraü :* Arenales (angle 24 de Septiembre). Cadre agréable, cour intérieure et verrière. Le *pique macho* y est un peu cher, mais plutôt succulent ; *almuerzo* correct. Carte variée et accueil sympa.
✗ *El Sirari :* Junín 181. Ouvert midi et soir. Très agréable grâce à son patio intérieur.
✗ *Pascana :* plaza 24 de Septiembre. Un peu cher, mais ouvert le soir après 21 h. Terrasse. Carte peu variée.

A voir

▶ *Rio Piray :* à environ 4 km de la ville. Prendre la calle Ayacucho, puis l'avenida Kennedy. Longer le parc botanique pour parvenir à cet endroit où se retrouvent les Crucéniens. Décor très amazonien avec sa végétation et ses paillotes. On y déguste des spécialités de la cuisine camba. Possibilité de se tremper dans le rio. L'endroit s'anime après 17 h.

▶ *Parc zoologique :* au bout de la Libertad. Pas seulement réservé aux enfants. L'exotisme de la faune y est garanti. Outre les lamas, on peut y voir un tamanoir, un paresseux, quelques caïmans.

▶ *Les marchés : Los Pozos,* près du parc Arenal. Également *Siete calles,* près du croisement des rues Valle Grande, Figueroa et Isabel la Católica.

▶ Pendant la *semaine sainte,* allez à San Ignacia, San José, San Javier, San Mattias, etc. (églises jésuites). Nombreuses processions.

Dans les environs

Quelques excursions possibles (et conseillées parce que la ville en elle-même n'offre pas un grand intérêt) :

▶ *Les ruines incas de Samaipata :* à 118 km, route de Cochabamba. Prendre un bus au terminal. A 6 km du village, à près de 2 000 m d'altitude.

▶ *Lomas de Arenas :* prendre une Jeep au mercado de Los Pozos.

▶ *Yapacani :* au bord du rio Yapacani (130 km de Santa Cruz). On s'enfonce dans une végétation super et, une fois arrivé au site, dégustation de poisson extra dans deux espèces de gargotes : super pas cher (!). Pour y aller (de préférence un dimanche), prendre un minibus jusqu'à Montero (ils attendent au 6 de Julio). A Montero, monter dans une camionnette pour Yapacani. S'arrêter au pont, il y a des restos où on peut aussi manger du tatou (et des choses bizarres).

Quitter Santa Cruz

Si on sort de Bolivie en train, il vaut mieux demander un tampon de sortie (valable 10 jours) à l'Imigración de Santa Cruz, car il est possible que l'on vous refuse l'entrée au Brésil sans ce tampon. Le terminal des bus a une très mauvaise réputation en ce qui concerne le vol.
– *Trains pour Corumba* (Brésil). 18 h de trajet. Avant la période du carnaval, il vaut mieux être aux guichets de la gare dès 5 h du matin. A 7 h, à l'ouverture des guichets, les queues sont longues. Des Boliviens, pour s'assurer un business, achètent et revendent plus cher les billets. Le train part à 14 h tous les 2 jours environ.
– *Bus pour Corumba* de la plaza principale. Pas recommandé pendant la saison des pluies.
– *Bus pour Sucre* tous les jours à 10 h. Compter 20 à 30 h de trajet!
– *Bus pour Trinidad :* quotidiens (12 h de trajet).
– *Avion :* LAB.
 • Pour Cochabamba et à un prix pas très élevé, compter 50 mn de vol. 2 à 3 vols par jour. S'il n'y a pas de place, tenter la *lista de espera,* c'est une expérience comme une autre. Nombreuses liaisons en bus pour l'aéroport, situé à 15 km.

- *Pour La Paz :* 4 à 5 vols quotidiens.
- *Pour Sucre :* un vol par jour.
- *Pour Trinidad :* vols les mercredi, jeudi, samedi et dimanche.

L'AMAZONIE BOLIVIENNE

Deux possibilités : se rendre en bus jusqu'à Todos Santos ou Puerto Villaroel, sur le rio Ichillo. La deuxième solution est recommandée, la traversée étant plus facile en période de basses eaux à partir de Puerto Villaroel.
– *Cochabamba-Puerto Villaroel* (150 km) : un bus tous les jours. Départ à 9 h 30, au coin des calles Lanza et Brazil. Durée 7 h.
🛏 A *Puerto Villaroel,* un seul « hôtel » (quatre lits s'ils sont libres). On dort sous la moustiquaire et ce n'est pas un luxe : munissez-vous de crème anti-moustiques. Débrouillez-vous pour trouver un bateau qui accepte de vous prendre à son bord. La fréquence des départs dépend du niveau du fleuve. Comptez au maximum une semaine d'attente. On peut se procurer de quoi manger sur place, mais c'est plus cher qu'à Cochabamba. Le prix du passage pour Trinidad est moins cher si vous vous passez des services du cuisinier du bord (et c'est préférable). Dans ce cas, prévoyez large pour les provisions de bouche. Si vous la voyez, prenez la « Virgen del Loreto ». Extra !
Les capitaines, toujours optimistes, vous indiqueront que le voyage ne dure pas plus de quatre ou cinq jours... qui peuvent facilement en devenir dix.
Ici, pas de gros cargo comme vers Iquitos. Petits bateaux sympa qui transportent accessoirement des passagers.
Avant Trinidad, très peu d'escales, ou dans de si petits villages que vous risquez de ne pas y trouver de nourriture. Prévoir pulls et vêtements de pluie : il ne fait pas toujours beau en Amazonie.

TRINIDAD

Capitale du Beni où l'on rencontre la marine (d'eau douce) bolivienne.
Trinidad est une petite bourgade bien agréable. Un peu surprenante quand même, avec ses hivers torrides (37° au mois d'août), l'incessant manège de motos autour de sa place vers 19 h-20 h (surtout le dimanche soir), ses rues accablées de soleil.
Là encore, on se promène dans une autre Bolivie, chère (mais oui !), mais c'est tellement plus sympa que Santa Cruz.
Si vous avez le temps, vous pourrez continuer en bateau jusqu'au Brésil (Porto Velho ou Guayaramerin).
Si vous avez suffisamment souffert des moustiques, Trinidad possède un aéroport d'où l'on peut s'envoler pour Cochabamba, Santa Cruz, La Paz et les villages du Beni.

Adresses utiles

– *Office du tourisme :* calle Barace 7. C'est la rue de la poste.
– *Poste :* près de la place Ballivian.
– *LAB :* Santa Cruz 320.

Où dormir ?

🛏 *Hôtel Yacuma :* Santa Cruz 298. Bien. Propre. Patio agréable. On peut y manger (et boire !). Télé couleur et téléphone dans les chambres avec bains. Quelques-unes sans bains.
🛏 *Hôtel Brasilia :* calle 6 de Agosto. Patio. Pas de bains privés. Chambres minuscules. Fait également restaurant. Assez cher finalement pour le confort proposé.

🛏️ *Hôtel Beni :* calle 6 de Agosto 68. Très propre, mais plus cher que la moyenne.

Plus chic

🛏️ *El Bajio :* calle N. Suarez 520. La piscine justifie les prix.
🛏️ *Mi Residencia :* Man. Limpias 76. Sympa. Très propre. Quelques bolivianos plus cher que l'*hôtel Béni.*
🛏️ *Hôtel Granedero :* calle 6 de Agosto 59.

Où manger ?

✗ *Pacumuto :* calle N. Suarez 451. A 2 km de la ville environ. Y aller en moto ou à pied. La nuit, il fait un peu noir. Le *pacumoto* (super morceau de viande) et le cérémonial qui accompagne le service valent le détour. Prix très raisonnables. Grand jardin avec paillotes. BBQ où rôtissent les pièces de bœuf.
✗ *Carlitos :* plaza Ballivian. Cadre quelconque. Accueil néanmoins sympathique. Bonnes viandes. Prix très modérés. On boit en terrasse et on mange à l'intérieur.
✗ *El Pantano :* situé à Puerto Barador. Propose un *surubi* (c'est un poisson et c'est excellent) pour un prix dérisoire.
✗ *Pizzeria Fondor Colonial :* calle 6 de Agosto 55. Le décor est séduisant, mais la nourriture n'évoque pas vraiment la Bolivie, sauf l'incontournable poulet.
✗ *Los Moros :* calle Bolívar. Spécialités de poisson. Pas trop cher.

A voir. A faire

▶ *Puerto Barador :* sur les bords du rio Mamoré. A 13 km de Trinidad. Les amoureux de la bronzette sur arène surchauffée apprécieront ce décor qui rappelle les huttes du rio Piray, près de Santa Cruz. Bar avec bière fraîche. Certains se baignent, mais l'eau n'est vraiment pas engageante (ne pas oublier que c'est un port). Possibilité de balade en bateau en allant sur l'autre rive.

▶ *Chuchuni :* à 15 km de Trinidad, une image plus complète de l'Amazonie. Sorte d'oasis, sur le bord du río. Paillotes toutes simples. On y trouve un resto, un accueil chaleureux, un petit *Musée archéologique* que le patron du resto fait visiter, pendant que son épouse concocte des petits plats exotiques. Plein d'animaux. Vous pouvez choisir le vôtre, on vous le préparera (si vous êtes nombreux, ça peut aller jusqu'au zébu !).
Pour y aller : *taxi* ou *camion.* Route praticable qui traverse la forêt. A 10 km de Trinidad, on traverse Loma Suarez, base de la marine (mais oui !) bolivienne.

▶ Si la marche ne vous rebute pas, vous pouvez toujours essayer d'aller à *Puerto Almacen,* sur le rio Ibaré (8 km) ou à la *laguna Suarez* (5 km) qui représente pour les autochtones la même chose que les guinguettes du bord de Marne pour les Parisiens. Attention, bien se renseigner, car ce n'est pas indiqué. A la laguna, resto sur pilotis. Rendo favori des gens qui arrivent à mob. Nourriture très simple (*pollo* essentiellement) et pas chère. Beaucoup de monde le dimanche. Coin calme et environnement typique.

La musique en Amazonie

Ici, elle se révèle complètement différente. Peut-être aurez-vous la chance d'assister à un défilé de *macheteros* ou de *chiripieros* du Béni, ou d'entendre la voix rauque des *bajones,* ces énormes flûtes de Pan que l'on porte à deux. Ou encore de participer aux *Gigantes Cabezudos.*
Dans les villes, les rythmes les plus prisés sont le carnaval, le *taquirari* et la *chovena.* Question disques, nous recommandons : *Conjunto Valle Grande, Los Amigos de la Noche, Los Tordos del Canavera, Los 4 del Valle, Picaflores de la Ladera, Los Trovadores del Mataral* et *Los Taitas.*

Liaisons avec le Brésil

Changez votre argent côté bolivien !
On peut se rendre au Brésil en naviguant sur le rio Beni : prendre alors un autobus de La Paz pour Puerto Linares. Ensuite, il faut trouver des petits bateaux, plusieurs départs par semaine. Il est facile de descendre le rio de Puerto Linares à Riberalta, bien qu'il faille compter six jours.
De Riberalta à Guayaramerin, prendre un bus (3 h de route), puis le bateau qui traverse le rio Madera de Guayaramerin à Guajará Mirim au Brésil. De Guajará Mirim à Porto Velho : bus, 6 h de route. A Porto Velho, vous tombez sur la nouvelle et fameuse route transamazonienne.

La Paz-Cochabamba-Santa Cruz : De Santa Cruz, tous les espoirs sont permis et notamment un *train* qui descend jusqu'à Puerto Suarez. Puis Corumba au Brésil.
– *En omnibus :* Santa Cruz-Corumba. Durée 35 h.
– *En ferrobus :* Santa Cruz-Corumba. Pour ceux qui n'ont pas vu la forêt, c'est l'occasion de découvrir la végétation et la faune tropicales.
– Le passage de la frontière à la gare de Quijano (Bolivie-Brésil) n'est pas évident. Il faut prendre un taxi jusqu'à la frontière. On obtient un tampon de sortie de Bolivie, on passe à pied et on se retrouve au Brésil. Fouille. Prendre ensuite un taxi brésilien jusqu'à la gare de Corumba. Dans cette gare, on obtient le visa d'entrée brésilien. Puis train pour Campo Grande.

Avion : *La Paz - São Paulo* avec *LAB* (les lundi, mercredi, vendredi et dimanche) et *La Paz - Rio* (via São Paulo) avec *Cruzeiro Do Sul.*

– Pas de route entre la Bolivie et le Brésil.
– De São Paulo, *bus* pour *Campo Grande* (15 h de trajet), puis *Corumba* (8 h), soit 23 h. Ou encore *trains* de Campo Grande à Corumba (à 8 h 10 et 20 h 20).
On traverse sur ce dernier tronçon la région du Pantanal Matogrossense dont le développement touristique est très rapide. Si vous passez la nuit à Corumba, le *Grand Hôtel Corumba,* rua Frei Marianno 468, est propre et bien situé. L'*hôtel Santa Cruz* est correct aussi.
Pour rejoindre *Puerto Suarez* (Bolivie), il faut prendre un taxi. Ensuite, si vous avez de la chance, vous aurez une place dans le ferrobus pour Santa Cruz de la Sierra. Sinon, il vous reste le « train de la mort » qui en principe met 24 h pour faire 700 km (en réalité il met 30 ou 35 h). En 1re classe, vous aurez tous les contrebandiers et leurs ballots. Pour acheter un billet de train, il faut faire la queue dès minuit, à la gare, sinon vous paierez le billet au marché noir quatre à cinq fois plus cher.

Liaisons vers l'Argentine et le Chili

A partir de La Paz, on peut effectuer de très longs voyages en train jusqu'à *Buenos Aires*, Argentine, 2 500 km (départs deux fois par semaine, lundi et vendredi à 13 h 30 ; changement de train à Villazón et à Tucumán) ; *La Paz - Arica* au Chili (un départ par semaine, le vendredi à midi ; changement à La Charaña) ; *La Paz - Calama* (Chili), via Oruro, Uyuni (vous passerez près du fameux désert de sel). Pour cette dernière destination, train hebdomadaire, tous les vendredis à midi. Changement à Ollagüe.

Retourner au Pérou

Ceux qui voudraient retourner au Pérou sans repasser par Puno, via Copacabana ou Desaguadero, peuvent prendre le train de La Paz à Arica au Chili. Prendre ensuite un bus pour Tacna et continuer jusqu'à *Arequipa.* Pour les aventuriers, le train jusqu'à Arica est une expérience inoubliable. A peu près 15 h de trajet. Malheureusement, l'aventure est quand même limitée puisqu'il n'y a qu'un train toutes les deux semaines. Bus deux fois par semaine (en principe, mardi et vendredi), mais la route est incroyablement défoncée et il faut compter au moins 24 h.

INDEX

LA LETTRE DU ROUTARD

5, rue de l'Arrivée   92190 Meudon

*Abonnez-vous à
"La Lettre du Routard"
le complément indispensable
des "Guides du Routard"
Philippe Gloaguen*

Bon nombre de renseignements sont trop fragiles ou éphémères pour être mentionnés dans nos guides, dont la périodicité est annuelle.

Quels sont les meilleures techniques, nos propres tuyaux, ceux que nous utilisons pour rédiger les GUIDES DU ROUTARD ? Comment découvrir des tarifs imbattables ? Quels sont les pays où il faut voyager cette année ? Quels sont les renseignements que seuls connaissent les professionnels du voyage ?

De nombreuses agences offrent à nos abonnés des réductions spéciales sur des vols, des séjours ou des locations.

Enfin, quels sont nos projets et nos nouvelles parutions ?

Tout ceci compose « LA LETTRE DU ROUTARD », qui paraît désormais tous les 2 mois. Cotisation : 90 F par an, payable par chèque à l'ordre de CLAD CONSEIL, 5, rue de l'Arrivée, 92190 MEUDON.

- -

BULLETIN D'INSCRIPTION A RETOURNER

à CLAD CONSEIL : 5, rue de l'Arrivée
92 190 Meudon.

Nom de l'abonné : _____

Adresse : _____

_____

_____

(Joindre à ce bulletin un chèque bancaire ou postal de 90 F à l'ordre de CLAD CONSEIL.)

LES GUIDES BLEUS

LE MONDE

- Algérie
- Allemagne. Régions de l'Ouest
- Antilles, Guyane, Mer des Caraïbes
- Autriche
- Belgique, Luxembourg
- Canada
- CEI (ex URSS)
- Chine
- Egypte
- Espagne
- Etats-Unis Est
- Etats-Unis Centre et Ouest
- Finlande
- France
- Grande-Bretagne
- Grèce
- Hollande
- Inde, Ladakh, Bhoutan
- Irlande
- Israël
- Italie Nord et Centre
- Italie du Sud, Sicile, Sardaigne
- Japon
- Jordanie
- Maroc
- Mexique, Guatemala
- Norvège
- Pérou, La Paz
- Portugal, Madère, Açores
- Suisse
- Tunisie
- Turquie
- Yougoslavie

LES VILLES

- Amsterdam
- Barcelone
- Berlin
- Bruxelles
- Francfort
- Istanbul
- Lisbonne
- Londres
- Madrid
- Moscou
- Munich
- New York
- Rome
- St-Pétersbourg (ex Léningrad)
- Séville
- Venise
- Vienne

LES RÉGIONS DE FRANCE

- Alsace
- Aquitaine
- Auvergne, Velay
- Bourgogne
- Bretagne
- Centre, châteaux de la Loire
- Corse
- Ile-de-France
- Languedoc-Roussillon
- Toulouse, Midi-Pyrénées
- Normandie
- Paris
- Pays de la Loire
- Picardie
- Poitou, Charentes
- Provence, Alpes, Côte d'Azur
- Rhône-Alpes

 HACHETTE

ROUTARD ASSISTANCE

VOS ASSURANCES TOUS RISQUES VOYAGE

VOTRE ASSISTANCE "MONDE ENTIER" LA PLUS ETENDUE !

RAPATRIEMENT MEDICAL .... 1.000.000 FF.
(au besoin par avion sanitaire)

TOUS VOS SOINS : MEDECINE, CHIRURGIE, HOPITAL   2.000.000 FF.
GARANTIS A 100 % DU COUT TOTAL et SANS FRANCHISE

HOSPITALISE ! **RIEN** A PAYER... (ou entièrement remboursé)

BILLET GRATUIT DE RETOUR DANS VOTRE PAYS :   **BILLET GRATUIT**
En cas de décès (ou état de santé alarmant) d'un proche parent   **(de retour)**

* BILLET DE VISITE POUR UNE PERSONNE DE VOTRE CHOIX   **BILLET GRATUIT**
si vous êtes hospitalisé plus de 5 jours   **(aller-retour)**

Rapatriement du corps - Frais réels   **Sans limitation**

AVEC SUN ALLIANCE ASSURANCES

RESPONSABILITE CIVILE "VIE PRIVEE"

Dommages CORPORELS _____ garantie totale à **100** %   **SANS LIMITATION**
Dommages MATERIELS _____ garantie totale à **100** %   20.000.000 FF.
(dommages causés aux tiers)   **AUCUNE FRANCHISE**

EXCLUSION RESPONSABILITE CIVILE AUTO : ne sont pas assurés les
dommages causés ou subis par votre véhicule à moteur : ils doivent être
couverts par un contrat spécial : ASSURANCE AUTO.

ASSISTANCE JURIDIQUE (Accident) _____   2.000.000 FF.
CAUTION PENALE _____   50.000 FF.
AVANCE DE FONDS en cas de perte ou vol d'argent _____   5.000 FF.

VOTRE ASSURANCE PERSONNELLE "ACCIDENTS"

Infirmité totale et définitive _____   500.000 FF.
Infirmité partielle - (SANS FRANCHISE) _____ de 1.000 à 495.000 FF.
Préjudice moral : dommage esthétique _____   100.000 FF.
Capital DECES _____   20.000 FF.

VOTRE ASSURANCE PERSONNELLE "ACCIDENTS"

ASSURANCE TOUS RISQUES DE VOS BAGAGES : _____   6.000 FF.
Vêtements, objets personnels pendant toute la durée de votre
voyage à l'étranger : vol, perte, accidents, incendie,
dont APPAREILS PHOTO et objets de valeurs   2.000 FF.

COMBIEN ÇA COUTE ?   VOIR
80 F TTC par semaine (jusqu'à 35 ans)   AU
DOS

Informations complètes sur
MINITEL 36.15 code **ROUTARD**

ROUTARD ASSISTANCE

MON ASSURANCE TOUS RISQUES *

NOM [   ]
M. Mme Mlle

PRENOM [   ] AGE [   ]

ADRESSE PERSONNELLE [   ]

[   ]

[   ]

CODE POSTAL [   ] TEL. [   ]

VILLE [   ]

VOYAGE DU [   ] AU [   ] = [   ] SEMAINES

DESTINATION PRINCIPALE : ....

C.E.E. ou EUROPE ou MONDE ENTIER (à entourer)

Calculez votre tarif selon la durée de votre voyage en SEMAINES.
Informations complètes : MINITEL 36.15 code ROUTARD.

✆ **(1) 44.63.51.01**

*1994 ! CES CONDITIONS ANNULENT
ET REMPLACENT LES PRECEDENTES JUSQU'AU 1.10.94 !*

Pour un LONG VOYAGE (3 mois et plus), demandez le
PLAN MARCO POLO du GRAND ROUTARD

Prix spécial "JEUNES" de **80 F** x [   ] = [   ] FF.
                                    SEMAINES

Jusqu'à 3 ans et de 36 à 60 ans : **Majoration 50%** + [   ] FF.

PRIX A PAYER [   ] FF.

Faites de préférence, un seul chèque pour tous les assurés, à l'ordre de :
" ROUTARD ASSISTANCE *A.V.I. International*
90 et 92, rue de la Victoire - 75009 PARIS - Tél. 44.63.51.01
METRO : AUBER - OPERA

Je veux recevoir très vite ma *Carte Personnelle d'Assurance.*

Si je n'étais pas **entièrement** satisfait,
je la retournerais pour être remboursé, aussitôt !

JE DECLARE ETRE EN BONNE SANTE, ET SAVOIR
QUE LES MALADIES OU ACCIDENTS ANTERIEURS
A MON INSCRIPTION, NE SONT PAS ASSURES.

SIGNATURE :

Contrats de **G.E.S.A. ASSISTANCE**
et de **SUN ALLIANCE ASSURANCES**
souscrits et gérés par *A.V.I. International.*

Faites des copies de cette page pour assurer vos compagnons de voyage.

les **Routards** *parlent aux* **Routards**

Faites-nous part de vos expériences, de vos découvertes, de vos tuyaux pour que d'autres routards ne tombent pas dans les mêmes erreurs.
Indiquez-nous les renseignements périmés. Aidez-nous à remettre l'ouvrage à jour. Faites profiter les autres de vos adresses nouvelles, combines géniales... On envoie un exemplaire gratuit de la prochaine édition à ceux dont on retient les suggestions. Quelques conseils cependant :
– N'oubliez pas de préciser sur votre lettre l'ouvrage que vous désirez recevoir. On n'est pas Madame Soleil !
– Vérifiez que vos remarques concernent l'édition en cours et notez les pages du guide concernées par vos observations.
– Quand vous indiquez des hôtels ou des restaurants, pensez à signaler leur adresse précise et, pour les grandes villes, les moyens de transport pour y aller. Si vous le pouvez, joindre la carte de visite de l'hôtel ou du resto décrit.
– Bien sûr, on s'arrache moins les yeux sur les lettres dactylographiées ou correctement écrites !

Le Guide du Routard : 5, rue de l'Arrivée. 92190 Meudon

la **Lettre** *du* **Routard**

Bon nombre de renseignements sont trop fragiles ou éphémères pour être mentionnés dans nos guides, dont la périodicité est annuelle.
Comment découvrir des tarifs imbattables ? Quels sont les renseignements que seuls connaissent les journalistes et les professionnels du voyage ? Quelles sont les agences qui offrent à nos adhérents des réductions spéciales sur des vols, des séjours ou des locations ?
Tout ceci compose « La Lettre du Routard » qui paraît désormais tous les 2 mois. Cotisation : 90 F par an, payable par chèque à l'ordre de CLAD Conseil - 5, rue de l'Arrivée - 92190 Meudon.

(Bulletin d'inscription à l'intérieur de ce guide. Pas de mandat postal).

36 15 code **Routard**

Les routards ont enfin leur banque de données sur minitel : 36-15 (code Routard). Vols superdiscount, réduction, nouveautés, fêtes dans le monde entier, dates de parution des G.D.R., rancards insolites et... petites annonces.
Et une nouveauté : le QUIZ du routard ! 30 questions rigolotes pour, éventuellement, tester vos connaissances et, surtout, gagner des cadeaux sympas : des billets d'avion et les indispensables G.D.R. Alors, faites mousser vos petites cellules grises.

Routard assistance

Après des mois d'études et de discussions serrées avec les meilleures sociétés, voici « Routard Assistance », un contrat d'assurance tous risques voyages sans aucune franchise ! Spécialement conçu pour nos lecteurs, les voyageurs indépendants.
Assistance complète avec rapatriement médical illimité. Dépenses de santé, frais d'hôpital, pris en charge directement sans franchise jusqu'à 500 000 F + caution pénale + défense juridique + responsabilité civile + tous risques bagages et photos + assurance personnelle accidents (300 000 F). Très complet ! Et une grande première : vous ne payez que le prix correspondant à la durée réelle de votre voyage. Tableau des garanties et bulletin d'inscription à l'intérieur de ce guide.

Imprimé en France par Hérissey – N° 62067
Dépôt légal n° 6599-9-1993
Collection n° 13 – Édition n° 01
24/1990/1
I.S.B.N. 2.01.020700.9
I.S.S.N. 0768-2034

I can read this book!

I read about airplanes.

CODY FORTUNE & SHAWN ADAM

PART ONE

THE FARMHOUSE

Follow Cody Fortune and Shawn Adam on Instagram at the_new_reality11. You can book sessions or view their paranormal investigations on their website at: www.thenewreality11.com
Be sure to check out their YouTube channel, The New Reality for more creepy investigations just like this one.

PROLOGUE

"**W**oah, it looks super creepy!" Shawn exclaimed, staring out through the window as Cody pulled the truck up to the outskirts of the abandoned farmhouse.

"I told you," Cody said matter-of-factly, putting the truck into park and killing the engine. He shot Shawn an excited grin before swinging open the door and jumping out of the truck, landing on the damp dirt with a soft thud. "I know this place is going to be great."

"Can you feel that?" Shawn asked, staring around him with a mixture of awe and impatience.

Cody drew in a slow, deep breath, closing his eyes as he drew in the energies that surrounded the building in question. Even from the outside, he could feel the heavy presence of the place. They had done no research into the farmhouse beforehand, wanting to go into the investigation completely blind, but he could already tell they'd chosen well. It was almost like the whole house exuded some kind of presence, blotting the land around it. Whatever had happened here, a lot of negative energy still lingered, which meant there was a good chance of capturing some kind of activity.

"Oh man do I feel it," he agreed, opening his eyes and throwing a glance at his friend. "Let's get inside and see what's waiting for us."

After grabbing some of their gear from the back of the truck, the duo made their way towards an opening at the side of the house to begin their preliminary examination. From the exterior, it was clear that the place had long been abandoned. Most of the brick was dry and crumbling, and

the windows were either boarded up or missing completely, gazing out like vacant eyes. The side of the house they were approaching had become so rotted and weathered that the framing had just crumbled completely, creating a perfect entrance for them to step through without having to worry about breaking down doors.

The two exchanged a glance before stepping inside, eager to begin their investigation.

The atmosphere changed as soon as they went in. It was almost like entering a different world altogether. The wind outside became muffled, and the air grew heavy, thick with dust and grime. Shawn shivered as a chill ran along the back of his neck from the doorway at his back. He didn't know what waited for them ahead, but he knew they weren't alone here.

The area they had immediately entered appeared to be a kitchen or some kind of formal dining area. There was a crumbling fireplace set into the opposite wall, although it had

been reduced to little more than a pile of bricks and ash over the years. The only thing left of a table were two short stumps of wood that had once been the legs, and a broken cabinet was half-hanging off the wall next to them. There was clear evidence of decay throughout the room, from the damp on the walls to the rotten floorboards. Shawn's nose itched at the smell of mold forming in the corners of the room. This place had been abandoned for a long, long time.

The room to the left was some sort of living area, or possibly a bedroom. With the lack of furnishing and overall decomposing appearance, it was difficult to make out what the room had initially looked like, back when this was an occupied house. Now, the naked walls were marred with graffiti, and most of the drywall had weathered away, leaving nothing but the bare framing in some parts of the house. Shawn was surprised the whole structure was still in one piece after the apparent beating it had gone through over the years.

"Next room?" Cody said once they'd finished looking around. Since this was just their preliminary examination of the whole house, there was no need to go into too much detail with their equipment. The first run through was merely to get a sense of the place and pick up any notable points of interest when they came to do their real investigation.

The room next to the living area was another bedroom. There was a small adjoining bathroom that was littered with more rotten chunks of drywall and crumbling bricks, and in one corner was a lone bathtub covered in years-worth of grime and neglect. The sight of the empty tub gave Cody an unsettling feeling, though he couldn't quite place the cause.

Shawn paused in the middle of the room, looking around. "I feel some kind of energy here," he said, tapping his fingers on his chin as he focused. "Like… a little girl? Maybe."

"Yeah, and I feel kind of sick to my stomach," Cody added with a

shudder. "The tension here is unreal."

Mentally noting the room as an area for further investigation, the two of them made their way past the kitchen to another bedroom on the opposite side of the house. Inside, there was a lone mattress on the floor and several old cans and wrappers. It was possible that a homeless person had been sleeping here once upon a time, but the place seemed vacant now, and they doubted anyone had stayed here in a while.

Something in the corner of the room caught Cody's eye, and he walked towards it. "Look at this," he said, gesturing Shawn over. At his feet was a large hole that had been dug into the earth below the house. "Where do you think it leads?"

Shawn squatted down beside him and peered into the hole. It was too dark to see further than a few centimeters, so he dug out his phone and used it as a flashlight to take a deeper look. The edges of the hole were roughly hewn, but it seemed

man-made, and when he illuminated the bottom, he got the sense that the space ran further along below the house. "Looks like a basement," Shawn finally said as he put his phone away, dousing the space in darkness once again. It was only partially finished, though, given the lack of stairs or a hatch. As it was, it was little more than a hole going beneath the house, and the smell of damp earth emanating from it suggested it hadn't been properly maintained. "The vibes I'm getting from it though…"

"I know," Cody said with a partial grimace, peering down into the dark hole. "I can feel it too." Whatever was down there, the presence was heavy, almost like it was pulling him towards it. The urge to go down there was strong, but he managed to shake it off for the time being. He stepped back from the basement and glanced around the room, his gaze lingering on the crude shapes graffitied on the walls and the darkness bleeding out from the missing doorways. The whole house seemed to have a strange magnetic

pull, making him eager to investigate further and see what they would find. It was places like this that were Cody's favorite to investigate, and he had no doubt that Shawn thought the same.

He glanced towards him and nodded. "Shall we see what else is here?"

Shawn mirrored his grin in a silent confirmation.

CHAPTER 1

Cody stared out of the window, watching the hills rolling by in a hazy blur of green and yellow. Shawn was silent, focusing on the road ahead, his fingers gripping tightly onto the wheel. They were both feeling that flutter of anxious excitement for what lay ahead. Cody could feel it in their silence, the unwillingness to interrupt each other's thoughts.

The Farm House they were heading to was the perfect location. With its dark, brooding history and the blood staining the land around it, Shawn and Cody saw nothing but potential. The house had long been shrouded in years of neglect, and they would be the first people to conduct a proper investigation of the

place since rumors of its dark heritage first began to spread.

They'd spent all morning compiling their research and packing up their equipment into the back of the truck, and now here they were, on the road towards the unknown.

Cody's heart was pounding in his ears, and when he shifted his focus to the watery reflection looking back at him, he could almost see the excitement glimmering in his own eyes. He'd been a Sensitive to the paranormal since he could remember, and Shawn was a Psychic Medium, so they both had the ability to lure things out that would otherwise have stayed hidden. That always made investigations exciting and, at the same time, terrifying. They never knew what they might encounter or draw out from the shadows until they were already there, in the midst of it all.

Although they'd compiled the research they'd be needing, neither of them had gone through it in detail. They made a habit of going to new places blind, without being completely aware of its history. It made their reactions genuine and

fresh and gave their viewers the original content they coveted. They thrived on the unexpected and the real. They weren't like those other channels or shows that faked paranormal experiences and evidence. Watching all the theatrics and delusions sickened them. They wanted to be the ones who were real, who gave their viewers genuine evidence and encounters. Even if that meant that some of their videos ended up being flops and not working out, they always started fresh at a new location with the hope of finding success.

Their goal had never been to be famous or popular. They were driven by the need to find answers. They had so many unanswered questions, about the truth of mortality, about what happened in the *after*. They wanted answers for themselves and for others. *Real* answers. Not phony ploys and magic tricks with strings and wires. They had watched far too many shows that relied on cheap tricks, ones that had left their hanging their heads in shame. They weren't real investigators. They were just doing it

for the money, the popularity, not for the *truth*. It gave paranormal investigators a bad name, encouraging sceptics and haters.

They wanted to change things. They wanted to show people that the paranormal was not a ploy for fame and money, but for understanding life and death, for answering those questions that had been so long unanswered.

That's how they'd come up with their channel name. *The New Reality*. That was their promise to their viewers, a new reality of paranormal investigating. Showing the real, the raw, the uncut, the non-faked explorations into some of the darkest buildings and locations in the world. They would find out the truth.

CHAPTER 2

Shawn brought the car to a juddering stop outside the Farm House.

"Well, we're here," he said as Cody undid his seatbelt, peering at the building through the window.

"Yeah, we're here," Cody echoed with a grin. "Shall we get inside?"

Shawn nodded without a word, and the two men climbed out of the car, going round to the trunk to grab their equipment.

Shawn was usually quiet when they reached a new place; Cody suspected he was trying to get a reading of the place before they went inside, getting a feel for the energies within.

Cody fiddled with their recording equipment as Shawn looked up at the building, scanning his eyes over the peeling façade and broken tiles. It had been neglected for a long time, left to fester in its own ruin. He wasn't sure what to expect on the inside, but he imagined it would be more of the same.

As he turned, he glimpsed a flash of movement in one of the windows, a blur of white against the darkness. But when he squinted over at the window, there was nothing there. Just shadows bleeding out from the broken windowpane. Had there been something there? Or was he more tired than he thought from the drive?

"Shall we do an intro?" Cody asked, oblivious to Shawn staring over at the window. His heart was thudding erratically in his chest, and that familiar tightness was washing over him whenever something happened. He could already feel the energies seeping out, drawn by his and Cody's sensitivity.

"Shawn? You alright?"

He turned quickly, blinking away the thoughts clouding his head. "Yeah. Just thought I saw something."

Cody's brows went up in an unspoken question.

"I'll explain it on camera," he said as Cody hit record.

Shawn let Cody handle the introduction to the channel and their new investigation, fighting the urge to glance back at the window. Something prickled along the back of his neck, like the feeling of being watched from somewhere inside the house.

At Cody's prompt, Shawn explained the white flash he'd seen in one of the windows. He panned the camera towards the house as he spoke, but while the window was empty, the rest of the house struck a menacing visage on camera, with the crumbling bricks and faded colors, stripped by years of ruin and neglect. The windows, spiderwebbed with cracks and dirt, looked down at them like blackened eyes in a hollow face.

"The house is actually composed of three buildings," Cody

went on the say, pointing his finger towards each structure as he labelled it. "This here is the main Farm House, where we'll be conducting most of the investigation. But over there, we also have the Slaughter House, and further along is a barn that's too dangerous to enter because of its disrepair."

The other two buildings were set further back on the property, drab grey husks against the darkening sky. Although it had been sunny when they set out, the clouds had since begun to cluster and form a formless canopy on the horizon, casting a monochrome shade over everything.

"We're about to head inside. This will be the first glimpse both you and we will have of the place, so keep watching."

With a nod at Cody, Shawn walked up to the front door and twisted the handle. It opened with a shudder, a cloud of dust stirring from the doorframe.

"Nobody's been inside for a while," he said, coughing into his hand.

He stepped inside cautiously, picking his way through the gloom of the interior as his eyes adjusted.

Cody followed, the camera hovering over his shoulder as it caught their first reactions to the house.

The house was in a state of neglect, even more so than its exterior. Dust and grime coated the floors and walls, wallpaper peeling and damp discoloring the rafters. The smell of damp and mildew was strong, stinging the back of Shawn's nose as he breathed it in.

"Well, here we are," he muttered as Cody panned the camera around the first room they entered. The doorway had been removed from its hinges, and the carpet had been pulled up, revealing dark wooden boards beneath. A crumbling brick fireplace was missing half of its front tiles, bleeding black ash out of a rusty grate, the echoing moan of the wind travelling through the chimney chute. Some of the walls were covered in old graffiti and paint, but even those had lost their color over time, becoming nothing but hazy remnants.

Shawn's foot hit something with a metal rattle, and he looked down to see a crumpled drink can. Other pieces of trash and broken pieces of bricks and wood covered the floor, along with shards of glass from the broken windows. They would have to be careful where they stepped.

Cody retreated back outside while Shawn continued to look around the rooms.

"At the far end of the house, there's this little cubby hole," he explained, walking through the long blades of grass to the break in the structure. "If you go inside, it leads you down under the house to this creepy basement area. It looks like they never finished it before abandoning the house."

As he moved back towards the front façade, a chill suddenly washed over him, and the camera trembled in his hands. "Woah," he muttered, trying to shake away the unpleasant feeling. Without saying anything to the camera, he glanced up at the house. Something was giving him an odd vibe. It was almost like something was watching him

from one of the darkened windows, but when he looked, he could see nothing out of the ordinary.

What unsettled him the most was that Shawn had said he'd seen something in one of the windows, too. Was there something there after all?

Shawn came up behind him a moment later, fiddling with the SLS device, which they used to detect presences in the form of stick figures on the screen. If they picked up anything that seemed humanoid in shape, it was likely there was some kind of presence or energy lingering there.

"I want to see if this will detect what I saw earlier," he said as he scanned the SLS device over the windows of the property. After a few minutes of the device picking up nothing abnormal, Shawn closed it down.

"Shall we head back in and start the investigation?" Cody suggested.

Shawn nodded, hauling his bag of equipment onto his shoulder. "Sure, let's go."

Cody followed him back inside, excited at what they might find. It was always daunting arriving at a new location, but as soon as they were there and they settled into their usual routine of setting up the equipment and doing preliminary checks, Cody enjoyed the familiarity of the process. They always started their investigation with one goal; to capture the best raw, real footage of haunted locations for their viewers in an effort to find the truth.

But as they both crowded back in the doorway, breathing in the smell of dust and neglect, Cody could still feel a flutter of anxiety.

The air was heavy and dense, despite the breeze coming in through the broken windows, and somehow, even when the building was vacant to the human eye, both Cody and Shawn couldn't help but feel as though they weren't alone here.

CHAPTER 3

Other than the gust of wind through the chimney and the broken windows, the house was steeped in silence. Cody and Shawn's footsteps were muffled by the thick layer of dust beneath them, and not even their shallow breaths penetrated the heaviness of the air.

Shawn was still controlling the SLS device, searching every inch of the room for any signs of movement or a lingering presence. Cody remained behind him with the camera in hand, filming everything.

Above them, something thudded against the ceiling, causing a faint vibration. The men paused, exchanging a bewildered glance.

"Did you hear that?" Cody whispered, and Shawn gave a slight nod.

"It could just be rats," he reasoned. "There's bound to be some animals living out here."

Cody nodded, flinching when he heard another patter of movement above them before it all fell silent again.

They'd come a long way since their very first investigation. Cody would go as far as saying they were getting pretty seasoned at ghost hunting. Shawn was always quick to offer alternative explanations for abnormalities like that, which lent an element of credibility to their work. But Cody also knew that locations like this, with such a dark and bloody history, could have adverse effects on their minds and bodies. Places with high energies usually elicited physical responses, whether it be headaches, muscle pain, tingling sensations or extreme tightness in the chest and stomach. It wasn't unusual to encounter any of these effects, but it still gave Cody a feeling of anxiety.

He reminded Shawn to take deep breaths every so often, to expel some of the tension that was undoubtedly building up in his body as they moved around the house. A place that had been undisturbed for so long no doubt had its own build-up of energy.

From their left, the sound of something rustling caught their attention. Shawn followed the noise to a bedroom, holding the SLS ahead of him, and stopped with a loud gasp.

"I just saw something," he shouted, keeping his eyes glued to the SLS device. For a split second, he'd mapped a human figure in the doorway between the bedroom and bathroom.

"What was it?" Cody asked, coming up behind him with the camera.

"It looked like a person," he said breathlessly, tracing the screen where he'd seen the figure. "It was only for a moment, but then it disappeared into the bathroom." He stepped in after where the figure had vanished, looking around. "Anybody in here?"

Cody twisted round suddenly, the camera jerking in his hands to capture the empty room behind him. "Woah, what was that? Did you hear that? It sounded like someone shuffling behind me."

Leaving Shawn in the bathroom, he re-entered the bedroom, the hairs on the back of his neck slowly standing on end. "Is someone in here?"

He kept his footfalls as quiet as he could, hardly daring to breathe. He hoped the recording might have picked up any sounds he had missed. As he moved towards the direction of the shuffling noise, some of the equipment they'd set up in the room began to flash, lighting up as it detected spikes in the environment.

Cody froze. Something knocked on the wall to his left, where the equipment was going off.

"I just heard something," he said, drawing Shawn back into the room. "Was that you knocking just then?"

Shawn shook his head, drawing his lips into a thin line.

They both stayed still and silent, listening for any movement. The camera shook very slightly in Cody's hand, his breaths small and shallow.

A moment later, they both heard the soft shuffle of footsteps close by, close enough that it sounded like it was coming from the same room they were standing in.

But other than the two investigators, they were confident nobody else was in the house.

CHAPTER 4

A breeze whistled through the shattered Farm House windows, sounding like a low, lamenting moan as it swept through the gaping door frames and down the crumbling chimney.

Shawn and Cody stood motionless in the rear bedroom, listening beyond the disembodied moans for any sign of movement. The silence remained unbroken save for the faint rustle of grasses on the porch, and the faint, steady beep of their equipment.

"If there's someone here, can you come into the room with us?" Shawn

asked, keeping his voice low and unassuming as he directed it towards the room, his eyes scanning left and right, hoping to glimpse *something*.

The dreariness of the afternoon had cast a somber light throughout the building, shadows lengthening along the walls and floors. Cody shivered, feeling the damp breeze run along the back of his neck. He wasn't sure when it had gotten so chilly outside, but the house did nothing to retain any of the warmth of the morning.

Littered along the floor around them were long fragments of rotting plywood, the beams chewed through by mites and insects. Crumbled drywall formed a pile of rubble in the far-left corner, and the graffiti on the walls had faded to a sinister brown stain that looked disconcerting in the gloom. The rafters were latticed with spiderwebs, and Cody kept feeling something tickle the back of his neck, as though one of them had drifted down into the collar of his

shirt. As long as there were no spiders, he didn't mind.

The stillness around them remained uninterrupted, so Shawn busied himself by wiping a smudge off the screen of one of their devices with his sleeve.

Cody's body stiffened suddenly, and Shawn cast a sudden look around them.

"Did you just hear that?" Cody whispered excitedly.

Shawn's eyes were wide, reflecting the glow of the camera. "Yeah, I saw some kind of movement," he said, his pulse elevating, thudding in his ears. The excitement he always felt when they captured some kind of evidence was pounding in his chest, making his skin flush.

"That was so loud," Cody said, panning the camera around him in the direction of the noise. He paused at the fireplace, the bricks crumbling out from the grate, the graffiti painting an eerie white shadow

above it. On either side of him, the two empty doorways swelled with darkness, but there was no further movement from within.

"Something moved from out of here," Cody said, gesturing towards the fireplace while holding the camera. "And went that way, I think."

The two of them stood still, catching their breaths from the sudden flurry of excitement, and listened to the silence around them in the hope that they'd see something else. What had looked like a shadow, almost four-feet tall, had moved between the doorway of the bedroom to the doorway of the back porch, little more than a smudge against the gloom, but Cody and Shawn were sure of what they'd seen. The camera had missed it the first time, though they hoped it managed to record the audio evidence; the soft thud and shuffle of someone walking along the outskirts of the room.

"That was weird," Cody said after a moment, his voice trembling with

excitement. Like Shawn, he thrived on capturing evidence. It was thrilling, exciting. He yearned to find answers, to get closer to the truth. And this was the way to do it. Ever since he'd had his own paranormal experiences, he'd become obsessed with finding out the reality of it all. It helped that he was a Sensitive; one of the small percent of the world's population who were more susceptible to paranormal energies, who could feel, see and hear things that others were too busy or unable to detect.

The Farm House was the perfect location to find compelling pieces of evidence. It was a remote, abandoned location with a dark history and a story to uncover. The longer they spent here, the more likely they were to unearth pieces of the puzzle, until they had the complete picture.

That shadow they had glimpsed, moving across the room, was one of those pieces. But until they gathered more evidence, they wouldn't be

able to understand what it meant or who it was. Occurrences like this weren't usually singular. If there was a presence here, it would manifest in other ways too.

Shawn was looking around the room, holding up a device to measure energy readings, when he pointed suddenly to the doorframe through which the shadow had disappeared earlier.

"The shadow! Did you see it again?"

Cody gulped, sucking in the dry, musty air. "Yeah, it moved right along the wall."

His pulse was already racing, and the skin along his fingertips began to tingle. He couldn't tell if it was his own nervous excitement that was causing it, or the buildup of static electricity from the energy causing the apparitions. Either way, he was thrilled. The Farm House was already proving itself to be an epicenter of activity. They'd barely been here a few hours, and they'd

already seen physical manifestations and heard phenomena in several rooms. He desperately hoped they'd managed to capture some of it on camera, so that they could share it with others too. That was part of the reason they came out here, after all. It was no use gathering evidence of hauntings if they didn't share it with others. Both Shawn and Cody knew there were others out there with the same questions, the same burning desire to understand what lay beyond death. They weren't here to give them misleading answers and false evidence. They provided the reality of those questions, capturing the ways spiritual energy lingered and manifested once a person had passed on from this world, because that was where the truth lied.

CHAPTER 5

Cody scuffed his shoe absently against the pavement as he eyed the device in his hands. He and Shawn were standing on the back porch with various pieces of equipment set up, hoping they would capture something from where the shadow figure had disappeared.

The porch was covered in jagged pieces of brick and drywall from where the doorway had caved in at an earlier point in time. Cody had already stubbed his toe on a particularly sharp stone, and he'd warned Shawn to watch where he placed his footing. There was plenty

of broken glass and other discarded objects that could hurt if they mistakenly stood on them.

In the Farm House behind them, darkness blinked from several gaping windows. The sky had drawn into itself, leaving nothing but an ash-grey canvas behind, and the house itself was bruised with shadow. The only thing visible for miles around was the lights from their camera and equipment, and a scattering of orange glows blinking along the horizon from the house's miles in the distance. The location was remote enough that no light pollution obscured the stars, and the only people around were the occasional homeless person looking for a place to sleep. Cody could almost feel the House's isolation, so far away from any semblance of civilization. It seemed a world of its own, full of shadows and the low cries of the wind.

"Are you getting anything?" Cody asked as Shawn stared down at the device in his hand.

He shook his head. "All seems still and quiet out here."

"Shall we head back inside?"

Shawn nodded, and they turned away from the porch to head back into the bedroom at the rear of the property. The house was easy to navigate given the lack of doors, and most rooms afforded a view all the way through to the other side of the house because of the gaping holes in the walls. The house was little more than a skeleton at this point; nothing but bones and ash and littered debris. The exterior structure was still relatively complete, but the moment you stepped inside, everything was crumbling and shattered. It was difficult to imagine what the place must have looked like back when it was still a complete, habitable structure. Cody got the impression the Farm House had always been a place doused in shadow. The windows were too small, too slanted, to let much light through.

"Hey, look at this," Shawn said distractedly, holding the device out towards the bedroom wall. "I got some heavy presence just now."

Another low moan gusted through the room, ruffling Cody's hair around his ears. The cobweb itched the back of his neck.

On this side of the wall, there was nothing but crumbling plasterboard and swatches of paint that had faded to a washed-out grey. As Shawn went around the other side, there was nothing there but wooden frames. His foot landed in something with a crack, and he realized it was the glass remains of a shattered beer bottle.

"You alright?"

"Yeah," Shawn said, stepping away from the glass with a suppressed shudder. "Luckily it didn't go deep enough."

"Hey, isn't this where you felt ill earlier?" Cody asked, panning the camera over to Shawn and following

the wall back round to the darkened doorway behind him.

"Yeah. This is the same room," he said. "Where I felt sick and… and felt the presence of a little girl." His shoulders slumped suddenly as a tidal wave of feeling washed over him, dragging along memories and visions of the room. It was like a movie reel, projecting the memories and emotions onto the wall of his head. All he could do was stay still and wait for it all to play out, to see what the place was trying to tell him. His whole life had been like this; seeing and knowing things other people couldn't, using that knowledge to help those in need. Like Cody, he thrived off exploring and encountering the paranormal, to understand them and their reasons. And his gift enabled him to do that, to tap into these energies more than a regular person could, to see what came before, what was hiding in the shadows of the past, so that he might help those that still remained.

"Look," Shawn said, pointing suddenly to the floor. "Down there, there's a basement hole that runs along beneath the house."

Cody stepped forward and stared down at the gap in the floorboards, darkness spilling out. He whistled lowly. "That looks deep."

Shawn nodded and glanced across at Cody. "You ready to go down?"

"Guess so."

The two investigators leaned over the gap, the light from their camera illuminating the tight crawlspace beneath. They could see nothing inside but darkness, a chilly breeze blowing up through the hole that disappeared far below the house. Cody could feel the energy radiating from the space, drawing them closer towards it. It was almost as though it was beckoning them, coaxing them to go down and investigate the darkness.

Neither of them knew what waited down there, but they were excited to find out.

The breeze smelt damp and musty, and Cody had no doubt there would be spiders and insects living down there, maybe even rats, but this was what they did for the sake of finding answers, for finding the truth.

He exchanged a glance with Shawn, but just as they were about to go down, something clattered behind them.

"What was that?" Cody asked, scanning the room. There was nothing there.

"It sounded like it came from the front of the house."

"You sure?"

Shawn nodded. "Come on, let's go. We can come back to the hole."

Cody nodded, casting a lingering glance at the darkness spilling around his feet, before following Shawn back to the front room.

CHAPTER 6

Cody and Shawn paced slowly around the front room of the house, holding their equipment out with the hope of catching another sliver of evidence for their viewers. Cody was still holding the camera, following Shawn's movements closely. He didn't want to miss *anything*, especially since Shawn was directing most of the activity with the various equipment he had hold of.

In the silence between them, one of Shawn's voice detectors went off, and an automated voice said the word "Shadows".

Shawn glanced down, then across at Cody, incredulity evident in

the crease of his features. "Shadows," they whispered in unison. That's what the Ovilus had picked up.

"Maybe because we keep seeing shadows?" Cody suggested, the camera shaking in his hand as he lifted his shoulders into a shrug.

"Yeah, could be!" Shawn agreed, keeping hold of the small device. With the other hand, he scanned the room around him with their SLS detector.

At first, he found nothing. But as they moved towards an empty doorway on the other side of the room, a figure began to map out on screen. Each points connected until it formed the prominent outline of a person.

"Look at this!" Shawn exclaimed, and Cody hurried over, the camera focused on the SLS screen in Shawn's hand. "It's standing in the doorway."

Cody went between the device to the doorway, which stood empty in reality, even as the

equipment mapped a person standing there.

Then the figure was gone, and the SLS screen went empty, leaving nothing behind. There had definitely been *something* there, otherwise it would continue mapping the area.

"Woah, this is crazy," Cody said, an excited flutter in his chest.

He could see from Shawn's trembling hands and flushed cheeks that he was getting excited too. This place was way more active than they'd been expecting. And it was still so early in their investigation; activity tended to pick up the longer they stayed, so there would only be more to come, he was sure of it. The next level after voices and shadows was full-body apparitions. They'd never caught a convincing one on camera before, but there was always a chance this could be the investigation that propelled *The New Reality* into the public eye.

As the two of them stepped closer to the doorframe, keeping a close eye on the SLS detector and

Ovilus, the device flashed, and the same automated voice pronounced a new word.

"Poltergeist."

The two of them froze, staring at each other with mingling shock and excitement.

"Woah!" Cody exclaimed. "Did that just say 'poltergeist'? Do you think it's trying to communicate with us?"

Shawn shook his head in disbelief, dropping his eyes back down to the equipment, as though expecting more voices or movement to be mapped out around them. He could almost feel the energy in the room, pulsing around them like something alive. *It is alive*, *in a way*. Just waiting to manifest itself.

As Shawn stared down at the monitors, muttering inaudibly to himself, Cody turned the camera and began speaking into it. "I'm not sure how clear it came up on here, but the figure we saw wasn't large. The weirdest thing about it was the fact that the arms stretched right up to the ceiling. It was crazy!" On camera,

his eyes seemed wide and bright with

"I don't know if you remember, but I picked up another figure in this doorway earlier, from the other side," Shawn added, pointing to the opening ahead of them, where the SLS had mapped the long-armed person. The space was empty now, both in reality and on the screen of their devices.

"Is there somebody in here with us?" Cody asked as he panned the camera around him once more, keeping an eye on the shadows growing around the corners of the room. "Can you give us some kind of a sign? Make a noise, or tap on the wall?"

The two of them waiting in silence for a couple of minutes, but they received no audible cues from the environment.

"Shall we check out the bathroom?" Cody suggested, directing the camera light to the adjoining room. The doorway was hollow, exposing the crumbling remains inside. Old pipework jutted

up from beneath the floorboards, and the lingering smell of sewage and damp still remained. Cody watched where he put his feet, pieces of drywall and shattered fragments of brick crumbling under his shoes as followed Shawn inside.

As they walked through the doorway, Shawn froze suddenly, turning to face Cody and the camera. "Did you hear that?"

Cody shook his head, following Shawn's gaze to the empty room behind him. "What did you hear?"

"It was like… like an *ugh* sound. Like a woman sighing or something."

"And it came from back there?" Cody said.

"Yeah, that's what it sounded like." He gave a nonchalant shrug as the rest of the room remained quiet and continued heading into the bathroom.

Cody hung back a moment, panning the camera into the darkness of the space behind him,

hoping to steal a glimpse of something hiding back there.

All was still and quiet, until Shawn mumbled something from the bathroom, so Cody turned back and followed him inside.

CHAPTER 7

"What was that?"

There was a faint shudder to Cody's voice as he peered around him timidly. "Did you hear that?"

The heavy *thump, thud, thump* of footsteps echoed from somewhere deep inside the darkness of the house, the sounds trembling through the floors and walls around them so that it was almost impossible to decipher which part of the house from which they had originated.

As they glanced around the room, trying to locate the source of

the noise, Cody turned suddenly, the camera strap whiplashing against his arm as it turned with him. "Woah," he muttered, staring wide-eyed at the shadows behind him. "Did you just hear that?"

"Yeah, like some kind of growl, right?" Shawn said, looking around him in bewilderment. "It sounded like it came from back there."

They both turned to the crumbling hole in the wall, which looked out into the bleeding darkness. There was something unsettling about not being able to see beyond the gloom that stretched on into the night. As though something might be hiding in there, unbeknownst to them.

When they shined the camera through the hole, it illuminated little but dirt and twisted brown weeds that had begun to grow through the cracks in the bricks, but little else. The field was a sea of darkness.

In a way, Shawn felt as though the house itself was waking up after a long nap, and the hairs on

his arms rose at the thought of what the house was capable of once it was fully awake after it years of slumber. They had come here and disturbed the dust, and now it would repay the favor in whatever way it saw fit.

"Well, looks like there's nothing out there," Cody muttered as their equipment picked up no spikes of activity from beyond the wall.

"Could've just been an animal or something," Shawn suggested, but they both knew the sound hadn't belonged to any animal they'd ever heard around here. There had been something distinctly inhuman about it, and yet only a noise a human vocal cord could produce.

As the two headed back into another adjoining room, Cody panned the camera across the walls. There was a lack of drywall here, and the walls were little put wooden frames littered with graffiti. Black, red and white painted strange and grotesque figures across the walls, creating an eerie visage in the darkness.

Shawn brought out the EMF detector and EDI, moving it around the room in the hope of detecting any further signs of a presence. It was like he could feel something lingering at the very edge of his consciousness, just waiting to step out into view. If only he could coax it out to show itself.

"Can you come into this room and join us?" He said aloud, his voice echoing through the darkness. "We have devices here that can help us communicate with you."

As Shawn focused on his EMF detector, trying to reach out to any presences in the room, Cody stepped closer to the wall to take a look at the graffiti. As he drew closer, a feeling of nausea swirled in his stomach. "Dude, come over here. I'm getting a really bad vibe from this painting here."

He was pointing to a picture that had been drawn onto the wall. It was the figure of an eyeless woman. Her hair twisted around her like snakes, and her arms were stretched upwards, as though she was trying

to fend off a violent attack. Her dress was white, standing out in stark contrast to the rest of the dark contours of the visage. It made the hairs on Cody's arms rise with discomfort.

"Do you remember when I said I felt like there was a girl in this room, over here," Shawn said, his voice low as he pointed to the side of the wall behind him. "And now there's this picture here. I can't help but feel as though they're connected." He shuddered faintly. Like Cody, he was getting an uneasy feeling about this corner of the room. He normally enjoyed his mediumship ability and the truths it helped him unearth and spent a lot of time honing it with daily meditation, but it was at times like this when it almost unnerved him to be so accurate about the things he knew and saw. Sometimes it was better *not* knowing.

"Are you attached to this painting somehow?" Cody asked, staying near the graffiti woman.

Shawn edged away slightly. His face had sunken into a greyish pallor.

After a beat of silence, a deep, guttural voice echoed through the room, followed by the quieter, sharper voice of a child. They played on the wind for a moment, gusting around them on the breeze, before vanishing into silence.

Cody and Shawn turned around, disorientated by the origin of the voices. Where had they come from? With the wind and the crumbling ruins of the room, it seemed as though they had come from everywhere at once.

A man and a child. Who were they?

The two of them instinctively turned towards a hollowed-out window, Shawn lifting his equipment towards it to read the energy flow. Cody had the camera patiently recording their surroundings, waiting to capture anything that they might have missed.

"You don't have to be afraid of us," Shawn said, addressing the room even as he remained by the

window. "We just want to talk. Can you come into the room with us?"

Another breeze picked up, and Cody's head jerked to the doorway of the room. "Bro, what was that?" He said, his voice tight. "Something was standing right there just now, I'm sure of it." He gulped audibly, staring at the growing shadows by the door. It had only been for a split second, but he was *certain* he had seen a figure standing there. He could almost feel the lingering energy of its presence too. Something had been there, no doubt.

"I didn't see," Shawn said helplessly, but then his arms rose with goosebumps as another demonic growl crept out of the shadows. He exchanged a look with Cody, seeing the uneasiness in his expression. They were both starting to feel a little creeped out by all of the activity going on around them. "You heard that, right?"

"Yeah."

The two of them drew in a simultaneous breath, expelling it slowly.

They had a feeling that Shawn's invitation to the room had finally attracted some visitors.

CHAPTER 8

"**B**e careful, it's really loose there," Shawn warned as Cody stepped closer to the hole in the floor, the camera poised in his hands to capture everything they saw.

From peering down into the hole with their flashlights, they gathered that the basement itself was only half-finished. The walls and floors were slick with dirt, rough around the edges, but there was at least room enough to stand upright without hitting their head against the ceiling. The air down there smelled musty and damp, all the signs of being underground.

Cody shined the camera down into the hollow depth, switching on the night vision and

panning it around to get a better idea of the width of the space. There were no stairs or ladders leading down, and while the drop wasn't dangerous, neither fancied getting stuck down there in the dark.

As Cody leaned closer, his hands passing the edge of the hollow and descending into the damp air below, Shawn suddenly froze, his breath hitching audibly. "Did you hear that, bro?"

Cody pulled back, the camera wobbling in his hands, and listened to the surroundings. Somewhere below them came the faint patter of dirt hitting the ground, but he heard nothing else. Finally, he shook his head. "I heard nothing. What was it?"

"A little girl," Shawn said immediately, motioning to where Cody was standing as they both listened for any further noises or voices in the vicinity.

As soon as Cody was about to give up, he heard something – a faint whisper, like a child's voice – right behind him. He whipped the camera round, filming the empty space where he'd heard the voice. "I

heard it," he said. "What… was that?"

"It was over here, right?" Shawn said excitedly, holding the ghost box and flashlight as he made his way to the corner of the room, where both men had heard the voice coming from. There was nothing there, but the crumbling remains of a wall and dry plasterboard. There was also a dark patch on the floor where water had leaked through, and the smell of mildew was stronger than before.

The flashlight in Shawn's hand seemed to flicker for a moment, becoming dimmer as the shadows grew deeper. He instead focused his attention on the ghost box, holding it closer to the wall in the hope of picking up any voices in the frequency. Shawn had favored using the ghost box since their earlier investigations. It had picked up many strange and interesting things in the years he'd been investigating, but the incident he remembered most vividly was when they'd visited Fort MacArthur. The ghost box had caught their clearest EVP yet, capturing a voice that

clearly said: "We found you". It was one of the highlights of their investigation, and it was one of the pieces of evidence they promoted the most on their website, along with other EVPs and incidents that proved there *was* something more to death.

Shawn found himself smiling momentarily at the memory of Fort MacArthur. It had been one of his favorite places to investigate, brimming with history and atmosphere. Although they'd had their digital recorders and ghost box in two, their personal experiences were both unique and curious in themselves. Both he and Cody were sensitive in their own ways to the paranormal, and something about that investigation had stayed with Shawn in the years since. He had always known that he and Cody were made to investigate and look for the deeper meaning of life beyond death. They'd both been endowed with a sensitivity to paranormal energies, and when they worked together, it only solidified this. There was something about their personal energies that changed

when they investigated, as though they were beacons, drawing spirits to them.

No matter where they were, they were guaranteed to trigger some kind of activity around them. And it showed now, more than ever. In the years they'd been working together, it was almost like their connection had grown stronger, escalating the types of activity they came into contact with. It was almost like they magnified existing energies, drawing them out to their full potential.

And the feeling he got when they visited a new location and the energy simply flowed, and he could feel it moving around him, reacting to him. There was nothing like it. It wasn't something he could easily put into words, but he knew Cody would understand. He was sure he could feel it too. It was addictive. It was what kept them coming back, investigating, searching, looking for answers that existed just out of reach. But they knew they were there, and they wouldn't stop until they found them.

Drawing in a deep breath, full of dust and wet dirt and rotten floorboards, he moved back over to the hole when he picked nothing else up from the corner of the room. He swapped the ghost box out for the SLS, directing it – along with his flashlight – towards the dilapidated basement. The SLS was another of his favorite gadgets. It worked by shooting out several laser points into the environment, and using that to map any anomalies, such as the presence of a spirit. If it detects something, it would attempt to recreate the shape of the distortion. In the case of a spirit, it would usually take the form of a stick figure or humanoid shape. One of Shawn's favorite tricks with the SLS was, if it detected something on a solid mass object, like a chair, they could ask the spirit to move an arm or leg, and it would map the movement onto the screen too. They could usually tell if they've caught something exciting if the environment changed in conjunction to their response – a clear indication that something was there and was reacting directly to them.

As Shawn used the SLS to map the basement, Cody was taking a look around the corners of the room, listening out for any signs of movement beyond their own. As he turned his head, he saw something move suddenly between the walls on his left; a figure, darting just out of sight. "What was that?" He exclaimed breathlessly, snatching the camera towards the wall, which was so old and neglected it was nothing more than a frame with a few strands of decaying drywall dangling from it like sagging skin.

Before Cody could reply, something caught his attention from the opposite direction, movement in his periphery. The back of a figure disappeared through the doorway, making goosebumps run along his flesh. "Whoa," he mumbled, shaking his head in disbelief. "Did you see that? It was right there."

Between their individual sightings and the pulsing energy in the room, it almost felt like the whole place was alive. He could sense so many presences, lingering around the edges of the room. It was almost as though they were surrounding

them, taunting them and teasing them with glimpses.

"What *was* that?" Shawn muttered, his eyes wide in awe as he looked around the room, expecting to see more movement, more activity. It seemed to have gone quiet for the moment, but he could still feel something waiting in the room with them, observing carefully. In the dim edges of Cody's flashlight, his face was basked in shadow, his eyes hooded and dark.

Neither of them spoke as they listened, intent on tracking the shifting energy, the anomalies in the darkness that might lead them to the presence of spirits.

A soft scrape came from the basement hole, drawing the attention of both men.

"Was that..." Cody stepped closer to the hole, his hands gripping the camera tighter. "Did that come from there?"

Shawn nodded, glancing between Cody and the hole. "Yeah, that was down there," he said, his voice strangely muted. Shifting the flashlight to his other hand, he used the SLS to map the basement again,

hoping they would pick up some sort of presence down there. "Is someone down here?" He asked, his voice echoing slightly against the damp walls.

As he moved the tablet back and forth, the SLS began to map something inside the basement area. "It's… getting something. Look at this."

Cody leaned down behind him and peered over his shoulder, his face glowing in the light of the device. "No way!" He couldn't believe how much activity they were getting here. The energies were so strong, he got the feeling there was more than one spirit here. It was almost like they'd congregated here, filling out the dilapidated building with their presence. The whole place reminded him of a similar investigation they had conducted at Herrings Junction. They'd felt the same level of energy there.

Cody swallowed his excitement, forcing himself to keep a clear head. It was clear now that something was down in the basement, and whatever it was had led them there. Something was

waiting for them in the darkness of that underground cavern, and he couldn't deny he was curious – and perhaps a little anxious – to find out what. The more he stared down into the darkness, the more he could feel himself being drawn in, his mind spinning with anticipation. He was almost convinced that if he reached in with his hand, something might reach back.

With a glance at Shawn – who was transfixed to the screen of his tablet, watching as the SLS mapped a disjointed figure in the darkness – he asked the question that was burning on his tongue.

"Would you like us to come down there?"

As Shawn froze beside him, he found himself holding his breath, anxiously awaiting a response.

CHAPTER 9

"**B**e careful, that's really loose," Shawn warned as Cody neared a hole in the floor while holding the camera.

From what they could tell the basement was mostly unfinished. Dirt, but dug out enough to stand fully upright it seemed.

Cody shined the night vision camera into the hollow depths in hopes of panning out a better look.

"Did you hear that bro?" Shawn's question forced Cody to pull back from the dark hole in the floor. And he listened intently.

Finally, Cody replied, "I did not. What did you hear?"

"A little girl." Shawn paused motioning to where Cody was planted, and they both listened for a moment.

The little girls voice repeated behind Cody, and he whipped the camera around in shock. "Dude… what was that?"

It was over here, right?" Holding the spirit box and a light Shawn made his way to the corner of the room following the direction of the voice and shining his light against what was left of the crumbling walls.

He could only hope that his spirit box would suffice in this situation. Afterall, it was commonly used to communicate with spirits. Shawn had really favored spirit boxes since his earlier investigation years. They'd gone to Fort MacArthur and caught a voice saying, "We found you." They'd actually favored that voice catch so much that they had

displayed it on their website among a few others.

Shawn smiled momentarily to himself at the memory of Fort MacArthur. He absolutely enjoyed investigating. Although they had digital recorders and a spirit box in tow, they were both unique as well. Sensitive in their own ways to the paranormal.

Shawn knew him and Cody were made to do this, and it was solidified the day they had done their first investigation together. There was something about what their energies could do when they worked together. No matter what destination or location, they were like beacons. They could pull spirits out of anywhere. And now, more than ever. As if the more they worked together, the stronger their connection became, thus, more activity ensued.

Oh, that feeling he got when he went to a location, they weren't sure of, and the activity just flowed. It was

almost like a high of its own. Addictive.

Shawn neared the hole again, holding his light and the SLS. The SLS was an amazing gadget. It shot out several laser points and tries to detect spirits. If it sensed something, it would try to recreate the spirit in the form of a stick figure and a tablet screen for them to see. One of the coolest features the SLS had was if it detected something on a solid mass object, such as a chair, they could ask the spirit to do something, such as raise and arm, wiggle their leg and watch the screen for a response. Usually they could tell if they caught something marvelous if it responded by moving.

From the left of Shawn, Cody yelled, "What was that?!" He panned his camera to a wall that was so neglected it stood only as a frame now if a few strands of decaying drywall hanging off of it. "Whoa!" Cody yelped and turned the opposite direction. He almost felt as if the place were alive. He could sense so

many spirits in here, and it was almost as if they were surrounding them… taunting them… "Did you see that? It walked right in here."

"What was thatttt," Shawn's eyes were wide in awe, the limited lighting playing shadows against his features.

"Was that-"Cody pointed to the hole, "Down there?"

Shawn nodded. "Yeah, that was down there."

Shawn leaned the SLS into the hole to get a better mapping of the space in hopes of catching something. "Are you down here?" He asked the darkness.

He moved the tablet back and forth surveilling all the areas, "It's mapping something."

Cody leaned down and peered over Shawn's shoulder, "Oh wow."

Cody was ecstatic. The energies in this place reminded him of a similar investigation they had done at

Herrings Junction. The excitement was pulsing in his veins. Possibly too much so. Against his better judgement he let the next questions out and released it into the blackness of the basement. "Should we come down here?"

He held his breath momentarily as they awaited a reply.

THE FARMHOUSE
CHAPTER 10

"It's just standing there," Shawn whispered, his voice tight as he fixed his gaze on the SLS, which was currently mapping a figure on screen, down in the basement area. Cody leaned over to take a closer look, panning the camera over the SLS screen so that their audience could see exactly what they could.

"It's like it's saying hi or something," he said, amazement evident in his voice.

"Uh, hello there," Shawn said, monitoring the figure on the screen.

Direct communication often elicited a response, even if it was as simple as a noise or movement. "How are you?"

They both watched as the figure on the screen shifted slightly to the left, as though it was trying to reply.

"Dude, it's pointing now, look," Cody said excitedly, struggling to keep the camera still as they watched the SLS map an arm pointing upwards. "It's almost like it's pointing up at us… telling us stay up here, maybe?"

Shawn said nothing, too busy watching the screen for any other changes. "Should we stay up here?" He asked, barely taking his eyes off the figure. "Or should I come down there and join you?"

Cody looked at him in surprise, then back down at the underground basement. It was more of a subterranean cavern, an incomplete structure. Neither of them knew what was really down there.

"Hey, look! It's moving!" Shawn struggled to keep his hands holding the SLS as still as he could, watching as the figure began to shift on screen, before vanishing completely.

"It's gone," Cody said, his voice thick with disappointment. "Maybe it wants you to follow. Go down there, bro."

Nodding, Shawn dug a small flashlight out of his pocket and switched it on, shining it down into the hole. There was a small dirt ledge before the jump down to the bottom, which he started to climb down onto. He could already feel and smell the damp air circulating down there, and the dust settled heavy on his skin. As he struggled to maneuver down onto the ledge, balancing both the SLS and the torch, he momentarily set the screen down on the floor. As he did, the SLS began to map something else, making him freeze in the midst of his descent.

"What's that?" He muttered, lifting himself back out of the hole and retrieving the SLS, pointing it towards the corner of the room they were currently in, where it had begun to pick up another figure.

"Look at this. It's picking up something else. Someone right in that corner," he said to Cody, gesturing for him to take a look before the figure disappeared.

Cody did as he said, squinting down at the screen while holding the camera in his hands. "Oh, I see it! Right there," he said excitedly, tapping the screen to make it clearer to the viewers what they were looking at. The joints of the figure were small and rounded, as though it was curled up against the wall.

"It's like its curling into a ball or something. And it looks small, like a child," Shawn said, unable to keep the awe out of his voice. Any time they caught activity, no matter how small or repetitive, it always blew him away.

"I think they're in that doorway," Cody said, moving the camera towards the empty doorway of the room, before bringing it back to film the SLS tablet that was directed towards the area. Since it didn't map furniture or walls, it could be difficult to place the figure in the direct surroundings, but Cody was sure it was coming from the middle of the doorway, like someone was sitting right there.

Beside him, Shawn was almost breathless, watching the space for any further movement. He'd come here unsure of what to expect and had been met with a ton of activity already. It was always the best feeling when that happened, when a location turned out to be a complete hit. It made him feel like he was one step closer on his journey towards achieving his life's mission: to show people that the paranormal was real. It wasn't just a bunch of fabrication and lies. There wasn't someone knocking on the walls or banging doors for ratings. This wasn't the

60s, where fraudster psychics would make tables shake or raise on command. This was real. This was *reality*. This was the truth to the question that had haunted humans for as long as they'd been around. Ghosts were real. The paranormal existed. There *was* something after death. There were so many sceptics out there, unable to accept the existence of such things, unable believe without seeing concrete proof.

And so here he was, capturing undeniable proof of a figure lurking in the corner of an abandoned building, mapped out on a device that was impossible to rig or falsify. None of this was made up, none of it was fabricated. No cheap tricks or photomanipulations. What they showed their viewers was exactly what they experienced in the flesh. It was all real. And being able to share this kind of evidence and experience with the world meant more to him than anything else, more than fame and success. He just wanted people

to know the *truth*, to have their questions answered. That was all that mattered in the long run, and he knew that Cody shared the same sentiment.

"Is there a child there?" Cody found himself asking as he watched the figure on the screen. It hadn't moved, but there was nothing else in the doorway that could be creating a humanoid figure like that.

"Did you hear that?" Shawn said suddenly, straining his ears to listen beyond the silence that had descended around them. "I heard a voice. Female. It sounded young, like a little girl." Like the child crouched by the doorway, maybe it had belonged to them?

While Cody was listening to see if he could hear what Shawn had, the figure on the screen suddenly disappeared. The two of them exchanged a glance and, without a word, grinned excitedly. That the figure had disappeared meant it wasn't a physical element of the

environment, but an anomaly, something unstable that dipped in and out of existence.

This was exactly what they'd come here for.

CHAPTER 11

Shawn kept the SLS tablet directed towards the doorway, in case the figure came back, but the area remained empty. When he took his eyes off the screen, the doorway itself was dark and vacant, like the gaping hollow of a monster's maw. Instead, he began to pan the device around the room, wondering if it might have moved elsewhere, or if there was something else they could capture.

As he moved it across the wall on their left, the screen flickered as it caught something, and he quickly whipped it back to see what it was. A

figure began to appear on screen immediately, and he felt his heart thump in his chest. "It's back, look!" He said, calling Cody over excitedly.

"Oh, are you sure it's the same? It's taller now," Cody said, before the figure suddenly dropped down the screen, as though it had crouched. "And it just sat down. Woah!"

"That was nuts," Shawn said. It was almost like it had responded to Cody's comment, making itself smaller in response.

The figure dissipated against after a short while and didn't return even when Shawn scanned the rest of the room, wondering if it had merely shifted locations again.

"Maybe it's time to go down to the basement," Shawn suggested, heading back to the unfinished hole in the floor. Retrieving the flashlight from where he'd left it, he shone it down into the cavern. It was difficult to get an accurate idea of the height and depth of the place, but they

would soon know once they were down there. Neither knew what they might find either. They'd mapped someone down in the basement earlier, so it was a possibility they were still down there somewhere. Bracing himself for the impact, he carefully lowered himself back onto the dirt ledge, then jumped the rest of the way down. He landed with a small thump, sending up a cloud of dust, and shone the flashlight around him.

"Be careful, bro," Cody warned as he followed close behind, balancing the camera in hand as he jumped down beside him.

"Ugh," Shawn grunted, dust sticking to the back of his throat. "This totally gives off a murder house vibe." The floor beneath their feet was littered with decaying scraps of drywall and thin boards, sitting on top of the packed dirt. The foundation felt solid at least, but Shawn could feel a slight tilt to the ground, like they were on a slope. He made sure to be careful where he put his feet, not

wanting to step in any shards of glass or sharp rock that might be jutting from the ground. The place had been abandoned for a long time, and they had no idea what to expect.

Shawn took a moment to shine the torch around them, highlighting the area. It was bigger than he'd been expecting, extending into darkness at the other end. As he moved, the debris crunched under foot, and dust billowed around them with every step. Ahead of them were floor joists for the building, as well as the remaining slabs of an old brick wall and mounds of compact dirt. It smelt like he had been expecting, damp and humid. He was glad neither of them were overly claustrophobic, but being down in the tight, dark space did make his heart flutter anxiously in his chest.

"Did you see that?" Cody asked as the dust settled around them, pointing ahead of them. "Over in that corner. There was some kind of white, misty anomaly. It definitely wasn't dust," he added as Shawn

directed the beam of the flashlight towards where he was pointing. An audible thud echoed from behind them, like something hitting the dirt, and they whirled round, at the same time their Ovilus – a piece of equipment that picked up words and voices in its periphery – echoed the words, "Unit chief."

Cody glanced at Shawn. "Unit chief. Any idea what that might mean?"

Shawn shrugged. "No idea at all."

Unable to attach any significance to the words, the two of them plunged forward into the darkness again, heading towards where Cody had seen the misty anomaly hovering in the corner of the room. It was empty now, nothing but dust particles dipping in and out of the beam of the torch.

"Oh, I think this corner is beneath the room that gave me the heebie jeebie vibe earlier," Shawn pointed out, glancing above them. The ceiling

sloped slightly, making it feel even more cramped than before.

"Yeah, it is."

Shawn gave a start and turned round suddenly to face Cody; his eyes wide. "Did you touch my shoulder just now?"

"No." Cody's eyes went wide at the implication, and he turned around, searching for anything that might have brushed past Shawn. The area was completely empty except for those two. "That definitely wasn't me."

Shawn shuddered slightly, still feeling the ghostly echo where something had touched him. It definitely felt like they weren't alone down there, but nothing was showing itself on the SLS or their camera just yet. Whatever it was seemed to be hiding in the shadows for now.

"Let's check out this room," Shawn said as they neared the end of the basement. There was a small doorway carved out of dirt and old,

chipped bricks, and a small room beyond it. More debris littered the dirt floor, crunching absently under their feet as they went inside, ducking beneath the low-hanging frame.

There wasn't much of immediate interest in the small room, but Shawn set down the SLS onto a slab of dirt in order to investigate further. As he glanced down at the screen, he noticed something was beginning to map right behind where Cody was standing.

He picked it up, his breath catching, as a figure appeared, standing directly behind Cody.

Almost at the same time, the Ovilus spat out the word "Guest."

Both Shawn and Cody glanced at each other, shock evident on their faces.

"Are we your guests?" Cody asked, moving the camera around to capture the immediate vicinity. But the figure on the SLS had already

gone, and the Ovilus had no more words to give them.

CHAPTER 12

The Slaughter House

After leaving behind the basement, Shawn and Cody decided to explore the rest of the farmhouse property. Nearby, on the same patch of land, was an old, abandoned slaughterhouse, with a collapsed barn right next door. Against the dusk, the dilapidated structures cut an imposing visage, casting deep shadows along the grass.

As they stepped out into the cool night, Shawn took over the camera while Cody went on ahead, holding the flashlight aloft so that they could see where they were walking. Like the interior of the buildings, even the land was littered with

debris and big chunks of rotting wood from an old fencing post.

As they approached the slaughterhouse, Cody froze suddenly, twisting the torch to highlight an area in the distance.

"Did you see that? It looked like there was someone standing there."

"Like a shadowy figure, right? I wasn't sure if it was my eyes playing tricks on me."

"I definitely saw it," Cody said, shuddering. Goosebumps had risen to the surface of his arms, and he could feel a chill worming down his neck. "I'm getting a bad vibe right now."

Although Cody would never call himself a psychic, he believed himself to be something of an intuitive empath. He'd always been good at feeling certain energies in the air around him, whether they were positive or negative, and his body often reacted to things even if he was unaware of the cause. He used to feel such energies with his hands, through the power of touch. But this ability, or whatever you wanted to call it,

had developed over the years so that now it had become more of a fully-body awareness that manifested within him. Unlike others in the same field, however, his sensitivities were easy to switch off or block when he was going about his day-to-day life. Being sensitive to certain energies could be distracting when it wasn't the right time or place, so he was glad he was able to switch it off for his day job, and back on again for investigating.

"Yeah, like in your gut," Shawn said, his features distorting with discomfort as he panned the camera around him, towards the dark area where they had both seen the shadow figure. It had only been for a brief minute, but it had definitely seemed to both of them like someone - or something - had been standing there, watching them. "It's almost nauseating."

"Right," Cody agreed, still unable to suppress a shudder as they drew closer to the slaughterhouse building. The dark, crumbling exterior exuded a similarly foul vibe that made Cody's hair stand on end. Gaping black windows stared at them like hollow eyes, bleeding shadows onto the ground in front of them. It

wasn't something he could explain in words, but the whole place gave Cody a feeling of discomfort, and he almost didn't want to go inside. But he knew it would pass once he was over the threshold, and after all, that feeling was why they were here. Energies strong enough to make him feel like that meant there would likely be a lot of activity in a place like this. And that was exactly what they had come here for.

"Well, that's not something you want to see when you first walk into a building like this," Cody muttered as he walked inside, shuddering at the sight before him. Inside the closet, tucked into the corner of the room, was a child's pink scooter. The closet was no bigger than a guest's powder bath, and the once-sky blue walls were faded and grown over with dirt, crumbling into a pile of concrete at their feet. The scooter was laying on its side, looking disconcertingly out of place amongst the ruins. While the scooter wasn't anywhere near as old as the building itself, it was almost as dirty as the rest of the place, covered with a thick layer of dust and grime. The ground below was packed with dirt and old pieces of wood

that snapped when Shawn stepped over them, following Cody with the camera.

"Woah," Shawn muttered as he moved the camera around, capturing the whole room. It was completely deserted apart from the scooter and the mounds of debris. The small cubby that contained the scooter was in one corner of the room, while a doorway on their right led to another small area, which appeared to be a broiler room of some sort.

"Ugh, the smell," he added, using one of his hands to cover his nose. The nauseating smell was almost enough to make his eyes water.

"Dude, look at the hooks on the walls," Cody observed, pointing to the large metal pegs suspended from the wall. Even covered in grime, they made Shawn shudder with uneasiness, thinking about what might have been hung on them once upon a time.

"It smells like sulfur," Shawn muttered, taking a few steps deeper into the room, using the camera to give their viewers a wide angle of the place. The once-beige walls were now peeling and discolored

with damp and mold, and the windows were only half-boarded up, letting in a breeze.

As he was walking around, he heard something behind him: what sounded eerily like a woman's moan. His breath caught, and he turned towards Cody, resting the camera on his face to monitor his reaction. "What was that?" He asked, seeing Cody's eyes go wide. He pointed slightly off to his left; into the small room they hadn't yet investigated.

"Did you hear a moan?" He asked, turning towards the broiler room. "From in there?"

"Yeah," Cody confirmed. "I heard a moan, and then the sound of something snapping. It definitely came from inside that room."

Exchanging an excited glance, the two of them hurried towards the old broiler room, wondering what might be waiting for them inside.

THE FARMHOUSE

CHAPTER 13

Cody stepped inside the broiler room first, peering around cautiously in search of whatever had made that strange snapping noise. Like the cubby with the scooter, the room could barely be called as much. It was another closet-sized space, with the same dirt and grime piled up everywhere. As Cody tilted his head to glance upwards, he heard another distinct popping sound. "Bro… did you hear that?" He said, feeling somewhat spooked by the close proximity of the noise. There was nothing inside that could have caused it.

"Was it like a *pop pop pop* noise?" Shawn asked excitedly from the doorway behind him, still holding the

camera to record the room. The room was too small for the both of them to fit inside comfortably, so he remained where he was, keeping the camera on Cody.

"Maybe it'll do it again," he said, hoping his words would prompt a further demonstration of the sound.

Cody frowned as he listened, and Shawn almost held his breath, eager to hear something amongst the silence.

He gave a sudden start, at the same time Cody glanced up. He could have sworn he heard a whisper, coming from inside the broiler room. He couldn't distinguish the gender, but he'd definitely heard a voice, and it belonged to neither of them.

"Did you hear that? It was a voice, right?"

Cody pointed upwards, to the sloping ceiling. "Yeah, it came from up there."

The Ovilus crackled to life then, picking up the word, "Beg."

Shawn frowned as he glanced down at the device, the camera following. "Beg,"

he repeated. "What do you want us to beg for?"

"There could be a raccoon up there," Cody said as he came out of the broiler room. "But I didn't see anything moving, so I don't know."

As Cody walked back towards Shawn, the SLS in his hand caught his attention. It had begun mapping out a huge figure against the wall. Whatever it was, it was bigger than an average-sized human. "Woah, look at this. It's mapping out something huge right there."

Shawn hurried over with the camera, hoping to catch it on the footage, but the figure had already disappeared when he got there.

"It's gone," Cody said with a heavy sigh. It wasn't uncommon to miss capturing experiences on camera - they only had one, after all, and they couldn't film everywhere at once - but it was still frustrating. The whole point of doing this was to capture evidence in the first place, to show others that the paranormal really did exist.

"I'll take the SLS and keep the camera on it," Shawn said, hoping that this time he would manage to capture the figure. Cody nodded and passed over the device before walking around the room.

As he was recording the SLS screen, Shawn suddenly heard something behind him; what sounded like another whisper, or a breath. He shuddered involuntarily, then gave a quiet yelp. "What the heck! Something just touched me. And did you hear that?"

Cody glanced across at him, directing the beam of the flashlight towards him, and laughed. "Yeah bro, there's a bug on your shoulder right now."

"Huh, get it off!" Shawn joked, brushing his hands over his shirt to dislodge the bug. Maybe it had just been a bug he'd felt, but he was sure he'd heard something too. Another voice that didn't belong to either of them.

On the other side of the room, Cody was back at the broiler room, standing just under the threshold. "It feels super cold over here," he said curiously, extending an arm into the room. The temperature

drop was definitely an anomaly, and his arm had erupted into goosebumps, all the hairs standing on end. "And I feel staticky. The air in here's weird."

Shawn pointed the SLS towards Cody and almost gasped, swallowing back his excitement. "Bro, don't move," he said. "It's behind you right now." On the screen, the SLS had mapped out a stick figure directly behind where Cody was standing. He watched in breathless amazement as the figure began to move, walking straight towards Cody.

"Bro, it's climbing up you," Shawn said, his eyes wide. He'd seen some strange paranormal activity in his time, but this was insane. The figure was actually *on* Cody, like it had attached itself to him. And they had it all on camera. He had to admit, it was freaking him out a little, but it was still exciting to be able to see and capture activity like this.

According to the image on the SLS screen, the figure was attached to one side of Cody's body while reaching out with a hand to where Cody had said he'd felt cold and static in the air. Shawn

didn't doubt the experience was linked to whatever the figure was trying to do.

Before he could do or say anything, the figure abruptly disappeared, vanishing from the screen completely.

"Dude, it just disappeared," he said, unable to keep the disappointment in his voice as he balanced the camera in one hand, trying to maneuver the SLS with the other. If they were lucky, the figure might not have gotten very far, and was still here with them.

Finally able to move again, Cody turned around, blinking at Shawn. All of a sudden, he pointed behind him, his eyes going wide. "I just saw something, right there in that closet behind you," he said. "The one with the scooter."

Shawn followed the direction of Cody's outstretched arm, the camera and SLS going with him as he trained it on the outside of the closet. In the semi-darkness, he could see nothing amiss, but he didn't doubt that Cody had glimpsed *something*.

As Cody caught up with him, he passed the SLS back so that he could concentrate on capturing everything through the camera.

"Are you in the closet right now?" Shawn asked as they stepped closer, feeling the air turn cold around them. He could feel a presence in the darkness too, like something was watching them.

"Look," Cody started, gesturing towards the SLS screen, "it's right there."

Peering through the camera lens at the screen in Cody's hand, Shawn saw what he was referring to. There, in the space where the doorframe connected to the ceiling, was a figure. It seemed as though it was hanging from the wall, suspended on the top left corner of the door frame.

"It's like it's crawling up the wall," Cody said, disbelief evident in his voice.

Shawn was almost speechless as he watched the figure begin to move on the SLS screen, inching further up the doorframe until it was on the ceiling. "It's on the ceiling now," he said aloud,

feeling a chill creeping along his neck. It was reminiscent of the way it had crawled up Cody too, like it was looking for something to latch onto.

Both investigators exchanged a glance, just as amazed as each other. They could hardly believe how much activity they had captured while exploring this place. They'd gone into this location completely blind, without researching any of the history or backstory at all. But after what had happened and given the possibilities of what the investigation held in store for them, they couldn't wait to go back and look up the history of the area, to see why the place was so active, and if there were any real people behind the SLS figures that they had captured on camera. Capturing evidence was one thing but finding historical details and explanations for the activity only cemented the fact that the paranormal was real, and not simply a fabricated construct made by frauds.

The two of them watched, entranced, as the figure on the screen crawled along the ceiling right in front of them, before it suddenly disappeared without warning. Almost at the same time, a thud

rattled the ground directly behind Shawn. And in that space of a few seconds, the camera feed was plunged into darkness.

CHAPTER 14

Shawn guzzled down half a bottle of water and exhaled. "Alright," he said, twisting the bottle cap back on and straightening his posture. "Ready to get back to it?"

Cody stretched his arms up against one of the rotting frames, popping out the cricks in his neck and shoulders. "You know it, bro."

Shawn set the bottle back down on their makeshift counter - an old piece of furniture that was barely recognizable beneath the dust and grime - and clapped his hands together. "Right then. Do you think I should do a sensory dep in the basement?" He asked, grabbing the

SLS and the camera and making sure both were running.

"Sure, sounds like an awesome idea!"

Shawn passed the SLS and camera over to Cody before adjusting his cap. The whole place was beginning to feel stuffy, even with all the broken windows letting through the night air. Maybe it was because of all the dust and grime, thickening the air, or perhaps it was because of the heavy reams of energy around them. Their presence could be inviting more of it to build up, changing the very atmosphere of the building itself.

Once the two had their gear, Shawn began making his way back towards the hole in the flooring, Cody following behind with the camera recording.

As they neared the hole, what sounded like footsteps thudded across the room behind them, making them both turn with a start.

"Woah!" Cody yelped, spinning around with the camera in his hands towards the noise.

"Were those footsteps?" Shawn asked, peering over Cody's shoulder into the darkness behind them. The light on the camera didn't extend very far, and the room was misted with gloom and floating dust mites.

Cody said nothing, listening for any further noises in the dark.

They had left behind a laser grid and a Rem Pod to monitor the room while they went down to the basement, so that they could still detect any activity after they had left. The Rem Pod was sat in the middle of the floor, designed to beep if anything went near it, and the laser grid would detect any movement. On their makeshift counter sat their spirit box, which had been switched on and was running the whole time.

As they examined the darkness for any other movement, the spirit box suddenly sputtered to life with the word "Brad."

Cody swiveled the camera towards the device, illuminating the spirit box so that their viewers would be able to see it. For the next few moments, they merely stood and watched,

waiting to see if anything else would come through. The rest of the building was quiet and still.

They stirred after a few minutes when nothing else came through, and Shawn turned back towards the hole in the floor. He'd left another spirit box and a pair of headphones nearby, so he grabbed those, along with the blindfold from his pocket, and descended carefully into the dark hole.

One of the best ways of connecting with spirits in any location was something called a sensory deprivation session. It involved wearing noise cancelling headphones that were plugged directly into the spirit box, so that the listener could not hear any of the questions being asked, only the answers coming through the static. This helped to eliminate any bias of interpretation when listening out for answers. They usually went a step above that and wore a blind fold too, so that only what they could hear, and feel would be their focus, rather than anything else. It was a way of prioritizing the spirit's communication

and what they were trying to say, rather than anything else. Another thing they would do during sensory dep while one investigator was under, the other would ask questions for possible entities to answer to either through the spirit box or Ovilus. The Ovilus was an app that would speak words that were possibly said by a paranormal entity.

During their time investigating, they had visited so many places that it was becoming difficult to count exactly how many. But one thing they'd noticed was that their best interactions and experiences always happened during the sensory dep sessions. In the past, they'd had several occasions where their equipment - such as the Rem Pod or laser grid - would activate at the same time voices were coming through the spirit box, which only solidified that the activity wasn't merely a coincidence or easily explained. It was truly amazing what kind of things could occur during an investigation, which was why Shawn was always thrilled to do another sensory dep session.

Shawn placed the SLS device, on a high slab of dirt in the basement, making sure it was facing the area where he planned on sitting for the sensory deprivation session. Making sure everything was in place and at no risk of falling over, he went over and sat down on the ground, pulling on his headphones and making sure the connection to the spirit box was stable before he covered his eyes with the blindfold. The material was warm and slightly coarse, but not uncomfortable.

In front of Shawn, Cody jumped down into the basement with a small cloud of dust, holding the camera firmly in his hands. He panned around the area, using the light from the camera to illuminate each corner of the room and make sure they were alone. The dust was still settling from where they'd disturbed it, but all else was quiet apart from Shawn's steady breathing in the darkness ahead. As Cody watched Shawn sitting in the darkness blindfolded, he pulled up the Ovilus app on his phone.

Cody found a spot to settle down himself at the same time Shawn started speaking out the responses from the voices he could hear in the spirit box.

"*It's time for me,*" Shawn said as Cody trained the camera on him, the faint light casting shadows across his face.

"Is someone down here with us? Where are you?" He asked.

A second later, Shawn shivered visibly. "There's a cold draft behind me," he observed, unable to see or hear Cody.

After another long, tense second, Shawn spoke again, repeating the voice he'd heard from the spirit box.

"*Get out of here.*"

CHAPter 15

Cody found himself shivering at the warning in Shawn's response but continued asking questions in the hopes of gaining more answers through the spirit box.

"What is your name?" He asked, addressing the darkness around him. Shawn had mentioned a cold draft behind him, so Cody focused on that area, wondering if there was someone there, hiding in the shadows.

A moment later, Shawn spoke the response from the spirit box. "*Sarah*. I think that was a child's voice," he added.

Cody made a mental note of the name, curious to see if it had any meaning for the area and its history. One thing he did know was that they had picked up the presence of a little girl from the moment they'd stepped into the farmhouse. Was Sarah the name of the child?

"*I see.*"

"You see… what?" Cody asked, picking up the camera and illuminating the room again. What did they want him to see? Other than the shadows pricking at the edge of the room, there was nothing of interest that he could make out.

"*Back… room,*" Shawn said hesitantly. "*Crazy.*"

What was crazy? And did the spirit want them to go to the back room? Cody stayed where he was for now, wanting to get a few more responses before they moved to a different area. Although he couldn't deny he was curious about the back room, and what significance it had. If they were referring to the small room at the back of the basement, they'd already had some strange

experiences there. What exactly did they want them to see?

"How many spirits are here with us?"

It had felt like they'd already interacted with a few different spirits tonight, but Cody wasn't sure exactly how many were present. The main one they'd felt was the little girl, and possibly a man.

Shawn shivered again, drawing Cody's attention. "Another draft, on my spine," he murmured, shifting uncomfortably. "*It's me.*"

From above them came a sudden thud, rattling the floorboards above their heads. Cody snatched the camera up towards the ceiling, just as a small trail of dust fell from the rafters, where something had made the noise. Was something, or someone, up there? It sounded like something had fallen, or like someone had stomped a foot, but as far as Cody was aware, the room was completely empty. Shawn hadn't heard because of the headphones, so Cody hoped the camera had picked up the audio for his viewers.

"Woah," Cody muttered. "Did you guys hear that? There was a strange thud right above my head."

"*Hi*," Shawn said suddenly. "*My home.*" He cocked his head, listening, then after another pause, said: "*Get out.*"

Just as Shawn said those two words, the Ovilus sprang to life with the word "Bones."

That was twice they'd been asked to leave now. Whoever was here clearly didn't like them in their space. "Are we in your home?" Cody asked, settling the camera back on Shawn.

"*Respect.*"

"Respect?" Cody echoed. "What do you mean by that?"

There was a pause in Shawn's responses, and the silence thickened around Cody as he looked around. He was beginning to feel uneasy again, like there was something watching him from the darkness. He suddenly felt like an unwanted visitor, invading a space in which he didn't belong. The presence around him wasn't friendly, and neither were

the warnings they'd been getting through the spirit box. Something wanted them to leave.

Just as he was about to ask another question, Shawn spoke again, the words cutting through the silence.

"*Step away.*"

Cody shifted. There was a cold breeze coming from somewhere above them, but the air down in the basement was thick and earthy, catching at the back of his throat. "We want to help you," he said sincerely. "How can we help you?"

"*Sick.*"

"Who's sick? Were you sick?" Perhaps that's how they had died, from some kind of sickness or disease. Without proper context, it was difficult to discern the meanings of these single word answers.

"*Back room,*" he said again, at the same time the Ovilus blurted the word "Dig."

"Is there something in the back room?" Cody wondered aloud. "Somewhere you want us to dig?"

Shawn reached up and began to rub his shoulder, his mouth twisted into a slight grimace. "Bro, I've got goosebumps all over. Lots of static electricity over here."

Cody panned the camera around the area where Shawn was sitting, hoping he would catch something moving in the darkness, but there was nothing. Even the SLS wasn't picking anything up, which was unusual.

He shifted his attention back to Shawn, waiting for the next response. They were clearly not alone down here, if Shawn's physical reactions were anything to go by. The corner in which he was sitting seemed to be the source of some kind of energy, but none of their equipment was picking it up. Only their natural human responses.

"*Resting here,*" Shawn said suddenly.

"Who?" Cody asked. "Who's here? What's your name?"

He almost held his breath in anticipation, waiting for Shawn to give him an answer.

"*Sarah*."

That same name again. Repetition of answers only made the evidence more conclusive. Whoever this Sarah was, she clearly had a strong connection to the place, and her energy was strong enough for her to speak with them for such a sustained period of time.

Cody's mingling surprise and excitement at the intelligent response was short lived, however, as footsteps approached from behind him, sending soft vibrations through the earth.

His eyes went wide as he turned around slowly with the camera, staring into the darkness behind him. The footsteps had been too loud to be dismissed as anything else. And he'd even felt it in the earth too. Something had been walking behind him.

He stayed as still as he could, despite his thumping heart, hoping that whoever was walking around down here would show themselves. But the stillness behind him remained unbroken.

CHAPter 16

" *Get out*," Shawn said, drawing Cody's attention back to the room. He shook off the feeling that something was behind him and focused on Shawn's voice again. He frowned, then added, "the voice that spoke was deep, like a man's voice."

"Why? Why do you want us to leave?" Cody asked. If the voice had changed, they probably weren't talking to Sarah anymore. There were definitely multiple spirits down here. And one of them – this man – didn't want them to stay. Was it the same presence Cody had felt before, exuding malice from the shadows?

"Just get out," Shawn said, growling slightly in imitation of the voice. *"Supposed to be… back… field."*

Cody frowned at the sudden influx of words, trying to make sense of them. The field at the back of the house? Was there something there? Or were they merely stray words, out of context? Unless it was somehow connected to the back room that had already been brought up several times.

"How did you die?" He asked, hoping to steer the conversation back into something coherent.

When he received no response, he continued with his questions.

"Did something bad happen here?"

More dust trembled down from above, making Cody cough.

"Upstairs."

Cody brushed dirt from his hair, considering the response. Did that mean something happened in the room upstairs? Or did that mean someone was there right at that moment? It seemed a strange

coincidence that the dust had fallen then, as though movement upstairs had disturbed the floorboards.

When he received no further details, he decided to learn more about the spirits here.

"Is there a child here?" He asked. They'd had frequent encounters during their time here with what both considered to be a child spirit. Perhaps they were present here too, and he could speak with them.

"*Mine*," Shawn said, his voice gentler this time.

"Is the child yours?"

"*Help. Help me*," Shawn murmured, shifting where he was sitting. Cody shone the light on him again, seeing his brow crease as he listened to the voices in the spirit box. "*Foot down. I'm stuck here.*"

"How can we help you?" Did the spirit mean they were stuck here after death, or was this something that had happened while they were still alive? Most of the time, the responses they received from the spirit box were only partial answers

or single words, and it could be difficult to put things together into a coherent picture. But even just receiving a response in the first place was incredible.

"*Leave.* That male voice again… *Bitch.*"

Cody flinched at the expletive. Almost a second later, something thudded from directly above his head, followed by the creaking of floorboards as someone walked across the room. Cody tensed, his heart hammering in his chest, but he tried to ignore it, focusing instead on Shawn.

Was there something up there after all? He hadn't heard the Rem Pod go off, but he was definitely hearing movement. And what was with the harsh threats from the male voice? Cody guessed it was the same man who wanted them gone.

"*We're right here.*"

"Sarah?" Cody guessed. "Is that you moving up there?"

"*I'm moving.*"

The direct response made Cody's heart skitter with excitement. They'd had so many amazing responses already. Although sensory deprivation sessions have proved themselves again and again to be the best way of capturing voices and experiences, it wasn't always a guarantee. They'd had investigations in the past where nothing had come through at all. But the abundance and frequency of the voices that were coming through now was incredible. He could feel the energy in the room making his skin tingle, and he could barely hold the camera straight from the excited tremble in his hands.

"*To the left*," Shawn said. "Then a little girl's voice saying '*Hi*'."

So, there was a child here, after all. The voice only confirmed what they had already seen and felt during their investigation at the house.

As Cody was listening for Shawn's answers, he felt a sudden chill, and the hairs on the back of his neck stood up. "Woah, something is in here," he said, speaking to the camera since Shawn couldn't hear

him. The air around him had shifted suddenly, and he felt like he wasn't alone anymore. Almost as soon as the thought crossed his mind, he felt something brush past his arm in the darkness. He flinched back with a gasp, searching frantically through the gloom for what had touched him, but there was nothing there.

"Did someone just touch me?" He asked, his heart hammering in his throat. The brush was gentle, but hard enough that he dismissed the idea it could have been a breeze blowing some dust around. He'd felt something else in the dark with him too. A presence.

"*Frank.*"

They finally had a name for the male spirit they were speaking to. Cody didn't know whether or not it held any relevance to the place, but that was something they could check after the investigation, when they dived into the history of the place.

"Did Frank touch my arm just then?"

"*Help.*"

Cody frowned, unsure of how many different voices they were getting. It was difficult to tell who was speaking without being able to hear the voices himself. "How can we help you?"

In response, the Ovilus crackled to life. "Dig."

That was twice they'd had that response. Who wanted them to dig, and where? And what exactly were they expecting them to find? Cody had questions, but he kept them to himself. He could discuss the significance of the words with Shawn afterwards. He didn't want to miss anything now.

"*Three dead*," Shawn said, his voice slightly strained. "*Hung.*"

"Hung?" Cody repeated in a whisper, letting the weight of the word settle in. Was that how someone had died here? Were they hung?

He dropped his gaze down to the camera in his hand, blinking in amazement as something appeared around Shawn's leg. It was some kind of mist, but it had come seemingly out of nowhere. He tried to zoom in on the camera, but the

lens suddenly went out of focus, blurring the image completely. By the time the camera had refocused again, the mist had already disappeared.

CHAPTer 17

"Should I start?" Cody asked, holding the headphones in his hand. He sat perched in a windowsill. The sill was pane less, matching all of the other windows in the building. Behind where Cody sat, was what used to be a closed porch.

"You should," Shawn replied from in front of him, holding the camera steadily in his hands. The two of them were back upstairs now, after having finished their sensory deprivation session down in the basement. After those last few responses, the spirit box had seemingly gone quiet, so they'd

wrapped it up and decided to move to a different location to try again. This time, Cody would be the one listening for the answers.

They were in what appeared to have been a master bedroom at some point, although now all that remained were some cement slabs and the decaying rafters of the house. It was like the house was nothing more than a skeleton now, just bones and loose pieces of flesh.

Shawn had the SLS and Ovilus device sitting off to the side while he held the camera, so that it would be easier to manipulate when he wanted to look around.

Cody finished fitting the headphones around his ears and switched on the spirit box, giving Shawn a thumbs-up to gesture that he had started.

Shawn said nothing at first, waiting for any natural responses to trickle in before he began asking direct questions.

"*Diabetes*," Cody said, closing his eyes to better concentrate on the voices. "A male voice."

Shawn shifted the camera around to face him as he addressed the audience. "Cody has diabetes, if you didn't know," he explained, "so this could be relevant."

He turned back to face Cody, illuminating him in the camera's light. He was sitting with his head slightly tilted, listening to the spirit box through the headphones.

"Is Sarah here?" Shawn asked after a few minutes of silence. "How can we help you?" From the last sensory dep session he'd done, he'd gathered that there were at least three active spirits here; a man called Frank, a child called Sarah, and a woman called Mary. It was clear something horrible had happened here once upon a time, and Shawn bet that the man named Frank had *something* to do with it.

"*She's mine*," Cody said. "Still a male voice."

"No, she's not, Frank," Shawn retorted.

"*Stop*."

"Frank, you're not going to hide anymore," Shawn warned. He took a moment to glance around him, feeling the air shift. It was almost like the room had gotten darker somehow.

"Dude, it feels like something is grabbing my leg," Cody said suddenly, and Shawn twisted back to face him, dropping the light to the area around his leg. There was nothing there that could be touching him.

"Is that you, Frank?" Shawn asked. "Let the little girl go, Frank. She's not yours anymore."

"*Help*," Cody said, his voice scrunched up slightly.

At the same time, an audible female voice seemed to come out of the darkness around Cody, making Shawn freeze. "Did you hear that?" He whispered to the future viewers of the video. "It sounded like it might have come from outside." He pointed the camera towards the window behind Cody, where he felt like the sound had come from, but there was nothing there and no further noises.

"Something is behind me," Cody said, shivering visibly. "I can feel something behind me."

Shawn almost held his breath, staring into the darkness behind Cody in anticipation.

"It's like… it's coming up right behind me," Cody said.

"The whole room has an insane amount of energy right now," Shawn explained to the camera, feeling his skin prickle with goosebumps. All the hairs on the back of his neck were standing on end too, like there was some kind of current passing through the air. "It feels like the whole place is charged."

"*My name is Frank*," Cody said, his voice almost uneasy. "Dude, it really feels like there is something all around me right now." He still had his eyes closed, but he was moving slightly as if trying to pinpoint the source of the feeling.

"Frank needs to go away," Shawn said. "I want to talk with Mary now."

"*It's me*. Female voice again."

Shawn nodded, glad that Frank had gone. "Hi Mary," he said gently. "Why are you here? Are you trying to protect the little girl?"

Cody pulled a grimace. "Dude, I'm getting serious chills right now."

"Are you trying to protect Sarah from Frank?" Shawn continued, scanning the room with the camera. Although there was nothing visible happening, the air was charged with some kind of energy, and it was having a physical effect on his body.

"Male voice said *you're trespassing*."

"You don't own this place anymore, Frank. We're not trespassing."

"*Get out*."

"Is that you, Frank? Are you trying to threaten us?"

Cody went quiet for a few minutes, and Shawn checked the SLS and Ovilus to make sure they were still active. Neither had picked anything up yet.

"*I'm in the ground*," Cody said, drawing Shawn's attention back to him. He opened his eyes and

removed the headphones. "That was a female voice just then. Saying *I'm in the ground*," he explained, before putting the headphones back on to resume listening to the spirit box. Shawn pursed his lips, wondering if it had been Sarah or Mary who'd spoken.

"Frank, did you take these peoples' lives?"

Cody froze suddenly, his expression changing. "I just heard the word *Frank*, spoken by three different voices," he said. "Three female voices. All at the same time."

Shawn stared in amazement. Then there were four spirits talking right now, not just three. Who was the third woman?

"*One hung.*"

The implications of the words made Shawn shudder. "You hung one of the women?"

Cody bit out a sudden cry, rubbing at his arm. "I just got a sharp pain in my elbow," he told Shawn. "A voice said *help. Please.*"

"Who are you?" Shawn asked. He could barely tell who he was speaking to anymore. There were so many different voices.

"*I'm here*."

"Who's here?"

Cody cleared his throat. "I feel like it's getting harder to breathe over here," he said, coughing again. "The air is really heavy."

Shawn frowned. "Okay, Frank, you need to step away now," he said. "We're finished."

He got up from his position and went over to Cody, touching his shoulder to alert him they were finished. He took off the headphones and switched off the spirit box, shivering slightly. "That was crazy," he muttered.

"Yeah," Shawn said. "Want to try splitting up for a bit? We can each take on a different room."

Cody stood up, stretching out his arms. "Sounds good to me."

CHAPTer 18

Shawn made sure the K2 reader was activated before leaning down to place it on the floor at his feet. It spiked as he was fiddling with it, and out of nowhere, he heard a voice whisper to him through the darkness on his left. Although he couldn't make out any specific words, the voice was unmistakable. It sounded young, feminine. Like a little girl.

He straightened suddenly, twisting round to face Cody, who was standing in the room next door, visible through the open doorway. "Did you hear that voice?" He asked, his eyes wide as he looked around.

He couldn't see anything around him, but he didn't have any devices on him either, so he couldn't be sure they were completely alone.

Cody nodded, then froze as the floorboards between the two rooms began to creak loudly, as though someone was walking between them. "Woah, that was loud bro." Neither of them had been moving, which meant it was impossible for either of them to have made the noise themselves. After a second, they fell quiet again.

"Is that Sarah?" Shawn asked, glancing towards the doorway that separated the rooms he and Cody were standing in. From the way the creaking had stopped suddenly, it almost seemed like someone was standing in the doorway, hesitant to come any closer. "Why don't you come into this room?"

Everything went quiet for a moment as they held their breath, waiting. If it was Sarah's voice he'd heard before, then maybe she was the one wandering around up here.

The floor creaked again, only this time it was closer, moving towards the same room Shawn was standing in. He glanced around in amazement, panning the camera in his hands over to Cody to make sure he hadn't moved. "That wasn't you, was it?"

He shook his head adamantly, standing in exactly the same place as he had been before.

The spirit box that Cody had set up in his room suddenly crackled out a little girl's voice, saying: "*It was me.*"

"Woah, did you just hear that?!" Shawn exclaimed; his eyes wide in amazement. The voice had been loud enough even for him to hear it through the doorway.

"Can you walk in front of this grid?" Cody asked, gesturing towards the red laser beams dancing against the wall around him. If anything walked into that area, the laser beams would distort around the shape, letting them know if something was there.

Shawn shivered slightly as a chill touched his neck, and his stomach felt queasy all of a sudden. "I'm

starting to feel a little uneasy," Shawn said, his skin prickling with goosebumps. It was the same feeling he'd gotten down in the basement.

Cody frowned. "Is someone making Shawn feel sick?" He asked, stepping closer to the doorway.

The spirit box spat out another voice, this time male. "*Behind you.*"

"Is that you, Frank?" Shawn asked, rubbing his stomach with his hand in the hope it would ease some of the tension. "Are you doing this? Frank, are you touching me right now?"

They received no verbal response, but just as they both stirred, a thud echoed up from the basement below them, loud enough to make Cody flinch. Both of them glanced in the direction of the hole in the floor.

"Are you in the basement right now?" Cody asked, holding his breath in anticipation.

A second later, a voice came through the spirit box. "*I am.*"

CHAPTER 19

"You can come and grab my hand," Shawn said softly, glancing around the room where Sarah had last made a noise. "It's okay."

"*Frank*," the spirit box said. "*Died*."

"Dude, what the hell!" Cody exclaimed, reaching up to rub the back of his neck with his hand, appearing disconcerted.

"Are you getting touched behind your neck?" Shawn asked, feeling the air shift behind him as something touched his neck, too. He squirmed uncomfortably at the sensation.

"Yeah."

"Me too," Shawn muttered, shivering. The hairs on his neck were standing on end, reacting to whatever was standing behind him.

"Is someone touching us?" Cody asked, glancing towards the spirit box in the hope of picking up an answer. They received none, but Shawn thought he heard the floorboards behind him creak again, as though someone was walking across the room. Sarah, perhaps?

"How old is Sarah?" Cody asked after another beat of silence. Shawn turned the camera around the room, wondering if they would pick up any shadow figures or orbs that might give away a presence.

"*Nine*," the spirit box replied in a soft female voice.

It was immediately followed by a man's voice saying, "*Get out.*"

"No, you need to get out," Cody said, shaking his head. "Frank needs to leave."

"*I know.*" The voice was slightly garbled that time, making it difficult to pick out the words amid the static.

Shawn sniffed, still feeling nauseous. He wasn't sure if it was because of the damp, heavy air or because of the energy in the room, but something was putting him on edge.

"Did you do ugly things in this room?" Cody asked, still addressing Frank. From their previous interactions, it was clear that Frank had something to do with the deaths that had occurred here. The other spirits seemed frightened of him almost.

"*No*," the voice spat.

As the two of them glanced towards the room with the spirit box, the static dulled and a deep, throaty growl came out of the speaker, so loud it almost shook the device.

A chill tore down Shawn's spine at the sound. It was almost animalistic, not human at all. "Holy shit, dude," he muttered, glancing wide-eyed towards Cody.

"You heard that right? Like a growl."

"That was insane," Shawn said, bobbing his head. "I heard it all the

way in here, like it was right next to me."

Cody shook his head in awe. "Crazy, for sure. Well, I think that's about a good place as any to wrap up tonight's video, don't you?"

"Let's end it on that amazing note," Shawn agreed with a chuckle. "Frank certainly doesn't like us here, that's for sure."

Cody laughed and turned to address the camera, and their future viewers. "Well, that's it from us. I definitely appreciate everyone who was watching our investigation tonight. Don't forget to stay tuned for our next location. I guarantee it's gonna be a good one!"

"Although I'm not sure anything can beat what we got here tonight," Shawn added, just as the spirit box spat out another word.

"*Continue.*"

"What?!" Cody blurted.

"Did that just tell us to continue?" Shawn asked.

"It totally did bro."

Shawn addressed the room. "Well don't worry, we'll be back here for sure."

Cody nodded, gesturing with his hands. "Like he said, we'll be back soon. Thanks for all your efforts to communicate tonight."

After thanking their impending audience once again for the patronage, they signed off and stopped recording.

Cody went to switch off their devices and collect their gear together while Shawn packed away the camera. Just because they'd finished their session, didn't mean the activity was suddenly going to stop. Even as he was packing up, he felt a sudden chill on his neck, almost like something had touched him there. The air had turned cold too, and his stomach still clenched with nausea.

"I'm gonna head out for a minute, get some fresh air," he told Cody.

"Sure, I'll come too."

They both left the farmhouse and stood outside for a few minutes, breathing in lungful of the clear air

and letting it circulate around their body. The house had been incredible to investigate. The responses they had received were beyond anything they had been expecting, and they were incredibly glad for all the experiences. But as a medium, someone attuned to those energies, being in a place like that could be incredibly draining. It taxed both the mind and body, and Shawn could already feel the fatigue setting in.

After an investigation, both of them would take some time to ground themselves again. It was a way of fighting off any negative energies that might try and attach to them before they left. They didn't want to take anything bad home with them.

Shawn always found the next few days after an investigation sluggish and tiring, as though his own personal energy had been wiped out in counteraction against the quantity of bad energy they dealt with. The only thing he dreaded at every location was the recuperation time he needed afterwards, and it was always worse in places that had

large amounts of energy, like this place.

"Hey, I'm going to go and grab some water," Cody said, stirring himself from his own thoughts. "You want me to get you one?"

"Yeah, thanks bro," Shawn called after him as he headed back into the house. He hadn't realized how parched he was. All of that dust and dry air had made his throat sore.

While Cody was away, Shawn took a few moments to reflect on their investigation. The little girl, whom they now knew as Sarah, had come to him the moment he'd stepped into the house. He'd felt her presence even before beginning the proper investigation, and he'd gotten the sense that she was looking for help. He almost felt bad leaving her. It was almost like he was leaving her and the others behind, to suffer with Frank.

"Here you go." Cody's voice snapped him out of his thoughts, and he stood straighter. "You doing, okay?"

"Oh, yeah," Shawn said, taking a sip of the water and relishing in the

coolness. "Just the usual… taking some time to reflect."

"Don't I know it," Cody said, turning to look back at the dark, crumbling building. Shadows bled out from the open windows and doorways, almost inviting them back.

Cody smiled faintly. *Don't worry*, he thought, *we'll be back. I promise.*

EPILOGUE

Shawn and Cody sat in front of the webcams of their respective devices, getting ready for their livestream. Behind them were the dark, crumbling walls of the farmhouse, while the light from their screens shrouded the two figures in a faint bluish mist.

"Ready?" Cody asked, adjusting his headphones.

"I was born ready," Shawn joked lightly.

"Then in 5, 4, 3, 2, 1," Cody counted down as he pointed to his screen, "and we are live!"

"Hey everyone, we're here at the abandoned farmhouse after our

investigation," Shawn began, gesturing around him. "We came out here to get some B-roll footage and do some research on the history of the place. You'll never believe what we found. This place is amazing."

"So," Cody began, leaning closer to the camera to set the tone, "we knew that there had been a massacre somewhere around this area. But we never actually realized how close it was to this specific location."

Shawn nodded along as Cody explained what they'd uncovered about the place, after finishing their investigation there. They often went into locations blind, like they had with the farmhouse, because it felt more authentic to connect the dots afterwards.

"So, Chimney Rock," Cody continued. "That's where a huge battle took place between Indians and cowboys. And it happened not even a mile and a half or so just east of this location."

"Right up against those mountains, it's crazy," Shawn added, shaking his

head. "We had no idea it took place so close."

"Here's an article that I found online," Cody said, holding up his phone to read from. "It says, 'In 1867, a group of Indians burned a man named Frank Telmage's mill in Blue Jay California.'" He paused for dramatic effect, staring expectantly at the camera. "All I can say is: Frank."

"Sounds pretty familiar right?" Shawn said with a wink. "But I have to laugh, because when Cody was reading this to me earlier, he didn't even realize the significance of 'Frank'. I looked at him and I'm going, 'Holy crap, that's Frank! *The* Frank!' until it twigged. We'd encountered a Frank during our investigation. He was the one who didn't seem to like our presence here and kept telling us to 'get out'."

Cody shrugged away Shawn's amusement, continuing with his historical debrief. "So anyway, they burned his mill down to the ground. In revenge, Frank and Bill got together and literally hunted these Indians down. All the way to this

corner of the land and shot every last one of them."

"It was a big massacre," Shawn said solemnly. "Pretty well know in this area too. It's part of the history here, and this farmhouse was right in the middle of it."

"And the evidence that we caught during our investigation here pretty much matches the history of the place," Cody said, beginning to thrum with excitement as he thought back to all of the proof they had collected. It was some of the best they'd recorded in a while. "We've caught the sound of gun shots here, and of course, the man named Frank is a huge presence at the house, which confirms everything else regarding the battle that took place. We've also caught the words 'burned' and 'fire', alongside multiple EVPs of Frank's name. It's kind of crazy how much everything fits together. This place, along with the land surrounding it, is probably one of the most haunted locations in all of Southern California."

"Definitely," Shawn said, nodding at the camera. "It's a given that sites of murder and bloodshed are often rife with activity, and this was no exception. The lives that have been lost over the years still remain, and we hope that the investigation we conducted here will bring us one step closer to proving that the paranormal does exist."

Cody nodded, and the two of them watched as comments flooded into the livestream from their fans. They had built a fairly sizable following now, and they couldn't help but feel excited to share their next location with them. It was always thrilling going to a new place, especially with no idea what kind of activity they might encounter.

That being said, this farmhouse was a place they wouldn't forget for a while. They had caught so much compelling evidence during their exploration here, and to have it match the history of the place was even better. After reviewing what they'd recorded and putting it against the reports of the massacre, they had been able to draw so many

links, the biggest being the presence of a man named 'Frank'. It was undeniable that the things they had seen and heard had been the efforts of spirits reaching out to them.

And in the end, it was investigations like these that really made Shawn and Cody feel like their dream of proving and documenting the paranormal was really coming true.

HISTORY OF

Chimney Rock, located in the Lucerne Valley, is often known as the site of the last Indian fight in California.

Before the historic fight that would mark the Rock for years to come, Indians used the mountainous areas of San Bernardino as grounds for supplying food to their families. When the white man began to cut down the forests and construct sawmills, the Indians felt that their hunting grounds were being encroached upon and ruined. Thus began the movement to rid the area of the white man.

The fight began in 1863, when the Indians killed a Spanish man of the name Polito at the mouth of the Little Sand Canyon. As they

escaped, they shot at a horse and mule belonging to both W. F. Holcomb and Pete Smith. At the same time, Dr Smith was shot in Cajon Pass by the Indians, but was not killed by the wound. In retaliation, Holcomb formed a posse of men and followed the Indians but were forced to give up the chase shortly after for the lack of provisions. Back in Cajon Pass, S. P. Waite killed an Indian when he was shooting at a blue jay, and only realized the morning after that he had hit an Indian.

Three years later, in 1866, J. W. Gillette, Ed Parrish and Nephi Bemis were rounding up stray cattle at the Dunlap Ranch. When Gillette's mule fell sick with exhaustion, he was sent back to the ranch to get a man named Pratt Whiteside to take his place. Gillette stayed with the herd that Whiteside had been guarding, until the horses of Parrish and Bemis came back with blood on the saddle. Upon the gruesome discovery, Gillette returned to the ranch to inform the sick Mr. Dunlap and gather men for the search.

They found Bemis' body shortly after sundown. The searchers

discovered evidence that he had been killed by approximately thirty to forty Chemehuevi Indians. The bodies of his companions, Whiteside and Parrish, were discovered the following morning; Parrish was still holding the stone he had been using to defend himself, and all three bodies had been missing their clothing.

In the winter of 1867, the Indians returned to the mountains and looted several houses in Big Bear Valley. From there, they travelled to the home of Bill Kane and stole the horses, supplies and guns of one George Lish and John Dewitt. Upon discovering the theft, Frank Talmage, George Armstrong, Jonathan Richardson and Bill Kane formed a group and went after the Indians. On their return to Kane's home, they found it burnt to the ground with all the goods inside that the Indians had been unable to carry.

The families of these men hid at the mill for protection with the promise that help from San Bernardino was on the way. The men, meanwhile, continued to track

the Indians. The snowfall made the hunt easier, and they found eight Indians at Willow Canyon. Talmage and Kane chased them with their horses while Richardson and Armstrong followed on foot with their pack animals.

The Indians hid from Kane behind a log and shot at his horse to throw him off. Kane lost his gun in the confusion but managed to hold onto his pistol. As the Indians ran from their hiding place to kill Kane, Talmage arrived in time to prevent it, killing one of the Indians and scattering the rest. The men returned to the mill for more men and ammunition to help in the fight against the Indians.

The following day, Talmage, Kane, Armstrong and Richardson were joined by William Caley, A. J. Currey, Tom Enrufty, Henry Law, George Lish, Tom Welty, Frank Blair and Joab Roar to help their fight. The posse met up with approximately sixty Indians at the top of the first ridge past the mill. The Indians opened fire with guns and arrows and the men shot back. After several hundred shots were fired

between them, the Indians took their wounded and retreated back to the desert. The posse let them go and returned to the mill to deal with their own wounded. Welty had sustained a shot to the shoulder and Kane had caught one in the leg. One Indian had been killed in the exchange.

Shortly after, men and supplies arrived from San Bernardino and the posse set out again. Half of the men went through the mountains while the others split and went through Cajon Pass. The groups met up at the Dunlap Ranch on the Mojave River, and the posse consisted of seventeen men: W.F. Holcomb, Jack Martin, John St. John, Samuel Bemis, Edwin Bemis, Bill Bemis, Harrison Bemis, Bart Smithson, John McGarr, Johnathan Richardson, Frank Blair, George Armstrong, George Birdwell, Joseph Mecham, Jack Ayres, George Miller and one whose name is unknown. The men located the Indians on a mountain northwest of Rabbit Springs and set to follow them. On the journey, four men became sick and retreated, but Wixom, Enrufty,

Button and a preacher name Stout and his son later joined the group.

That night, the men divided into two parties, led by St. John and Stout. St. John's group headed north of the mountain while Stout's part took the wagon road south. The group heading north arrived late, but by daylight the party who went south were already in place for the ambush. The south party saw no Indians but fired some shots to alert the north party of their location before they headed back to the wagons. The shots woke the Indians, who only noticed the south party, and they went down to the wagons to try and cut the men off. The north party, still unseen by the Indians, climbed the rocks and carried out an ambush. Arrows and bullets flew between the two sides until Richardson was shot. Miller went to get help and met with St John, who told him to guard the pile of rocks through which the Indians were escaping. Miller stayed to prevent the Indians from running while St. John went to get the other men to help.

The Indians managed to escape except for two squaws, a fourteen-year-old boy, a ten-year-old girl and a baby. The Indians were caught off guard by the attack and scattered when they thought they were trapped, enabling the men to take the prisoners and the injured Richardson back to the wagons. Holcomb, Button, Blair and Armstrong too Richardson back to San Bernardino to get him medical attention, while Martin, Miller, Bill Bemis and Ed Bemis returned to the scene of the battle in order to pick up the Indians' trail. From the tracks they discovered, they determined that the Indians had managed to regroup and were between 150 and 200 of them all together. They heard shots fired in the distance but decided to turn back as it was getting dark, and they still had a six-mile trek back to camp without water.

The following morning, all men barring three picked up the Indians' trail from where they had turned back the previous night. The men determined from the tracks that the Indians had passed close by them on both sides of the canyon. If

the men had continued to follow the trail the night before, they would have likely been killed.

The group followed the tracks until late in the afternoon, when they decided to return to camp. There, they met with Stout's son, who provided them with two extra horses, a canteen of water, and lunch for his father and brother-in-law. The three of them decided to continue following the Indians, despite the warnings from St. John and Martin. As the men at the camp settled down to eat their dinner, they heard gunshots from ahead and saw Stout's son riding his horse across the dry lake. The men from the camp hurried to his aid and saved the others from the Indians closing in on them.

Stout's horse had been shot and his son-in-law had broken his arm, leaving them vulnerable. The Indians had hidden in the rocks and waited for the men to pass before opening fire. The group fired back until the Indians scattered through the mountains, and they took the three men back to camp.

While Stout's wounded son-in-law was taken back to San

Bernardino for medical treatment, the remaining men determined they did not have enough firepower to continue the fight, and all returned home.

Thus ended the thirty-two-day campaign against the Indians and their mountain raiding parties.

CODY FORTUNE

Cody Fortune lives in California. He has investigated haunted places all around the world. You can find Cody on the_new_reality11 on Instagram, thenewreality11.com, or thenewreality11 on Tik Tok.

When asked what led Cody into his journey into the paranormal, this is what he said:

"All my life I have always felt I was made for a purpose or something more profound than what I was doing in life. When I turn 16 years old, I was introduced into the paranormal field. My buddy and I were at my parents' house playing video games around 3am. We both heard this loud noise which sounded like a vacuum going off in the living room! We approached the noise and found out it was coming from the garage! I opened the door and saw a leaf blower in the middle of the floor unplugged and on. Ever since then I was fascinated with the "unknown" and anything to do with ghosts or spirits. I joined a paranormal group when i was 19 with my partner Shawn."

At the age of 21, Cody began to sense and feel the energy around him. In some ways it was an enlightening time in his life and career.

"My hands would tingle when I got close to a "paranormal hot spot" I knew there was more out there than just the paranormal. I also was

suffering through a very traumatic break up at the time. I was very depressed and seemed like nothing could pull me out of it until I discovered meditation. Through meditation and the unknown I was able to explore a whole new world. It helped me gain a whole new perspective and look on life. I felt like I was growing closer and closer to the divine. From studying and practicing mediation and the paranormal field I felt like it was finding my passion in life."

Cody and Shawn have been working together for over 15 years to date. During their investigations they feel like their energies combined tend to bring out a plethora of paranormal activity.

"It wasn't till about early year of 2020 when Shawn and I decided to create our own paranormal group called The New Reality. We started a YouTube channel of our explorations into the unknown and have been growing and perfecting our passion ever since."

Their plans forward as The New Reality have never been more bountiful. Their hopes are to bring evidence of the paranormal to everyone who is in search of answers. And to date, their investigations have yet to disappoint.

SHAWN ADAM

Shawn Adam is a medium and a psychic who resides in Southern California. He is part of The New Reality on YouTube, Mountain Man Medium on YouTube, and Mountain Man Medium on Instagram. You can book your session with Shawn on thenewreality11.com or view some of their other crazy investigations.

Shawn helps individual clients seeking direction in their lives from loved ones who have passed to guides that are supporting.

When asked what personal experiences led him to be a part of The New Reality, Shawn said this:

"I think one of my first supernatural experiences I had was when I was having some drinks at a bar with some co-workers and at the end of the night I was talking the last person from the group and realized her grandmother as a spirit was with her I couldn't see her with my eyes but more of a knowing so I started explaining what she looked like she began to cry because they were really close. Her grandmother had passed away a couple of years back. As soon as she started to cry, I could feel the grandmother rush me to try jump into me. It wasn't like an angry thing, she wanted to communicate so bad with her granddaughter. I reacted quickly by trying to brush her off me, while saying "get off of me." I was very confused by what was happening. How did I know grandmother was there and how did I know she was trying to jump me? That's when I started my mediumship journey."

"Several years later I went to my 2nd workshop with Lisa Williams (I'd been to multiple workshops in the past one was also with James Van Praagh a 40-hour coarse) that's when I decided to claim my mediumship abilities. The day I came back Cody picked me up at the airport we talked about what I had decided. That's when we talked about going on a west coast trip. Ultimately, that led to start filming as The New Reality. We had already been investigating for over 15 years."

"For quite a while we did more Podcasting then investigating as The New Reality. But there was point where we were getting so much evidence it only made sense to really focus on capturing evidence on camera."

Shawn and Cody have been at their journey for a while, but in the scheme of things, it truly feels like this is just their beginning. They plan on doing many more investigations across the US and other countries as well. These plans include more

documentary still investigations as well as numerous in person cases. Feel free to check out their plethora of investigations on YouTube. The New Reality.